话说中华五千年

元史演义

田腾蛟 著

中国文史出版社

图书在版编目（CIP）数据

元史演义 / 田腾蛟著 . -- 北京 : 中国文史出版社，2018.6

（话说中华五千年）

ISBN 978-7-5205-0295-5

Ⅰ . ①元… Ⅱ . ①田… Ⅲ . ①章回小说—中国—现代 Ⅳ . ① I246.4

中国版本图书馆 CIP 数据核字（2018）第 113462 号

责任编辑：秦千里

出版发行：中国文史出版社
社　　址：北京市海淀区西八里庄 69 号院　邮编：100142
电　　话：010-81136606　81136602　81136603（发行部）
传　　真：010-81136655
印　　装：廊坊市海涛印刷有限公司
经　　销：全国新华书店
开　　本：16 开
印　　张：20.5
字　　数：460 千字
版　　次：2019 年 5 月北京第 1 版
印　　次：2019 年 5 月第 1 次印刷
定　　价：68.00 元

出版说明

《元史演义》,共一百回,又名《元代君臣演义》,民国田腾蛟著。

该书民国11(1922)年由商务印书馆出版。叙述了从铁木真于公元1206年建国起,经忽必烈于公元1271年定国号为元,至顺帝于公元1368年退出大都,共一百六十三年间的元代历史。该书汇总各种有关元代的史料,以流畅的文笔演义成十四朝君臣风云际会的一部小说。因其尊重史实,所以此书不但受广大读者欢迎,亦得到元史研究者的重视。

訶額侖
阿蘭郭斡
也速該

太祖后孛兒帖
元太祖帖木真
別勒古台
合撒台

木華黎
赤老温
博爾朮
博爾忽

乃馬真后
元太宗窩闊台
耶律楚材

元憲宗蒙哥
定宗姪失列門
定宗后海迷失
元定宗貴由

元世祖忽必烈
廉希憲
太子真金
許衡
拔思巴

元仁宗愛育黎拔力八達
元成宗鐵木耳
海都
元武宗海山

元英宗碩德八剌
拜住
鐵失
鐵木迭兒

泰定妃速哥答里
泰定妃必罕
元泰定后八不罕
燕帖木兒

脫脫
元順帝妥懽帖睦爾
奇皇后
哈麻

韓林兒
陳友諒
方國珍
明太祖朱元璋
張士誠

太子阿速吉八
元泰定帝也孫鐵木兒
元明宗和世瑓
元寧宗懿璘質班
元文宗圖帖睦爾

目　录

第一回　元世祖贬圣伐陵

元之先世，本号蒙古，其国在女真之北，以“奇渥温”三字为姓。有始祖母曰阿兰氏，寡居在极北沙漠。屡有光明耀腹，后一乳而生三子。季子曰孛端义儿，魁梧奇伟，沉毅寡言。其后子孙蕃盛，不相统属。传至九世孙，曰也速该，兴师攻塔塔儿部，大获全胜，擒其部长铁木真以归。也速该适生一子，遂以铁木真名之，志武功也。铁木真深沉有大略，用兵如神，灭西夏四十余国，雄长一方，遂称帝于斡难河，号曰成吉思可汗，是为太祖。由太祖、太宗、定宗、宪宗，四传而至宪宗母弟，曰奇渥温忽必烈承位，是为世祖，改元至元。及至元八年，正宋度宗咸淳七年，始改蒙古，国号曰元。时当宋季衰微，理度二宗，开庆咸淳年间，国势已十分不振，又恰用一妒贤嫉能、不学无信、吝军赏、挑边衅之贾似道为相，平章军重事，竟将中夏神州赤县，轻轻送与鞑靼部落去了。恭宗皇宗，四岁即位，仅二年，降于蒙古，虏之北去。二王航海，一益王名昰，恭宗兄也，时年九岁；一卫王名昺，恭宗弟也，时年八岁。恭宗北狩，益王始即位于福建，曰端宗皇帝。时元世祖遣都元帅张宏范，领兵追至闽中，君臣仓皇奔走，至广南硇州而崩。再立卫王，权统人心。以曾子渊充山陵使，奉梓宫，权殡于香山县马南宝家。南宝以献粟助饷，拜工部侍郎。时左相留梦炎早已逃匿，不知去向。右相陈宜中见时势危迫，托词请帝往占城诸国避难，己且先往谕意，为之先容，亦借此逃往暹罗去了。相从者少保文天祥、少傅张世洁、枢密使陆秀夫；宗室有荣公名晸，德昭裔也；虞公名景、宁公名升，德芒裔也；涪陵公名晟，秦王裔也。此外有樊公名昱、陈公名暹，俱年幼，涕泣相从。就中惟涪陵公晟，年方一十五岁，沉毅慷慨，屡屡痛恨误国诸奸，尝谓卫王曰：“早知今日如此狼狈，悔不在皋亭山，与伯颜背城一战，幸而胜，国之福也；不胜，则君臣在临安，同死社稷，省得今日跋涉海岛。深恨陈宜中当时不从耳。”言罢，目光如炬。张世洁大奇之。时由惠州之甲子门、谢女峡、井澳、潮州等处，又被元将唆都、刘深、百家奴之兵，冲杀数陈，张世杰死战，保护卫王而走。恰好工部侍郎马南宝，募集乡兵千人扈驾，直送至新会县南八十里，地名崖山岛，始住。相随者，惟宁公升、陈公暹而已。诸人并不知生死下落，卫王大恸。数日后，有败残兵至，言文少保，已在海丰县五岭坡，被元将所擒。此时君臣中心如碎。次日，张宏范大军由海道猝至，将崖山前后围定。张世杰叹曰：“频年航海，何时已乎？”纵火焚行朝草市，以大舶千余只，列成一字阵，下碇海中，外舳内舻，贯以大索，为死守计。元兵纵火焚舟，宋舰皆涂泥，上缚长木以拒火，舟不能热。张宏范招之不降，攻之不克，相持十余日，无计可施。究竟元人师广力强，又分兵由奎山之东，转而南入大洋，兼以奇兵，断了樵汲道路，宋师大困。世杰虽智勇足备，奈天命已去，众寡不敌，前后夹攻，诸军遂溃。枢密使陆秀夫，自知不免，先驱妻子入海。谓帝曰：“陛下不可再辱。”负帝蹈海而死。杨太后大恸曰：“我忍死间关至此者，为赵氏一块肉耳，今无望矣！”亦赴海死。升暹二公，及群臣从死者甚众。张世杰以十六舟，奋勇杀出，正遇元将朵尔思忽横舟挺枪阻住，世杰大喝一声，挥刀斩落水中，夺港而去。一心望占城逃走。惠州失散，赵氏后裔，必逃彼处，别立为君，再图恢复。至海陵山下，忽遇飓风大起，几乎舟覆，部从欲弃舟上岸，世杰止之。望着海水，长叹数声，命取瓣香来。世杰焚香，仰天大呼曰："我为赵氏，心力尽矣，一君亡，复立一君，今君亡而我未死者，非畏死也，欲待敌兵退，别立赵氏，以存大宋之檀祀耳。天若不欲我恢复赵氏，风覆我舟，世杰宁畏死之人哉！"言未毕，果然飓风又起，雪浪掀天，世杰端坐不动，海水突然高起，十有余丈，柁折舟覆，世杰死焉。马南宝在香山闻之，泣曰："国亡与亡，吾之死期至矣！"遇乐、遇阳二子，日日悲泣，吟诗有云：目极屋门天地改，寸心不与夜潮消。又云：众星耿耿沧波底，恨不同归一少微。亦不食而死。当时有元将唆都等，分兵来追世杰。见此风浪，亦舣舟近岸，不敢向前，徐徐回舟。合着张宏范大军，肃清闽广，凯还燕京。世祖大喜，升赏诸将，屡令宰相孛罗等劝降天祥。天祥志贯金石，心如日月，迨至世祖至元十九年，不屈遇害。前三日，大史奏三台星折，盖忠义之气，终不能挽回劫运矣。

且说元世祖自灭宋后，志得意满，初政尚略有可观，洎至元丙辰辛巳年间，悖谬备至，悉淫宸极，秽污宫闱，傲狠之性，殆莫与抗。先是世祖尝问太保刘秉忠曰："朕起沙漠，奄有中夏，海外诸国，罔不臣服，可谓千载一时矣！不知朕之国运，千载后谁为继者？太保占事之来，若合符节，惟朕深知，当不隐讳。"秉忠曰："自古龙漦，乌火，洛龟无书，纳甲飞符，河图无法，又况鸟鹊知来而不知往，猩猩知往而不知来，天运国祚，安可预知也？然据臣推测，似属西方之人。"世祖默会其意，谓僧录司八思麻等，乃西人也，平定诸国有佐命功，尊为帝师。使天下极其崇奉，生列上公，死葬王礼，没后更立一人，定为家法。或可以暗损西人之福。故平宋后，即诏以八思麻为推诚翊运保戴大国师，官上柱国，班宰相上，朝臣凡一品以下，莫与抗礼。世职罔替，其桑门满利班只，授大司徒；嗣古妙高，为枢密副使。弟子等，凡是西僧，概授五品职衔。旨下，有翰林承旨李迪，左庶子赞善大夫王晏，上表切谏。其略谓朝廷名器，不可妄假于缁流。且国家景运初开，一言一动，皆宜慎重举止，以为天下后世法。西僧等至假以国师之名，业已过矣，不可滥授。极品，紊乱典常，乞停此诏，则臣等幸甚，天下幸甚云云。世祖大怒曰："尊崇释典，敬礼国师，乃朕祖宗家法，小子何得要君罔上，讪谤朝廷。"立命押赴市曹斩首，文武不敢谏阻。二人斩毕，退御便殿，八思麻等入见谢恩。世祖大喜，命各赐坐讫，谓之曰："朕推崇释教，凡有国政，皆与国师等商度是非，议论得失，国师等亦宜尽言无隐，罔负朕意。忽令彼书生辈，饶舌不休也。"八思麻等，再拜起谢曰："陛下皈依释门，崇奉吾教，我佛有灵，大元之国运，万世永赖矣，臣等敢不竭尽愚衷，翊戴圣明哉！"世祖称善。八思麻遂乘机进曰："陛下尊奉吾教，不择臣等苾芻，猥厕朝右，陛下之意至矣。然在廷文武与天下之人，必不服。"世祖怒曰："朕为天下主，独不能操其权乎？"八思麻曰："非也！自来三教并列，而与吾教相水火者，道也。从古帝王重道则毁释，崇释则毁道，释与道势不两立。然最与吾释门相仇敌者，尤莫甚于儒。即如当今士大夫，多宋末衣冠之旧，谓其礼乐文章，足以治国平天下，其中奸诈百出，机变沓生，误人家国，为祸不浅。孰有我西方之教，清净纯一，易臻上理哉！陛下崇佛，而天下儒者皆谤佛，何也？盖所崇者殊，而所尚者异也。天下仅陛下一人崇佛而已，为今之计，欲天下之人，皆崇佛法，不如禁彼两教，匆使并行，焚其书、灭其法，夺其所奉、贬其所尊，此陛下所能操其权者也。伏维陛下圣裁。”世祖恍然大悟曰：“微国师言，朕几为群儒所误。朕亦思天地间，既推朕为至尊，何得又奉上帝。又崇至圣？朕几貌焉中处，不能辖遍覆载矣！来日下诏，方表朕心。”八思麻等遂出。次日临朝，大会文武，传诏曰：朕今混一土宇，中外臣民，宜定所尚，以便各遵荡平之路。尚忠尚质，三代惟然，是道是儒，累朝皆谬。朕前已崇奉释教，皈依西方，二三臣工，罔敢异志？其儒宗至圣孔子，降为中贤，免行释奠之礼，学宫改为兰若招提，科举学校一律停止。上帝天翁，坐拥虚器，懵懵无识，全无降鉴之德，宜更其位，圆丘郊祀，俱罢典礼。其道门书籍，概用焚毁，惟《道德经》不在此数。有私藏天文图谶、太乙雷公式、七曜历、推背图、苗太鉴历等书者，杀无赦。知而不举者坐。诏下，文武骇异。翰林学士王磐，出班欲谏，太傅伯颜，手牵其裾曰：“先生独不见李迪、王晏耶。”王磐不听，大言曰：“老夫今日得死所矣。”班中左拾遗吴潜、给事中刘元礼、集贤大学士许衡、工部郎中郭守敬、昭文馆学士张文谦等，一齐曰：“王翰林能死，断不能一人独死也！”王磐苍颜白发，盛气向前，正欲毁其白麻，忽西南嚯唰一声，如天崩地塌。内宫传言，太极殿被雷声震塌一角，霎时天昏地黑，雨雹并至，屋瓦皆起，世祖大惊退朝。桑门国师等惊得无处逃窜，随着众官，仓皇出朝。至正阳门，忽疾雷一声，将专吽没的里二西僧震死。时王磐执许衡手言曰：“灭天毁圣，亘古未有，谁谓苍苍者或懵也？”叹息而别。次日又报，大同路地震，江淮等处大水，淹死居民二十余万。太庙中鬼哭有声。群臣方谓天变猝至，可回帝心，上表进谏，文武交章劾奏西僧，而世祖刚愎日恣，竟不批出，亦不停悔前诏。许衡叹曰：“先圣德与天侔，其圣自在天壤，岂人所能升贬哉？衡读其书，得以身名俱显。累累乞休不许，非我志也，今老矣，更贪位立朝，人将谓我无耻。”郁郁致仕，不久遂卒。王磐亦以年老乞病而归。

一日国师桑门等，及一班律臣，侍案偏殿。世祖偕诸王妃嫔，浮白噱饮，自起行酒，谓众人曰：“今日须痛饮尽醉，不醉者以违旨论罪。”一时群臣，丧德失仪，谑言谩语，全无顾忌。饮至半酣，世祖兴起，磕头箕倨大呼曰：“取龙头钵盂来。”少时，内官捧至，众视之，不解何物。世祖曰：“饮器也，用人头琢就，然必国王之头方妙，此乃蛮国王头也。凡我西方诸部君长，伐人之国，得王头为饮器者，最为吉祥。”群臣皆贺。嗣古妙高进曰：“陛下饮器，自以为妙。然据臣思之，犹未尽善。”世祖有怒色。嗣古妙高谢曰：“陛下言此饮器，须得国王头为之始妙，然不过国王头耳，非天子头也，若得天子头为之，岂不更妙？”世祖回嗔作喜曰：“果然更妙。”嗣古妙高曰：“今宋帝诸陵，皆在会稽，何不遣使伐掘陵寝，取头以归。且陵中必藏有珍玩，可得金宝。最为两便。”世祖手抚其臂大笑曰：“枢密可人哉，朕昔年平国，数十有余，所获珍异无算。及张宏范灭宋以归，珍宝全无，惟得一死不屈节之文天祥而已。朕甚怪焉。金宝乃在陵中，枢密不言，朕焉能知？权擢少傅，异日更有升赏。”嗣古妙高叩首谢恩。即日传旨，遣侍郎卢世荣、宦者咬住，前往会同浙省平章哈马黎伐陵。二人领旨，即往临安去讫。

第二回　程廉访招贤纳士

元世祖平宋后，宗室大臣族姓，概行迁于内地，凡台省诸职，间用南人，惟御史台、按察司等官，不用南人。又制江南人为十等，一官二吏，先之者贵之也，贵之者，谓有益于国也；七匠八娼，九儒十丐，后之者贱之也，贱之者，谓无益于国也。嗟乎！以儒者而屈乎娼之下，丐之上，闻者尚犹羞之，矧当时有志之士，肯立于其朝乎？至是御史程文海奏曰："陛下扫平区宇，中国之天下，须参用中国人。则风土人情，悉得其宜，如御史台、按察司，乃采风问俗之职，江南等处风土，非南人不谙也。且江南为故宋人物荟萃之地，今宜设各道廉访使，博采知名之士，朝廷充用，天下可不劳而定矣。况陛下诏书，崇奉释教，停罢科举，非采访何由得知？"世祖允奏。即命程文海为江南廉访使，拜集贤直学士，兼侍御史，行御史台事。

文海得旨，一至江南，令人访求留梦炎、赵孟頫二人至，谓之曰："当今大元天子，侧席求贤。文海故有是命。二公抱经邦济世之才，与草木同朽，是明月之珠，夜光之璧，委诸道涂矣！二公若能以昔日事宋者，改而事元，或可稍展骥足耳。"二人齐声曰："亡国之大夫，不足与图存，某等猥以庸质，深荷采访荐举，若肯垂手引援，身立治朝，得以尺寸自效，固所愿也。"文海大喜，给与诰身。二人叩首谢命，荐入燕京，俱用为翰林承旨。留梦炎谢表有云：使伏枥驽蹇，布骐骥而踝足，窜迹翩翎，排鸳鸯而刷羽。又云：分其斗米，济濡沫之枯鳞；惠以余光，照芃棲之寒女。赵孟頫亦用杜牧之语，书奇文海云：泛大鲸之海，每觉魂摇；戴巨鳌之山，未如恩重。甚至有云：惠深范叔绨袍赠，荣过、苏春佩印归。呜呼！二人之求仕，如此其亟也！文海随又访求赵孟适、张伯淳、叶李二十余人，荐之于朝。内中惟谢枋得逃去不就，余者世祖擢居显要，皆大用之。

当时临安有一衣锦山，山之东峰，天生一片圆石，径二尺七寸，其光可鉴人影，毫发不爽。五代钱镠幼时，游玩至此，自顾其形，皆冠冕黼黻如王者状。继后唐昭宗皇帝，因封钱镠所居营为衣锦营，又升为衣锦城，并封此山为衣锦山。程文海采访江南时，将过浙江，恰好山中有二名士；一姓范名国昌，汝南人也；一复姓司马，名肃，河内人也。因避宋末之乱，相遇于平江，各诉衷曲，志同道合，相约共隐。及元兵北去，二人曰："闻临安大好山水，曷往杭州。一者不忘故国，二者得玩湖山佳丽。"遂至城东，买山为终焉之计。二人每于月下星前，促膝谈心，间及国事，未尝不潸然流涕也。或时荡舟西湖，或时散步葛岭，或时招凉苏公堤上，或时选胜灵隐寺中。一觞一咏，凡飞来峰、小孤山，诸处名胜，招之可到。但题咏时，出口无非乾坤有象家何在，江汉无情水自流。其时地使之然也。一日又闻元主，命程御史访求江南人才。留梦炎、赵孟頫俱荐入燕，已得位矣。二人大恸曰："生死事小，廉耻事大，人之无良，一至于此。"蒙古江南十等之制，儒宗扫地矣！矧宗藩旧相，忍覥颜于其朝哉？此间密迩杭城，征聘来时，不惟羞杀故国之父老，亦且有玷旧国之山川也。”收拾琴书，往苏松别求名胜而去。二人在途不时感叹。国昌唱然曰：“风景不殊，举目有山河之异。吾与兄宁终作楚囚泣耶。”司马肃亦叹曰：“胡元虽混一中国，然观道途情形，举目皇皇，人心未定，草泽中若有英雄崛起，扶持颠危，天下事未可知也。”二人安步当车，缓缓而行。非止一日，忽见一关，范国昌讶曰：“此独松关也，属苏州吴江县所辖。”方欲进关，见把关军士，围着许多车马，与二少年壮士厮打。二少年全无惧怯，赤手空拳，施逞威风。众军士俱披靡莫当，远远围定。大嚷曰：“过关常例，俱有明文，乃大元天子所设，尔恃强违例，卖弄本事，欺藐国法，禀见关主定夺，尔能插翅飞否？”二人方知就里，上前排解，代给常例，可笑作怪军土便不语了。二少年犹忿怒不息，大骂酋虏，作法自毙，某若得志，誓将汝等羯贼逐出斡难河外，方泄吾愤。二公上前，急掩其口，代为谢过，拥着车马，一同过关。少时随后一人，打马扬鞭而来，相貌堂堂，气宇不凡，一见二公，滚鞍下马，称谢曰：“孺子辈无礼，深荷二贤士解纷，今晚逆旅，请同下榻一叙可乎？”二公心知其为少年父也。暗奇其人，许之。行不数武，则二少年已只候于客舍中矣。三人一同入邸，坐定，各陈姓名，其人自言云中马邑人氏，姓岳，名燕超，二子岳镇、岳坤，世居山后农耕为业。惟高曾以上名胜者，景德祥符间，曾任三关总制兵马使，兼团练使之职，余俱不显。宋末窝坦台，陷没云中，避乱东京，再迁会稽山阴。近闻元主设各道廉访使，访求人才，某见江浙，被程御史荐入燕京者甚多，故今移家远徙。某观二公行色，高视阔步，毋乃亦此意乎？二人听罢，哑然而笑曰：“智者所见略同哉！共剖心腹，如出一辙。”燕超曰：“某以武人，尚不忍见故宫之禾黍，彼留赵诸人，岂无人心者。”范国昌浩然叹曰：“冠履倒置，如斯为盛，囚首虏廷，身是故宋遗老，中原从此无名分矣！”司马肃曰：“蒙古灭天毁圣，停罢科举，故设采访之官，然崇尚西僧，已三纲殄绝，又求人才，前后自相矛盾。满廷髡秃，杂以缙绅，彼非求治，乃欲羞杀儒者也！”范国昌曰：“蒙古放枭囚凤，不齿儒者，然儒者席上之珍，其贵自见，蒙古何知？不足语此，是非九方皋，焉能赏识于牝牡骊黄外哉！惟灭天毁圣，擢发不足以数其罪也。”燕超忽然触着灭天贬圣一事，不觉发指。一时酒后耳热，拔剑起舞，复长吟云：

猎猎北风吹倒人，乾坤无处不生尘。
胡儿冻死长城下，始信江南别有春。

范国昌亦向临安酾酒吟曰：

国破山河在，人非殿宇空。
中原何日事，搔首赋车攻。

司马肃慨然叹曰：“留梦炎在宋为状元宰相，富贵可谓极矣，不守节义，并不知进退者也。”亦成一律曰：

黄犬东门事已非，华亭鹤唳漫思归，
直须死后方回首，谁肯生前便拂衣！
此日区区求适志，他年往往见知机。
不须更说莼鲈美，但在松江水亦肥。

三人促膝达旦，竟成莫逆。国昌叩其二子，俱年方弱冠，且武略精通，言谈之间意气自豪。燕超叱之曰："孺子在家，专务弓马，未尝学问，既见长者，理宜肃聆德诲，多识之无为是。"二公起谢，称赏不已。次日作别，燕超曰："某在东京，有二契友——韩靖夏、高耀卿。耀卿乃渤海世胄，宋末时，不屑进取，隐身博徒，赋性豪迈，最尚任侠，家资百万，挥洒如土。韩靖夏乃延安人氏，曾为东京留守司统制。因见贾似道专权误国，弃官而去。二人与某订交最深，分手时，相约异日当会于闽广间，不知二兄异日亦可于闽广间得相遇否？"二人一齐言："鸡黍之约，千里不爽，各宜努力，皓首为期。"因问燕超何适，燕超曰："某今日犹飘萍转蓬，行踪靡定，然男子仗剑樽酒间，四海皆吾家也。且过广陵，再定行止。"燕超遂向维扬进发，二人亦投松江而去。

第三回　冬青树记换君王骨

会稽狮山房湖间，有一老人，操舟往来江上，自言朱姓，江上人皆呼之曰："朱叟"，与村中父老极为相得。花朝月夕，往往刺舟而来，酌酒与父老共饮，倾觞谈心，整日不倦。一日正饮间，朱叟忽掩面大哭，众皆愕然。朱叟曰："吾悲宋室耳。"众解之曰："宋室虽可悲悯，然事往矣！翁毋自苦。"朱叟收泪，从容谓众曰："老夫世居淮西，服畴食德，代沐国恩，自夏贵以淮右降元，举家逃窜十年，并无确耗。老夫浪迹两浙，蜉蝣江上家国茫茫，乃故宋之遗民也！恶得不悲！"言讫，涕泗横流，众皆感泣。朱叟泪满杯中，举酒酬江，吟曰：

烟凝楚岫愁千点，雨洒吴江泪万行。
牢落京湖数十载，不堪独坐细思量。

朱叟曰："老夫略识涂鸦，摭拾唾余，博父老一噱耳。但老夫在淮时，亦喜与里中父老，烹鲜炰羔，敦崇信义，惟期积厚作子孙计，若缓急有无施与，皆我等分内事也。"时座中有陶翁、徐翁者，颇读书明大义，皆感叹曰："乃翁素履所荫，未可量也，我等俱宜效之。"众皆肃然起敬，自此逐日登秦望，游天姥，访苧萝，玩若耶，聚饮江干，散步古刹。会稽乃千岩竞秀，万壑争流之区，朱叟一面玩景，一面探访家音。一日过余姚之墟，见沙浦坐一少年，面如死灰，欷歔欲绝，朱叟怜而问之，则曰："韩其姓，怀珠其名，滁州全椒人。宋末，父为县尉，薄宦余姚，卒于任所。今始间关来越，寻亲骸骨，未知何处，是以恸耳。"朱叟曰："滁州千里迢迢，女雏年弱质，乌能达此？"少年曰："怀珠年近弱冠，但念有父不得生还，岂骸骨亦不能归里，中心惨怛，五内俱裂。辞母离滁，至中途已资斧告罄，幸遇同里朱阿哥来浙，怜我幼弱，随行始达。"朱叟闻一朱字，急问朱姓者何名，来此何故？少年曰："名方义，本淮西人，宋灭元兴，家室离散，伊寻父来越。"并状貌年齿，历历述之，朱叟不觉泣下，曰："是吾子也，暌违数十载，今日始得音耗。"众父老皆大喜称庆，少年叩首泣谢曰："老翁不日骨肉重逢。小于亲骸，何日得归？"朱叟此时，悲喜交集，喜者，父子相逢有日；悲者，茕兹韶年孺子，间关跋涉，寻亲骸骨，若不代为借箸，奚以慰其孝思？众父老皆慰藉少年曰："尔父临没年月葬记，女得闻否？"少年答以未闻，众父老皆有难色。朱叟停会，私问其父宦途行径，宦囊充实否？少年捧腹泣曰："前日贫无卓锥，近来连锥也无，但父没亦有因。县令史公，本以夤缘贾平章馆客廖莹中，堂吏翁应龙二人得选，日日坐私衙，打屈棒，替豪门作犬马，与父有隙，父解组乞归，因以诗讽之曰：

拷打追来只为金，转增冤孽罪何深。
莫将棘枳栖鸾凤，愿得挂冠游竹林。

县令怀恨在心，乞休不允，因事构陷，遂卒任所。县令寻亦被逮，此母氏在家言之。”朱叟慨然曰：“女父素行若此，骸骨决然可寻。”同至城近，凡萧寺、废院停棺处，物色殆遍，皆有主者。众讶曰：“岂一县尉尸骸，竟委沟壑耶！”少年号泣而行。朱叟与众，探坟问塚，白杨箱望处，搜剔备至。一日少年泣谓朱叟曰：“夜来梦身卧雪地，雪月交辉，忽又行走河畔，宿草蔓延，芊芊绵绵不绝，耳中若闻人语，有云：‘官告终养，身无寸丝，人欲请宾，口不能言，’似乎亲骸不可得也。”众人疑辨一会，有谓吉者，有谓不吉者。内有罗翁名铣者，恍然曰：“是矣！终无丝，冬字也；请不言，青字也，合冬青二字，意者乃父尸骸，其在冬青树下乎！”朱叟亦悟雪月雪地，冬也；河畔草，青青也。罗翁所测无疑，众人一齐行至西山幽绝处，果有冬青数株，树下桐棺累累，逐一看去，惟最下一棺，业已败朽，并无封志槽。上垢泥铺藓，白骨多露于外；少年一见心酸，即欲刺臂沥血，忽见骨旁有玉块一枚，泣曰：“此我父故物也。”众问何知？曰：“与家中母氏所存无异。常言双块一存父身，一藏母所，非其验乎！”众皆奇之，少年带泪刺血，真沁入骨，滴滴不溢，遂抚骨大恸。甲乙检集包好，叩首众人，方俗拜谢朱叟，忽其子方义，踉跄而至，众皆大悦，朱叟父子，喜出望外，方义又见怀珠已得父骨，深幸死亲生父，各遂所愿。怀珠十分感激，深谢朱叟父子，德比二天，异日誓图死报，倘不于本身，必于其子孙见之。朱叟逊谢。今按韩怀珠，即义死鄱阳之韩成祖也。当时众父老，已知朱叟将离会稽，又嘉方义、怀珠二人，仁孝可风，争相挽留至家，欲以觞之。方过姚墟，忽道涂纷纷传言，世祖遣官伐陵，取骨收宝，使臣奉旨，将至临安，会合平章，不日即临会稽。众父老惊讶不已，暗想：自有天地以来，岂有伐陵天子，恐系讹言。回至山阴，人人传说，果有是事。皆讶曰：“夺其国而更伐其墓，太属不情！”朱叟愤惋泣下曰：“巍巍至尊，没后朽骨不能保全，何宋帝之不幸至此耶！”时同行有少年，姓唐名珏，字玉潜者，独倡言曰：“我等逐日游恋狮山扆湖间，目极宫殡，尚怀水土之恩，今遭大变，理宜瓣香杯酒，陵前沥奠，略表小民寸心。”众父老皆言甚善，独朱叟沉吟未决。陶翁让之曰：“翁平日忠义自许，此时何气馁不胜？”朱叟摇首曰：“徒往一奠，此事殊未了。”众皆拱手听命，朱叟曰：“陵中之宝可取，陵中之骨不可去也，须设法藏之。”众谓藏之亦未尽善，元主特为取骨，若不得骨，决然征问左右居民，无噍类矣。一时拟议未定，又闻使臣已莅浙省，总统江南浮屠杨琏、真珈，亦赴杭城。会稽萧山知县，明日皆来巡视，禁上游人。朱叟谓怀珠曰：“事急矣！请以令先君骨易之。”怀珠泣而不答。众父老曰：“此计甚善，韩县尉以臣代君，朽骨犹存，忠义！女以千里寻亲，不得乃父之骨，而得君王之骨，相易以葬，亦仁人孝子之用心也。”怀珠方允，众父老甚喜。行过水隩，忽江干有一丐者，背负竹箩，手持竹夹，一路长歌而来。歌曰：

沧桑感慨兮，陵谷迁移。
珠宫抔土兮，衰草迷离。
高孝两朝兮，惠泽布施。
遗骸不保兮，令我心悲。

众闻其歌异之，丐者见众父老，正色曰："公等殡宫比邻，忍坐视乎？"朱叟示以意，丐者大喜，自言姓林，名景曦，字霁山，在宋为太学生。公等好义，愿与共事。众父老甚喜同心，各去备器械。黄昏时候，首先至理宗皇帝陵所，惟见墓木虚拱，翁仲空立，驼马尚犹睁嵘，丹青亦未剥落，但寒食青草，夜月棠梨，麦饭一盂也无。诸人暗暗奠讫，独有罗翁名铣者，原本故宋中宦，深知陵中广狭曲折布置之法，穴出隧道，径达灵寝，用铁管撬开寝门，白玉棺即见，众人用力透其枢纽，举而启之，惟更换其骨，其余珠襦玉匣，分毫不动。负骨而出，掩其关，塞其隧，土色石痕如故。朱叟一得此骨，随交与怀珠曰："以理宗皇帝龙骨，作尔父骨，当不辱没女矣。"怀珠泣谢。时林景曦亦至，高孝二帝陵前，一时性起，欲遍易之。父老皆虑无骨更换，而同事者众，即奔各处无主墓中，随取无数人骨，不拘或贵或贱，或长或短，七脚八手，尽将南宋诸帝陵中，如法更换其骨。朱叟乃斫文木为匮，复黄绢为囊，各署其表曰：某陵某陵，葬之兰亭山下。韩怀珠曰："帝王之骨，小子何敢竟葬为父？不如一齐瘗此，异日或有还陵之期，父骨既已代君，僭居陵寝，小子以玉块一枚，归复母命，于心慰矣。"众皆大喜，无不以忠孝奖之。又将理宗之骨，深深瘗讫。朱叟乃市羊豕，具牲醴，少年唐珏，作文以告。林景曦亦作诗吊之。陶翁谓朱叟曰："瘗处若不立记，将来此骨，还陵无期矣！"朱叟曰："不必他物，每瘗一处，即种冬青于其上，他日有继我等志者，冬青树即宋君之墓志也。"少年唐珏，争先种之，井口占一绝曰：

> 一杯自筑珠宫土，双匣亲传竺国经。
> 只有春风知此意，年年杜宇哭冬青。

众父老亦各于所函土堆上，逐一种之，朱叟候众人种毕，乃举酒酹曰：

> 炎宋无辜，蒙古伐陵。
> 罪列穹苍，虐及杳冥。
> 惨矣列圣，鉴我椒馨。
> 瘗玉何所，视此冬青。

再拜奠别，共秘其事，外人无复知者。时至元戊寅岁十二月初八日也。次日，朱叟父子及韩怀珠，辞别父老，遂回滁州。今按南宋宫殡，在会稽者甚多，而质湖之滨，狮山之侧，茔址可识者，约有二十四处，俗呼为二十四堆是也。后人观此有感，咏以诗曰：

> 质湖湖水明如镜，照出兴亡事可哀。
> 二十四堆春草绿，钱塘风雨翠华来。

当时浙省平章哈马黎，乃枢密正使和礼霍孙之弟，抚恤人民，颇有干略，闻御史台采访人才，亦屡下士礼贤，辑睦同寅，钱塘江下，每多盗贼盘踞津隘，商旅难通，严檄武弁巡缉，稍稍敛手。时有江宁巨盗秦锡帛、邢土龙、蓝天蔚等，由润州杨子桥趋过南徐，私窥临安。闻哈平章威望素重，亦遂引去。在杭州又有京西华州寇复雷，其人伟岸风骨，目瞬如电；河东关普灵，面如重枣，声若洪钟；枣阳焦芳、歙县宇文广、聊城斛律亢宗等，无不智勇足备，出人意表，遨游钱塘，凭吊临安，有饮马长江之志。正遇侍郎庐世荣，宦者咬住，奉旨伐陵来浙，哈马黎同杨琏、真珈等接旨已毕，飞马报往绍兴。此风一出，人人咤异。数日备齐车辇，董率卒役直往会稽。有绍兴知府刘含芬，暗暗饮泣，承接不遑。会稽山阴萧山诸县令，只候陵所。庐世荣、咬住等，于是月十二日，同至理宗陵寝近处，略略巡视，下令人役，金宝不得损伤，亦不许隐匿，违者定按军法。军役得令一声呐喊，只见云愁雾惨，日黯风悲，天地无色，草木饮泣。纵斧处鸟雀争飞，挥锄时狐兔逃窜，龙螭丰碑，一齐粉碎，鸾凤文石，并无瓦全，层层撅开，将珠玉金宝尽行辇出。侍郎卢世荣，逐件查明注册。更往内掘，石门紧闭，用铁锤击碎石管，一声响亮，寝门洞开，已见灵柩左右，石栏盘白玉神，路灿黄金，殿寝陈设，十分华丽。咬住命尽行折毁，珍玩一一运出，然后破棺抉首，军士以利斧斫破石槨，直截其首而出，棺内所有，罄行取之。咬住一见首骨，讶曰："此陵不上三十年，骨已朽至此乎？想应宋室数尽矣。"一时伐遍诸陵，搜掠靡遗，坏棺破穴，残年断骼，委弃满地。甚而近处有公卿大夫之墓，士庶富贵之茔，骄兵悍卒，见冢即掘，棺既毁啮，弃骨草莽间，微或阻之，拔刀相向，掳掠奸淫，无所不至。有司知而不问，会稽遭此惨酷，人人切齿，处处痛心，行道之人，无不饮恨吞声，掩面而过，此即大元世祖皇帝泽及枯骨之第一善政也。会稽随即大旱三载，赤地千里，江阴水决，衢州地震，无非人民怨气所致。喜得山阴唐玉潜、林霁山，既同朱叟等换骨，倡为义举，朱叟别后，二人遂订莫逆之交，往往作诗，互相赠答。及见诸陵伐掘后，二人愤极，侦元使去后，凡各处断残肢体，尽收而葬之，其有不获者，行贿西僧，买归以葬，葬毕远循，惧获罪也。

且说哈马黎督率军役，伐掘已毕，回至临安，将理宗首骨，用匣庋置，辇上金宝，庐世荣、咬住离了浙省即回燕京。寇复雷等在余杭县，初闻此信，人人怒发冲冠，大骂虐及枯骨，羯贼有为君天下者乎！众人商议，发掘后，离杭回京。我等先在北新关三十里，罗刹江岸等候劫杀庐世荣、并宦者咬住，夺回君王骨，仍置陵中，方泄吾愤。众皆磨拳擦掌，准备劫杀。比及寇复雷等知之，则庐世荣去杭已三日矣，诸人叹息而罢。世祖一日得理宗首骨，并许多珍异，喜至手舞足蹈，命精巧工匠，将骨用珠玉嵌就，镶成琳珑八宝龙骨饮器，酌以酪浆，尝其旨否，十分满志。重赏庐世荣、咬住二人，官爵有差，而加西僧嗣古妙高为太傅。自以为得此饮器，宏开景运，国祚绵永，设宴大庆，西僧等合口颂扬，群臣皆呼万岁，而不知上天震怒，人心叛离，国运自此斩矣。

第四回　灵隐寺激怒英雄心

却说杭州临安城外一寺，曰灵隐寺，乃吴浙第一名山。唐宋以来，代有胜迹，诗人骚客，留题不可胜述。南宋又驻跸临安，故当代尤甚。元主既奉西僧，凡名刹髡首，无不骄恣傲睨，而平章哈马黎，每来灵隐，见游士云集，甚恶之，谓混扰清门，出令禁止，寺僧遂如虎生翼，种种不法，大肆横行。寇复雷等在杭，偏欲搗入虎口，往来寺中。一日有游士三人，一名韩昭，一名李穆，一名杨孝伯，来杭访友不遇，散步入寺，凭古迹。李韩二人触景兴怀，吟诗不辍。惟杨孝伯玩景不置，观其气宇轩昂，似非笔墨者流，而寇复雷等，以英雄遇名士，自尔情投意合，约略数语，欢然相得，各通乡曲，即命从者取酒，择一回廊静处，开怀醵饮。寇复雷提起伐陵一事，拍案大怒，目中火出，韩昭、李穆，掩袂欷歔，曰："似此惨恶，一部十七史，未之见也。"关普灵曰："蒙古以犬羊之俗，豺狼之性，兵戈所至，靡不残虐，而天意竟归之。作斯世主，惟智者不平焉。"李穆曰："天道幽远，此意令人难知，古云：'顺天者存，逆天者亡。'逆取顺守，尚难保国，矧蒙古逆取逆守乎？宋末偏安海隅，纲纪不振，用人乖舛，蒙古扼其吭而夺之，偶得志耳，未必即为天命攸归也。"韩昭曰："诸君以天意佑相蒙古耶，而不知天怒实甚，蒙古崇奉西僧，尊礼释教，停罢科举，狂言悖语，贬我先圣尼父，而为中贤，妄作妖书，欺灭上帝，故今灾异叠见，地动山崩，古今有如此天子乎？"言未毕，座中焦芳勃然大怒曰："反了反了，灭了圣教，改换天地，是举目不见三光了，不反何待？"韩李二人讶曰："寺中恐属垣有耳，诸君醉矣。"寇复雷亦激怒而起，众人俱拔剑击柱，暴躁狂呼，时已惊动寺中长老古岑思吉了了和尚。这了了和尚，正是西人，狞面赤须，勇悍淫虐，惯使双刀。二弟子海清、海宁，原是宋末独松关总兵张濡部将，伯颜破关，遁此为僧，助桀为恶，寺中凡五百余僧，俱是乡里无赖，斗牌宿娼，帮闲吃白食的髡秃。可惜灵隐寺历代名胜，竟为藏垢纳污之逋逃薮矣。时寇复雷等初来寺中，众僧欲上前阻滞，见诸人状貌，知难歪缠，听其游玩，想不久即去。谁知诸人性起，大呼大嚼，端来撩彼虎须，了了和尚得知，老大着惊，有二行者上前责曰："此乃净地，行者有令，禁止游人。女等业已违令，还狂饮喧呼，是何道理？"寇复雷大怒，触口就骂，宇文广挥拳便打。二行者吓得魂不附体，飞也似奔去了。韩昭、李穆素知寺中僧众不法，即速避出寺外。众人哗然曰："不入虎穴，焉得虎子。"率性撞入寺来，正遇了了和尚手挽手双刀而出，海清、海宁左右扈从，杨孝伯拔剑敌住，了了和尚猛勇异常，刀法全无破绽。众人一齐混战，正是慈悲精舍交锋地，清净法门作战场。当时斛律亢宗，见孝伯战了了不下，手拔阶前石栏杆一支，乘势打去，正中左臂，了了负痛，回身便走。海宁亦被焦芳挥剑中腕。众僧披靡，忽一声呐喊，五百余僧，团团围住。了了振起精神，手拈长枪，复来助战。众人虽勇，奈随身仅有佩剑，只可防身。众僧是长矛大戟，面面刺来。焦芳激得暴吼如雷。

正在危急,韩昭、李穆在寺外大呼曰:"公等尽力敌住,我二人外面纵火焚寺,烧杀贼秃。"果然西廊后火起,烟涨迷天。了了大惊,速命救火。众僧手忙足乱。寇复雷等冲杀而出,会合李、韩,回头看时,倏忽不见火影,众人咤异。韩昭曰:"此吾二人疑兵计,所设疑火,想已扑灭耳。"众人皆欲将寺纵火焚之,韩昭曰:"不可,六朝名地,焚之可惜。"众人曰:"留寺有僧,终为后患。"韩昭曰:"非也,此外通近杭城,行省得知我等手无寸尺,其祸非小。"众仍服,遂暗往皋亭山暂住而去。

再说江宁秦锡帛,狼声虎状,眉横一字,及长,多权谋,能左右射,粗猛过人,素有异志,常游西湖、葛岭等处。慕贾似道之为人,曰:"似道风流,可儿可儿,有三子,曰杞、曰梓、曰楠,俱能操强弓,骑怒马。有兄名开岐。又有浦城邢士龙、顺昌蓝天蔚。邢蓝二子,在闽杀人,亡命江淮,锡帛见二子俱万夫勇,收为爪牙。凡江淮等无赖之徒,悉往归之,俱密密分布于淮扬、苏松间。扬子江、瓜步洲等津隘,遍置腹心,劫掠江口、收纳亡命。奸逼妇女,无不备至。锡帛一日同邢、蓝二人潜游临安,私探浙省近来消息。偶至灵隐,刚入寺门,众僧各执器械一齐打出。三人大惊,不知所措,溜焉逃走。至江口,方欲上船,忽见上流舟聚如蚁,船上遍列戈矛,无数军卒,大呼:"且住,奉平章之命,拿贼来也。"三人大窘,沿岸望小孤山而走。众军弃舟上岸,看看追及,三个自知不免。蓝天蔚立定主意,命二人先行,独自挡住,众军一拥上前擒拿,趁着机会,随手夺得一支画戟,丢开架子,便左五右六施展起来。众军卒出其不意,错愕间,反慌了手足,远远辟易,一齐乱箭射来,蓝天蔚一支戟,神出鬼没,舞动处,箭皆纷纷落地,大喝一声,能战者皆来,刺伤数人,众军已东西逃窜。蓝天蔚捉空,撇了众军,追赶秦、邢二人而走。殊不知杭州兵,并非能征惯战,不过奉哈马黎之令,巡哨沿江,稽察灵隐,见蓝天蔚孤身独立,只说瓮中捉鳖,焉能当此恶战。锡帛三人,不知灵隐有事,冲了头阵,照常往游,几投罗网。蓝天蔚赶上,备言杀败杭兵,三人大喜,锡帛恚怒,回首指杭城誓曰:"有杭无我,有我无杭,秦某不能效看花洛阳之客,立马吴山,誓不休也。"

却说平章哈马黎两次得知此事,大怒曰:"大元混归一统,岂容鼠辈子屡肆猖獗也。"严檄各处关隘,十分防范,杭城左右,密加稽查,杭州官属,悚息听命。时钱塘江下,潮水发了,大凡浙江广陵两处潮汐一至,观者人山人海。故有句云:"闻道浙江潮有信,浙潮争似广陵潮。"时值八月之望,钱塘两岸,如龛山、赭山、海门等处,观者如堵。韩昭、李穆、寇复雷众人,亦至罗刹江畔观潮阁上,扶槛而望。沿江往来,遍见军卒巡视。诸人在阁上,不以为意。韩昭指曰:"此钱塘松江也,东北行七十里,为三江之口,东北人海为娄江,东南入海为东江,并松江为三江。"言未已,忽潮头高起十有余丈,滚滚而下,如天半银河泻落长空,又如万丈白练,月光激射,舒卷夭矫,掀撼两岸,天地皆震,诸人玩赏不已。韩昭曰:"伍大夫之灵也!"寇复雷赞曰:"生有若大志量,没有如此神通,非忠愤所激不能也,的是英雄。"杨孝伯遥指杭城谓曰:"杭州若无捍海石塘,则潮水一起,杭州皆鱼鳖矣。"李穆曰:"此钱镠王功也。"众问故,李穆曰:"梁开平中,钱镠欲建候潮通江门,潮水冲激,版筑不就,因令人以强弩数百直射潮头,既而潮水渐向西陵,乃积石筑木,为塘捍之,城基始定。昔人相传,武肃王箭所射正处,尝立铁幢,故名铁幢浦,今其铁箭犹存也。”众皆一心观潮,方津津谈论不休。忽回头不见焦芳、斛律亢宗二人,大疑!关普灵曰:“想沿江玩景去矣!”少时人声沸腾,言行省遣人拿获巨盗二名,已械赴杭城去了。众人大惊,情知有变,急望皋亭而走,沿途打探,行省拿去者,果焦芳、斛律亢宗也。众人有兴而来,败兴而返。

第五回　寇复雷大闹临安郡

却说焦芳、斛律亢宗沿江观玩，谁知有灵隐寺僧在旁，指示哨军，即报兵马使司百家奴，令僧认识，众军随后上前，一拥围住。焦芳、斛律亢宗见势头不好，挥拳打翻数人，众寡不敌，一齐被擒，械至杭城衙中，百家奴细细鞫问，是何盗贼，何处人氏，且独不知哈平章威望乎！焦芳睁目大怒曰："妇蒙古夺人宗社，发人陵寝，是谓盗贼！我等非女所管辖，要杀即杀，要剐即剐，何必琐碎？"百家奴怒其言无状，欲动极刑。只见斛律亢宗厉声曰："禹门纵使高千丈，放过蛟龙也不防，我二人故宋之遗民也，一名焦芳，一名斛律亢宗，灵隐寺战败了了和尚，是我等，不愿作婢膝奴颜汉子。供辞已毕，任女施为。"百家奴听毕大惊，似此声口，俱属反贼。怒谓二人曰："恶贼桀骜不法，明系中山狂人之党，权责一百军棍，等平章奏闻元主，然后发落。"二人铁石硬汉，并不讨饶。百家奴暗暗警异，令发往府中禁下，即将所供禀知行省，哈马黎大惊曰："据此，必有羽党潜伏临安，早晚更宜严备，委军校四下密察。"一面行文，严戒沿江州郡。百家奴始退。

却说寇复雷等，得此消息，议曰："势已骑虎，与其束手就缚，曷若血溅杭州。"李穆曰："未可造次，且宜三思，画虎不在，噬脐何及？"寇复雷仇忿然曰："天下事不成则败，不败则成，何思之有？"韩昭曰："不然，百足之虫，死而后僵，以所辅者众也，某虑者，众寡之势，太相悬耳。"众毕默然。关普灵曰："事急矣，有台州杨镇龙聚兵数千，久蓄异志，昔曾有书聘某，某义不从，则累谢绝之，今事在燃眉，闻镇龙已移兵温州府泰顺县东某处札定，某往乞师，万一得助，则大事济矣。"众毕曰："甚善。"韩昭嘱曰："关兄精细，某所深知，此去事在必在，但沿江一带，哈马黎防范甚严，兵来须如疾雷不及掩耳，使他善防，而我偏出其所不防，相机行事，自不多嘱。我等分头打探。江下须以'欸乃'二字为号，城近须以'嘛哞'二字为号，庶人不疑，齐于杭界一会。"关普灵许诺，随即扮为舟子，往来江下，适有温州府太守在杭，闻本府有事，星夜回归，官船正少舵师，喧嚷不止。关普灵正合机会，登舟把舵，太守屡顾舵师，若疑讶者！普灵一心乞师，低头不语。一日一夜，遂达温州。闻杨镇龙时在瑞安县，被金华府统制兀良围住，今温州太守回归，必添兵助战。果然太守一归，即披挂上马，率兵往瑞安县而去。关普灵此时，如坐针毡，急焰中烧。忽然暗想太守在舱中累累顾盼，似曾相识。秘密问之，乃知即昔年蒲州同学之吕大成也。一时大喜得计，遍处传言，云婺州贼叶禹五，仍转金华，全军屯于浦口，不日攻打金华，以就牧养。兀良一闻此信，吃惊不小，果二贼合谋，骗我出户，使我无归，则越境失地，二罪俱发。有此一惊，金华兵心无主，围遂松懈，关普灵已混入贼中去了，杨镇龙正在危迫，一见关普灵，如饥得食，如渴得水。关普灵不暇款曲，讨过鞍马，绰刀而出，凑杀一阵。兀良本是庸才，焉能抵敌，败回金华。吕大成一见关普灵又在临阵，疑惑不已，欲战不可，欲回不便。关普灵打个照会，大成会意，二人交锋，不数合，大成诈败而走。杨镇龙大喜称谢曰："非将军来，围几不解矣。"关普灵曰："某解此围，一酬前情，一修继好，有所求而来耳。”镇龙问何求，普灵遂以杭州事告之，并露乞师之意。镇龙初闻，似有难色。普灵晓之曰：“大王欲举事两浙，杭州乃都会也，我等乞师，先为大王立威名于此，杭浙闻风，皆胆落矣，且大王异日，独无缓急乎？”镇龙大悟，即拨二千兵与之，普灵辞曰：“精壮之士，五百人足矣，兵不贵多，在调遣得宜，若分布有法，五百人入杭，可当十万师矣。”众兵闻往攻临安，人人磨拳，个个擦掌，皆称愿往，选来选去，仍有一千之众。镇龙随拨裨将二人听用，普灵见过二将，授以计划先行。又嘱镇龙曰：“温州之地不可久居，温州之民，亦不可伤害。盖温州吕太守智勇足备，大王非其敌也，兵法云：‘兼弱攻昧’，大王最宜留意。”镇龙许诺。关普灵谢别起行，遂望钱塘进发。

且说杭州知府郑良谟，怜焦芳、斛律亢二人，系是好汉，点查监下，惟令小心看守，未更加刑，牢头节级，亦不许若刻侵犯。故二人在内，得以自如。焦芳一眼瞧见有襄江好汉，姓傅名突，字伯通者，亦在内禁，暗问何为至此？傅突言游玩临安，于海宁渡口，一言不合，失手殴死舟子，海宁县令，将某取供，械赴在此。二人亦告以故，各言且俟机变。忽一日按察佥事，不木华儿，又将二人提去复问，二人在白马街前，见韩昭、宇文广，一卖夜来香，一呼嘛哖各个会意。至佥事衙中复问，不木华儿纯用极刑，凡突地吼、死猪愁、定百派等法，罗织锻炼，极其惨酷。二人虽是铁汉，已死去活来，身无完肤，扶入狱中，奄奄昏迷。不木华儿与众官议曰：“杭近左右，盗贼云扰，此类不可久留，恐生他变，来日即宜斩讫。”众官皆然之。焦芳、斛律亢宗，在狱得苏，见此狱如铜墙铁壁，人役甚众，内外毫不通风，囚犯俱各分禁，不能共语，凡囚犯到此者，惟延颈待决而已。二人纳闷一会儿，见就近一囚，面貌凶恶，低声问曰：“二公来此，非等闲辈，亦束手待毙者耶！”二人略以示意，囚手出二丹掷来，命速吞之，伤可立愈，已而果然。二人问之，则海盐响马也。欲再问时，忽然牢子突至，见囚与二人私语，以蒺藜杵怒击之，囚敢怒而不敢言，二人甚不过意，四体棒伤，平复如故，感囚不已。时已黄昏，忽闻炮声震天，云上都天使至，平章哈马黎率同文武，出郭迎接，下马拱候。少时天使一到，齐齐上前，方欲施礼，忽城门火起，天使后面数人，嘛哖一声，在马上突出兵刃，就杀起来。那天使纵出肩舆，绰斧一跃上马，大喝羯贼休走，一斧砍来，将不木华儿劈为两段，哈平章吓得魂不附体，郭门拥塞，不敢人城，潜往僻暗处逃窜。众官一时拥挤，或前或后，良贱难分。只闻一片喊杀之声，四下响应，俱是杨镇龙拨来军士，四路纵火呐喊，恐吓人心。当时临安城中，烧动民舍，哭声震地。其都统制、招讨使、兵马使诸武官齐去接旨，各营军士皆无主将，部曲不相统属，东往西杀，全不济事，有知府禁中傅突，乘势破监而走，众囚犯死中得活，相随接应兵，拼力攻杀。杭兵救火不是，御敌不是，惟兵马使家奴，随过太傅伯颜略地，称为惯将，死力在平章府前，将关普灵敌住。宇文广已打入佥事衙中，节级牢头皆被杀死。焦芳、斛律亢宗在内纵出凶徒，只见海盐响马猛下辣手，争先杀入后衙，将不木华儿家小尽行屠之。此皆理刑官生平法外行凶，残酷之报也。当时焦芳等杀出，纵兵火掠府库。转过巷口，又见襄阳傅突，亦领有许多囚徒，喊杀而来，众人合并往杭城大街冲杀，如入无人之境。关普灵已杀败百家奴，亦会合一处，惟不见寇复雷。言未已，在杭州都统阿剌达口，领大队人马杀来，众人一齐鼓勇，连环战住。阿都统本是蒙古骁将，奈众人兵器，如雨点刺来，目不暇瞬，渐次危急，焦芳、傅突双枪并举，搠于马下，元兵奋勇夺去。两军混战一会，焦芳已被箭伤，血流不止。诸人亦各有微伤，号召军士，方欲出走，忽前面一彪军马蜂拥而至。当头一将，乃是宣抚司统制刘坤，舞丈八蛇矛，拦住去路。后面又有副使殷其雷、都监王璋领精兵来追，军士慌乱。关普灵抖擞精神，约住众兵，大呼关某独当前面，众人顾后，横刀跃马而出，与刘坤大战二十余合，刘坤力怯败走。前路已开，后面殷其雷亦为宇文广所伤，惟王璋抵死不退，解律亢宗大怒，方欲助战，只见海盐响马跃出，大呼曰："众好汉休慌，咱能擒之。"大踏步舞刀向前，王璋欺其徒步，不提防，一刀砍将入处，王璋侧身欲躲，竟被他乘势轻舒猿臂夹下马来，刀劈首级，回身就走。众人一齐催军，杀退杭兵，作速出城。

且说寇复雷、杨孝伯，率兵挨肩闯入杭城，这杭城八街洞达，余者星罗棋布，路次惯熟，纵横无不如意，约住众兵，休伤士女，凡蒙古兵将尽力截杀。又令众军，大呼百姓毋惊，我等来报伐陵取骨之仇耳。临安城中，无不鼎沸。时有两浙制置使范文虎，本故宋安庆知府，贾似道婿也。叛降于元，二王走温州，文虎领兵追杀，不及而还，伯颜奏授此职，亦在杭城挺枪杀来。寇复雷一见，双眼睁圆，大骂逆贼，碎尸万段。范文虎亦怒，二人交手，杨孝伯从旁夹攻，文虎抵敌不住，欲走，被寇复雷狠命一斧，连首劈去，不知所在，众军溃散。不一时，二人又杀败数将，夜色已深，情知众人已出，且战且走，徐徐退出城去。韩昭、李穆见众人会合已齐，始回皋亭。杨镇龙二裨将，押众军先行，众人断后。许多囚犯，皆叩首称谢而走，众人随行，沿途虚设警报，以止追兵，直至皋亭山始住。杨镇龙之兵，已在临安大掠，虏得无数金宝，欢声如雷。关普灵随即修书，附以币帛礼物，交二裨将，并重赏之。韩昭亦嘱曰："归命尔主，异日若有缓急，誓当相助，决不食言。但必以安民为主，方能成事，不可屠掠，至嘱至嘱。"二将应诺谢别，领兵遂行，谁知镇龙后日起事，一味掳掠，全是盗贼之行，以致事败身死，愿随执鞭。海盐响马，始自陈姓名公孙濮，即海盐人氏，每在淮安维扬等处行劫。昨偶归故土，为仇家所陷。然濮生性，十日若不杀人即生疾病，因见众好汉事事皆存仁心，自念平生残刻如许，存此余生，皆众好汉之赐也。今休矣，不复向绿林中劈径矣。众问："何往？"曰："将往建康勾曲山，受道德经，众三茅真君，长游去矣！"举手谢别众人，飘然而去，众皆叹息不已。

再说钱塘知县，随着哈平章，当夜于城外一僧寺中躲避，次日人役物色之，始归。有左丞完亶、参议吴敏、知府郑良谟、指挥使方文、都督史天雄、兵马使百家奴等商议，合词星夜奏闻元主。一面选轻骑三千，令史天雄、方文二人追杀贼党。二人直追至三十里外，并无贼影。又闻道路讹言，台州贼杨镇龙已破温州。二人疑惑间，忽流星马上报来，果然温州吕太守兵败，贼已逆江而上，请兵沿江截贼。二人不敢再追，急回禀知平章，严檄各隘口，力拿贼党，量难飞去。温州若失，密迩绍兴，则临安震动矣！不如厉兵秣马，杭城戒严，探听的确，再行追剿。不然，强弩之末，不足以穿鲁缟。更有疏虞，两浙保无忧乎？哈马黎然之。不日下旨，以江西参政脱脱，权摄两浙事宜。哈马黎以不职调回上都，百家奴随逮入燕，其参议总制等俱降补外任，余皆如故。

第六回　秦锦帛起义紫金山

且说涪陵公赵晟，在惠州甲子门遇元兵杀来，急与荣公晸、樊公昱，并工部尚书马南宝之子遇乐、遇阳，一齐跃上一舟而走。元将唆都，刺斜杀出，弓弦响处，樊公昱应弦而倒。傍舟又有参政鲁嗣源，保护虞公赵景而走，唆都跃过舟去，将鲁嗣源、赵景擒下，四人始急驾舟，由港放入大洋，正值顺风，瞬息已去百里，方始放心。时荣公晸年最幼，受惊得疾。在洋中一望，惟见白茫茫一片浮光暗影，海水连天，渺无津涯。又海风时发时止，船愈颠翻不定，自顾已不知置身何所？举目无依，仰天号泣。二马与涪陵再三抚慰，弗听，不及提防，跃入洋中而死。涪陵公赵晟大哭，见此景况，亦欲寻死。马遇乐止之曰："殿下保重，且看此舟，吹至何所，必有下落，再作区处。"不一时，远远望见一山，三人甚喜，将舟顺风掉去，隔岸隐隐闻有钟声，恍惚见一白鹦鹉，飞来飞去。涪陵讶曰："此补陀落伽山也！已属宁波府定海县东洋。"遂同碇舟上岸，登善财岩，直入大士道场。涪陵至莲台下，五体投地，祷告不已，起身出寺少憩，略玩圣境，偶见壁上，有元中书史天泽留题云：

使相函香至此诚，愿将海水救群生。
慈悲可谓消诸恶，征伐容将息大兵。
金色圆光开宝髻，玉毫妙相络珠缨。
手中示现杨枝露，愿洗干戈作太平。

涪陵观罢，点头数四曰："我之怀矣！"亦题一绝于后云：

拜手慈航大士前，宏深誓愿本无边。
人亡国破家何在？底事重将问老禅。

涪陵题毕，与二马转过潮音洞，见一老僧。方欲入定，知是异人，叩以休咎。僧笑曰："老别号古崖，挂锡洞口，暂托福地，焉知休咎，然颇善风鉴，观君日丽中天，额角广阔，目光外射，二肘如龙虎之状，贵不可言。元武盘屈，晦满天庭，不受颠越，焉垂汗青？异日勉为之。此间贼舟，不时窃发，非君所居。"三人谢别，即时登舟，方欲顺海归浙，谁知大洋风色忽变，一时逆转，向南飘去。三人无可如何，听其所适，无何，已近一岛，船碍风阻，白浪掀人，慌忙弃舟上岸，回顾即覆，三人惊得目瞪口呆。岛中荒僻，杳无人烟。涪陵业已忍饥数日，至此更举步维艰了。二马扶持，勉强而行，险阻嵚崎，榛榛莽莽，迷天塞地，荆棘钩衣刺骨，偶一踯躅，又陷于泞泥溪壑，真是艰苦万状。正行间，忽然跳出一只猛兽，似狼非狼，似熊非熊，小头庳脚，其毛如漆，其大如驴，见人迎面便扑。

涪陵早已惊倒在地。且幸二马，孔武有力，略略少退，让兽扑来，侧身躲过，马遇阳纵步入去，挥拳便打，马遇乐回身手扼其颈，紧紧抱住，那兽方欲再纵，遇阳已跃在背上，用力一夹，弟兄使尽平生之力，那兽虽猛，已动作不得，大吼一声，山鸣谷应，弟兄乘势，按翻草中，挥动老拳，尽力毒打。那兽端然不惧。弟兄二人，手无寸铁，一毫不敢松手，忽闻人声，少时有人奔上山来，见擒猛兽，招呼同伴，齐前围定。马遇乐汗流脊背，大呼拔刀，内有一人止之曰："此兽非金铁所能伤也！惯食铜铁，以铁锥锥之，铁皆碎落，火不能烧，名曰"白豹"，惟羚羊角可以碎之。"随行有佩此角者，慌忙取出，按其筋骨，照身劈之，可怪一时皮开骨折而死。众皆大喜，方欲问讯。二马不暇酬答，慌寻涪陵，已惊死在地。二马大哭，手抚其心犹温。内又一人曰："壮士休慌，此受惊晕绝，不省人事，牙门紧闭，系涎潮壅塞耳，非真死也！"以大指掐涪陵人中，令人取水，以药少许灌之，渐渐得苏。众人此时，有扛兽者，有引路者，有代负涪陵者，二马随之至岸，近见有三只大海鳅头，一应帆樯舵碇，篙工舵师俱备，随将涪陵负入舱中卧定调养篙。问众里居，始知皆广南交趾之鸟蜒户也。鸟蜒户者，交广浮海采珠客也。二马亦陈广南香山人氏，众皆大喜曰："此岛名黑兽岛，乃大琉球国所属，岛中方广二千余里，惯出白豹，故以名之。白豹之骨最强直，中实少髓，其齿尤坚，其皮可以悴湿，其腹内有铁，可以铸剑，切玉如泥，凡南荒海岛山泽中，皆图其形，所以祛邪，此兽有许多妙处。壮士若肯同舟航海，则三生有幸矣。"二马问："将何往？"答云："赴真腊。"时涪陵已可稍进饮食，遂安心与众商议，同赴真腊国去讫。

且说安丰路国凤阳府寿春知县，姓史名献畴，原系史弥远裔孙，与刺史贾智深二人表里为奸，敲击万民之饥肤，咀嚼百姓之膏髓，莅任三载，恨不得寿阳一片地皮并刮人宦囊去，安抚廉得其实，欲奏免二人，二人情知上官恼怒，下民咒诅，思出一先发制人之计，史献畴曰："男子不能流芳百世，也当遗臭万年。恒大司马且为之，而况尔我乎！"贾智深曰："智者观时，达者审势，奈无机会可乘耳。"史献畴曰："此处有紫金山，即汉淮南王宴宾客之八公山也，晋谢安以败苻秦，周世宗大破南唐，皆在此处，累为得胜之地，先据此山，与寿阳相为犄角，直窥凤阳，则安丰路皆在掌握中矣！"贾智深曰："吾有契人秦锡帛，久蓄异志，未敢妄动，吾今以书招之，来时直献寿春若何？"史献畴鼓掌大喜。贾智深遂暗遣心腹送书，直达江宁。秦锡帛自杭州逃归，江宁府上下督捕甚急，锡帛已山穷水尽，当日得书，正合机会，令众扮作大商富贾，载以巨舰，器械尽置艨艟底下，偷渡淮清河。以邢土龙、蓝天蔚二人作前队，出石梁；其兄秦开岐作后队，出巢湖；自作中队，直抵寿阳。守将梁果大怒，率兵拒战，至二十里外迎住，邢、蓝二人遂与交锋，不数合，大败奔回，登城固守。自以寿阳城坚可恃，多备矢石，以防攻打。谁知贾史二人，已暗开城门，贼兵长驱直入。梁果大惊，弃城而走，往凤阳投其兄梁毅而去了。

秦锡帛不费寸尺之力，遂得寿阳，城中仓廪积储，最为饶裕，分兵以邢、蓝二将，并子秦楠、史献畴等屯紫金山。自与兄开岐、贾智深等紧守寿阳。不日又得褚点、庞奋、汪维彦诸将来归。锡帛分布攻取就近临淮、盱眙、天长等县，皆有捷音，秦淮大震，骎骎乎遂有立马吴山之志矣。

第七回　杨镇龙兵犯牛渚

当时寇复雷等，尚在严州，闻寿阳强盛，将往归之，借以起事。韩昭曰："不可，昭昔在广德，曾见锦帛一面，其人似王敦，蜂目已露，惟豺声未著耳，虽能食人，终为人食，大丈夫共事，须择磊磊落落，如青天皎日者与之，方能有济。若非其类，同流合污，固不可，隙末凶终，亦未尽善，诸君不可不慎也。"关普灵曰："甚善！徐英公遗将，谓以彼福泽，成我功名也！然弟在河东，相识有种世龙其人者，弟名世虎，原故宋豹林老种之后，素秉忠义，广结当世英雄，家资巨富，破家助友，常言曰：'倾我黄金百斗，结成天下一家。'又言欲于闽广间倡义起事，号召吴越，其志非小，我等且探听的确，共往归之。"韩昭大喜曰："似此，方不负我等初心也！"众皆愿往，遂向东京进发。

却说杨镇龙，见众兵临安得胜而回，又得关普灵回书，并许多礼物，甚是欣喜。秦锦帛既据寿春，亦以书约会，请图浙东，共达建康，联盟犄角。镇龙遂大举人马，欲过江南，由温州纡道，直抵吴兴，进窥秀水。时吴兴守将乃故宋降臣刘权，闭关死守。镇龙分兵打安吉州，有防御使廉思领兵出迎，镇龙命骁将慕容光出马。慕容光乃宁羌州人氏，面如重枣，猿臂善射，兼万人之勇。廉思忠以膏粱子弟，焉能抵敌，勉强对垒，生擒回阵，元军大溃。镇龙指挥人马追至城下，见吊桥拽起，方始回军。次日镇龙分布军将，架起云梯，极力攻打，城中惊惶无措，有魏明、史进二将一跃上城，砍翻军士，斩关而入。州牧王炳，仰药而死。众兵入城，掳掠一空。再攻长兴，开门纳降。守将刘权星夜往临安告急。镇龙分兵攻打不休，刘权见援兵不至，势不能支，弃城望嘉兴而逃。镇龙既得吴兴，拔安吉，袭建平，遂攻广德。广德军乃元将勃律丁镇守，闻贼兵至，大怒，督兵至苦竹岭迎战，手舞钢叉，与魏明力战三十余合，魏明力怯，方欲回阵，被勃律丁，手起一叉，刺于马下。元军大至，镇龙大惊，慌忙押定阵脚，慕容光飞马上前，军已大乱，混战一会，损伤极多，究竟镇龙所聚乌合，掳掠其长，攻战其短，全无纪律，一败即乱。次日进兵官砾，令史进在左，慕容光在右，别成长蛇之势。镇龙披执，舞刀出马，不数合，勃律丁率众大败奔走，镇龙长驱直追，近城下，勃律丁不敢入城，拍马落荒而逃。镇龙跃马争先，刚刚入城，敌楼上一声梆子响，乱箭射下，镇龙马蹶坑堑，左右伏兵，一齐杀出，幸得史进、慕容光策应兵到，镇龙死战杀出，身中十有余箭，几乎被擒，部下多带重伤，回营纳闷。当时史进入帐，献以周郎赚南郡之策，镇龙从之。

却说勃律丁闻镇龙中计被创，大喜。当晚忽报贼营大乱，哀声四起。勃律丁暗思，镇龙若毙，余党可一鼓歼之，命重军坚守城池，小心防护。自率精兵，潜往劫寨。谁知尽是空营，情知中计，火速退回。慕容光、史进双马杀出，弓弦响处，勃律丁中箭落马，史进一刀，取了首级。镇龙已在城下，督兵攻城，矢石交下，尚难近前，命军士大呼，以首级示之，众军无主，自然张皇，沿夜攻破其城，杀掠无遗。探马报人太平府去了。太平乃建康门户，龙山南指，牛渚北临，铁瓮当其东，石头枕其背，牛渚采石二矶，险扼江口,极为长江要害之区。太平自昔日贾似道师溃逃归,元兵屡加残败,沿江斥堠不设,防守无人。镇龙即袭破昭关,径出含山县,不由芜湖,偷过和州,将渡采石矶,太平方始戒严。

且说太平知府夏贵,当初以淮西降元,奏授行省左丞,权知府事,遂守太平。至是闻广德已失,尚以长江天堑,贼兵安能飞渡?忽报贼过和州,将渡采石。夏贵惊慌无措,急命都监陈宏统、团练副使王杲领兵一千,将牛渚矶屯住。牛渚与太平,相隔仅二十五里,去采石二里。镇龙扬帆而来,闻牛渚有兵,也不退避,竟在和州之横江浦,对采石矶下寨。时有范国昌、司马肃二人,从姑苏游至和州,将渡采石,闻有兵阻,戏吟曰:

横江馆前津吏迎,向余西指有元兵。
即今欲渡缘何事,如此扁舟不可行。

范国昌吟毕笑曰:"降臣拒叛臣,类聚怎交兵!"司马肃亦笑曰:"宁为叛将死,不作降臣生。"二人不敢济江,遂转京口而去。

且说涪陵公赵晟,与二马随着众商,直至真腊国。此城犹在占城国之西南,由广州发船,北风十日可到。其国天气寒,风土大异。国中望天处,微有小痕。古云:女娲氏补之所不至也!其俗嫁娶,男归女舍,国人生女,至九岁,即请僧诵经,作梵法,损其童身,谓他日必能谐好。宜家室,至十岁即嫁,其妻或与人私,夫必大喜,谓妻美故。而立法最酷,凡国人杀害华人者,依法赏死。如华人杀国人至死者,即重罚金。无金,则卖身取金赎罪。刑有斩手头足,烧火烙印胸背、黥额,或木削椓其尻,即绞罪也。然无盗少讼,大凡人家失物,知盗是某,不吐实,以锅煎油待沸,出手探之,果盗,则手随腐烂,否则如故,盖其术如此。又有浮石图十二座,或两造结讼,难分曲直。令两造各坐一塔外,用各眷属提防巡视,或一二日,或三四日,不直者,必得奇疾异症,直者无恙,谓之座天狱,亦土神之灵也。似此则较中土少无数狱讼盗贼矣。众商在彼,争相居奇,惟涪陵与二马宴然无事。一日报有满剌加国王,遣使来聘,与真腊联姻,国王已允。不日将送公主至矣。涪陵抑郁一无聊,日日感叹,亦与二马至三街六市等处观玩。见百货云集,异产杂沓,举不知为何物何用?土音人形,亦与中国悬殊。时值退朝,有无数车马,纷纷攘攘,道旁者指示之曰:"若者大夫,若者国相,若者公候勋戚,若者酋长军将也。仪制率多猥琐,人物亦多怪异,观罢而归,众商正在夸奇争胜,你得猫睛珠,我得交臂玉;你夸清泥乃无价之宝,我炫阳燧为希世之珍。这边夸胜,那边道强,聒絮不了,真是卖物当行,不消说得。今按真腊国所产最珍者,惟有夜明珠,其珠光彩若月,照人无妍媸,皆成美丽。汉成帝时,入献中国,飞燕以赐婕妤,此其证也。但此珠不常产,虽产,外商亦不能采也。一日国中沸腾,传言满剌加固公主已至。涪陵亦与二马齐往观之,见本国车马过毕,随有小香车十余队,蜂拥而来,其中粗钗俊粉,媸妍不一。嗣后一辇香车,云蛮霓旌,侍从皆肃,众哗然曰:"公主至矣!"视其中,一女子,回面孪耳,齞唇历齿,伛肩皤腹,裙底莲船,约尺有五。而金冠象简,珠围翠裙,抹巾障袖,犹强作媚态。涪陵不觉破涕一笑,二马观之,亦失声大笑。国人争相赞美,意涪陵诸人,皆共笑其美也。

却说真腊国王，年老仁慈，武备不修。有红夷国王，秃忽鲁，闻真腊与满剌加联姻结盟，疑有并吞红夷之意。命大将鳌奴，率众岛酋长，兵伐真腊。国王大恐，集文武商议，勉强命将御之。红夷酋将鳌奴，勇健异常，所部皆碧眼赤发，耳带金环，似人似鬼，凶恶之徒。兼善火攻，兵所到处，靡不残破。真腊兵将闻名，早已心胆俱裂。且幸鳌奴统兵，已离真腊不远，忽见海中现出一只巨鱼，如状鲌鲚，嘴似鹦鹉，共有八足，略现半身，即望之若山，八足微动，波涛汹涌，雪浪排空。鳌奴知是真腊浮胡之鱼阻舟，不敢前进，退回红夷去了。国王大喜，谓是天意不欲强暴凌慈良之国也。涪陵住此数年，见非可久棲，辞别众商，众商以定风珠赠之，遂与二马拽起风帆，驾舟起舵，望占城进发。

涪陵缄口真腊，不言故国者数年，舟中叹曰："频年海外，飘泊无归，中都阻隔，云山缥渺，万里之行，何时已乎？晟以茕独靡依，不足论矣，深累二兄，撇桑梓而栖异域耳。"二马齐声曰："是何言也？弟兄虽愚鲁武夫，颇明大义，纵使蒙古混一中国，弟兄若归，便稽首而称臣哉！"涪陵曰："想惠州一战，赵氏无噍类矣，我等宜就近广南诸国，探听的确，可归则归。"一行赖有定风珠，海中无虞，不日已至暹罗之钓鱼岛。岛边酋长部落，知是中国人，一直放过，遂入暹罗，三人变姓名，权在暹罗棲身，待时而动。

第八回　钟明亮入寇蓝关

却说故宋右丞相陈宜中，航海时，逃窜占城。数年，闻故宋已为煨烬，自思从此不为名分所属矣。然占城与广南，音息可通，又虑有故国父老相遇，且占城国王，不以礼相待，自知在此，难免非笑，以相臣而供人口实，内顾五色，弃了家室，更往暹罗。事非偶然，端端涪陵三人，亦由真腊，至此相遇，叙及国事，陈宜中始言卫王赴海而死。陆秀夫、张世杰并马南宝等俱在崖山殉节。涪陵放声大哭，望着广南，呼天抢地，泪尽继之以血。二马尤悲悼其父，自不待言。涪陵抚膺欲绝，宜中方欲劝止，涪陵愤泣曰："祖宗养士三百年，国亡始得数人之报，使在廷尽如信公、越公诸人，国不亡矣！"宜中大惭而退，遂起谋害之意。时有王霖者，故宋浙东安抚也，恭宗时逃位至此，仕于暹罗，一日宜中相遇，谈及故国，亦甚扼腕，继言语涉公赵晟在此，语涉讥刺，俱有不安。宜中恼羞成怒曰："德祐元年，右相之命，宜中在温州，以母老乞养，力辞诰命，公所知也。洎太后以书达老母，命宜中就任，宜中所迫者，母命耳！国运兴亡，自关天命，何得波及群臣也？涪陵孺子，素与宜中牴牾。今日相遇，已无名分，尚犹诮让我等，其生死可在掌握中也。"王霖问计，宜中曰："元主平定西夏四十余国，海外诸邦，谁不震恐？令国王稽查国中，拿获赵氏苗裔一语，便了却涪陵孺子。"王霖自知不便启奏，令大夫共辇奏之。国王亦虑蒙古强暴，遂允其旨，命巡城金吾，严查得实，械赴免贡。涪陵一日在城，闻此风声，也不顾马氏兄弟，望城西出走。西窜数十余里，力已困乏，足酸腹馁。一望荒岛，并无鸟声，回视海水，滚滚东流。烟波汨没，浩淼绵亘，不如所止。呼天号泣，仍然苍苍冥冥，就岸近一石矶坐定，泪如泉涌，自言自语。谓近广诸国，或可探听音息，谁知反入虎口。自顾此境，正合昔日道君皇帝北狩时，在五国城吟云：

杳杳神京路八千，宗祧隔越已千年。
衰残病弱哪能久，辛苦穷荒敢怨天。

凄切之音，动于林木。欲蹈海自尽，则流水无知，亦徒以万倾于波，作一坏三尺。无可奈何，仍复起身，颠踬沿岸而走。忽见满山遍地，皆黑漆匙筋，仰视其处，多连抱大木，匙筋乃木之花与须也，不暇掇拾。约行十余里，至一水澳，见一人碧眼蜷须，徐步而来。急上前，哭诉以被陷异域之故。其人曰："君中土人也，年甫冠，仪表不凡，非青宫之贵介，即侯门之世裔也，保毋别情乎？"涪陵不能隐讳，以实告。其人愀然曰："是可悯也！吾送汝竟回广南何如？"涪陵泣拜曰："固所愿也！"其人迟疑一会，又曰："广南近不可归，吾本欲赴东海，且随吾往，或近闽浙等处暂居，异日方可回归。"涪陵恐至诸国，又如暹罗。其人曰："且往，见机而行。"遂同至一处，招得一舟，随风飘去。其人讶曰；"汝身有何珠宝？"涪陵出定风珠示之，其人曰："此拘弥国产也，亦名履水珠，入水不溺，谨密佩藏，汝国中稀世之珍也！”其人食用诸物，随身俱备，涪陵十分感戴。又其人喜浴，浴后蹲坐舱中，以伴涪陵，但不多言笑。

一日其人在舟中，遥指隐隐青翠处谓曰：“此日本国之萨摩洲也，汝可即在日本权住，异日得志，勿相忘也！”言讫，泪如雨下。涪陵大哭曰：“恩人，使入汤之禽，再假羽毛，已断之足，复蒙接续，所谓群蛰应南山之雷，穷鳞得西江之水也！恩重如山，安忍相负？”收泪方欲叩谢，忽见足下晶光错落，粒粒皆是明珠，盖其人之泪也！惊骇久之，其人手出一帕，拾取承之，盈千累万，眼中尚扑簌簌不止。以赐涪陵曰：“吾南海之鲛人也，将往赤城市绡，值汝凄怆于此，偶然相遇，亦夙缘耳。汝得此珠，不虑资斧，前途保重，吾往矣，恐误吾海市也！”送至岸所，一跃入海而没。涪陵惊讶不已，上岸至萨摩洲，一味言语，全然不通，衣服甚是褴褛。土人见涪陵大异之！无论老者少者，妍者媸者，俱前围绕惊视。见涪陵衣服，意若羡之。涪陵心怜其人，各与鲛珠一粒，土人大喜喃喃，不知何语？交臂若作谢状。出以饮食，俱难适口。涪陵在此，日日揣音声，察颜色，稍得其似。时怀故土，望洋而悲，间触景物，破泣而笑。又土人群处，偶有不合，便有持刀枪厮杀，性命不顾，难分难解。而涪陵一至，随即敛手，盖心敬之也。

一日土人有赴国者，约涪陵共往，欣然同之。土人心德涪陵，欲达于朝，不日至其国。涪陵视人物诡异，面如锅底，口若血盆，红发赤须，铃眼露齿，三分似人，七分似鬼。剽悍暴戾，素性好杀，无他执业，专一沿海为寇生活。涪陵初至，心甚畏怖，恐其或噬人也，然国人甚敬礼之。其国滨海，所控山岛九百余里，以木作棚为城，倚山为宫室。近郭五十里，有一山，曰灵芝山，国之镇山也。山产紫玉，并独摇芝草，此草无风自动，茎大如手指，赤如丹丝，其叶似苋而阔，有细实如鸡子十二枚，绕其四方，按十二辰也。所产之地，左右无草。国之南，有水仙树，树中有水，谓之仙浆，饮之醉至七日。又出宝马，曰飞风辇，日行千里。出枫叶之鱼。所产异物，不可胜数。国王名坦呢哩特布，号“老王子”，颇能治国，抚下用人，俱得其宜。闻蒙古并了中夏，心中老大不忿，曰：“中原皇帝，乃天上人为之，岂尔鞑靼所能统驭也耶？”竟不纳贡，亦不上表称贺。每谓臣下，言蒙古能灭西夏四十余国，未遇敌手，惜宋室乃正朔所在，一旦殄灭，蒙古之势张矣。一日有部下纥搭大夫奏曰：“今有故宋赵涪陵在此，乞大王礼之。”王大喜，即以宾礼请见。涪陵逊谢起居，国王慰问甚至。且曰：“下国离中土，万有四千余里，隋开皇时，始通中国。大宋仁宗皇帝，天圣年间，孤先王闻知中国出了圣人，亲自入贡，迄今与上国睽违，又数世矣。不择鄙陋，即请权住日本，与孤同参国政，岂不美哉！”涪陵见国王礼意殷勤，遂安心住于日本不提。

再说广南巨寇，姓钟名明亮，长乐人氏。聚众数千，有苏州朱贲、石城童乂，东筦耿星星、东光张师旦等辅之。内惟张师旦颇有谋略，能出计划。耿星星勇冠三军，昔年落魄江湖，投宿一古寺中，遇群盗与寺僧合谋劫一大姓。适耿入寺，虑泄其机，僧与群盗起以利刃迫之。耿大怒，将寺中铜钟一口用手轻轻托起，以示威猛。群盗摄伏不敢犯，寺僧速供食寝，谢过而止。殊盗众见耿冲破其纲，夜半相约，欲负寺中韦驮天尊而去。天尊系铜所铸，其值不下百缗，奈重甚，刚刚转动，仆身便倒，天尊护杵二指，适将一盗贯心而死，大震一声，盗众尽散。寺僧惊起，一见骇异，数人不能扛。耿上前，以双手挽起，仍安置如旧，面不改色，气不喘息。寺僧拜伏于地，谢曰："僧等今后再不与群盗伍矣。"耿不顾，天明竟去。

一日游至海丰县，见县尉率无数兵役，追获钟明亮甚急。明亮大窘，无处逃窜，耿不忿，披靡直入，夺其兵器而舞，独挡兵役。众皆辟易，明亮以是得免。及明亮大举，攻陷南雄府始兴等县。耿千里来归，明亮大喜，与张师旦二人，俱任心腹爪牙。旬日，又招得李虒、章琱、曹顺、曹能等，随添无数人马。师旦临阵，用金人铁浮图之法，练成牙兵。身披重铠，头戴铁兜鍪，周匝缀以长簷，三人为伍，贯以韦索，每进一步，即用以拒马，更翼以弓石，有进无进，果然摧坚陷阵，锐不可挡，又拔长宁、龙川等县，惠州震恐，直窥潮阳。

时潮州府总兵，姓狄名定国，汾州人。广南参政，以狄氏为南人所畏服。潮州近海，盗出无常，定国素有威望，奏授此职，驻师潮阳，静镇海道。时闻贼已猖獗，统兵守住蓝关，控制要害。钟明亮叩关讨战，定国下令曰："锐气方张，不可与战，俟其粮尽引还，击之可获全胜。"命关上多设炮座，安布弩床，以老其师。明亮等无可如何，大掠关下。潮洲人民，前经元师残虐后，疮痍未复，又遭此翻蹂躏，九死一生。明亮一日退兵十里，定国不出。又退十里，定国不追。直退至五十里外，定国仍置之不理。忽报海道有数百艘贼兵上岸，径奔潮阳。定国始惊，令其子狄勇紧守蓝关，自提兵往策应潮州。刚至韩山，与贼兵相遇，两军各列阵势，耿星星跃马绰刀而出，定国挺枪迎住，二人大战八十余合，胜负未分，定国暗晾贼将骁勇，当以回马枪杀之。忽贼队中喊声起处，李虒、章琱一齐冲杀过来，铁浮图之兵势如潮涌，将元兵冲为数段，求援不及，三军大乱，弃甲抛戈而走。定国虚掩一枪，弃了贼将，速奔潮州，恰至城下，见敌楼上遍插旗帜，悉是贼号。张师旦扶槛按剑言曰："吾已取潮州多时了。"定国大怒，攻城，箭如雨下，定国无奈，率兵退保饶平，以图恢复。

第九回　北固亭范国昌望气

却说狄定国领兵退守饶平，次日其子狄勇亦至，言贼内外夹攻，我师已溃，蓝关亦失。定国即命狄勇速往肇庆府苗秀实处，乞师恢复潮州。一面申明参政，命将出师来援。狄勇去后，钟明亮随率大军，攻打饶平。定国出其不意，用精兵夜突其营，败之。明亮大怒，挥军四面攻打，火炮石子、云梯冲车一齐并用。谁知定国长于守御，随方御之。明亮智勇俱困，退二十里下寨。

时饶平县知县，姓白名映雪者，浙之秀水人也。先世原归德府，商丘人氏。因父白琏，以宋度宗咸淳进士，官秀水令，遂家焉。映雪七岁而孤，母樊氏教之。每夜以书灯就绩。樊氏有贤行，教子方严有法。映雪秉母训，素廉谨，学成，亦登进士。遍交当世知名，往来从游。如非其人，樊知必叱之跪而责之曰："汝不亲贤人君子，而狎比此类，吾不忍见尔有玷家声也！"或泣杖之，或终日不与言。必映雪再三叩首，谢罪改过，至绝其人而后已。至是以家贫亲老，作毛义捧檄，奉母任所，官居廉明，颇有循声。

饶平时有一方翰林，挂冠而归，家富无子，复纳一妾。后妾生一女，而妻亦于是日忽生一子，妻本朴而妾甚黠，暗将己女，换去其妻之子。妻知之，问妾，妾故狡诈，又复便捷，与妻相争。方适自外归，不能决。妻兄大忿，因质于官。映雪换二妇质讯，争执如前，妾云系己出。某处有誌，某处可验。妻云惟己所生是子，妾者女也，乌得欺心暗换，牴牾不已。映雪令将其子暂存署中，交付乳母，来日复问。次日至舟中，传齐，先问方，方亦言妻妾俱同日产，无可证验。次问二妇，二妇你争我辩，聒絮不休。映雪大怒曰："子嗣以承禋祀，娶妻纳妾，皆为子也。二妇无良，究竟有子不如无子，命汝夫另娶，将其子弃掷水中。"旁立一役，十分狼毒，果然叉手，就往乳母怀中夺来，抛下水去。重重包裹，乍沉乍浮，犹囷囷蠕动，已无啼声。其妻见此光景，五内俱裂，不顾生死，望水中便跳，思往救援，其妾端然不动。映雪速令救起其妻，捞上其包，内裹一鱼，见水自然动了。复令人回衙，抱其真子至，大骂其妾："既为尔子，如何不救？"妾无言可答，用刑具一吓，乃悉吐实。

又有兄弟三人，以分居涉讼者，兄宦为州倅，两弟俱农，家中经纪。因兄宦游归，令弟各爨。外藏锦绫二笥，不与分。闺闼啧有烦言，渐至诟谇，因以涉讼。映雪于末后判云：

何处西风夜卷霜，雁行中断各凄凉。
吴绫越锦藏私箧，不及姜家布被香。

其兄见之，肉袒谢罪，两弟恻然感动。映雪复晓之曰："手足之爱，天性也！汝弟兄虽有三人，要皆父精母血所成，实父母一人也。兄弟参商，其如父母何？"三人抱头大哭，誓不复分，叩首而去。一时传为美谈，此类甚多，不必具述。

映雪此时，见四郊多垒，戎马倥偬，生民涂炭，又虑城小难守，恐惊其母，昼夜焦思。一日见定国献策曰："贼能用金人铁浮图之法，我兵独不能用羌人铁叶车之法乎？"定国大悟曰："甚妙！即请贵县督造。守御之事，吾力任之，待造齐，援兵若至，用此车布垒阵法破之，可获全胜。"映雪遂连夜督工匠人等，造作战车。其车兼用靖康时李纲遗法，两竿双轮，上载弓弩，又设皮篱，以捍矢石，下用铁叶，裹钉作裙，以卫人足。长兵御人，短兵御马，旁施铁纤贯之，可阵可营。每军用兵二十五人，四人推竿以运车，一人登车以发矢，余执军器，夹车两旁。每军共二千五百人，以五之一为辎重及卫兵，余当车。八十乘即布为方阵，则四面各二十乘，而辎重犹得处中。铁浮图虽勇而锐，不能当矣！督造已毕，正值狄勇自肇庆而回，言苗秀实颇怀观望，托言海近，盗发不测，不敢擅离。定国怒忿，恰好参政梅殷，统兵五千，亲临潮阳来援，已在十里外下寨。定国大喜，速往参见。起居礼毕，梅殷问曰："闻贼兵甚锐，攻城掠池，势不可挡，吾已调有两广峒丁在此，凭统制分布，作何计较?"定国闻有峒丁，起谢参政曰："吾计成矣!"遂告以铁车之故，梅殷亦可其策。定国辞归。次日五鼓，分派众将，各授方略。军中蓄锐日久，间有斗志，定国希望一鼓成功，振顿精神，决一大战。请参政梅殷、县令白映雪留重兵守城策应。两军对圆，贼阵有李虓、章琱出马，狄勇敌住，战不数合，诈败而走。钟明亮麾动大旗，鸣鼓进兵。只见朱贲从东杀来，曹顺从西杀来，童义、耿星星领铁浮图从中杀来，三路齐进，势若长蛇，中军冲突，两翼救应，首尾相顾，进止不越步武。定国暗中惊服，贼兵正仗铁浮图，奋勇攻杀，抢掠马匹器械无数。忽元兵散而复合，号炮一举，定国放出铁车，步步联营，来如潮涌山奔，坚如铜硼铁砦，锐不可当。铁浮图虽勇，冲突不动，渐渐少退。元兵鼓声响处，更出生力军马，两翼杀出，此兵便是两广峒丁，概用弓矢，箭无虚发。定国命军中大呼降者免死，贼将李虓、章频、曹顺、童义等，已被众军剁为肉泥。耿星星身中数矢，弃马逃窜，钟明亮血贱满身，死战回寨，方欲改换衣甲而走，奈铁车层层围裹上来，营已攻破，自知不免，先杀妻子，然后仗剑自刎。一时贼兵尸积如山，血流成渠，降者称是。有朱贲、曹能口称愿降，众军缚定，一战成功，大获全胜。其漏网逃去者，不过十分之二。参政梅殷大喜，举酒迎劳曰："将军一战而捷，凡有大胜者，必有小败，若非前此失利，以骄敌心，恐成功未必如此之速也!"定国逊谢曰："此众军努力，白县令献策功也!"参政梅殷，即驻师饶平，命定国肃清余党，兵至潮州，耿星星离阵，即望台州而走，张师旦孤掌难鸣，亦弃城而走，余党随剿随抚，所陷州县，一时恢复。梅殷师回广州，表奏元主。擢梅殷枢密正使，入燕与完泽中书同参。密勿也。狄定国广南参政兼招讨使。随征将士，俱有升赏。

饶平知县白映雪，除授广南道监察御史，制诰方下，同官相庆。映雪母氏樊徐谓之曰："汝非宋人也，家贫而仕，已得微职，不无报效，急流勇退，在此时矣。"映雪即日表还制诰，不俟命下，挂冠归浙。不久，其母卧病不起，疾革，谓之曰："今后慎勿再仕蒙古，名义二字，不可不慎也！其他吾无虑矣。"言毕遂卒。雪号恸欲绝，葬祭如礼，墓庐守制，每潸潸作孺子泣曰："终天遗恨，风木生悲，再不能奉慈母之训矣!"闻者悲之。

映雪仕饶平，年方弱冠，尚无配偶。服阕后，闻有故人范国昌、司马肃在京口，将往探之。沿途盗贼纵横，纡道始达镇江，又闻国昌等已往丹阳，再至丹阳。三人相晤，悲喜交集，各诉契阔。映雪述母遗命，二人不胜感叹，范国昌曰："当今南北，虽有数人，皆无大志，抢州夺郡，杀戮生灵，徒甘盗贼之名，反使元人借为口实。我等身如转蓬，未知瞻乌爰止，于谁之屋耳。"三人再回丹阳，留连数日，买舟，放回京口。映雪在舟中，略叙前事，极言狄定国颇有将略，广南得人，可谓绳其祖武。但定国有功于蒙古，将来事业恐亦徒为蒙古之用矣！范国昌曰："仕者自仕，用保民也；退者自退，以适志也；达者审所出处，以应世用而已，于蒙古何与？"司马肃亦深然其言曰："无名分者，固亦无伤，但恐后世笑越客之徒劳耳！"三人舟次，远远望见南徐。苍苍冥冥，如轻烟一抹，蜿蜒由黄鹤而来，真百越舟车之会，三吴襟带之邦也！沿江波涛渺渺，如匹练飞去，一望无极。将近丹徒，见前面金山、吴山色色如画。范国昌喟然叹曰："长江天堑，所以限南北也，江表三百年王气尽矣！"时映雪遥指城北一山谓曰："峭拔耸翠者，非北固山耶，我等曷登山一望。"二人遂同上岸，直登北固。此山三面临江，高数十丈，江景尽在目中。视镇江府治，外蔽国畿，内连天堑，无惑乎金主亮，吟立马吴山第一峰也。映雪又望金山寺，在扬子江心，距城仅三五里许，叹曰："韩世忠、张世杰当年大战阿术，风景犹如昨也。"三人径至山顶，遥望金陵，佳气郁郁葱葱。皆曰："建康不出百年，当有应运而兴者。"至亭中坐定，良久，亭上有苏子瞻飞白大书三字，曰"北固亭"。亭下自晋唐以来，代有名题，南宋尤甚。三人逐一赏玩不置，皆曰此亭经两晋六朝后，争地争城，不知几许无情江水，淘尽古今无数英雄。想像刘梦得诗意，萧萧庐荻，悠然意远，睹此名胜，亦宜分韻记其事。范国昌遂即景咏《京口晚渡》云：

轻帆如叶下关头，北国苍苍动客愁。
云净芜城山过雨，江空瓜步岸横秋。
铃音几处烟中寺，灯影谁家水上楼。
最是二分明月好，玉箫声里下扬州。

司马肃曰："我意不在京口，当咏金粉六朝。"以怀古命意云：

玉树庭花唱已遥，金陵王气又重消。
龙蟠不去怀双阙，牛首空回望六朝。
故垒云低天漠漠，荒林秋尽两潇潇。
石头城畔多情月，夜夜来看江上潮。

白映雪犹凝思未定，二人问属意所在。映雪曰："适观金山有感，未免语涉讥讪耳。"咏曰：

一战金山敌已纾，偏安南渡竟何如？
云开凤岭笙歌满，梦冷龙城驿使疏。

海日忽惊宫漏尽，春潮犹笑将坛虚。
谁知立马吴山客，不惜千金买谏书。

三人互相甲乙，评览一会，忽江下一只官船，呼哨而至。泊近山下，内一差官上岸，径入亭来。映雪认定曰："此广南差官也。"二人避去。映雪上前施礼，差官遂言广州狄参政闻大人服阕，上表荐举，升授西台御史之职，因差某来秀水，预先知会，不日诰敕下了，请大人勿辞。某从秀水物色而来，谁知相遇于此。命仆从将礼物呈上。映雪急止之曰："九重丹诏，休教彩凤衔来，一片闲心已被白云锁住。从此予将往南山之南，北山之北，与草木同朽矣！为我深谢狄参政，当图后报耳。"遂吟诗以见志云：

青云有路擢西曹，参政十分荐剡劳。
下乘难追千里马，虚名恐误九方皋。
嵇康自信趋时懒，少室谁云索价高。
总使阳和动邹律，心如流水去滔滔。

吟毕，拂袖而出。差官一场没趣，仍回广州。范国昌等游兴正浓，尚欲留恋北固，忽被差官唐突至此，聒絮一会，直待映雪话毕，始同登舟过江，游芙蓉楼而去。

第十回　栖霞岭皇甫惇题诗

范国昌等既过镇江，登芙蓉楼，观玩江景，回视北固青青，焦山圌山端然可见。又上西南万岁楼，见扬子江中船只蚁聚，迤逦直达江湾青龙镇等处，一望无垠。因在镇江，打探吴越消息，闻奏锡帛攻陷凤阳，太守孟知节力不能支，仰药而死。守将梁毅并弟梁果战败降贼。太平府牛渚矶守将陈宏统、王杲自以长江可恃，师久遂生怠心，疏虞防守。

一日晨起大雾，满江迷漫，对面不见，王杲始命哨军沿江巡视，不知杨镇龙之兵已偷渡采石，擒了斥堠，杀至牛渚，已过营前。二将慌忙上马，措手不及，众军大溃。一时杀死溺水者不计其数。王杲被擒，陈宏统赴水而死。杨镇龙降其余众，遂围太平。夏贵确有主见，不慌不忙，轻轻又将太平降于镇龙。锡帛、镇龙两处陷没无数郡县，三吴道路梗塞。范国昌等闻之，逆料三吴非可久居，将往京湖。白映雪亦言昔日蒙古会稽伐陵，有人大闹临安之事，亦思暂避两浙。范国昌曰："此非常之举也！我等曷往物色之。"司马肃曰："贬圣伐陵，千古公愤，可笑白子丹，犹为之献策以退敌也。"映雪曰："饶平有老母在焉，深恐城门失火，殃及池鱼，彼时亦箭在弦上，不得不发耳。"三人一同遂往东京。

却说临安西湖，每到春日，画舫莲舟，游人无算，或挟歌妓舞女荡桨，或载檀板金樽刺船，其湖心亭、苏公堤、熙春桥等处弄潮者，画则管弦咿哑，终日不绝。夜则灯水辉煌，达旦不休，所谓暖风薰得游人醉也！又西湖山水清丽，绰约可爱，故能惹动士女，游览不置。苏子所云欲把西湖比西子，淡妆浓抹也相宜，良非虚语。湖上有天竺峰、八仙石、冷泉亭、大观台诸胜。山之北为栖霞岭。岭下有岳王坟、精忠庙、勒赐褒忠行福祠。时有一人就祠近筑室而居，姓向名南枝。隔山又一人，姓施名泽久。二人俱精悍有力，演易筋经，卖枪棒作生活计。居近西湖，生平锄强扶弱，好打不平。元世祖至元二十一年，西湖游人，较往年更胜一筹。二人见湖上湖下，湖左湖右，如荼如火，星布云涌一般。观玩之际，惟闻笙簧缭绕，笑语嗷嘈，有人以诗记其事云：

乍晴时节好天光，纨绮风来扑地香。
花点胭脂山泼黛，西湖今日也浓妆。
白舫青樽挟妓游，语音轻脆认苏州。
明知此地湖山胜，偏要违心誉虎丘。
画罗纨扇总如云，细草新泥簇蝶裙。
孤愤何关儿女事，踏青争上岳王坟。
明侪游兴略相同，里外湖桥宛转通。
觌面几番成一笑，刚才分路又相逢。

画舫人归一字排，半奁春水净如揩。
斜阳独上长堤立，拾得花间小凤钗。
梨花无主草堂青，金缕歌残翠黛凝。
魂断萧萧松际路，满天梅雨下西陵。
珠翠丛中逞别才，时新衣服称身裁。
谁知百裥罗裙上，也画西湖十景来。
时样梳妆出意新，鄂王坟上小逡巡。
抬头一笑匆匆去，不避生人避熟人。
白石敲光细火红，绣襟私贮小金筒。
口中吹出如兰气，侥幸何人占下风。
苔阴小立按双鬟，贴地弓鞋一寸弯。
行转长堤无气力，累人挽着上孤山。

施、向二人，观玩良久，见湖岸湖舟，无非拥妓酣饮，丛杂朱翠，按谱度曲。甚者袖手玩景，选胜赏心而已。施、向二人，虽豪侠者流，颇有不屑之意。直至湖心亭，眺望之际，恰有士人数辈，在亭下浮白呼庐，举觞豪饮。一人曰："闷酒寡饮，殊乏风雅，即景为题，不成者，罚金谷数。"四座皆然之，其人首唱曰：

白沙堤外荡舟行，烟雨空濛画不成，
忽见斜阳西岭照，半峰阴暗半峰晴。

次座者曰："本地风光，拈来皆成妙谛。如某从何处设色。"亦蘸笔书云：

花坞斜连花坞遥，夹堤水色淡轻绡。
外湖艇子里湖去，穿过湖西十二桥。

又次者曰："此自然天籁也，当歌对酒，我辈搁笔矣！"不得已，勉强一吟，题曰：

长短兰桡拂渚汀，声声萧鼓集西冷。
为谁唱出桃花曲，尽著萧郎廉外听。

最次者曰："风流蕴藉，洵是可人，但未免绮语撩人矣！"说罢，遂奋腕疾书云：

一到湖心眼界宽，云光霮䨴接风湍。
亭前春色浓如许，莫作瑶池清浅看。

众皆哗然笑曰："骚坛得此军，可殿后矣。"洗珓更酌，仍相豪饮。施、向二人在亭上，亦鼓掌欢笑曰："如此游湖，可儿可儿。"众忽仰视，讶曰："施、向二好汉也。"急起邀入，坐定。二人坦然无疑。举卮如钱鲸吸川，尽醉方止。大笑曰："但识琴中趣，何劳弦上音。渊明尚抚无弦琴也，而况我等武人，不识之无，庸何伤？"众士人见他豪迈可敬，酒后耳热，方欲舞剑为乐，以佐觞政。忽有杭州都巡检司，欲游此亭赏湖。先令仆役散除闲人。施、向皆怒曰："多大巡检，此亭独汝合游也？"刚欲发作，众士人恐其滋事波及，逡巡避去。施、向二人，仍少坐一会，见巡检未至，亦过六一泉、孤山寺等处，游遍而归。方至岳王坟，见一士方巾便服，周览墓道，欷歔久之，又至精忠庙，再拜奠酒，忽然放声大哭。二人惊异之，宿酒皆醒，见士人袖出小金盒一具，拈管题壁云：

不是金牌下九阍，燕云唾手复中原。
千秋大狱成三字，全宋精忠聚一门。
狩北两官悲断梦，向南孤木自招魂。
蜡书夜月西风冷，背上空留旧诨痕。

其人题罢，犹涕泗横流。二人上前慰之曰："先生忠义人也！"至情相感，如是如是。其人逊谢，自言复姓皇甫，名惇，湘江人也。避乱至此，有感蛙鸣，不图遂聒尊听。亦问姓字，二人告之，重新叙礼，意气相投。忽旁边转过一人大喝曰："何物寒酸于，以粪土污人墙壁。"皇甫惇大惊，未及回答，施、向二人一见，知是钱塘县恶棍王多管，本名科远，系余杭人氏。原是一介累举不第的秀才，因其唆讼好事，全无行止，士林羞与之伍。广文以劣等申之提举，褫其衣冠，窜过钱塘，至是益横，乡党苦之。其家甚富，前代居闽，有祖名好谦者，因过镇江遇韩世忠大战金山寺，杀败兀术，追至黄天荡，以铁绠贯大钩，沉于江中，前后将金兵围得水泄不通，兀术大窘，业将被擒。王好谦乃宽衣大帽，从容至营中，献破海舟之策。命兀术舟中实土铺板，穴船擢桨，风息，以火箭射宋军箬蓬，世忠大败。兀术过江，深德好谦，谢以美官，不受；赏之千金，遂成巨富。王多管，究竟贼种苗裔，席饶裕之业，至钱塘又纳粟，补博士员。凡官长一至，即奉百金为寿。若遇钱神墨吏，便与胶漆不相离矣。当下在精忠庙，见皇甫惇题诗，玩其声口，有事可搜，遂责皇甫惇曰："汝一介寒酸，何得又谤朝廷，祸至勿悔。"皇甫惇浪迹此间，不知所措。施、向二人，急引至家中暂避，次日命之速走。犹未拔关，突有差役数人，排闼而人，将铁索锁了皇甫惇就走。施、向二人，不敢争执。皇甫惇欲辨不能，挣扎不得。带至钱塘。

县宰升堂，即问名姓。皇甫惇又羞又恼，逐一说出。复问精忠庙如何擅题反诗，皇甫惇不敢隐瞒，将诗呈上。县宰反复沉玩，意甚测然，命请王乡宦。少时，王多管昂然而至。县宰笑迎起居毕曰："王兄谓皇甫惇所题，讥讪朝廷，反情毕露，其旨安在？"王多管曰："通首皆怀不轨，即如千秋大狱成三字，全宋精忠聚一门。千秋台乃至元九年，立于斡难河，以旌武功，以志始基。狱者，言二犬也。三字者，今上以奇渥温为姓，忽必烈为名，俱三字也。大狱二字，言二大犬，暗刺当今始祖，乃苍白狼黝白鹿相配而生也。复兴宋室，谋反作叛，想其父子兄弟俱有成谋，故暗将精忠二字，托之武穆也。狩北两宫悲断梦，大约今冬起意北征，使燕京、上都两处寝不安席，宵衣旰食也。向南狐木自招魂，木生在火，宋南渡中兴，南为火地，宋以火德王天下，又凡元者属黄，黄者土也，取木能刻土。向南孤木自招魂，谓以一木独支大厦，能为宋末诸帝泄憾招魂也。至次句唾手燕云，恢复中原，则朗若列眉矣！”县令曰：“不然，唾手燕云，终欲复仇而报国。誓心天地，尚令稽首以称藩。此武穆王表奏高宗，誓灭金人之语，非皇甫生所撰也，王兄误解矣！彼异地羁旅，偶一感怀，何遂加以讪上之罪?”王多管不悦曰：“渠言中原且不在意，其志非小，县公独不见前日大闹临安乎?”县令变色曰：“前日大闹临安，党与甚众，且皆强梁跋扈之徒，此人孱弱一书生，彼自咏南宋之武穆王耳，岂得以笔墨之故，陷人不义？不义之行，侯长孺不为也。”王多管语侵县令，县令置若不闻，竟将皇甫惇释放。且勉之曰：“玩汝诗词，颇怀忠义，异日得志，莫渝初心，侯某有厚望马。”皇甫惇拜谢而起。王多管怀恨而出。

按县令姓侯名长孺，南阳人也。初任钱塘，下车伊始，王多管即遣人馈蒸豚一蹄，长孺不便推却，受而启之，内藏百金，长孺大异之！受豚反金，后稔知积恶有素，但未发觉。时侦察之，长孺杜绝请托。多管无门可入，搜得此事，谓指斥乘舆，坐以大逆，或可挟制，不敢不从，发发利市。讵知侯长孺以赐同进士出身，作民牧，岂不曾作过诗来，而落汝含沙射人圈套也。王多管出衙，大怒县令，思中伤之。遍造无根谤言，震撼上官。又令其子王元贿买沿江巨盗，多于钱塘江近时时抢掠，戳伤人命。又令人常在江边打捞浮浪尸首，或去头足，或损阳阴，捏作无影疑案，如此之类，种种不一。月余，钱塘县遂有不决之案七十余端。县令公事旁午，上官切责，下民抱怨。侯长孺初任尚有循声，至此竟左支右绌了。更还有钱塘榷税、田土婚姻，吏胥舞弊，逐节生枝。委决略有缺陷，皆索瘢剔痍，人人上控。平章脱脱大怒，以不职奏免，罢官而走。

王多管大喜得计。谁知事有巧遇，恰好钱塘继任，姓葛名天民，亦湘江人氏。皇甫惇深得侯令救护，十分感激，既见王多管种种不法，百计倾陷，老大不平，然无可借手。闻葛天民补任钱塘，正合机会，遂将前事逐一告之。葛天民与皇甫惇下帷数载，谊属中表。因皇甫惇见宋灭元兴，无心仕进，故游历京湖，仍然书生。

葛天民生性疾恶如仇，王多管之名，耳之最久。一莅任，见被害之家，告王多管者，状子如雪片飞来。葛天民立获数盗，用重刑榜掠，供出其子王元贿托之谋，即将王元拿至质谳。谁知王元狡猾凶顽，克肖乃父，倔强不服，株连吏役，与天民牴牾。天民大怒，将蠹役数人立毙杖下。胥吏恨入骨髓，夹拶群盗，死去活来，一口咬定王元，至死不变。王元亦受刑不过，尽皆吐实。王多管至此，恶贯始盈，方得伏法。而按察佥事哈剌哈孙，并知府阿速，以天民执法，而少趋奉，偏将招词层层驳辩从轻，未能大辟。葛天民怒气无处发泄，将王多管刺了双目，其子王元剜去二肘，发往袁州府萍乡县安置。

前案始明，正值侯长孺亦按籍复仕。分发江西。闻知此事，遂求任萍乡。至任所，令人察之，见王多管在一斗室中，瞑目上坐，口中喃喃，自言此案如何起结，如何更变，如何耸动官府，条分缕晰，了了甚明。其子旁列矮坐，以足指夹笔管书之，报知长孺，令人拿至，将父子立毙杖之。人以为天道好还，毫厘不爽云。

第十一回　征日本蒙古丧师

当时钱塘县除了巨猾，讼息民安，人人称庆。皇甫惇在天民署中，情谊相得，间或观潮游湖，遨游山水，置身事外。一日至江下遇二乞者，齐声谓皇甫先生，别来无恙耶？惊视之，乃向南枝、施泽久也。问何至此，二人言自先生被陷后，王多管累来根究我等，不许岭下居住。我等不服，欲与为敌，谁知彼等有意生事，将一久病老儿，缢死岭下，谬以人命官司诬陷我等，令人呈报。我等闻风逃窜，幸而得免。就近居民无不被累。今闻恶榻已除，方始来归。皇甫惇亦叹恨不已。二人齐声曰："从此更不住棲霞矣！"问其故，曰："西湖十景，名胜甲于天下，游湖士女如云，每有豪族恶少在此，以强凌弱，我等素性不耐，易生枝节，愿避此地，徜徉他乡，落得无拘无束。"皇甫惇亦点头道："是。"问何业？向南枝便卖枪棒，施泽久就耍花蛇。二人回归，果将家室移往僻静处安置，离了钱塘，顺江而去。皇甫惇见二人落落气概，随遇自得，俨然四海为家。自思在此，日日羁縻，终非长策，遂谢别葛天民，亦望会稽进发。

且说马遇乐弟兄在暹罗国，忽不见了涪陵，四处探访，并无迹踪，必因国王令旨，知风逃去。弟兄十分焦急，千山万水，保护海外，至暹罗已渐近中国，忽然失散。海阔天空，焉知下落？二人暗思陈宜中必知此事，急往告之。宜中变色曰："小子犹问赵氏耶？恐汝辈亦难免矣！"弟兄不敢复问，大惊而退，情知涪陵为宜中所不容，或往占城，亦未可知？弟兄急急遂往占城。不知涪陵在日本，国王坦呢哩特布优礼相待。尝与涪陵并车游幸所属名岛，并境内山川。涪陵亦尝赞赏国王政俗之美，国王甚嘉纳之。其国离城百余里，有一奉圣寺，天生奇奥，石径幽窈，修造恢诡，已历千余年。自来日本，无兵火水旱之忧，又无攘夺篡弑之变，奉圣寺竟成古迹，又日本之南，与洛伽补陀为界。寺内番僧岁凡一往，因此香火极盛，头陀极多。但不似中国名胜，鲜有游览至此者。土人贪而好杀，前代国王每勤征伐，剽掠海边。独老王子无此残暴之气，然性佞于佛。一日整备法驾，将往奉圣寺，瓣香祈福，请涪陵同往，涪陵不得已从之。至寺中，国王皈依顶礼，众僧鸣动钟鼓，宣扬佛号。国王举手膜拜，诚恳备至。少时茶罢，众僧一齐献谀，谓国王有无量功德，佛日增辉，国祚绵永等语。国王大喜。涪陵心中，不以为然。由客堂散步，直入丈室，忽见有中国人字迹，大书一联云：水月通禅寂，鱼龙听梵音。末书司勋郎中钱起题。涪陵大奇之，暗思历遍海邦，今日忽见六书正体，文人笔墨，且喜鱼龙听梵音一语，暗合身分。正在惊喜，忽闻净室中有人私语。谛听之，若闻木瓜呀布云云。木瓜者，尊称也；呀布者，犹言好也，盖蛮姑猔女音也。涪陵一时心头火起，既而转念曰，此何地也？奸僧得知，祸不旋踵矣，急急走出，见国王与僧众犹趺坐挥麈而谈，布施功德，如此恁般。国王大喜曰："寡人来日，即当辇金来寺，斋僧供佛，忏悔夙愆，预种福田。"众僧合掌叩谢。国王遂同涪陵，起身作别而归。

次日，国王果遣内官将许多金宝送往寺去。涪陵止之曰："金宝送去，有何用处？"

国王敛容答曰:“斋僧布施,为寡人作功德,使国安民服,群岛附庸,不致叛离。”涪陵笑曰:“国家安危,自关气运,然能亲贤远佞,用人得宜,虽危可安,虽乱可治。岂彼群僧能为力也?至于群岛叛离,只须国王抚以恩信,镇以兵威,自然拱服。且上国亦非富庶之邦,某观沿海岛岸遍是穷民,然皆精悍可用之徒。何不赐以衣食,各安其生,各遂其性,国有事变,可得其力为用。况蒙古殄灭西夏四十余国,今混一土宇,尔日本独能保无虞乎?”国王默然无语,时日本有四猛将,曰沙咤鲁、嘿渊、越乞纥干、濑底鳌。在阶下一齐厉声大呼曰:“金宝不可赐与僧众,徒供妄费,赵宋王之言至言也!国王不可不察。”国王曰:“寡人堂堂一国,无多金宝,既已许口,岂可失信于僧众。”大夫纥搭出班奏曰:“近闻奉圣寺边,沧水不里部落,往往失去蛮姑猔女无算,酋长不决,诸部常相攻杀。奉圣伊迩,其中不无弊端。滥赐金宝,妄予恩典,恐将士灰心。”纥搭语未绝声,诸武将争相议论,呶呶不已。国王此时将金宝辇在殿前,首鼠两端,中心无主。涪陵见众心不服,知计可行,请国王将金宝收下。大声谓众臣曰:“诸公毋哗,赵某有计献上。”众臣果然一时屏息。涪陵请国王调兵五百,遣嘿渊、濑底鳌二将诈以巡海为名,暗暗将寺围定,一搜其中,决有奸细。国王未及回答。嘿渊、濑底鳌应声愿往,领兵而去。国王一片佛心,竟被众人一吹一唱,从中止了。

却说奉圣寺僧千有余众,所恃人广地僻,种种不法。凡琉球黑水,诸部恶秃,多聚于此。不是掳掠各部蛮女,入寺宣淫;即下洋拦截番舶,抢夺珍宝。补陀山下贼舟,皆朝南海番僧之徒为之也。当日嘿渊、濑底鳌二将,领兵诈称巡海,又暗知会沧水不里酋长,领兵来寺,秘密围定。一声令下,二将打入,果在复室中,搜出姑猔蛮女百四十余人,海物珍异无数。僧众见事机败露,各持刀剑。死命杀出。二将恐势力不敌,把关拦住。也不管千年古迹,火焚其寺,逸出者截而杀之。一时烟涨迷空,寺内号吼之声,惊闻数里。不上半日,惟见废瓦秃垣,一片白地。二将始将搜出蛮女金宝,押回国中复命。国王初闻不法诸事,甚怒僧等。继闻二将火焚寺宇,勃然大怒,命斩二将。文武进谏,俱受唾骂。涪陵见国王盛怒之顷,不便发语。只见国王拔剑砍案,大呼速斩。业已绑出午门,无可解救。忽报元主遣兵十万,来征日本,已至海上了。国王大惊无措。涪陵乘机进曰:“蒙古果不出吾所料,国王且以应敌为重,恕了二将,速议军旅。”国王此时不得不从,即命赦之。二将叩首谢罪。在廷文武深德涪陵。国王立令将金宝分赏诸岛穷倭,调来听用。涪陵笑止之曰:“虽鞭之长,不及马腹,是在平时耳。此时须别求方略。”国王前席请计。涪陵见国王方寸已乱,乃问曰:“上国险隘,何处为最?”文武齐声曰:“此去七百里,扶桑岛最险峻。岛下赤金崖,凡航海来日本者,皆从崖前泊舟上岸,乃吾国咽喉也!”涪陵又曰:“除了扶桑岛,更有何处?”文武曰:“此外唯白石濑亦控制海道,但离国仅四百余里。”涪陵又问何谓赤金崖?国王曰:“崖下多产金铁,采用不尽,积久遂成赤色,故曰赤金崖。”涪陵击节喜曰:“即此甚妙,计可成矣!”遂命沙咤鲁率兵三千,把守扶桑岛。吾授汝图式,速采崖前金铁,命工匠起大冶,铸造轰天雷大炮二十余座。铸成,如法安放。凡应用诸物,速发帑藏措置,即此可挡蒙古十万师矣。”命嘿渊、濑底鳌统兵五千,札白石濑。上国惟仗刀枪厮杀,亦大费事,可命军中速造连弩。其弩每发共一十二支,乃大汉诸葛武侯遗法,弩床在右,翼以药箭石子。蒙古虽强,难逾此二关也！再命大将越乞纥干领兵一万，往来救应，步步结营，胜则相助，败则相援。蒙古不能深入重地，其兵必退。赵某海外飘泊十年，今日务在上国，将郁气一吐。国王大喜，下令城中戒严，众将分头去讫。

却说元世祖吞并六合，总括中外，犹贪心不足，屡命将征伐绝域，专务远略，穷兵黩武，费用浩繁，民甚苦之。有四帅，曰阿答海、相吾答儿、阿里海、忽都贴木儿。四人日日怂恿元主征伐，凡高昌、吐蕃、交趾、高丽、鬼蛮、天竺、鄯善、安南、西域、回鹘，甚至钦察，离中国三万八千余里，因产良马，无不伐之。至是又因琉球国使臣入贡，言日本国产独摇芝，且有赵宋后裔在焉，其国大治，横行海岸，所向无前。元主业已怒其不贡，又闻有宋赵氏住在国内，即命起兵伐之。太傅伯颜、中书完泽、右丞相和礼霍孙皆极力切谏，不听。唯桑哥庐世荣阿合马一班佞臣，俱赞成之。元主大喜，即诏相吾答儿为大元帅，阿里海副之，百家奴、蕃哥、方文，张夔、积庆贴木儿等，胥授节制，以琉球使臣为向导，统雄师十三万，征伐日本。相吾答儿等得旨，即备战舰海鳅，由天津放至登莱，迤逦而下，径泊罗崇明。又数月，始达昌国，渐近日本。不日已见扶桑岛了。岛上因国王用涪陵之计，命沙咤鲁统兵把守，铸炮以俟。又调集无数士兵驻崖前，连珠为屯，一屯一炮，每屯五十人，二十余屯，阻住海岸。果然土兵能奋死力，一见海上，隐隐有元兵到来，便呐一声喊，聚集满岸，磨拳擦掌。约计元兵相去不过十里之遥，土兵从不见过轰天雷战法，争相上前发动药线。谁知不发则已，一发就如震天的响了一声。众兵就吓得抱头乱窜，双耳齐聋，尽皆伏地不起。那炮打去数里之遥，豁喇的落在水中，波涛鼎沸，鱼鳖皆惊。大元帅相吾答儿惊得面如土色，谓众将曰："红夷西洋，素长火攻，今日本亦用此法，即已至此，我师焉得上岸？"言未已，岛上又发了数炮，军中一时惊惶，皆言不如少退，略避其锋，谁知风色正顺，海鳅大船，一时焉能驶退。岛上士兵，正打得高兴，二十余座轰天雷一齐举发，火焰通红，烟涨迷空。但遇着一船，无不粉碎。众军叫苦不迭，霎时已不见了万余人马。相吾答儿无计可施。俄而，飓风又起，愈吹愈近，且喜岛上发放已尽，准备不及，土兵正在喧嚷，相吾答儿下令三军务须死中求生，趁此冲突上岸，违者斩首。三军方欲鼓噪上前，只见沙咤鲁率大队，在赤金崖前，密如箐笋排定，引弓注石，处处截杀。三军不敢直进，相吾答儿大怒，立斩数员健将，以殉元军。积庆贴木儿者自负胆略过人，跃上一只小舟，奋勇争先，思夺其险。突见上流头，竖满赤红旗帜，不知多少人马，汹涌滚滚而下。柁师大喊叫曰："不好了，鲸鱼发了。"鲸鱼者，海鱼也，大者长千里，小者亦数千丈，转瞬已近岛岸，乘时炮声又举，鲸鱼震怒，鼓浪成雷，喷沫成雨，扬耆昂首，山石为之震动，翻江搅海，白浪滔天，土兵俱惊呆了。沙咤鲁下令退兵，但见雪阵银山，卷地若军声十万，鳌奔龟吼，浮天壮铁甲三千。可怜大元十余万雄师，不一会，尽埋胔掩骼于洪涛巨浸中。其浮去得生者，惟百家奴、方文，暨一小卒，三人回朝复命而已，岂不哀哉！此皆元世祖穷兵黩武之报，而亦元世祖石桀屠生灵之恶也！有诗叹曰：

苦把生灵任毒痡，穷边黩武葬鱼湖。
劝君莫话封侯事，一将功成万骨枯。

昔时梁武帝筑堰淮水,以灌寿阳。淮水涨,堰坏,十余万口皆漂入海。世祖此恶,比之尤有甚焉。

淮水汤汤卷土奔,烟波一洗徐扬村。
元征日本恶尤甚,十万貔貅葬海门。

第十二回　**走占城涪陵返国**

当时日本大将越乞纥干，统接应兵至扶桑，犹见波涛汹涌，无不骇异。沙咤鲁令将二十余座轰天雷，安布赤金崖前，永镇此岛，扼守要害，班师回国。白石濑、嘿渊、澥底鳌，闻师凯旋，一齐回兵，国人鼓舞称庆，皆曰赵宋王之赐也！国王更喜不自胜，饮至策勋，大宴群臣，尊涪陵首座。国王举觞上寿次及文武。涪陵接卮在手，转涕泗横流，喟然叹曰："可怜蒙古十余万生灵，一旦淹没，中心惨怛，上国酌酒相庆，赵某焉能入唇？"国王曰："不然，蒙古自遭谴责，于尔我无与。赵王怜念及此，异日定仁慈之主也！"涪陵逊谢，终是不说。因以为将好杀，戒诸武将。国王感动，亦泫然泪下。大夫纥搭进曰："赵王德音，诸公自当铭心镂骨。然赵王在下国，累施覆载，更生有庆，又多设良模，遗我成法。使下国风气变易，岂可无以报德？赵王异日登极，下国不辞万里，自当岁岁入贡不休也！"涪陵亦谢，勉强尽欢而罢。

数日后，辞别国王，欲往占城。国王大惊，声泪俱下，曰："下国若非赵王，焉有目前景象，所遗成法，永久世守。然赵王回国，如龙跃天衢，振翼云汉，亦大庆幸事，未敢强留，愿得早正乾坤，永定正朔，海外与有荣施。"命文武整备海舰，送往占城，略酬万一。涪陵固辞不许。次日国王率同文武，离城百余里，祖饯海岸，送者如云。文臣武将，无不下泪，各部号吼如雷。嘿渊、澥底鳌二将感救死之恩，定要送往占城。涪陵不许，二将便欲拔剑自刎，涪陵惊泣许之。与国王再三珍重而别。二将登舟，拽满风帆，望南漂去。国王及众文武，方始回国。

却说占城国有辖土，曰金城堡。地广人稠，路扼冲要，前临紫泥岛，左拒交趾，右达暹罗，其地东方朔所谓紫泥海也。堡中番汉杂处，又当冲要，交广通商，宋末避难者，往往居此。时有枣阳人孟来翂者，以襄阳被围时，随其父挚家避兵至此。父名琪，理宗时，官防御使，孟宗政侄也。迁金城堡，数年遂卒。一母一妹，侨居海外，母氏向贤而有远识，父子避乱占城，皆母氏意也。妹名丽蓉，亦美而有才，修洁闲雅，举止雍穆，慨然有丈夫志。每言渠为男子，定当为炎宋复仇，继伯父之业。伯父者，宗政之子珙，为宜抚，镇江陵，大兴屯田者也。来翂曰："不然，凡女子多言能为男子事；即为男子，又恐须眉而巾帼矣，所谓大言欺人也！"丽蓉笑曰："弟能量姊乎？姊终为常人妇则已矣，然姊终不为常人妇。"二人反唇相讥，其母怒止之。来翂年近弱冠，豪侠有胆力，亦慕其叔祖宗政之为人，读其书，想其行事，有击碎唾壶之风。然母氏方严有法，不敢犯。

一日遇乐兄弟由暹罗而至，恰遇来翂，具陈桑梓，来翂奇之，款至家中，二马升堂拜母，誓订骨肉之交。二马年俱稍长，来翂以兄事之，遇乐备言在暹罗国，失散小主涪陵之故，来翂惊喜曰："炎宋尚有人耶，占城不闻禁锢搜拿之命，逃在占城，或未可知？弟兄当共往物色，访归故土。"次日辞别其母，三人携手而去。

却说金城堡有一人，姓铫名宏，虎而冠者也。相识俱狐狗之属，若鲍士豉、佟泰、费儋、鲜于典等皆是。堡中每每以强凌弱,鲸吞虎视,夷民敢怒而不敢言。而铣宏尤有势力,诸人皆谄附之,豪霸金城,罔不慑息。堡内有令狐威者,亦宋人避难者也,年逾五旬。一子名韬,尚幼,膝前惟二女承颜,以供朝夕。长琼英,次琼华,俱明眸皓齿,有天姿国色。令狐威闺训维谨,二女亦娴懿则,养亲抚弟,殷勤备至。忽一日酋豪铣宏经过,二女未及避躲,铣宏一见,魂爽飞越,喜出望外。自此每遇令狐威,便十分承顺,屈己款洽,遂有求姻之意。令狐威伟岸风骨,并不假以辞色。铣宏又浼鲍士啰、费儋二人,再三关说。令狐威坚拒不允,且曰:"某本宋人,侨居贵国,中原肃清,即还故土,此事万难从命。"鲍、费二人,败兴而去。铣宏又羞又恼,暗思铣某在金城,岂屈己下人者哉?以礼相求者,念女异地羁旅也。受此奚落,遂起不良之意。鲍、费二人又怂恿之,宏意遂决。

一日正值令狐威出外未归,宏率多人排闼而人。二女无所逃遁,被众人一拥围住,擒获就走。英、华抵死不从,狂呼不已。幼弟韬,年方十岁,亦号泣呼救。堡中人见是铣宏,谁敢出头?喜得令狐韬孺子虽幼,却有急智,大呼众人休助桀为恶,铣宏之死期至矣。铣宏怒甚,令狐韬曰:"适见空中有金甲神将,传言铣宏恶贯已盈,命尽今日日中。"姚宏听罢,慌忙伏地,望空乞命。盖夷人信鬼,其性然也。众人被骗,皆欲散走,惟鲍士啰、费儋二人,擒定英、华不放。正在危急,忽来二大汉,窅目昂嚎,面貌狰狞。三拳两足,竟将鲍、费二人打倒。又一小后生,上前将英、华护定欲行,突时夷鬼散者复集,足有百余人,团团围定。又有佟泰、鲜于典手舞梢棒打来。二汉子赤手奋勇抵住,鲍、费二人忽地起身,将后生拿住,方欲榜掠,突来马遇乐,打开众人,一眼认定后生,正是涪陵公赵晟。心头火起,披靡直入,来救涪陵。孟来翀能识令狐二女,随与马遇阳各负其一,并幼子韬,送往孟家去了。二汉子大吼一声,各夺器械,丢开架子。铣宏等俱受重伤,抱头乱窜,胁从者皆一溜烟逃走。涪陵见了马氏兄弟,不胜之喜。二大汉即日本国之嘿渊、澥底鳌也,送涪陵,由金城起舵上岸相遇。数人正欲叙旧,忽见令狐威飞奔而来,哭拜在地,深谢救援之恩。马遇乐曰:"此位即故宋之赵涪陵公也。"令狐威慌忙再拜稽首,涪陵扶起,孟来翀一齐邀至家中,二将不知就里,涪陵一一说知。来翀喜甚,重相叙礼,自是置酒高会,各言别后之情。次日二将辞归日本。涪陵依依不舍,厚赠之,不受。令狐威亦十分感戴;与众人齐送至海岸而别。

涪陵逐日与马遇乐等各处游览,见占城风气景物,又与诸国悬殊。令狐威领二女归家后,涪陵、遇乐屡过其门,叩以家世。令狐威谢曰:"威从兄令狐概者,曾知广德军,威在理宗朝,亦判台州。因劾贾平章公田一表,为似道罢归,避祸来此,缄口不言国事者,二十余年矣!"言毕泣下,涪陵亦泣曰:"国家不幸,崖山殄灭,岂尽天命,抑亦人谋,当年如公者,能复几人?"威逊谢。自言其从兄概,不忠于国,明知广德乃临安右臂,临难苟免,望敌而逃,朝廷养士百年,将何用哉?令狐氏可谓无色矣!马遇乐代为扼腕。一日涪陵、遇乐招饮其家。酒酣,令狐威起曰:"威乞一言,万勿见拒。威海外漂泊,苟延残喘,荆妻早逝,所生弱息,粗知女红,鄙陋在夷。前日不逞之徒,尚思鱼肉,此亦未了之事。威欲屈殿下,权执柯斧,马兄亦代令弟主盟。况马、孟二英雄,深劳救援,未敢过望,聊以报德。"遇乐起谢曰:"幼弟不娴礼教,恐负所托。"威曰:"老夫志意已决,且弱息既蒙振拔，此外万无他适之理。”涪陵大喜，极力赞成，尽欢而散。至孟家说知，向夫人喜不自胜，定聘纳采，不日成婚。马遇阳、孟来玢二人遂联姻娅，马、孟共处一家。

涪陵主焉，隐身堡中，且常以信义感化夷民，占人悦服。盖此堡离国中三百余里，属占城北境，去交趾不远。交趾占城属郡也。交趾之民，为占城役，岁供租税，皆经堡中。交趾极东则界广南之钦、廉二州矣。交人至堡，涪陵细访广南消息。交人言广南今有狄参政威望素著，盗贼屏息，讨平巨寇，甚得广人之心。海运已通，道路不梗矣。涪陵思归，与二马至海近试试风色。登舟方拽帆解缆，忽飓风大起，柁师慌忙下碇，几乎颠覆，涪陵触动一物，随手探怀，谁知乌有？涪陵一时嗒然若丧，错愕不知所出。二马惊问之，则真腊国所得之定风珠也。涪陵欷歔不已。二马曰：“宝珠即价未重连城，何自伤若此？”涪陵曰：“失珠何足惜，内有藏珠帕，乃暹罗逃命时鲛人所赠物耳，珍藏其帕者，示不忘患难于安乐也。”遂上岸不乐而归。

先是令孤氏二女在孟家避难，丽容与琼英、琼华相得，有若骨肉，向夫人亦爱若己出。不日遂归，丽容母女犹眷恋不已，至是成婚，鸾凤并巢，马遇阳亦寄其家，三人仍复聚首。英、华兼通词翰，属笔之下，姊妹互相旗鼓，工力悉敌。字卫夫人争写坐位至精巧，女红乃其余事。丽容惟喜观书史，不恒以笔墨见长，然属思每一脱稿，英、华俱拜下风，以是益敬之。丽容每规英、华曰：“凡女子宜观女诫女史并《烈女传》等书，以贞德性。至吟风弄月，乃不过消遣逸兴耳，所重者不在此而在彼也。”英、华佩其言，奉如傅焉。

一日三人偶经门首，丽容拾得一物，启视之，内一珠大如鸡卵，状有鳞窍，黑色而有光，灼灼可鉴。视其帕似罗非罗，似縠非縠，柔软若无物。三人大异之，丽容置帕水中，水各分裂，讶曰：“鲛绡也，物若非出水中，岂有毫不沾濡之理。量此珠亦是珍产。”遂什袭藏之。后闻涪陵失珠，琼英与遇阳言其故，遇阳喜曰：“殿下镜台之兆，其在此乎？”琼英曰：“向夫人久含此意，未便发泄。当与吾父商之。”遇阳然其言。告令狐威，威笑曰：“此奇缘也。”遂力肩其事，请之涪陵。涪陵初不之许，既而曰：“珠帕所关，即我夙缘乎？鲛人一物，更为我作之合耶。但海外淹滞，身无长物，即以鲛绡之帕为质，定风珠尚当还我，以便浮海归国。待有建树，乃订星期。某若碌碌终身，不复问此帕也。”令狐威说知孟家，则琼英已备颠末为之先容矣。向夫人闻涪陵已允，大喜过望。且闻欲归，大开华宴祖饯，回其定风珠，并以礼物副之。

遇阳与琼英伉俪虽笃，未便同归。令狐威亦年迈子幼，门无应僮，不免冷落，遂移近孟家别室而居。遇乐、遇阳始谢来玢，约以异日，努力功业，离了金城，护定涪陵望国而归。

第十三回　智深献策掠广陵

且说杨镇龙既得太平，与史进、慕容光等议进取之策。降将夏贵曰："太平乃建康门户，既得太平，建康震动，必有重兵来伐。不如紧守牛渚、采石二矶，并各隘口，一面召募养兵，以待再举未迟。"史进曰："不然，太平令与凤阳犄角相助，安丰路不便出师。若伐凤阳，则太平袭其后；若征太平，则凤阳乘其虚。分兵则势已孤，且江南屡遭兵戈，士马不备，至粮运多赴海道达上都，元人虽来，无能为也。宜乘破竹之势，直捣宣城，就取宁国，机会诚不可失。"镇龙两从之。一日，史进领兵欲行，将取宁国。慕容光引二人入帐。镇龙视其人，岸然风骨，状如熊虎，盖即广南之耿星星、张师旦也。饶平一战，钟明亮兵败自刎，二人逃此。镇龙当用人之际，一见大喜，即署麾下。二人愿随史进共取宁国。史进心薄其人，不许。二人固请，镇龙许之。史进思夺其功，大怒曰："临阵逃亡，不能救主，不能尽节，史某不与共事也。大王别遣他将。"镇龙被史进抢白，颇有怒容。然犹豫未决，二人新不间旧，满面羞惭，谢过而退。史进领兵忿忿而去。镇龙甚恚史进，思寻事杀之。然史进虽刚愎自用，而勇略兼备，战无不捷，要非镇龙所能驾驭也。镇龙性最褊急，无远识尤多忌刻。凤阳秦锡帛，因军中乏粮，遣人约会太平，共取安丰，随乞粮百斛，暂救眉急，不日见还。镇龙不与，慕容光急谏曰："既与联合，缓急尚当相助，奈何靳粮不与？"镇龙曰："太平之粮，仅可支给本营；目下攻取宁国，兵兴粮随。若宁国持久不下，则我军尚不能支，焉有余粮及人？"慕容光再三苦告曰："百斛粮不能窘我太平，大王三思。坚同盟之意也。"镇龙坚拒不允，唯婉词以谢其使。慕容光叹息而出曰："事立败矣。"秦锡帛一闻乞粮不与，怒欲兴师争夺太平。史献畴止之曰："不劳凤阳张弓寸箭，元兵若进攻太平，我坐视不援，可立见其溃也。尔时鹬蚌相持，不坐受渔人之利乎！"锡帛怒始息，然营中实已乏绝，渐至岁除，军士多出怨言。锡帛命再加抄括，濠梁各处，百姓积藏，已累次朘削。又经此番，俱不能卒岁了。濠梁之民大困，搜括之令一下，鸡犬俱无，流离展转，填满沟壑。周衰尚云哿矣富人，哀此茕独，此时之富人，一般与茕独皆饿殍矣。锡帛日日虑乏粮一事。贾智深曰："吴中唯广陵乃南北都会，枕江背淮，四通五达，舟车所聚，最为富饶。欲苏我军之困，非广陵不可。"锡帛问计将安出，贾智深曰："目下已届元夕，命诸将如此如此足矣。"锡帛大喜，依计而行。且说广陵即今扬州府，辖三州七县，繁华富丽，冠冕三吴。唐人所谓烟花扬州也。至元夕之盛，即京师无以过之。昔唐元宗皇帝，元夕问仙师叶法善曰："元夕四方，以何处为最？"仙师曰："无逾广陵者矣。"帝愀然曰："朕安得一游广陵也？"仙师曰："当为陛下谋之。"少顷，殿前起一虹桥，请帝登焉。帝遂命乐官李龟年、雷海清等数十人相从，俄而遂见广陵，果然灯火辉煌，士女淡抹浓妆，望月踏歌于道，语音缭绕，笙簧嗷嘈，满城管弦绮罗，疑非人世。帝喜不自禁，命乐官等将月中所得霓裳羽衣曲，于云中奏之。广陵士女皆仰而望见，以为仙人现于云中，瞻拜不已。游罢而归，数日后，节度使果奏其事。夫以广陵之盛，而天子犹慕之，其名胜可知矣。时元世祖至元二十二年，广陵正值上元，满城火树，或十丈或二十丈，无不燃灯万盏，百戏杂陈。树下衣罗绮曳锦绣细钗俊粉艳丽如仙者，名姝不计其数，相与踏歌入云，鳌山万叠，宝炬千层，彩楼百座，凡凤笙龙笛，鸾箫象管，齐奏于不夜天中。并星毬檀车，香风拂拂，香气氤氲，令人应接不暇。所谓风吹玉漏穿花急，人倚朱栏送目劳也。当时有骚客玩此，吟一律以写其胜云：

及时膏雨已阑珊，黄道春泥晓未干。
白面郎敲金灯过，红妆人揭绣帘看。
管弦沸月喧和气，灯火烧空夺夜寒。
一片歌喉盈耳畔，却疑身在五云端。

又绝句云：

鳌山万叠照楼台，都把临窗格子开，
椒眼竹篮呼卖籍，金钱抛出绣帘来。

满城士女正在赏玩不休，忽江都县衙前鳌山火起，延烧民居。众人争赴救火，县宰随出，令人作速扑灭。仓卒间，有置制使孟知缙，犹卤簿呵殿而来。人丛中一片喊声，应者四起。孟知缙情知有变，方欲避入县衙，已喊杀连天，有数人上前一把擒住。县宰见不是头，窜伏暗处。一时各衙警报，俱有强人打入，劫夺库藏，沿街大掠。又报城外炮声震地，大队将至虹桥。这边说杨镇龙兵袭芜城，那边疑秦锡帛师过通州。城中人民惊惶无措，抱头乱窜，此时一派哭声，遇贼不免乐海变成苦海，游场改作战场。士女无辜，突遭此锋镝死亡之惨也。时镇守扬州都督石中孚是员老将，一闻火起有变，即令各隘下闸，各衙多备弩箭火炮，紧守府库，违者定按军法。披挂出府，正遇秦杞、秦梓率众纷纷攘攘而来。石中孚大喝："且住！"随与二人交马，不一合，轻舒猿臂，将秦杞擒下。秦梓见兄被获，大怒，奋力来夺，亦被中孚拿住，余兵死者无算。石中孚正在攻杀之际，忽报置制使为贼所擒，大惊，杀至江都衙前，遇着刑士龙督兵掳掠，中孚大怒，挥刀直取士龙。二人大战五十余合，胜负未分，中孚诈败，拖刀而走。士龙性起，放马过来，弓弦响处，士龙中箭落马。中孚勒马回头，举刀直取首级。忽嗖的一矢，从旁飞来，中孚眼快，随手接住。蓝天蔚飞马已到，中孚怒发如雷，抖擞精神，舞刀又战蓝天蔚。三十余合，渐至力乏。刑士龙负伤助战，二人夹攻，中孚大败而退。众兵力不能支，一齐欲遁。恰有副将马芳、柴贵等，总统阿达迭木儿兵到，一齐混战。蓝天蔚、刑士龙自知不敌，保护凤阳兵望城而走。刚欲出城，此时城上有中孚拨来军士，杀散贼兵，安置炮座，布列弩床，一发动矢石如雨，十分利害。随后追兵甚急，刑士龙大窘。蓝天蔚心生一计，命众军拥近城边，佯作欲出之状。城上一声呐喊，矢石欲下。蓝天蔚将孟知缙押赴向前，城上军士，见是置制使，投鼠忌器，不敢发机。贼兵弃了孟知缙，乘势斩关冲杀而出。犹未及半，门首千钧闸蹋下，压死兵士不计其数。刑、蓝二人仅以身免。时东方既白，石中孚率兵追剿，有庞奋、褚点阻住去路。石中孚大呼："谁擒此贼？"副将柴贵应声而往。褚点战柴贵不下，无心恋战，且战且走。石中孚麾动后军，大杀一阵，见相去已远，方始回兵。是役也，凤阳虽劫得库藏而归，已属大创，损兵甚多，诸将皆重伤。石中孚收兵回城，先向孟知缙谢过。孟知缙自顾，甚有惭色。中孚入府，大怒众将违令，失了府库，众将齐票都督令下时，置制使业已被擒，失去库藏矣，非小将之罪也。石中孚怒气始息，押过秦杞、秦梓审问，始知是凤阳党伙确来劫粮。中孚又问系何人计划，或广陵城有人暗引。二人回言即贾寿州之谋也。中孚咬牙切齿，大骂贾贼，又问二人姓名。二人以实告。诸将闻是锡帛之子，尽目眦欲裂，七窍生烟，立请磔之。杞、梓二人，乞命叩头不已。中孚笑曰："公等以为杀之便也，二竖子诛之，污吾刀斧。兼与锡帛结媾，恶战不休，今留在广陵，使锡帛不敢正觑，如赵国之质秦异人，是质二子而广陵有泰山之安。诸君亦得免血战之劳也。"众将皆喜，曰："都督胜算，非人所及。"中孚命将所获贼兵，赐以酒食，放归凤阳，将此语达之锡帛。众兵得生，喏喏连声而去，当时城中死伤甚众，恨敌入骨，见获者纵之，老大不平。石中孚忙合众官一面申奏，一面抚恤。命死者掩埋，伤者调治。帑藏有未尽者，悉数发之，以恤死伤之家。人心少安，后人有悼扬州士女者云：

昨日笙歌燕画楼，今朝血肉委荒丘，
哪堪此地重来赏，明月二分一段愁。
无端箫鼓起戈矛，遏断长淮水不流。
但得二分明月好，再燃灯火看扬州。

蓝天蔚等离了广陵，会合众将，始知秦杞、秦梓被陷，大惊。顿足曰："二公子被擒，我等何以复命？"诸将皆无可奈何，回至凤阳，将人马交割。所得帑币金银，逐一纳上。秦锡帛大喜三军得食，鼓舞称庆。诸将始伏地请死，齐言二公子被陷之故。贾智深大怒诸将不协力保护，又不救出，有何面目回归。时座中秦开歧、史献畴俱怒，皆请正法。谁知秦锡帛毫不在意，徐谓众人曰："诸将赴广陵，并非保护吾子赏元夜也，竖子定然恃父之威，不遵约束，所以失陷，于诸将何与？若使诸将皆竖子辈，几败乃公大事矣。且能使三军得食，即损二子何伤？"反将甘言安慰众将，一时军中感动，皆言愿效死力，攻破广陵，救出公子。锡帛不许，方欲令人探听下落，忽报被擒军士俱已放回。锡帛唤入问之，众军将石中孚所言，一一说知。锡帛恚曰："是欲挟制凤阳，使我投鼠忌器，不敢动兵也。拼将二子，任女凌迟，誓必血溅扬州。"贾智深劝曰："塞翁失马，焉知非福？大王宜静以待之，若有机会，广陵可图。石中孚决不敢伤二公子也。"秦锡帛口虽强倔，心中叫苦不迭，喝退军士，不乐而罢。

第十四回　万俟蛎弃家走寿春

东京阳武县，一人姓万俟名蛎，以刀笔为业。天性狡狯，利口便给。仗一支悬河口，三寸不烂舌，不耕而食，不织而衣，一班也厌膏粱而服文绣，且人所不能言者，彼能言之，人所不能为者，彼能为之。以此变乱黑白，混杂泾渭，遮莫是明察官长，俱被他弄得糊糊涂涂，瞒得清清楚楚，至迎合官长处，提头便知尾，举念即会心，迨至日深月沉，则操纵若提木偶，反复似弄婴儿，告讦舞文，指挥如意。河南阳武县一员七秩县宰，竟岁岁皆万俟蛎除拜矣。以此拦劫公门。不数年，遂有千金之产。因念生平惟托城社为奸，终寄人篱下，代作嫁衣，未能手抚印绶，身莅公堂，巍然作一真命县宰。立定主意，直入燕京，投身在丞相桑歌门下自效。这开门纳贿，乃万俟蛎卖物当行，大来大做，小来小做。不久，遂大惬桑哥之意，用为记室，托以心腹，从此渐打点自己前程。又每与桑哥左右送殷勤，仆妾行兜揽，无不为之极力游扬。桑哥亦不知不觉，满心欢悦，直补以京西平凉府固原州州判。万俟蛎闻命，大失所望，不得已就任。自思有大胜者必有小败，一下车即勤谨清廉，慎守官方，同寅皆称羡之。事无大小，皆市美誉，沽买德政歌。正所谓欲擒先纵，欲贪故廉也。一时治下士夫颂之者，不曰“召杜遗风”，即日“万家生佛”。将固原州州判竟拂拂扬扬，传入安抚耳中，安抚使呀曰：“此循吏才也。任为州县长，或可展其骥足耳。”遂加以直隶知州衔，而调补褒城县知县。万俟蛎大喜，盖非喜其得加职衔，喜其得作县令也。从此森罗变相，刻刻怕人。百万生灵，驱入馋口。接一状子，不问其理之直不直，先问其家之富不富。若富，虽盗跖庄跻，皆有生理；不富，即伯夷叔齐，亦有死法。此风一倡，上行下效。自有一班吃白的无赖棍徒，或诬控赌博、或捏造人命、修造房屋、指占公地、买卖田产、捏漏国税。柳下惠之坐怀，竟是奸淫妇女；许孝廉之让产，直断估占家私，最嫉恶者乡绅士子，进见每高自位置，动加鄙夷，微有忤犯，必十分廷辱，窘迫备至。若遇不肖搢绅，袖金入见，手出白镪，分庭抗礼，则尺有二寸睫毛，皆毵毵然作鹭鸶笑矣。万俟蛎又将褒城远近地势，酌按陆路设关，水路设卡。事事有行，行行有税。山居者税菽麦，水居者抽鱼鳖，樵竖供柴薪，织妇女输布帛。厘毫丝忽，网罗几尽。至各关上税取十分之三，然此关税矣，前关又税。前关税矣，首关又税。弄得你杈子母者告瓶之罄矣，意犹难甘。凡商贾负贩误入褒城者，多是晦气。当初商王成汤，网开三面，万俟蛎褒城县之网，共开六面。四面皆设法罗取，又上下其手，岂不共有六面。时有贩缯客人娄丐，系宁羌州人氏，南北通行。乃一富贾，从人甚众，押着百余辆缯帛，直过褒城。税了头关，不税二关。人役阻住货物，娄丐大怒，挥动老拳，打伤吏役，直闯过关。吏役再追至次关，两关齐力，一同拿获，拥至褒城。万俟蛎初闻咆哮大怒，及见许多车辆货物，不啻万金，遂事急智生，心花俱开，将娄丐略略审问，一毫也不动声色，命监下候命，逐日设计，托心腹人监诈吓诓骗，使入圈套。娄丐乃铁石硬汉，江湖豪客，在监已烦闷不过，龌龊不堪，又被他歪缠到底，愿以十车缯帛献之。十车不允,增二十车。二十车又不允,至四十车。万候蛎见百余辆仅得此数,意犹未足,仍然不放。又设伎俩谓打坏关门,致损什物,殴伤吏胥,各处所值若干。此类云云。分析甚夥,仍延至数月。娄丐在禁中无可如何,如数献之,货物已去三分之二。此时有牢头狱卒等,皆曰:"客人自此脱离犴狴矣。"谁知万俟蛎更不释放,又谓应取保结、奉节级、付文凭、给申引,如此恁般说法,还不下数百金。娄丐闻知,只激得双目直瞪,欲自刎而手无寸铁,欲自缢而徒死无益,竟如数偿之,伊更何说。万俟蛎见弄得如此,已无法可设,无计可搜,始命放出,当堂将货物交割。娄丐一看,尚有三十余辆,即禀曰:"此数应客人货物否?"万俟蛎曰:"此女原物也。"娄丐领毕,命从者推出仪门,聚于一处,纵火焚之。一时公廨烟焰大起,少时三十余辆缯帛,胥为煨烬。领着从人,大笑而去。万俟蛎在公座,目中火出,眼睁睁看着娄丐举火,不便发语,更不便令人救护,并肠子也激做七段八续,连叫可惜,没兴而退。从此南北商贾,纡道而过,畏褒城之多关也。至褒城百姓,乃囊中物,著手唯倾家破产卖子鬻妻而后已。但闻得万俟蛎三字,无不魂惊魄悸。一日进香回衙,经一巷口,见有新造门墙,十分美观,忽隔巷一破户内,有鼓乐声。是日乃国忌日,立即大怒,命卤簿速往拿至,皂役回禀乃是破户。万俟蛎骂曰:"奴才多口,明明此家作乐,于破户何与?"皂役会意,立即拥至轿前,乃一纳粟巡政厅。万俟蛎责曰:"国家忌辰,如何擅自作乐?"巡政厅答曰:"职员李晓山,作乐者乃隔巷张道土家,为伊亡母作小祥斋,职员有何涉也?"万俟蛎怒曰:"明明女家,系我亲闻,尚有支吾?"命回衙收入卡内,静候发落。李晓山叫屈不已,只得暗通关节,令人嘱托五百金为寿,万俟蛎立便释放。一日审一小偷,系窃瓜贼不肯妄攀平民,被夹拶不已,大呼曰:"小人仅偷一瓜,何至如此?"取笔题曰:

不须夹拶不须敲,女比穿窬术更高。
叉手取人肝与脑,满身俱是杀人刀。

万俟蛎大怒,反唇相讥,吆喝一声,立毙杖下。又一日,问一株连平民,姓刘名友恭,家道殷实,素读书敦气节,与胥吏有隙。因将友恭之名,嘱大盗供出。万俟蛎如获重宝,横加拷掠,锻炼成狱。刘友恭指天誓日,谓:"捕风捉影,凭盗口一词,诬人不法,恐天理公论难泯。"万俟蛎愈怒,用死猪愁定百脉等法,罗织鞫之,极其残酷。刘友恭死而复苏,咬牙切齿,大言曰:"女串通盗贼,诈搕民财。刘某身首异处,毕竟不服。"万俟蛎一闻此言,眼中火喷,口中沫出,即如刘友恭杀其父母一般,令速杖毙。一时皂役如狼似虎,唯见血肉交挥,刘友恭屈杖而死。将尸拖出,其子遇隆尚幼,冤填胸臆,无处发泄,领尸呼天抢地而归。万俟蛎褒城敲诈之谋,除去盗口,便在娼妓。得一妓当案鞫问,令供体面绅民,甚至有娼妓盗贼良心难昧处,不忍一味妄扳。万俟蛎要拶要打,十分恐吓,日日抽筋刮骨,富民剥削已尽,渐无蛇可弄矣。忽又想及城市乡镇,有许多训蒙老学究,每馆按书童若干,应缴结若干。搜刮一遍,不拘一两五钱,积少成多。可怜褒城散了无数寒馆,逃去无数塾师,以及巫医先生、木石工匠、寺内僧尼、观中道士,日日奔走,皆为万俟蛎充满囊橐。日有日征,月有月税,至此渐及下艺。闻衙前一剃发师有玉杯，价值数十缗。万俟蛎思构陷之，而未得其便也。一日有磨镜奴一、卖菜佣一、操舟牙侩一、牛医叟并剃发师五人，聚而闲谈，拍手而笑。万俟蛎适出遇之，喝左右拿下。五人方欲惊走，已被锁住，带至堂前，面面相觑。万俟蛎问各习何业，何故聚此摴蒲？磨镜者曰："磨镜而兼补锅，偶然聚谈，并未摴蒲。"万俟蛎怒曰："闻所谈者明系摴蒲，何言尚未？"命且监下。问卖菜者，并习烧饼师，谓其不去烧饼，不合坐而谈笑，命且监下。问操舟者系渔户，谓其不往捕鱼，不合坐而谈笑，命且监下。唯牛医翁甚黠，不待问及，先大哭曰："小人家无斗筲，所业最窘，乃牛医耳。"万俟蛎骂曰："不长进也，老伧若大年齿，尚家无担石。"并皆监下。又问剃发师，谓其也不合坐谈摴蒲，一同监下。五人暗暗叫苦，各个会意，典房舍衣物，卖家室儿女，少者贯以青蚨，多者凑成白镪，唯剃发师直勒至变卖玉杯，得五十两元丝，方释手而罢。又有一修足匠，闻其女甚美，有富户欲以百金娶为妾，修足匠未许。万俟蛎算计已就，命入衙修足，见伊手正用力处，故将足一伸，撄着刀锋，鲜血淋漓。万俟蛎扪足大怒，修足匠已魂不附体，连连叩头。万俟蛎唯令速速打死，既而曰："且待足伤痊愈，重处未迟。"命收入禁，遣心腹微示以意。修足匠无奈，托人将女卖与富户，以百金献之，始免罪而出，仍令不时入衙修足。一日修足匠入，万俟蛎恻然问曰："女父女颇相忆否？"修足匠伏地大哭不已。万俟蛎曰："女可捏定买良作贱一词，将富户告来。"修足匠果从其策。呈词上，万俟蛎批传富户，大加呵斥，要依律处分。富户此时噬脐无及，暗托人关说，愿退女外，赠百金作奁费，更献二百金为万俟蛎寿。万俟蛎允之，待女金两缴，始唤修足匠谓之曰："尔女业已退回，可领归去。但此案颇费周旋，非献我百金，不能办也。"修足匠不知所对，万俟蛎笑曰："此闻业有百金，系富户某赠尔女者，留此可也。"修足匠叩头谢曰："父女聚首，已出望外，不愿得金也。"泣拜而去。如此之类，不可殚述。一时贿赂塞途，人人震恐，秽声狼藉，比户相骂。欲上控而万俟蛎系出桑丞相之门，根深柢固，安抚使亦颇碍情分。正值京西路廉访使按至汉口，凡褒城被冤者，纷纷控诉。廉访使得实，并欲劾奏安抚及直省左丞等。安抚始赫然震怒，将吏役等拟军罪，而于万俟蛎终留桑哥情分，从宽革职，徒三年而已。万俟蛎此时宦囊正足，洋洋不以为意，落得起程。时，褒人恶言谩语，极力诟詈，儿童妇女亦持瓦石掷之。万俟蛎低头出城，徐谓舆夫曰："笑骂由他笑骂，好官自我为之。"直望朔州而进。徒限既满，并妻妾子女家于朔州，抚有万金，因思一富贵长久之计，遂置姬妾，开妓馆，已亦得便宜取乐。即眼穿金线，衣织回文，皆是子弟挥霍，免破自己血钞。一时车马盈门，笙歌彻夜。燕赵一带，院中之名大噪。有宁羌州娄丐经此，偶至院中，留连数日，赏赐无算，众姬妾着意顺承，吹弹歌舞，娄丐几乎乐而忘返。忽见万俟蛎在内，咤异久之。因问姬妾，始知就里。娄丐喜至手舞足蹈曰："妙哉，妙哉！早知女今日如此可儿，悔当年不赠数百辆缯帛也。"万俟蛎侍立拱手，不敢多言。娄丐尽兴而去。万俟蛎不以为耻，方谓富足生涯，唯此稳适，已不过托名而已。谁知大同府怀仁县获劫饷大盗十余人，追问饷银，俱费在万俟蛎院中。移交朔州太守，立命拿获、缉捕。等将万俟蛎锁至公堂，太守喝重责四十，追偿赃物，万俟蛎伏地犹称："罪官愿缴原银。"恳恩免责，太守怒曰："本州管女罪官不罪官。"皂隶见本官动怒，已掩翻在地，退去裤子，方杖一下，即如曲蟮压定两头，从中乱扭。杖至二下，一时爷娘皇天，喊将出来。杖至三下，喊不成声，如杀猪也，似号吼而已。一五一十，满满杖足，方知杖下痛苦，乃如此难熬者。今日始尝尝滋味，皮开肉绽，将银交楚，立即驱逐。家中什物，皂役已掳掠一空。姬妾逃去，院中亦房廊未折而已，余无所有。幸褒城所得之银，犹七分未动，无人知觉。携了妻小，急离朔州。自思不便竟回阳武，遂过潜江，修第宅，置田产，召仆役，仍富甲一乡。乡人不测其底蕴，每严惮焉。久而出入皆仕宦，声势赫赫，欺凌里闬；挟制官长，渐至道路以目。忽一夜，有无数巨盗突入其家，将万俟蛎缚定，掳掠备至。仆役惊起，见群盗皆抠臂熊腰，各持霜刃，不敢声张，任其席卷财物而去。万俟蛎甚恚，当夜灯下遂草词状，将往承天府大肆告讦。殊知福无双至，祸不单行。犹未天晓，忽厨下无故火发，急令扑灭。奈火势正猛，愈扑愈炽，号呼乡邻无一至者。转瞬间延烧以尽，将一所连云耀日宅第，化为乌有。还有二幼子与一妻烧死宅中，抢救不及。万俟蛎恨所赚赃物，更去三分之二。不日仍鸠工庀材，重新建造。轮奂式美，栋宇维新，丹漆垩黝，一时备举。方落成之际，自谓："富家翁，仍不在他人下也。"乃有俊仆窃其女儿并金银等项，远扬而去。万俟蛎知之而不敢发。一夕，又一小厮与其妾有苟且事，遂勃然大怒，提刀而往。将及，忽转念曰："天下事大可知也。"放下刀子，出门飘然而去。至中途，遇一人自言自语，忽悲忽笑，异而问之，乃归德府考城县尉姓莫名绥猷者也。秩满回闽，宦囊颇不空虚，为乡里所不容，叠遭横逆，将往寿阳投秦锡帛处。万俟蛎闻言，兔死狐悲，物伤其类，各诉衷曲。二人遂入鲍鱼之肆，携手同行，齐往寿春，自此凤阳又添二贼矣。

第十五回　种世龙传檄达荆楚

广南惠州府博罗县西北三十里，有山曰罗浮，本名博罗。因昔有山浮海而来，博于罗山，合而为一，故曰罗浮。高三千六百丈，周回三百余里，有五十五岭，三十二峰，璇房瑶室，共七十二所。石楼石门，二山相对交处有石磴，状如桥梁，名曰铁桥。桥端两石柱，亦曰铁柱。人迹罕到。惟大小二石楼，登之可望沧海。其余华首台、五龙潭、冲虚观等，景皆幽渺，又有跳鱼石、伏虎石、阿耨池、夜乐池、卓锡泉，亦山之奇胜。峰之秀者，飞云玉鹅、麻姑仙女、会真会仙、锦绣玳瑁；洞之幽者，金沙、石白、朱明、黄龙、朱陵、黄猿、水帘、蛱蝶，乃十大洞天之一也。

时有牛竑、张燕、王建忠者，俱勇冠三军，义不仕元。啃聚千余人，屯华首台下寨，累与海道运粮使朱清、张瑄为难。朱、张二人，以海盗降元得仕，知山川情势，唯惧潮阳岭之史二僄子。史二僄子者，海丰人史霸。二僄子其绰号也。貌不逮中人，而短小精悍，善战善走。每战用双戟，善步战，日行五百余里，极为狡猾。闻幼时过临江，遇一头陀相之，喜曰："孺子可教也。老衲挂锡少陵寺中，能从游乎？"史霸从之。至寺内，见此僧全五香火习气，朝夕唯引拳使棒，遂授以双戟。日日演试，久而精熟，出一刀圭药付之，曰："此药一剂，可行五百里。二剂倍之，三剂又倍之。孺子仅一剂足矣。"史霸因问武艺师传所自。老僧笑曰："孺子不忘本矣。当初隋炀帝时，天下大乱，流贼四起，将至少陵，寺僧皆议徒避，独一火工头陀，笑而出曰：'毋忧，但凭一棒，扫尽流贼。'众笑其妄，而贼已近寺里许矣。头陀即持短棒冲入贼队，果万众辟易，贼皆远遁，不敢入寺。因选少壮僧百余人，授以棒法，并各武艺而去。自是少陵之名扬于天下。孺子今得嫡传，但不可从贼。自能打遍江南，无敌手也。"史霸遂归，闻海道运粮使乃朱清、张瑄，每至蓝关源，辄与抗拒。朱、张二人以狡猾胜，然终不能与敌，惟多以金帛与之结纳。粮船经此，岁为常例，牛竑、张燕等闻之，遂联史霸，互结声援。将华首台前后，整饬隘口，安布鹿角，积储糗粮，兵棚箭亭，库厩房帐，事事齐备。扬旗招募，拟将大举。恰有龙门县种世龙弟兄，亦携家入山。世龙本太原定襄人也，弟名世虎，弟兄天性迥别。兄警悟好学，倜傥慷慨；弟眉目如画，骁健善骑射、尚武略，曾学射于马邑周通。周通者，即岳武穆学射之周侗裔也。种氏世居南山豹林，靖康时，因钦宗不用其先祖老种扼河要击之策，竟割中山、太原、河间三镇，与金议和。始迁定襄县，及元六后，乃马真称制塔海等，屡侵云中，大掠平阳太原。乃再迁广州龙门县石羊村居焉。家资巨富，任侠好客，散财以结英雄。素有大志，宋灭元兴，初意亦终老泉石，徜徉事外。逮闻元主灭天毁圣，伐陵鄙儒，不平于心。正欲仗义，大举恢复，适闻罗浮山牛竑等亦有此意，乃叹曰："种世龙岂财虏哉！"敛齐家资，犹未起行，有龙门县令忌其豪富，久生觊觎。此时自有无赖鹰犬，出首告变，教猱升木，谓其不合与外郡任侠往来，潜谋不轨。龙门令得此题目，以为黄白物准备橐载矣。世龙闻之，笑曰："哪有工夫与鼠辈絜较。"席卷家产，车载妻小,连夜望惠州而去。县令得知大惊,速令弓兵并千夫长一同追拿。种氏弟兄,已过龙门。千夫长始及,大呼且住。世龙不理,押定车辆先行。世虎跃马,张弓挟矢以待,箭无虚发。弓兵上前,无不应弦而倒,千夫长愤甚,欺世虎匹马单枪,方欲挥众直前。世虎大呼:“看箭!”声犹未绝,千夫长翻身下马,弓兵忙扶起时,已中胁下,血流如注,将箭拔出。种世虎去之已远,千夫长懊悔而归。世虎赶上世龙同行。

不日至博罗县,入梅花屯,已近罗浮。世龙曰:“南北英雄,多与吾有旧。唯罗浮山众从未识面,当往一探,为之先容。”世虎愿往未行,则前面已有无数喽卒,大呼:“奉头领之命,来只候车马矣。”世龙大喜,不一会有牛竑、史霸、王建忠、张燕四人,迎至山下。见世龙弟兄,乃文乃武,喜不自胜。世龙见下寨处前后布置井井有条,亦甚骇异。家小安入后寨,齐至中军叙礼起居。依次坐定,设宴相庆。世龙因叩以本意,各言心在宋室,不仕蒙古。但皆一介武夫,未明大义,愿闻足下高论,以定方略。种世龙逊谢,乃正襟言曰:“大凡帝王治世御宇,无非三纲五常、崇儒重道、尊贤爱民,无论开创守成、草泽崛起、皆循正道,方可统驭万方。蒙古以外夷入继中州,士大夫不无冠履倒置之叹。况又欺侮上帝,妄贬先圣,此乃千古公愤所在。我大宋即使国运将终,亦宜稍存仁厚,免生民之涂炭。乃蒙古剽悍残贼,虎狼成性,磔屠生灵。由太祖丙寅至世祖己卯,剿杀已一千八百四十七万有奇,此乃本兵敌兵并屠戮郡县城内之数。其他无辜诛杀者不在此例。真天昏地惨,三光不能主照时也。今又伐陵寝,盗宝器。尤其甚者,以理宗皇帝之首为饮器,更千古未有之奇辱,为天下人所切齿痛心者也。南人制为十等,以我儒者,列于娼之下丐之上,是欲灭衣冠,污名教。殊不知有志之士,皆思斩木为兵,揭竿为旗,共图义举,访求赵氏,齐歼之于斡难河外,以清中夏而后已。彼犹伐高昌、征日本,专务远略。且鳃鳃然设各道廉访以求贤士乎!”说至此,种世龙不觉怒发冲冠,众头领亦目眦尽裂,皆言先生金石之言,某等愿听指挥,各奋死力,誓扫中国腥羶,为大宋复仇,并为天下士大夫吐气。世龙大喜,因问罗浮有兵多少,众头领言约有三千余众。世龙大惊曰:“螳臂之力,岂足以当车辙!广南若有兵至,何以当之?”王建忠曰:“不然。大宋驻跸临安,仅保江淮者,百五十年,无非权臣误国,非其君以十分淫虐速亡也。即如先生高论,蒙古已为天下人恨入骨髓。我等仗义举事,名正言顺。义旗所建,南北必有响应者,人心若未忘宋,正不以多寡分强弱也。且项籍亡秦,会稽唯八千子弟;光武兴汉,白水才一旅之师。即今作速召募,旬日间可得万人。广南即有兵来,无能为也。”世龙壮其言,命速召募。世虎请曰:“弟昔过京西,遇有吴广、吴康弟兄,皆勇健而有大志。绍兴时涪王吴玠裔孙吴曦献四川,其父曾谏曦曰:‘祖宗八十年门户,一旦扫地矣。’曦不听,逃去延安。吴广、吴康俱与弟隐群玉山中。此去永州非远,盍以书招之。西北英雄多出吴氏麾下。闻吴家军复起,人心响应矣。”世龙曰:“不劳遣使,各处英雄与吾有识者,抑复不少。大丈夫举事,自当以堂堂之阵,正正之旗,横行天下。吾今以檄文遍达江淮荆楚,同类者自能千里相投,若区区虎踞此山,掩耳盗铃,甚非公等初心也。”众头领大喜,世龙连夜遂草檄文,其略曰:

皇宋不幸,国祚倾移,窃柄权奸,以干戈为儿戏。偷安宰辅,以岁币为壮猷。朽索驭马，敝箪焉止池咸，掩目捕禽，寸胶岂清河浊。致使独松关下，二百州稽首迎降。丁家洲前，十万军蔽江溃散。山河破碎，故国依然。身世浮沉，空城宛在。潮汐不作，莫回三折之波。钟虡播迁，空铸六州之铁，惨德祐之玉关长往。马角未生，悼祥兴之铜驼奚存。龙髯莫逮，海道覆舟。君臣殉节，虽三百载历数云终，而十八主余泽犹未湮也。咄彼蒙古，以红羊白马之俗，御我神州。不思逆取顺守，大肆叛道离经。狂妄贬圣，悖戾灭天。恶焰穹苍，滃浮嬴政，伐陵寝而取帝王之首。天子摸金，鄙衣冠而列娼丐之中；儒生搁笔，而且磔屠生灵。赤血流地，杀戮士女，白骨撑天。中原皇帝，匪天上人为之，此座诚可惜也。譬如种荆棘于良田，养虺蜴于室内。而堂堂中国，犹有一寸干净地乎？又况雨毛陨石，危象叠兴；地震山崩，灾棼屡告。非疮民蝗国，即物怪人妖。以至瓜分四海，脔切九州。莫不虎踞鸮张、蚁聚蜂起，跨邑皆飚忽之师，带州盖云滃之将，非蹂躏中夏涂炭生民时哉！某等以光复赵宋安集黎庶为心，即今召募英贤，重振故国。为念订盟九土，爰告诸姬。罗浮师起，共凿蛇盘之山；鞑靼兵来，齐纵牛尾之火。涤嵩华之污垢，鳖饮沧江，洗海甸之腥膻。鞭断淝水，杨镳则兔走鸟飞，奋戈则禽奔兽窜。槐阎后裔，休徒鼎湖之泣。幕府世胄，用董夔门之师。鲸鲵永清，乾坤再造，重光日月，迅扫欃枪矣。嗟嗟！戎马声嘶，恸洒崖山之泪。墓木虚拱，肠断会稽之陵。迨至芟荒夷险，胥录铁券之勋。然后收电回霜，永乐金瓯之固。各定去留，勿怀观望，凡我中夏，宜檄通知。

世龙草毕，与众人朗诵一遍，无不奋腕泣下。遂令抄录各处张挂。果然人心思宋，遂有乐昌人洪时锦、建宁人虞凯、东昌人王麟，并道州吴广、吴康。有帅兵来助者，亦有仗剑来投者。旬日间，罗浮随添无数人马。有石楼上逻卒望见海运一到，即时报入。牛竑、史霸二人，争先领兵夺粮而去。世龙又令吴广、王麟兵策应。海道运粮使朱清、张瑄一见史霸，知是来索常例，不以为意。史霸、牛竑跃入海舟，登时杀起。朱清举手无措，急驾小舟而走。张瑄见不是头，望大洋中一跃。史霸不舍，随后跃下。二人在水中揪住厮打。牛竑杀散粮卒，急拍海舟近岸，令人搬运。谁知海船高大，沙洲碍住，不能近岸。一时飓风又起，几乎落套，慌忙下碇。只见朱清已驾起小舟，手捻长枪，大呼："还我舟来！"船上军士各持长矛挠钩，一齐搠来。牛竑所部力不能敌，俱带微伤。岸上喽卒夺不着小舟，唯呐喊助威而已。数十号海鳅粮船，渐渐夺去。史霸在水中，始弃了张瑄，跃上一舟，杀退军士，撑至近岸。众喽卒齐登海鳅大船。吴广、王麟随后俱到，张瑄知众寡不敌，指挥军士，夺得十余号海船便走。牛竑、朱清二人犹立船头死战不休。吴广大呼："看箭！"语未毕，一矢飞来，朱清已中腕上，泅水而逃，失粮食船三十余号。罗浮士卒，一齐搬运上岸。史霸笑曰："只此粮数，已可支给十年矣。"四人得胜，押粮而归。

第十六回　杨孝伯击楫过洞庭

却说关普灵、寇复雷、韩昭、李穆、杨孝伯、斛律亢宗、焦芳、傅突一行八人，由临安至东京，望见北宋诸帝陵寝。关普灵曰："此陵虽不免刘豫之难，然较之会稽，犹为万幸也。"李穆曰："凡帝王陵寝，鲜能永保不发者，无他，多藏金宝故也。唯周太祖有鉴于此，布衣瓦棺而葬，其处心积虑，不可谓不远矣。"寇复雷曰："伐掘陵寝，每在易世之后。而最惨者唯会稽，不及二十年遂遭凶暴。反不如草莽寒贱，长保一盂麦饭于年年也。"韩昭等因至陵所，唯见莽莽榛榛，墓木无存。经两次陷没后，残碑断碣，俱僵仆荒芜丛中，诸人感叹不已。韩昭有诗以吊之曰：

玉碗金鱼锁寂寥，墓门芳草绿萧萧。
悲风石马依残棘，泣露铜驼卧断桥。
燕子尚知怜旧主，杜鹃犹似说前朝。
纸钱麦饭空华表，零落杨花尽日飘。

诸人将由东京探种世龙闽广消息，经汝宁府过郾城，次临颖，忽一桥飞岸卧波，形如半月。桥头碧柳毵毵，斜阳掩映，旁有石碣，题曰"小商桥"。杨孝伯一见泣曰："此先统制尽节之所也。"众愕然。孝伯曰："先祖杨再兴为岳侯部下副统制，曾以三百骑破金兵二千余众。金人万弩齐发，力战而死。逮岳侯长公子云兵至，金人望见岳家旗号，不战而走。先统制已是身无完肤，焚其尸，得箭镞二升。岳侯闻之哭泣者累日。小子今履其地，恶得不悲。"韩昭慰之曰："令先祖为国殉节，虽死犹生。足下异日克承先志，即无忝祖德也。"众皆叹息。一日又至朱仙镇，众皆曰："此岳侯奉诏班师冤含千古地也。"李穆叹曰："出师未捷身先死，长使英雄泪满襟。凡为名将者往往如斯，真是古今同慨。"众人欲赴开封，闻汉阳盗云扰扶沟、延津等处，开封正在出师，乃望蕲黄过武昌。一日将渡蕲水，忽见对岸戈戟耀日，有无数人马，正纷纷攘攘，争舟而渡，众皆骇异。又见旗帜缤纷中，驱着许多男妇，号哭登舟，稍缓者以刃胁之，不从者弃置水中。呼号哭泣，声闻数里。傅突定睛看时，乃曰："即汉阳盗贾氏弟兄也。"兄名翀，弟名翍，台州人。俱粗暴有力，专务私贩。往来江汉间，官不敢捕。某在襄阳耳其名，与刘勇士、赵和尚二人交情甚密。相约刘起真定，赵扰川蜀，贾乱荆襄。不图赵和尚诈称故宋福王之子广王，煽动愚民，事未成，被官捕磔于市。刘驴儿生得方面巨目，身躯雄伟，又胸有三乳，自以为异，聚众至数万，起事被都部署朵尔察忽所擒，族之。余党尚众，蔓延未获。唯贾氏兄弟竟起汉沔，纠集数千，大掠州郡。至今犹扰蕲黄，洵荆楚之大患也。有焦芳勃然大怒曰："某与此贼，誓不两立！"荆襄乃某父母之邦，昔年落魄乡里，蒙父老赠以资斧，应募襄阳。文焕降元，某漂泊京湖，卖演枪棒为生。曾在岳州鹿角镇，遇二贼与某格斗，某卖弄本事，打伤二贼。二贼豪霸此镇，当场弄丑，为众所笑。遂怀不平，火焚镇中，伤毁人民无数，某惧而逃。今又戕我故土，当与截江决一死战。傅突亦忿然欲往，关普灵急止之曰："众寡不敌，大势显然，今日非尔我争战时也。"众人始趋麻城，抵沙河以济汉江，遂达武昌。泛鄂渚、赏赤壁、登松风阁、上黄鹄矶各处，盘桓数日。时李穆有《登黄鹤楼》一律云：

千里间关赴崔嵬，浩然江上一登台。
连天云气三湘合，动地涛声七泽来。
赋就浪传鹦鹉手，诗成谁识凤凰才！
乡园南望无多路，回首临安咏落梅。

韩昭等小住数日，遂由江夏望岳阳而进，方离莆圻至临湘，闻道路传扬广南惠州府罗浮山，有英雄传檄各处，恢复故宋。诸人皆以种氏弟兄举事，其在此乎？不日已至巴陵县，一近峡口，即是洞庭。见湖中浩浩荡荡，横无际涯，东连岳阳，西抵澧州，北据江陵，南至潭州，方广五百里。众人此际，恨不插翅飞近广南，一齐登舟。遥望君山，如青螺一点。萃在湖心，有杨孝伯击楫言曰："祖生尚有大志，吾属独何人哉！孝伯不能扫净鼠辈，恢复故国，继先人之志者，有如此水。"焦芳、傅突更咬牙切齿，誓不能除襄汉之贼肃清桑梓者，亦如此江。一时，尔愿枕戈，我欲负石。正淬厉奋勇间，忽隔水闻有歌声。听之，即邻舟有人鼓枻而歌也，歌曰：

三十六湾云作屏，君山遥点一螺青。
岳阳楼上谁人笛？又引波声下洞庭。

歌毕，有人以洞箫依歌和之，众皆寂然，侧耳谛听。少时，又一人歌云：

黄陵庙下水悠悠，斑竹泪痕千古留。
麦饭一盂原垅上，家家正祭李潭州。

歌罢，洞箫仍如前和之。韩昭不觉触着技痒，兴会勃发，朗然吟云：

重湖雪浪卷寒芒，气势奔腾逼武昌。
今古客来诗境阔，楚吴界破水天长。
雁冲晓日排孤屿，帆带晴云过岳阳。
回首君山青未了，一声长啸入沧浪。

韩昭吟毕，忽隔舟有人大笑而出云：

三尺焦桐七线琴，迢迢远远访知音。

韩昭应声云：

未知谁是知音者，想应他心即我心。

其人亦喜，掉舟而前视之，乃二年少书生也。前者抱琴一张，后者携箫一管，直过舟来。寇复雷一见抱琴书生，大呼曰："竹生贤侄何来？"抱琴者慌忙入舱叩见。复雷始偕携箫者与众人叙礼。起居毕，寇复雷将众人逐一告之。竹生曰："此位王兄名用槐，大名人也。避乱湘阴，与侄同里。侄从陷没京西离华州者，近已十年矣。"言罢呜咽，复雷亦感泣。叩其父母，则母亡父在。复雷喜曰："不图弟兄更有相逢日也。"王用槐亦遍问诸人。各陈衷曲，因言广南罗浮之事，未知的否，将往投之。王用槐随袖出一物，以示韩昭。昭讶曰："罗浮檄文也。"众人趋前观毕，无不思奋。关普灵举手加额曰："我等东西漂泊，行无定止，今得所归矣。"寇竹生、王用槐见众人气概，甚是敬服。愿同舟共济，相与谈论湖中。昔日岳侯平水寇杨么，约张枢密以八日奏捷，何等英武。逮桧贼以三字冤狱陷之，和议以成，南宋不振，千古奇惨也。王用槐感愤不过，以洞箫写其意云：

凿釜沉舟誓不还，直期一战扫腥膻。
班师冤狱成三字，破虏奇勋废十年。
屈膝自甘天子任，断头谁信将军怜。
无情最是黄龙饮，反兆金酋作贺筵。

用槐将洞箫故缓其音，呜呜然如怨如慕，如泣如诉，真是一字一泪，舟中人无不欷歔，寇竹生曰："一人向隅，举座不欢。兄勿调此悲咽之音。"遂抚琴按拍勾弦，徐引动角徵，调为发扬蹈厉之曲，其词曰：

强胡扰扰我提兵，血战中原憾未平。
大厦已倾支一木，岂期长脚误苍生。

众人闻其音错落，沉雄发越，皆激厉起舞。竹生随手收拍，不觉微重，铿然一声，遂断一弦。竹生抚轸叹曰："角多宫少，幽雅之操，不足以写高亢。良有然也，然断此一弦，主异日有灾。"遂不复弹，探首出舱，讶曰："已近南岸矣！"不一会即由湘江上岸，已是潭州。韩昭笑曰："此家家正祭李潭州地也。"寇竹生亦笑曰："蛙鸣聒耳，怎及大吕黄钟。然潭州人慕李安抚固无日忘之。可见奸者自奸，贤者自贤，泾渭各别也。"韩昭正容曰："李安抚之尽节，表表天壤。安抚一亡，湖南随陷。所谓以一人系千万人之命也。况其阖门自尽，并将佐邻民无不尽节。忠义凛然，古今罕有。我等当具瓣香一伸景仰。"众皆愿往，遂令人市祝仪数事。竹生、用槐导引至忠节庙中，见题额颜为宋故潭州刺史湖南安抚使敕赠端明殿大学士忠节李公名芾云云。遂有庙祝迎入。众人默默祷拜讫，转过回廊，壁间俱有名人怀感题咏，李穆奋腕亦书五十六字于壁云：

烽烟鼙鼓震潭州，抗节孤城死运筹。
目断青燐楚泽变，魂归朱鸟阵云收。
徒劳啮齿埋残垒，却愧降幡事不仇。
后辈瓣香思顶礼，雁声惊破海天秋。

时寇复雷欲往湘阴，一省其兄。竹生并约众人同去，众皆从之。将至笙东乡，竹生别众先归。少时，其父复云，苍颜皓首，曳杖而来。望见复雷，喜至泣下。弟兄握手，请众先行。至家备极款洽，复云喜碍英贤毕集，骨肉重逢，镇日谯饮，以畅衷情。并招用槐之父王翁，亦至其家，评论时事，赞成义举。十余日众人告辞，复云投辖不许。韩昭曰："某等心切恢复，旦夕不敢偷安，乞叟量之。"复云遂慨然许诺。祖饯于庭，手抚复雷曰："华州一别，转眼十年。不料吾弟已有此气宇。昌大我寇氏者，必吾弟也。努力为之，澶渊之绩不坠矣。"并勉励诸贤，洒泪而别。竹生、用槐直送至十里外，众人苦辞，方谢而归。

第十七回　寿阳城锡帛僭号

却说太平府杨镇龙命史进引兵攻取宁国。史进偃旗息鼓，偷过泾水，将沿江斥堠拿下，直达宛溪，竟临宣城，出其不意，一鼓袭之，守将逃奔不及，皆被擒获，口称愿降。史进即令褫女衣甲，扮元兵模样，打宣城旗帜，直赚宛陵。日暮始达城下，大呼宣城守将兵败至此，作速开城。城上举火照见，果是宣城兵马，大开城门。史进随后一涌而入，城中大乱。县令吴伦方于灯下料理簿书，闻惊仰药而死，千户走泾县去了。史进毫不费力，又夺了宛陵。唯宁国府尚有重兵，屯泾县石兰坡阻截去路。琴高山有团练副使佟宣朗驻兵二千，遥为之势。史进移兵遂向泾县直叩石兰坡。元军前队指挥濮阳其通，列开人马，两军杀出。史进迎住，大战三十余合。元将精神倍加，枪法亦无破绽。史进料难力取，拨马便走。濮阳其通纵马来追，史进拈弓搭箭，回身射去，濮阳其通有心防备，侧身躲过，腰间掣出流星，就势打来。史进措手不及，已中胁下负痛而走。元兵从后追杀，抢去鞍马、器械、辎重无算，濮阳其通大获全胜，收兵仍屯石兰坡，扼险以待。佟宣朗闻前部捷音，移营向前，合兵一处，方酌酒称贺。忽暴风吹折元武牙旗一角，佟宣朗曰："此警兆也，今晚贼兵决来劫寨，可分兵四散埋伏，虚其中军，一鼓可擒贼矣。"濮阳其通深然之。

当夜史进悄地引兵而至。三鼓后昏黑欲雨，雷电交作。史进且不入寨，先令二百名精壮军士呐喊杀入。信炮一起，业已退出帐外，果然元兵埋伏四起，自相混杀。佟宣朗转出后帐，濮阳其通转出前帐，二人督兵酣战。史进将大队远远扎住，待其疲倦。将欲天晓，始擂鼓呐喊，以生力兵马横冲其队。元兵首尾不能相顾，人困马乏。史进以逸待劳，士气百倍。正遇佟宣朗，交马只一合，史进手起一枪，刺落马下。濮阳其通血溅袍铠，犹指麾军士厮杀，抵死不退。史进督军，乱箭齐发。濮阳其通两腕连中数箭，用口咬出箭镞，皆深入骨里，乃拔剑大呼曰："上以报君父，下以示三军，某力竭矣，死又何辞？"自刎而死。兵士死者无数，余者倒戈伏地，尽降其众。史进长驱直取宁国，入郡盘查府库，休养数日，然后引兵复下旌德南陵诸县，势如破竹，全队仍还宁国，刚至城下，见敌楼上刀枪齐竖，一将仗剑而立，指史进大呼曰："吾取宁国，已多时矣。宣城一带，邻我寿春，卧榻之侧，岂容他人鼾睡乎？"史进见红旗招展，皆书秦字，知是凤阳乘虚袭取，激得双目欲迸，怒填胸臆，率兵攻城。城上矢石如雨，不敢前进。史进忿憾不已，大骂秦锡帛无义猾贼，秦、杨二家，联盟起义，共相救援，不图奸猾如此叵测。折箭之誓，口脂未干，料汝奸相孽子后裔，当立见其败也。言未毕，城上贾智深一矢射下，史进惊避，已中盔上，益加忿怒，然无可奈何，方下令退保宣城，别作良图。忽流星马报来，太平城杨寨主，已被安庆府都统制耶律渊引兵围困，十分危急。城下赴水而死，妻孥自焚。元兵恢复太平、凤阳，秦寨主不为援救，且因乞粮之恨，乘势夺广德，据吴兴。慕容光大败芜湖，不知去向。张师旦、耿星星，皆投凤阳去了。史进听罢，目瞪口呆，半晌说不出一字，良久乃涕泗交流，抚膺长叹曰："杨寨主绝邻闭籴，坐取败亡，盟言何用？惜我等枉自疆场血战耳，吾虽不智，敢不忠乎？"拔剑欲自刎，左右夺剑劝曰："良禽择木，贤臣择主。杨寨主既死，将军即自刎无济也。以将军之志勇，何往不可？"史进踌躇未定，左右又劝以即投凤阳。史进怫然曰："不可！秦锡帛为人倨傲奸险，不足有为。定非可托身者，不如权过江右南安大庾岭蓬头砦安身。相时而动，择主而事。众军愿从者即从，不愿者各归农圃，听其自便。"部下皆言唯将军命。史进乃分三队，徐徐以退。过了宁国，尽散队伍，由饶州望鄱阳而去。

且说秦锡帛命贾智深率庞奋、褚点袭宁国府，蓝天蔚袭吴兴，邢士龙袭广德。三路俱有捷音。又闻杨镇龙兵败赴淮而死，正欲领兵来争太平。史献畴曰："太平不可得也。"锡帛问故，史献畴曰："太平府乃金陵门户，前以疏虞偶尔失陷，今既恢复，岂无重兵沿江防守。即长江千里，互有声援，牛渚采石，万难飞渡。况耶律渊智勇兼备，不可轻敌，既无成算，徒劳师动众，取他人笑耳。为今之计，大王宜先正名号，鼓励将士，观衅而动，再议兴师未迟。"锡帛大喜。旬日间，有万俟蛎、莫绥猷二人来投，又有杨镇龙部下耿星星、孙虎、乐螭皆来归顺。自此谋臣如云，将士如雨。锡帛遂拨兵五千，令其兄开岐率领庞奋、褚点镇守凤阳。所辖州县钱粮移屯万岁山。刑士龙领水兵三千，就淮水下寨。其宁国吴兴、广德等处俱遣骁将分兵镇之。自统诸将，率大军仍回寿阳，自称淮南王。以贾智深为左相，史献畴为右相，权军国重事，莫绥猷为参议，万俟蛎为司农卿，理钱粮度支，蓝天蔚为统制兵马大元帅，邢士龙为水军都部署，庞奋、褚点皆团练使，新降若耿星星等俱授指挥。封其兄开岐为宁国公兼凤阳留守，杞、梓二子见质广陵，即以楠为世子，而以紫金山为雄武营。寿阳城中，建立宫殿，出入皆警跸。莫绥猷请立宗庙，崇祀三代，锡帛从之。然锡帛本以王姓遗孽，冒秦氏后裔。秦氏自孝宗时，已尽流岭南。宁宗登极，并没其姓。唯家资巨万，皆昔年屏塞人主开门受赂所得。历高宗、孝宗、宁宗三朝，不过敕令致仕，徒置岭南，夺其爵谥而已，皆未籍其家，故犹永保其富，储藏既广，久蓄异心。元兵南下后，仍返江陵，自复其姓。锡帛以其父考皆不显，庙中设为配享，而祀埙、堪、坦三人为曾祖。熹为高祖，桧为太祖。万俟蛎又请书一德格天匾额于庙，并录绍兴时静江知府吕愿中所作秦城王气诗以献。锡帛见二人举措，十分称意，无不从之。并贾史四人，皆托心腹，预赞机密。忽一日，锡帛与万俟蛎议论，各处钱粮户口，并聚敛榷取之法。万俟蛎乃是个刻薄小民的惯家，条陈理财一事，被他搜括得毫发不漏。锡帛大喜，手抚其背曰："卿初投孤时，见卿僬僚伛偻，孤以为不足齿之伧。今条陈大略，虽桑弘羊利析秋毫，不足过也。卿可谓孤之王猛矣。"即加以参政之职，万俟蛎叩谢。此时两淮百姓，要生不能，求死不得，饥寒困苦，道殣相望。被万俟蛎多方设法，羁縻牵制，思逃遁他方，亦俱不能越境。争夺锡帛军粮既广，又命蓝天蔚整顿兵马，不日争夺就近州郡。有安丰路经略宣抚副使董文炳闻知，大惊不迭，星夜奏入燕京去了。

且说涪陵与马氏弟兄离了占城国赤城堡，望交趾迤逦进发，昼夜兼行，只期十余日直达琼州，便抵广南。忽一夜转了风，星月无光，昏黑中飓风突起，波涛汹涌，船势颠簸不定。涪陵忙持定风珠，船头坐定，大洋不辨东南，又恐落套，只好随风漂去。一时舟行如驶,且喜此珠果系异宝,当风而立,便一直吹去。船仍端然不动。三人与掌针水手,彻夜不敢瞑目。呆呆看着,候至天明。水手认定风色,大惊曰:“不好了,此是小琉球国北界,近福建洋。”几次下不着碇,风愈发愈紧,益加迅速。又是数日,直至松江府上海县东洋,方排舵泊下。远远望见黄浦,又墟烟缥缈间,有小舟飞也似来。涪陵三人始登小舟,不一会上岸入城,恰至上海。县令摆道而来,旌旗对对,卤簿前呵。涪陵一见故国衣冠,礼乐制度,大非往昔,真是风景不殊。举目有山河之异,暗暗垂泪叹曰:“某等竟作南冠楚囚也。”又见处处遵行大元正朔,涪陵一时心头火起,指定城中大言曰:“赵某若得光复旧物,正朔仍当还我。军民违者,以叛逆论罪。”言未毕,忽旁立一人大喝曰:“何来贼匪,在此私探?众人作速拿获,送官正法!”三人大惊,未知如何,且看下文分解。

第十八回　虎丘寺涪陵遇友

却说涪陵一时失口妄言，不料旁有上海县一个吃白食做帮闲的无赖，名曰宁雕儿。终日走豪门作篾片，一班也鲜衣肥食，徜徉街头。忽闻还我正朔一语，大呼拿贼，众人皆惊。宁雕儿曰："此必寿阳奸细，来耻窥伺，拿获自有重赏。"众人方欲动手，马遇乐慌忙止住，代涪陵解说曰："我等乃多年航海商旅，此位因在海道覆舟，丧其资斧，附载同归，因中狂病，以致诳言妄语。诸君不信，请验行色可也。"众人观其行止，果然不差，哄然而散。马遇乐再三谢过，涪陵亦故作狂妄之状，宁雕儿睇视曰："女狂则狂矣，莫非与中山之狂一党也？"众人内亦有代为排解者，三人始脱身而去。马遇乐大惊曰："殿下何不自晦如是，倘祸生不测，将十年海岛辛苦，均付东流矣。今后当守口如瓶，慎勿妄言。"涪陵如梦初觉，半晌乃谢曰："谨如兄命。"不意数日在海中触冒风寒，投宿邸中，一时疾作。二马慌忙延医调治，日复一日，渐次沉重，奄奄待毙，二马昼夜不安，寝食俱废，在榻前相对泣曰："我弟兄十年海外，颠沛相从，九死一生，始回故国。一旦朝露，赵氏永无望矣。"言罢大恸无声。涪陵在榻上微微欠伸，二马又轻轻扶起，抉开其口，以药少许灌下，忽喉间汩汩作响，二马暗喜。少时又略略转侧，渐有呻吟。二马方欲诘问，忽门外一片喊声，见十数汉子，各执器械，蜂拥而入。马遇乐当面迎住，遇阳守护涪陵，遇乐大呼店家何在，店中小二不知去向。只见当头数人声声叫："海外客商，定有异宝。"遇乐心头火发，不上三拳两足，打翻数人。转过店家急为劝止，始抱头鼠窜而去。遇乐暗思店家皆其党类，欲为地方除害，恐投鼠忌器。转过念头，心便释然，慌来抚视涪陵。涪陵病虽垂危，心尚明白，闻二马悲泣，听之了了，唯神情仍是昏迷。忽闻喧嚷之声，吃惊不小。谁知受此一吓，遍体汗出，霍然而苏。一时四肢舒畅，如释重负，开言问贼匪去否。二马大喜，再三安慰，随即进以药饵。越日遂起。涪陵曰："此处东亭镇，离云间仅百余里。且往松江暂住，此地非可久留也。"二马深然其说。刚行数日，忽闻松江府沿苏州太湖水发，由青浦、福泉、上海诸县，淹毙居民无数。涪陵遂不往云间，望松陵驿直过吴江，将往临安。访两浙消息，非止一日，始达姑苏城。出阊门至灵岩寺，四顾峰峦清秀，三江五湖，精华所萃，一片佳丽，爽人心目。又登落虹亭眺望，见江水淙淙，由胥口而来，震泽洞庭诸水，渺渺连天，笠泽雪滩香径。锁夏湾、长洲苑、陵羽泉、姑胥台、鲈乡亭、响屧廊、生公石，诸名景，美不胜收。涪陵三人在海外所见者，山惟岛屿，非突兀峭拔，即广漠诡异；水惟波涛，非汹涌澎湃，即浩淼无际，岂有此清淑之气，直逼扶舆，真是吴中第一名胜。惜已陷蒙古，非复我大宋版图也，涪陵观玩感慨不已，后人至此，曾咏其登落虹亭一律云：

身从海外久伶仃，欲盼三吴上此亭。
香径草荒秋露白，山村雨过暮烟青。

天空一雁来胥口，木落诸峰见洞庭。
莫唱菱歌缘岸起，临安驻跸即前汀。

涪陵三人，又游至虎丘，按阖庐之冢，专诸鱼肠之剑在焉。葬毕三日，而白虎踞其上，故曰虎丘。寺前石梯悬峻，凡五十三级。士女肩舆游此，必令舁夫倒抬而上。涪陵到此，回看卖酒楼下横塘边，画舫游船不计其数。海燕亭、丁家楼等处箫管盈耳，不异当年景象。涪陵三人，不胜凄其。又看剑池一潭，深不可测，昔人有诗咏剑池云：

剑去池空一水寒，游人到此凭栏杆。
年来世事消磨尽，只有青山依旧看。

当时游人甚众，往来车马络绎不绝。而楼下花间，妇女尤甚，明珰玉羽，珠翠交错，遗钿落舄，夸多斗靡，处处香气扑鼻。时又百戏杂陈，有昆山、常熟诸县乐部妙伶，一句一句，遍演名调法曲。歌喉宛啭，遏云绕梁，加以苏人士女钟山川之佳丽，玉蕊琼英，莫能方喻。登山游眺者，直是锦团花簇，应接不暇。有《竹枝词》十首，略写其概。

横塘七里路西东，士女如云踏软红。
才到寺门欢喜地，一时花下笥舆空。

姑苏楼畔石梯悬，步步弓鞋剧可怜。
五十三参心暗数，欹斜扶遍阿娘肩。

佛座烧香一瓣新，慈云低覆落花尘。
不妨诉尽痴儿女，哪有如来更笑人。

女冠装束认依稀，只少穿珠百八围。
岂是闺人真好道，阿侬爱着水田衣。

昏崖老树落朱藤，漏出红纱隔叶灯。
不留霓裳有风露，吹笙楼上坐三层。

斑竹薰笼有旧恩，湘妃节节长情根。
吴娘酷爱衣香好，个个将钱买泪痕。

千点琉璃八角亭，剑池寒水浸华星。
天生一片笙歌石，留与千人广坐听。

画鼓红牙节拍繁，昆山法部斗新翻。
顺郎年少何堪老，海燕亭前较一番。

楼前玉杵一红牙，帘下银灯索点茶。
十五当垆年少女，四更犹插满头花。

湘帘画楫趁新凉，衣带盈盈隔水香。
好是一行乌柏树，惯遮朱舫坐秋娘。

涪陵此时也觉心旷神怡，把国难流离，一时化为乌有，正与马氏弟兄，散步贞娘墓前。忽一人低言曰："殿下别来无恙耶?"涪陵回头，一眼认定是越国公张世杰部将张怀亮，随即携手选一僻静酒楼坐定，涪陵与二马共诉别后情况。张怀亮亦言："崖山战败，即同主将以十六舟夺港出走。又被元将唆都巨舰冲散。某与主将不能相顾，逃至香山，收集残兵，议图报复。又主将在平章山下殉节而死，卫王赴海而亡，漂泊江广，只说大宋无人。谁知今日得遇殿下，实小将再生幸也。"言罢泪下如雨。涪陵亦泣谢曰："我三人远窜海岛，无国可投，无家可奔。今日虽归中土，举目无亲，得遇足下，不愁无援助矣。回忆在惠州甲子门日日走马时，我固韶年，君亦弱齿。转瞬十稔，若隔再世。当日赵氏相随驾者凡有七人，今惟某在矣。"言毕声泪俱下。马遇乐曰："殿下今日得遇故人，正宜寻安身之所，图恢复之计，何为作儿女子态乎?"遇阳亦曰："男子仗剑樽酒之间，备尝艰困，益加老练。殿下惟记着崖山，卧薪尝胆，则勾践会稽之功，不日可见。"涪陵收泪谢之，张怀亮因言蒙古伐掘陵寝，盗取宝玩，至以理宗皇帝首级琢为饮器，暴戾惨毒，虐及枯骨，为亘古所未有。又灭天毁圣，薄儒重释，天怒人怨，一时并作，故兵戈四起，盗贼横行。殿下可乘此时，大张义举，崛起恢复，系天下之望，则生民幸甚。"涪陵闻会稽诸陵尽被伐掘，拍胸顿足，嚎啕大哭。三人再三劝止。涪陵一时目眦尽裂，血泪直迸，大骂："羯贼，某与你誓不共戴天!"张怀亮曰："殿下此时行止如何定计?"涪陵曰："将往临安，潜访故老或世胄苗裔，收揽英才，徐图恢复，兼省视会稽诸陵。惟恨目下手无尺寸耳!"张怀亮曰："江南人才，蒙古曾设廉访使招纳，凡故家逸老、世臣子弟早已逃去。至山林隐逸之士，诗书礼乐之英，十等数内，已列儒于娼之下丐之上，识者羞之。两浙之行，殿下休矣。小将近来，并无安身所在。相识有刘瑛、刘瑝弟兄者，义重如山，本系都督刘师勇之子。刘都督昔日与主将张世态情逾骨肉，意气相投，瑛、瑝弟兄，与小将不忘旧好，结为昆仲，义不仕元。自浔阳江别后，闻在抚州石门山，聚众三千余，每思相机行事，未得其主。殿下何不竟过江右，直往抚州，大宋之义旗一举，南北必有响应者，何劳殿下，仆仆风尘也?"涪陵大喜曰："草泽既有英雄，赵氏七庙有灵矣，明日便当起行。"言罢四人方欲起身，忽楼下轻轻踱上一人，大言曰："汝等谋事，休得瞒我，吾将往行省处告变矣。"涪陵大惊，二马、怀亮亦愕然。那人上见涪陵，纳头便拜，涪陵慌忙扶起，又与众人礼毕，乃曰："某复姓皇甫名惇，湘江人也，避乱淮右。前因遨游广陵，顺道访姑苏名胜，路过此地，适闻诸君忠义之言，出于肺腑，大举恢复，甚惬人心。殿下倡义之始，帷幄需人，惇不才，愿借箸前筹，附骥尾以图功。”涪陵与诸人，无不大喜。张怀亮先至江干，预备船只，然后请涪陵等一齐登舟，望太湖而进。

第十九回　狄招讨一征罗浮

江南苏州之水，莫大于太湖。周围八百余里，界跨江浙两省，内有七十二峰。居民聚处，村落甚众。湖中水发后，仍然波光如练，一碧万顷。时有涪陵公赵晟、马遇乐、张怀亮、皇甫惇、马遇阳一行五人，命舵工缓缓荡桨。舟过销夏湾，有一卜者姓刘名知几，面湖而居。门首设卜肆，往来问休咎者，络绎不绝，然以术自晦。晨起乃自占一课，得离之蒙，内外皆伏藏不见。讶曰："新莽篡汉，犹有中兴，天下事未可知也。但蒙昧在山水中，跃出云衢，尚犹有待……"言未已，见湖上一舟鸣榔而来，船头上云气如华盖，又若龙成五彩，隐隐不绝。知几望气大异之，忽斥堠上防湖军士，认定舟中有三人，非元人衣冠，疑为奸细，呼哨一声，驾只小舟，飞去盘诘。舟中人不服，互相喧嚷。军士跃入舟中，被一人打下水去，一时舟聚如蚁，各舟上皆用挠钩长矛，奋勇拦截。奈湖面浩浩荡荡，茫无际涯，兵往东截，舟往西走；兵往西截，舟往东走。斥堠上十余号船，全不济事。岸上总兵官到，远远望见，激得性起，大呼："扛混江龙来。"军士慌忙，将大炮扛至江边，安布举火。一时火不能燃，众军正在慌乱之际，舟去已远。总兵吩咐不必追赶，约住军士，方去验炮。见药线皆有水气，炮内药虽盛满，水皆浸遍。总兵大怒，重责军士。发付毕，转身欲过卜肆，造访知几。盖知几素与总兵相善故也，时总兵来至相馆，见阒寂无人，问左右居民曰："先生何往？"皆言："适才往东首去了，行色仓皇，不知何往？"总兵全不在意，纵马而归。殊不知刘知几有心救护舟中人，熄了火种，不得不离火地也。

且说涪陵等因张怀亮打翻军士，一时冒险，得离虎口，急催赶放舟而行。直出嘉兴，由秀水过钱塘江。非止一日，在舟中远远望见临安城雉堞隐隐，楼阁层层，虽残败之余，而雨中春树，仍然万家烟火气象。回视吴山在望，划断江浙二省。有衣锦悬留栖霞葛岭，无不南北东西，洞天拱极。涪陵凄然泪下，谓皇甫惇曰："天日依然，潮汐如故，故宫禾黍，谁闵周宗。某欲泊舟上岸，一览旧都，诸君何如？"皇甫惇亦有心访钱塘令葛天民消息，皆言愿往。惟马遇乐深以上海县之事为鉴，坚拒不可。逐日皆在舟中安宿，直至严州府桐乡具，方始上岸。过富春，访钓台，再达衢州。经常山县，张怀亮曰："此去草平驿，交浙省地界。过此玉山，即广信府，属江右，离抚州不远矣。"一日抵临川县，约行数十里，一山耸峙，四围广阔，树木蓊蔚。中忽有鸣镝声，涪陵大惊，张怀亮迈步上前，一声口号，林中奔出数十喽卒，内有曾认得怀亮者，大呼："吾家大王好友来矣！"怀亮曰："作速报知尔，主说有大宋涪陵殿下，特来造访。"喽卒如飞而去。涪陵等又行过数重山隘，方见围场，袤延十余里，乃是练兵所在。又见一山，危崖峭拔，孤是一径。上列鹿角，天造地设，两扉石门，豁然洞开，只有飞鸟可下，真是一夫可守，万军难攻。时刘瑛、刘瑝弟兄，迎出寨外。涪陵见二人英气勃发，风骨伟然，甚喜。一齐拱入大寨，逐一行礼。起居毕，二家各述行径，备达款曲，便推涪陵为军中之主，权领其众，任随驱遣,涪陵谢曰:“晟以不幸,身遭国难,海外残喘,得延余生,足矣。军中之主,恐不胜任也。”二刘不许,随令帐下大小头目队长参见,皆称千岁。寨中共四千余众,俱有重赏。即将石门山改为龙会山,更换旗号,设宴庆贺。刘瑛就筵中首先举觞上寿曰:“殿下请尽此盏,小将明心。”涪陵不辞,饮讫坐定。刘瑛曰:“先督臣力御外侮,贾平章款和误国。先君知事不可为,樊城未陷,纵酒饮恨而卒。我等啸聚山林,别无他意,不愿服事蒙古耳。今遇殿下,英雄有用武之地,名义所在,我等之志舒矣。”涪陵敛容谢曰:“诸君犹努力王室,愿复神州,晟独不能枕戈待旦乎!但混一区宇,势难动摇,螳臂当车,其如石卵不敌何?”皇甫惇曰:“不然,尧舜揖让,汤武征诛,同属应天顺人,自后得天下者或以德或以功,逆取而必顺守,始得人心。人心既坚,根本自固,所谓众志成城也。蒙古功德不闻,而凶恶日甚,自谓灭天毁圣,崇奉西僧,足以恐吓天下也。不知天下久欲荷戈逐之矣。曲直之分,胜负已定,请殿下勿疑。”涪陵喜曰:“先生开陈大略,使晟释疑。但在江南号召天下,或易为力耳。”马遇乐曰:“金陵王气尽矣,绍兴中且不能挽回,何有今日?”刘瑝曰:“近来江淮已被群贼骚扰不堪,杨镇龙败死,秦寇称尊,自谓不日席卷东南,其志不小。”涪陵曰:“志大才疏,焉能成事?窃据寿春,毒痛生民,不日当自毙矣。某等作恢复大举,总以得人心为本。皇甫先生,金石之言,信不诬矣。事之成败,尚赖诸君翼赞耳。”马遇阳曰:“我等竭力保戴,何愁大事不成?但恢复州郡,须要避瑕攻坚,方得根株稳固。”张怀亮曰:“此去建昌府,控三吴之襟带,扼五岭之咽喉,最为紧要。若论富饶,则本府抚州,众人皆欲先取。抚州可就粮,亦属近地。”涪陵曰:“不然,仗义举事,宜先取形胜冲要之地居之,使天下知我志在扫平区宇,不徒利其蓄积,可以养我士卒也。”因问:“抚州太守,其人何如?”刘瑛曰:“太守姓侯名长孺,原本萍乡县令,在任清廉可风,升授府尹。其人虽有干才,然我等占据此山,亦置若罔闻,未知何意也。”皇甫惇闻抚州府太守乃侯长孺,大喜曰:“殿下议取建昌,最为得计,建昌若下,则抚州不劳张弓寸箭,凭某入城,晓谕大义,抚州唾手可得。”涪陵大喜,又谓众人曰:“兵必练而后可用。寨中喽卒,须逐日按队操演,方可征进。”刘瑛进曰:“此间兵士不上五千,倘遇大队,焉能对敌?目下作速招募。”张怀亮曰:“虽鞭之长,不及马腹。召募之兵,一时教演不及,如驱羊入虎,徒资谗口耳。闻南安大庾岭蓬头砦史进,兵皆精练,有数千人,观变未动。殿下何不修书一封,开陈大略,招之举事,或约会建昌,或随取南安。闻其人误投杨镇龙麾下,事败深有悔心,以卑辞厚礼招之,必于于而来矣。”皇甫惇力赞此计甚妙;遂代涪陵修书,以鲛珠十粒,黄金一封,白金二封,命马遇阳下书,直往南安而去。涪陵一面整饬人马,一面储聚糗粮,准备不日攻打建昌不提。

且说广南参政狄定国,闻朱清、张瑄在惠州府博罗县界,失了漕运,二人被逮人京。丞相伯颜又行文至广南,切责定国,不能肃清广南,皆宜逮问。定国愤怒,探知贼在罗浮,遂调齐兵马,并麾下部曲,如都监陈同、团练使王彦、总统屈突申、指挥廖云、惠州统制庹靖等一班将佐,选精骑五千,直捣巢穴,离山五里,至冲虚观下寨。当日种世龙闻之,聚集寨中王建忠、牛竑、史霸、张燕、种世虎、吴广、吴康、洪时锦、虞凯、王麟等,商议迎敌,王建忠曰:“此人系天使狄武襄之后,家世为将,颇娴韬略。不如多备弓弩石子,固守勿战。俟他粮尽引还,从后击之。”牛竑笑曰:“不必忧虑,凭某一支枪,也教他片甲不回。”张燕大言曰：“纵使忽必烈自来，无能为也，众将皆愿出战。”种世龙曰：“守者万无一失，战则胜败难保，然不战而守，是示弱也。敌兵远来，利在速战。牛竑、张燕，试探一阵，相彼虚实，不可深入重地。吴广、王麟从后接应。余众紧守寨栅，不得稍懈，违者定按军法。”牛竑、张燕，各绰兵器上马，领轻军一支下山迎敌。牛竑在左，张燕在右，恰好列成阵势。见门旗开处，当先一将，面如傅粉，唇若涂朱，白袍银铠，手捻长枪，绣旗上大书一狄字，牛竑大呼曰：“来者可是狄参政否？”定国回答已毕，纵马向前。二将遂连环战住，至二十余合，定国败走。二将挥兵赶来，忽一声炮响，两翼伏兵，一齐杀出，二将围在垓心，左冲右突，不能得出。元兵大呼：“降者免死！”狄参政一支枪神出鬼没，二将此时方知利害。正在危急，恰遇吴广，王麟引一队生力军马接应，混战一场，天色将晚，始各鸣金收军。定国回营，谓众将曰：“贼军不可小觑，沿夜巡更，各宜小心。”至二更后人马方才歇息，忽报营西鼓声大震，贼兵不知多少，量来劫营。定国急命准备，鼓声顿止，军士方欲安寝，又报东面火光烛天，喊杀而来。定国急出看时，火光又息，遂下令曰：“此疑兵计也，诸军各备硬弩，防他冲突，不得乱动。如有擅离鹿角者，斩首示众。”三军悚息听命。夜半后果然罗浮兵击鼓呐喊而来，几次冲突，恰到鹿角边，又被乱箭射回。定国当夜立营不住，拔寨退至三十里。次日定国抖擞精神，整兵复至山下索战。山上寨门紧闭，一人一骑不出，攻之不破，骂之不理。定国大疑，恐有埋伏，令人四下探望，又山势绵亘，重岗复阜，络绎不断。遂督兵直逼铁桥，见山寨周围险固，加以修篁密箐，无路可上。望见瑶台，约高数百丈，直扶霄汉。回视梅花村朱明洞等处，山皆平衍，量无伏兵，仍旧统军奋勇，直从寨前望海楼边杀上。未及半山，寨门上矢石如雨，滚木擂石，一齐打下，军士死者无算，不敢前进。定国激得七窍生烟，令军马且退。相持数日，全无动静。定国知是以主制客，欲旷日持久，徒老我师。一日，探得罗浮粮道储在五龙潭，定国暗令王彦、庹靖二将，引兵由蝴蝶洞抄小径，焚其辎重，自以大军攻其前寨，可获全胜。谁知粮屯处乃是史霸、虞凯二将守护。史霸自恃本事，尚不十分在意，每每疏虞，惟虞凯谨慎周密，人不卸甲，马不解鞍，时时巡绰，严督军士小心防守。王彦、庹靖行不数里，已被伏路军士巡哨得知。虞凯闻报，火速知会大寨准备，自己引兵扼险以俟。只见史霸手舞双戟，如飞迎敌去了。王彦、庹靖正在探路，尚不知离寨远近。忽见一将面如蓝靛，短小精悍，率领数十军士步行而来，大呼：“臊羯奴快来受死！”庹靖讶曰：“此蓝关、源史二僄子也，王彦欺史霸寡不敌众，自谓一鼓可擒。谁知二僄子善战善走，不数合二将俱大败而遁。且说定国率全队攻大寨，仍旧前番模样，置之不理。几交冲突，皆不能夺险而上。捱至午后，业已倦疲，定国欲退时，又虑二将无人救援牵制。忽山上鼓角齐鸣，无数人马一齐杀下，定国慌忙迎敌，当头一少年将白马银镫，弓弦响处，一箭正中定国盔上，簪缨俱落。众将一齐上前，定国吃惊不小，速问：“来将何名？”少年答曰：“定襄种世虎，参政若不归顺山寨，恐损半世威名，窃为参政不取也。”定国大怒，方欲挺枪上前，总统屈突申一刀一骑，业已冲出。世虎纵马迎住，大战三十余合，毫无惧怯。定国见屈突申战世虎不下，急令廖云、陈同助阵。山上一声鼓响，吴广、王麟又领双马杀下，生力兵马，一拥而来，元兵不能抵敌，弃甲曳兵而走。

第二十回　韩搏虎七败贾翀

当时元兵大败，定国阻遏不住，命众将护定人马先行，自己断后，世虎等亦不追赶，收兵回寨。定国、候庹靖、王彦一支人马到齐，收拾残兵，回至广州。上表自劾，愿去参政之职，权任统制，练兵自效。伯颜奏知元主，不许。仍照旧供职，务必平贼而后已。此时元世祖因征日本，丧师十万，颇厌兵革。而湖广安抚使敖魁，奏称云梦有汉阳盗贾翀、贾翀，聚众数万，抢夺州郡，有窥汉东之意，请旨命将征讨。即有三宝奴脱、虎脱二人，力荐襄阳府都督吕翔可当此任。兵部尚书董文用请帝别遣他将，且谓："吕翔非大将才，恐不足以折冲御侮。"元主不听，竟用吕翔为帅，加制置使。湘湖人马，悉听节制。

且说云梦泽在德安府安陆县南五十里，按楚有七泽，小者名云泽、梦泽，其实为二，而七泽之水，皆纳于此。贾翀弟兄由汉阳起兵，扰遍蕲黄并东京、汝宁、罗山、真阳等处，有黄河渡口倪大威、汪夜叉、姚太师一班凶徒伙人，又有扬子江水贼宋罗睺、赵阎罗及皂角林巨魁白文狻，引兵来归。贾翀如虎生翼，任意横行，各处掳掠。粮饷山堆阜积，汉东一带，不敢正视。贾翀乘势欲夺德安，以为养兵之地。闻元主命襄阳吕翔来征，即唤过白文狻领兵一万，就石柱山下寨，阻住元兵大队，随后即有人马策应。又令倪大威、汪夜叉二将，各领兵三千，列营东西两岸，多备战舰，以便救应。自引诸将在泽中往来督战应敌。当时元都督吕翔，一得旨意，随檄各郡精兵，先以自卫，始离襄阳望德安进发。有岳州府统制姜恺，承天府兵马都监王濛，郧阳府钤辖阿沙不忽，汉阳府万户韩搏虎等，先后皆到。又有荆州团练副使臧超，长沙指挥凌士衰，各统所部，旹候大帅兵到，一齐征进。谁知吕督师由樊城沿江逗遛，迁延未到。贾翀已探得消息，即遣姚太师领三千人马，且夺应城，先掣其肘。姚太师引兵将应城围定，一鼓下之，分兵把守，即攻随州。随州刺史孙良丕颇有将才，多方守御，星夜告急。吕督师尚然未到。德安知府夏侯信叔忙与众将商议，众人皆畏懦，以将命为辞，韩搏虎奋然曰："若待将令，随州无噍类矣！"遂引本部三千兵往救随州去了。孙良丕正在死力拒守，见尘土大起，知是援兵已到，心胆俱壮。姚太师亦将人马约退一箭之地，列阵以待。韩搏虎怒目圆睁，大骂狂贼夺我城池，若不归降，少时身首异处。姚太师大怒，手舞铜叉，迎面就刺，韩搏虎挥刀抵住。大战二十余合，姚太师力怯败走，贼兵乌合，无主自乱。韩搏虎驱动人马，掩杀一阵，降者无算，解了随州之围。州牧孙良丕大喜，迎师入城，设宴犒师。孙刺史亲手执爵，与韩搏虎把盏。酒过三巡，韩搏虎推著而起曰："应城未复，趁此贼势未定，速往夺回。若有重兵固守，则难动摇矣。"遂引兵离随州，急趋应城。果然姚太师已登城严兵固守。韩搏虎下令三军，一声呐喊，将城围了。城上矢石交下。韩搏虎手执蛮牌，奋勇先登，砍翻数十贼兵。城中百姓，又为内应，斩开城门，元兵直人。姚太师弃城而走，韩搏虎又恢复应城。乃带领本部人马，径回德安，旹听节制。行过洞庭山，又遇姚太师合贾翀大队复转杀来。韩搏虎自知众寡难敌，即靠山势下寨，不与交战。命军士由间道至德安，速请援兵。相持数日，援兵未到。贼兵逐日讨战，辱骂不堪。韩搏虎素性躁暴，至此亦勉强忍耐。一日见贼兵耀武扬威，辱骂索战。至午后，见马已困乏解鞍，人已劳倦卸甲，坐者卧者，全无队伍。韩搏虎暗思贼兵岂知诱敌，惟恃勇耳。遂选精兵一千，奋勇杀出。贼兵仓皇不知所措，自相践踏，死者甚众。元兵蓄锐已久，人人思战，无不以一当十。贾翀立营不住，拔寨而走，退二十里下寨。韩搏虎之兵，抢得器械辎粮，俱各欢喜回营。是夜阴云四合，少时大雨如注，韩搏虎曰："破贼兵此其时也。"又选五百壮士，以大刀阔斧直犯其营。贾翀不意元兵冒雨猝至，更无防备，大乱奔走。韩搏虎连胜二阵，又夺得许多粮草。军士得食，欢声如雷，皆愿效死。韩搏虎夜徙其营。

次日贾翀愤甚，自统大军，要决死战。姚太师曰："韩搏虎骁勇难敌，不如智取，今夜可往劫寨。彼连日得胜而骄，必不准备，可获大胜。"贾翀然之。当夜悄悄引兵至安营所在一看，乃是空营，知有诡计，速退人马。行不里许，忽左边山谷中一声锣响，喊杀连天，姚太师慌忙接应。忽右边山谷中鼓角齐鸣，亦在喊杀，贾翀慌忙迎敌。少时，前面又见火光烛天而起，不知多少人马，一夜弄得东不是头，西不是尾，黑地里自相混杀。良久，韩搏虎始用生力军痛加掩杀，贼兵已心胆俱裂，谁为抵敌，各顾奔走，直得大寨人马前来接应，元兵始退。韩搏虎虽已出奇得胜，一心专望救兵接应，方始放心。谁知日复一日，全无信息，只得仍然深沟固垒，密布鹿角，作死守计。士马乏食，喜得随州刺史孙良丕不时馈送。贾翀虽累次冲突索战，亦无可如何。韩搏虎日在营中，超乘投石，奖励士卒。真是人忙我暇，养精蓄锐，以待后援。约有数日，韩搏虎曰："可以战矣。"次日将兵马列成一字长蛇阵。乃横刀勒马，大呼贼将陷阵。姚太师见其兵少，全不在意，以大队人马乘之，三路并进，使他首尾不能相顾。谁知兵不在多而在精，韩搏虎用皂旗一层，反将贼兵大队围在核心。姚太师身带重伤，死战得免。韩搏虎又胜，乃下令曰："兵威已震，来日可乘破竹之势，杀回德安。请督师添兵剿贼，众军各宜努力，违者斩首。"次日，韩搏虎拔寨而起，身先士卒。姚太师纵马敌住，被韩搏虎手起刀落，斩于马下。贾翀不敢抵敌，拍马落荒而走。一时逃兵如摧枯拉朽，逃脱者皆鸟兽窜。韩搏虎保护人马，大杀一阵，直望安陆而去，回至营中，督师犹未传令起兵。

且说吕翔自来德安府安陆县北界，离石柱山五十里屯住人马，二十七日未下一令，日日黄金不离手，酒卮不离口。一闻韩搏虎往救随州，怒其不遵将令，擅往挑敌，不发援兵。当时有荆州团练使臧超出曰："同一御贼，何论先后？韩万户应城破敌，在我则为犄角之势，在彼已有掣肘之虞，扫平云梦，在此一举。臧超愿率本部，往应城助阵。"吕翔又迁怒臧超妄动，有乱军心，连声喝退，臧超满面羞惭而出。时府尹夏侯信叔亦在营中，闻之大惊，急入帐谏曰："臧团练之言，深为得计，韩万户应城陷阵，督师若不救援，应城再陷，德安震动，能保督师之威名乎？且奉旨出征，韩陷州郡，甚非吾主遣都督之本意也。"吕翔被夏侯太守问得低头不语，又羞又恼，徐曰："府公且退，出师尚容商议。"夏侯太守顿足曰："韩万户应城望救，急如星火，都督独断独行之事，若待商议，则应城随州休矣。"吕翔心怀忌妒，素性又庸懦鄙吝，见信叔出言太激，作色而起曰："营中将士，一令不许妄下。来日整备战船，先攻云梦水寨，违者定按军法。"言罢拂袖而入。

夏侯信叔暗暗叫苦,连声叹曰:“督臣如此,大事可知矣。”不数日,韩搏虎全师而还,细言前事,满营将士为之忧喜交集。喜者喜其克敌有功;忧者忧其不免于罪。一入帐中参见吕督都,言其七败贾翀兵,恢复二城,细述交兵形状。吕翔这奴才有心要结冤家,不分皂白,喝令斩讫。才吩咐一声,已推赴辕门。韩搏虎大声呼屈,且曰:“小将虽未奉令,念有微功,乞责后效。”吕翔大怒曰:“汝贪战邀功,不候将令,侥幸得还,尚然夸口,营中将士,尽似汝躁率妄动,大寨空虚,贼兵四至,袭破本府,此行谁克当之?”韩搏虎怨气冲天,俯首无语,满营将士,一齐跪下求免。吕翔执定不从,益怒曰:“一人作梗,万夫违令。”喝令速斩。刚刚绑出辕门,有汉阳府随征数千军士大呼曰:“我等血战疆场,有功不赏,可怜韩万户逐日不解甲,连夜不安寝,数日一食,九死一生,始杀败贼兵,恢复故城,不惟无功,而且有罪。女奉旨出征,迁延日久,逗遛不进,酿成贼势,先调精兵自卫,兴师二十七日,不下一令,妄斩有功。杀了韩万户,我等皆叛附云梦去矣。”满营士卒,一齐鼓噪,吕翔吓得面如土色,手捧着印剑,令斩不可,令赦不便,呆呆看定左右。臧超见此光景,也不用将令,竟至辕门,将韩搏虎松绑。吕翔无气可出,令逐出营去。诸将不敢再谏,韩搏虎出营,朋好相送上马,怏怏而别。

第二十一回　岳燕超官辞参政

却说贾狰收集残兵,探元师已去,仍旧夺了随州应城,杀死人民不计其数。回至云梦,与贾翀合兵。闻韩搏虎已去,抚掌大喜曰:“韩搏虎已去,吕翔辈直庸才耳。”又打听吕翔,欲先攻水寨,益发得计。随往旱寨,调回白文狻,水路迎敌。水陆二路,分拨已定。恰好吕都督纠合众将,领大队人马,俱用艨艟战舰,排列军士,来攻水寨。白文狻亦将军马一字儿列在水面,只见元兵队中,闪出一将,绯袍金甲,横枪立于船头,乃承天府都制王濛也,大呼索战。白文狻卖弄本事,手举狼牙棒,奋力打去。用力太猛,鹢首俱为纷碎。王濛大惊,急挥军士,以破敌弓,翼以神臂弓射之。怎禁敌兵矫健异常,使船如使马,巨舰横江冲突而来,上设皮篱,以御矢石。小舟往来如飞,概用挠钩厹矛,戳杀元兵。将近艨艟大船,一跃而入,元兵全不济事,又无成算,被白文狻放出大军,冲得七断八续,不能联络。两岸炮声大震,倪大威、汪夜叉各率人马,前来接应。吕翔令诸将分头迎敌。时西岸倪大威与臧超、姜恺,以船列成一字,联以铁絙,冲突不入,将敌兵阻住。东岸凌士儇为流矢所中,血流满面,犹鏖军死战。因阿沙不忽一队先退,凌士儇遂孤,为敌所乘,亦溃。吕翔见众军皆败,方欲弃舟上岸,忽探马报来,德安府被贾翀袭破,副将郭如龙战死,太守夏侯信叔走长沙去了。吕翔惊得魂不附体。王濛与白文狻鏖战,闻报遂慌,被白文狻搠死,前军大溃。阿沙不忽亦死于乱军之中。臧超、姜恺亦弃敌将而走。敌兵从后掩杀,一时中箭被枪、沉舟落水者不计其数。吕翔等统率残兵,直逃至应山县,渡蚁桥,方始屯住。诸将闻郡城已陷,姜恺请整兵先复随州,凌士儇要打安陆,臧超又请速攻德安。纷纷议论。吕翔方寸已乱,不知所从,自领兵数千,托言赴行省请兵,竟连夜遁回襄阳去了。诸将无主,各统所部兵,复随州,复应城,皆无功而归。

时贾翀领陆路兵马,攻破德安,又收得刘环、张青二将。先是刘环、张青啸聚荆山,屡次投襄阳自求录用,吕翔摈斥不收。云梦兵起,二人遂愤投贾翀,袭破君城,皆二人力也,贾翀陆路人马,屯于城中。次日又报水寨大胜,随州应城,有元将来攻,皆杀败而去。贾翀两路皆捷,横行江汉,大肆猖獗,自称总领卫大将军。弟狰副将军,众将俱有名目,大犒三军。水寨仍屯云梦,阻住湖口,江汉一带,道路梗塞。早有湖广行省安抚使敖魁,将吕翔失律兵败,贼势猖獗情形,立奏元主。世祖大怒,将吕翔逮京下狱,并众将一齐拿问。兵部尚书董文用,飞章劾奏三宝奴、脱虎脱丧师辱国之罪。世祖左袒二人,置之不问。时太傅白伯颜、中书完泽、枢密使不忽木、兵部尚书董文用等,皆在枢密府议曰:“安丰路、寿阳贼已僭王号,跋扈州郡,尚未征讨;云梦贼又如许猖獗,骚扰江汉,非得一智勇兼备者为帅,不能征剿。如吕翔辈,直行尸走肉耳,焉可以御外侮?”完泽曰:“皮相之士,不足以求人才。夜汆之夫,不足与论国是。前命将时,董尚书极力谏阻,奈主上与三宝奴、脱虎脱如一人,事难中止,故有此败。不忽木曰:“寿春、汉阳二贼,不可小觑,专阃重任,还须老太傅一行。”伯颜笑曰:“老夫年耄矣,无能为也。我非冯妇,枢密以为见猎心喜乎?”完泽曰:“李靖、赵充国皆以耄年立功,太傅何须谦逊,然太傅宿将元勋,良不可往,必须太傅举一可往者,始当其任。”伯颜摇手曰:“忽都帖木儿、阿里海、阿答海、相吾答儿,四帅颇谙兵事,相继而卒。目下惟浙省平章脱脱、广南参政狄定国二人知兵,奈俱控扼重地,不可更易。此外实难其人。”完泽、不忽木齐举董尚书,权任浙省平章,易脱脱为帅,广南仍旧。董文用亦言愿任浙省。众人议妥,方欲连名上疏。时坐中有福建参政魏天祐独曰:“浙省固不可离脱平章,而兵部亦去不得董尚书。某举一人,可当寿春云梦之任。”众皆大喜,急问是谁。天祐曰:“姓岳,名燕超,云中马邑人也。

但不可屈致,须以礼聘之。”伯颜猛省曰:“老夫昔日略地,至大同府,耳其名久矣。闻此人素怀大志,出处不苟。今宜合词上表保荐,拟授江南行省参政,兼荆湖制置使之职。荣以重爵,下诏求之。若不奉诏,密令所在地方收捕监毙,先除此人,免生国家异日之患。”完泽愕然曰:“老太傅何出此言?”伯颜曰:“淮阴侯去了西楚,汉高即王天下,王景略不就桓温,苻秦遂霸关中,此人投一处,即兴一处,不如早为之所也。”完泽不以为然。数日旨下如议,魏天祐捧诏去讫。

且说建宁路建阳县,离城一百九十里,有山名唐石山。一隐士在山中,不常出入,时而长歌,时而长啸,时而大哭不止。居人莫测其踪,谈星演易,喜说休咎。居人每诣山问之,久而山中如市。遂于建阳驿桥侧,开卜肆。暇则题诗吟咏,往往欷歔不胜。一日来一问卜者,伟岸风骨,目瞬如电,坐定,投策叩蓍,隐士大异之,暗思此人可怪。试以卦语探之,乃曰:“爻内寅午戊干,将星叠现,加白虎羊刃生世,当有金坛之拜。但防有阴谋,恐祸生不测。”问卜者笑曰:“公且勿言祸福,公非谢侍御叠山先生乎?”隐士亦笑曰:“然则足下岳某,亦马邑之豪士也。”两人情投意合,言及国事,不觉大哭,已而在笑,从此无日不至。叠山卖卜之暇,两人谈论终日,娓娓不倦。久之而建阳驿中,凡小儿贱卒,皆知卖卜者,为故宋江西招谕使谢枋得也。卜者契友为云中马邑岳燕超也。忽一日道路传言纷纷,有本省魏参政,奉旨将至建阳小璜溪,聘岳贤士。枋得闻之,惊曰:“燕超危矣!”一连数日,燕超不来卜肆,枋得日日探望。忽一日燕超来辞枋得曰:“前因廉访使按部云中。”燕超遂离马邑,窜荆湖,遁苏松,再转入闽,自谓潜居僻壤。谁知物色者,如影随形。燕超又将远遁遐陬,誓不受樊笼于蒙古也。贵官显秩,讵能屈我哉。”枋得曰:“子宜速去,不然,祸生旋踵,但后事勉为之,惜枋得不及见耳。”燕超复问曰:“先生结局,终于此乎?”枋得曰:“诸事俱已完毕,所未完毕者,惟一死字耳。足下宜自珍重。以子之才,何难雪耻!枋得与文右相、张越公诸人,虽在泉下,皆拭目以待也。”言讫泣下。燕超亦洒泪而别。燕超去后,不两日,果然魏参政,遣武弁十余人,来收捕燕超甚急。访至驿桥,闻与卜者素有往来。武弁等不由分说,拥枋得而去。枋得已拚一死,行至中途,即欲扼吭以殉。武弁等给枋得曰:“参政闻先生精于卜易,特命请驾,问休咎耳。”既入城,魏天枯喜曰:“得鸾失凤,终占一筹。”即迎枋得问曰:“先生果卜人也,先生乃知信州之谢侍郎耳?前程廉访文海,留翰林梦炎,皆有荐章,先生不起。今遇先生,即以聘岳燕超之爵授先生,先生岂无意乎?”枋得不答,亦不食。魏天祐知不可屈,命以一室禁锢之。

第二十二回　狄招讨二征罗浮

却说涪陵在抚州龙会山，命马遇阳往蓬头砦；下书已回。备言史进倾心归顺，愿率三部人马，结连桂阳岭三关守将跖拔琳，共取南安，权作进见之礼，并具回书一通表明心志。涪陵得书大喜，急集众将会议，攻打建昌之策。此乃涪陵起兵发轫，兴复宋室之大举，爰刑白马，祷告神祇，并故宋一十八主之灵，命皇甫惇作文祝之。文曰：

皇宋播迁。中原板荡，故宫禾黍，赤县丘墟。金酋荡祸，桧贼款和于前；胡元行凶，贾奸误国于后。遂蒙垢于鞑靼，并隶统以腥膻。冠履倒置，生民涂炭。臣晟整饬名义，扶立纲常，仇复崖山，戎起江右。起白水兴汉之师，效赤帝亡秦之举，锋镝霜莹，灭天之罪宜讨。卒乘鳞集，贬圣之谬可诛。华表虚悬夜月，惨矣伐陵。墓木高拱寒原，恸乎取首，誓不共戴天。举族有北辕之衅，虽混一率土，薄海同左袒之心。伏惟祐相，锡我休嘉。敬达天庥，实叨神贶。是享。

涪陵率众将祭毕，设太乙坛，竖六纛旗。命张怀亮为先锋，领兵一千，作前队，即日起行。刘瑛领兵一千，为左护卫使。马遇乐领兵一千，为右防御使。刘瑝领兵五百，为五军提点，往来催督。马遇阳领兵五百，作监车，押后，为左右救应。皇甫惇参谋军事。涪陵自统大队居中，指挥兵马，金鼓号令。中军帅字旗上大书曰：

大宋龙兴

军前门旗上亦书左右二联云：

虎贲三千，直抵幽燕之地；
龙飞九五，重开混沌之天。

大军放炮起行，由临川直抵泸溪等县，沿途望风纳款，改换服色，献粮助饷。不日，前哨张怀亮已近建昌府，竟达南城，过盱江，逼华子冈下寨。建昌知府陶惜阴，忙与守将查士珩等商议御敌曰："此兵自称故宋，恢复义举，名号与贼兵不同，未可小觑。将军计将安出?"查士珩曰："事急矣，府公速报行省请师，一面登城固守。某率兵一千，往城东蛟湖阻住，勿使近城，再议迎敌。"陶惜阴曰："此计甚善。"令人不分星夜，报往洪都去了。张怀亮兵屯华子冈，令人哨探，至蛟湖，见隔岸已有人马扎定，无舟可渡。究竟张怀亮昔年久练沙场，兵不妄动。再令人四下探听，并无埋伏。始分兵五百，暗令裨将，抄出吁水上流，扬帆而下。盱江边斥堠屯兵，忽见无数人马，旌旗招展，全是'宋'字，慌忙报入营中。查士珩不意后兵掩至，大惊，急调兵拦江截杀。一时舟聚如蚁，对岸人马乘势合兵渡江，鼓噪上岸。查士珩欲半渡击之，见宋兵部伍森严，旗帜不乱，知是劲敌，将军马退后列阵以待。张怀亮过了盱江，结束上马，挺枪直出阵前大呼曰："某乃宋先锋，张怀亮是也。领兵收复故地，汝等皆大宋人民，何得隶彼蒙古，助桀为恶？"查士珩笑曰："大元天命攸归，肃清一统，智者见机，明者顺时，既心不忘故宋，即宜埋首泉石，终老山林，作大元之逸民，亦无相害。何苦妄肆嚣张，兴师跳梁？"张怀亮大怒，飞马直取士珩。士珩舞鞭迎敌。二人大战数十回合，不分胜负。两军混杀一会，各鸣金收兵。次日，查士珩索战，怀亮出马，不数合，大败而走。士珩纵马来追，怀亮用枪头一招，两翼伏兵杀出，将士珩围在垓心，元军死战得免。恰好右队已到，马遇乐将生力兵冲杀一阵，元军大败而走。遇乐亦不十分追赶，收兵回营。与张怀亮各下一寨，互为犄角之势。次日，左队刘瑛又到，三将合兵，一齐攻杀。查士珩立营不住，奔回城中。拽起吊桥，将城紧闭。三将把建昌围了三匝，日夜攻打。城内颇有准备，急切不下。相持数日，太守陶惜阴登城大呼曰："宋将欲战，请军马少退，以决胜负。欲攻则城中自有准备，凭汝攻打，援兵一到，诚恐片甲不回矣。"诸将皆愿决战，将军马约退。果然城门开处，首先放出数百壮士，俱仿韩世忠背嵬军遗法，各持大刀阔斧，如墙而进。以铁骑继其后，马足到处，箭如飞蝗。宋兵一时惊溃，幸张怀亮三人力战押后，虽败犹能成行。元兵胜了一阵，奏凯入城，仍旧固守，以待救兵。马遇乐曰："不图城中，有此排布，折我锐气。"张怀亮曰："小小进退，兵家之常，何足介意。愿施小计破之。"附耳低言如此如此，三将遂各领兵退去。

城中一连数日，不见宋兵动静，守御未免疏虞。一日，报行省左丞董文炳，援兵将次到新城县了。太守陶惜阴大喜，遂令百姓出城樵汲，准备迎接援兵。不意宋师忽然大至，城城围得水泄不通，马内惊惶，兵心遂不坚固。当夜陶惜阴与查士珩亲自巡城，见宋将张怀亮、马遇乐等分头攻城。又见城南清风亭一带，火光势若长蛇，暗暗惊异。巡至城西，忽一将走上城楼，查士珩情知有变，拔剑就砍。那将仗剑来迎，城上慌乱，即有人斩关落锁。城门已开，宋兵大队直入。查士珩弃了敌将，急忙保护太守，招呼人马，杀出城去。不数里，正遇一支宋兵，乃五军提点刘瑝舞刀杀来。查士珩马蹶被擒，降者甚众。余珍保太守逃走，又遇涪陵大队人马，截杀一阵。陶惜阴匹马落荒。忽见山坡后旌旗对对，戈戟森森，疑是元兵，乃宋监军马遇阳后队人马亦到。陶惜阴一见故宋许多人马，心胆俱裂，直望南昌而去。且说涪陵率大军入城，忙令众将，禁止三军。不许伤害太守家小，出榜安民，秋毫无犯，城中大悦。众将献功毕，少时刘瑝押查士珩进见。涪陵一见士珩，亲解其缚。士珩感其意诚，乃降。涪陵携手入帐，赐坐。士珩辞曰："罪当诛戮，免辱衅鼓，已出望外，焉得有坐？"涪陵曰："将军本宋人也，偶然仕元，食其禄者，不得不忠其事。今名义两全，赵某焉敢不敬？"士珩推阻再三，方敢就坐。涪陵礼遇甚厚，士珩十分感激，愿领本部人马，收复建昌所属，若新城南丰广昌诸县。涪陵慨然许之。刘瑝进曰："人心叵测，恐有变诈。"涪陵曰："查将军忠义人也，提点不必过虞。"仍遣之去。士珩约以十日为期，果然殉下诸县。回兵后，恰好十日，并招降许多兵将，一齐进见。涪陵大喜，兵将俱有重赏，即命查士珩为行营团练使之职，随军听用。涪陵抚有建昌，自此粮草渐广，军声颇震，专候南安史进消息。

忽一日，辕门抄得罗浮檄文一张，呈上。涪陵看罢，始而喜，继而悲，终焉而一片发愤为雄之心勃勃顿起，谓众将曰："当世人心如此，不枉我朝祖宗养士三百年矣！"众将皆鼓舞大悦。涪陵叹曰："起义兵，复故宋，世家子弟，与草泽英雄且然，而况于赵某乎？赵某若不能清陵寝，复钟虡，为祖宗勤王敌忾者，诚东海吕母之不若矣！"众将皆曰："我兵取过赣抚，一带州郡，得通南安，当由闽中邵武等处，竟过广南，与罗浮首尾合兵，大事不难成也。"涪陵称善。

且说广州参政狄定国，初征罗浮，失利引还，至是调齐人马，日日操练，并两广峒丁，共有二万余众。命其子狄勇为先锋，庹靖、屈突申副之，自统廖云、王彦、陈同等押后而进。种世龙等亦知定国必复来征，俱有准备。命牛竑、史霸山前下寨，扼住来路，以待元兵。牛竑、史霸料狄勇青年子弟恃勇轻进，况此山周回五百余里，长江海连，群山壁立，地理不熟。先于龙公竹下设伏兵二支，从后掩杀，可获大胜。果然元兵不曾哨探，狄勇率庹靖、屈突申二将迤逦直进。牛竑、史霸候元兵一队一队过毕，方举起信炮，从第三峰龙公竹奋勇杀出。狄勇救应不及，一时溃散，失去骡马器械辎重不计其数。狄定国大军一到，闻知败耗，大怒狄勇疏虞，有失锐气，立命斩首。众将苦苦告免。定国怒气不息，黜退先锋之职，赴后队押粮。切责庹靖、屈突申二将，同降后军听用。而以陈同为先锋，率兵直抵寨门搦战。种世龙遣王麟应敌。王麟绰起开山大斧，突出寨门。二人更不答话，一刀一斧，交相厮杀。不数合，陈同败走。王麟骤马追来。忽陈同手中放出紫金锦标，寒光一瞥，冷艳逼人。王麟躲闪不及，已中左腿，翻身下马。陈同回马，举刀刚欲剁下，史霸飞出，双戟刺来敌住。众军方将王麟救回本阵。陈同与史霸约战数合，仍然败走。史霸纵步赶来，陈同回手又是一标。势若长蛇，劈面飞来。史霸是有心提防，侧身躲过，乘势一戟刺去。谁知陈同惯习此标，临阵伤人，一发不中，随收随出。史霸短戟，尚未近身，肋下已中一标，血涔涔衣甲皆湿。一声不好，弃了双戟，不顾众军，溜烟逃走。陈同驱动人马大杀一阵。网浮兵大败，损去无数人马。陈同得胜回军，定国随纪大功一次，犒赏三军。

次日网浮兵张燕、吴广出马，又为陈同所败。定国又演七星八卦阵，佐以峒丁劲弩，引洪时锦入阵，大破其军。相敌数日，网浮兵连战皆北。种世龙大惊，诸将大怒，愿决死战。种世龙不许，命寨前严加防守。将王麟、史霸调养病愈。再议御敌。定国将大军顿扎半月有余，日日讨战。网浮兵不理。定国暗想："网浮兵，守则有余，战则不足。大将行兵，必弃其所长，而攻其所短，方能取胜。不然，敌人持重固守，徒老我师耳。"逐日催督三军，攻之不破，诱之不出。营中渐渐粮饷不继，急令人催赶狄勇。一时又不能到，自来三军之命，在乎足食，然后可战可守。一连数日缺粮，军中皆出怨言。定国十分焦急。忙檄王彦，速往惠州府博罗县常平仓，权籴秋米百斛，以救燃眉。奈兵燹之后，仓储不盈。连博罗县二仓籴出，始得米四十余斛，运至营中，不日又尽。谁知庹靖、屈突申二将押赴粮草，才过东莞县大鹏岭，正遇韩昭、李穆、关普灵，寇复雷、焦芳、斛律亢宗、宇文广、傅突等由衡永而来。闻广南招讨正打罗浮，一见粮车，皆曰："观押粮军官,催赶甚急,营中定然乏粮。诸君何不助罗浮一阵?”众皆大喜,焦芳、傅突愿去举火。寇复雷、杨孝伯愿去截杀,关普灵、斛律亢宗、宇文广愿去断后。韩昭、李穆二人于高阜处瞻望动静。只见庹靖、屈突申正押着车辆,催赶而来。寇复雷、杨孝伯双马从山谷中杀出,大呼:“罗浮兵在此等候多时矣!”二将不意敌人至此,仓皇迎敌。粮车忽然火起,见二汉子,杀散众军,处处皆着火种,一时烟焰蔽空。二将又被战住,不能救护。火势愈烈,眼睁睁惟望狄勇来援。谁知狄勇少年出征,原少慎重,量此咫尺,决无他变,自思押后,不比当先,何妨按辔徐行。忽报前队粮车已失,慌来救应。林中闪出关普灵、斛律亢宗,横刀勒马拦住去路。狄勇大怒,挺枪就刺。关普灵将青龙偃月刀,拨开火焰枪头,笑曰:“少将军,前面粮已烧毁,救应不及了。愿降,随我等共入罗浮,徐图大业;不降,则自回广州,亦无相害。”狄勇愈加忿怒,捉枪又刺,斛律亢宗舞槊直取狄勇。量狄勇虽青年勇猛,岂是二将之敌,不三合,被斛律亢宗轻舒猿臂,活擒过马,拔剑遂取首级。关普灵急止之曰:“不可,不可!迫人于险,退其兵足矣。至伤其命,仁者不为也。且此将年少英武,将来或有造就,亦未可知。”遂纵之去。关普灵曰:“小将异日,须记着河东关某救汝性命也。”狄勇满面羞惭而去。前面寇复雷、杨孝伯已杀败二将,奔走追赶。忽见元兵盖地而来,寇复雷等大惊。原来种世龙已知定国营中粮尽,必将引还,急出大队,以蹑其后。史霸、王麟病已痊愈,种世龙急遣牛竑、张燕、世虎、吴广等一齐出战,从后掩击。元兵先无斗志,弃甲抛戈而走。定国虽是能将,奈军心无主,惟与众将力敌断后,保护徐退。罗浮众将,掩杀元兵,十分狼狈。又见寇复雷等迎面鼓勇杀来,众将不知,疑是元兵救应,直至种世虎一眼认定关普灵在内,大呼曰:“关仁兄,别来无恙耶!”关普灵见是世虎,大喜,始收马横刀,请前后众将回军。曰:“广南经此大创,罗浮之威名立矣,可以止矣。”众将一齐鸣金收军,定国始得脱身而去。是役也,定国父子非关普灵几乎不免。罗浮众将,请关普灵、韩昭等先行,一时鞭敲金镫响,人唱凯歌还。种世龙得知,喜出望外,直出望海楼前,倒屣而迎。关普灵笑曰:“南山豹林将略不朽矣。”种世龙曰:“尚望仁兄辈同德同力,共成厥美。”齐至寨中叙礼,各相起居,互陈姓名。是日,寨中大吹大擂,犒赏三军,款宾贺主,大开筵会。东首是种世龙、王建忠、牛竑、张燕、史霸、吴广、种世虎、王麟、虞凯、吴康、洪时锦;西席是韩昭、李穆、关普灵、寇复雷、杨孝伯、斛律亢宗、焦芳、傅突共十九员贤杰,南北英雄,一小聚会也。

第二十三回　襄阳城贾琳授首

却说襄阳都督吕翔，为征云梦失律丧师，陷没三关，并德安州府县，被逮入京。安抚使敖魁，保奏长沙府都统制扈德威镇守襄阳。德威，字虎臣，淮阴人也。相似马周，鸢肩火眉，气宇轩昂，勇略俱备。一任襄阳，抚循军民，修治楼橹，聚兵储粮。先是吕翔嗜酒糊涂，沿江盗贼纵横。樊城等处白昼抢夺，人情汹汹。德威素有重望，令行禁止。盗贼屏息，襄阳赖以粗安。时有范国昌、司马肃、白映雪三贤士，由东京阳武来至汉川，闻襄阳肃清，乃过襄阳，始知镇守襄阳者，乃德威也。白映雪喜曰："德威系映雪舅氏，世代将家。我等且观其将才何如?"三人入境，见盗贼屏息，号令严明，父老称庆，映雪等心中暗喜。恰好扈德威将襄阳整顿一新，有云梦贾琳遣其弟琳，领兵由安陆来窥襄阳。德威下令樊城等处清野坚壁以待。贾琳遂攻枣阳，枣阳告急，德威遣兵救援。自统大军，守凤林关，滨江作险，扼住水陆门户。数日报来，枣阳已陷。又打宜城，宜城危急。德威自思：不得不救。命健将守关，太守巡城，自往宜城救援。谁知敌兵势如破竹，宜城又下，襄阳大震。贾琳得胜，长驱直捣襄阳。官吏惊慌无措，德威屹然，不以为意。暗思将欲取之，必姑与之，竟将凤林关守兵调退，屯回岘山。太守崔国器暗暗叫苦，谓属僚曰："不图扈都统有虚名，而无实用。观此举措，吕都督之不若矣!"德威全不在意，部下裨将请赴武昌求援，德威不应。又报贼兵已过凤林关，直逼城南下寨，遣人送战书至。德威批回，来日决战。次日、贾琳左刘环，右张青，排开军马搦战。德威一见贾琳装模作样，大骂贼徒，拿住碎尸万段。那边张青出马，一柄铁拐，舞动如飞，德威从容举枪架定。不数合，德威败走。贾琳驱动人马，追过岘山，德威忽然不见。贾琳大疑，方欲退时，岘山上红旗招展，四路伏兵齐起。德威忽然从山谷杀出，手起一枪，张青死于马下，刘环保定贾琳死战夺路而走。德威追至袁曹渡，方始收兵屯住。次日贾琳愤甚，纵骑兵盖地而来，德威不敢抵敌，弃营而走。退五里，草草扎营，安定人马。次日又战，德威又败。贼兵夺去营寨。一连数日，贼兵皆胜。德威直至岘山屯兵。贾琳大驱人马，来夺岘山，德威弃山而逃。贾琳大喜曰："得了岘山，取襄阳如反掌矣。以得胜之兵，尽扎岘山，准备来日筑长围以困襄阳。襄阳既破，樊城随下矣。"谁料黄昏后，德威领大队人马，突将岘山紧紧围定，不与交战，四围俱用强弓硬弩射来。贾琳、刘环屡次冲突不下。围了数日，樵汲道绝，军心慌乱，贾琳无计可施，惟与刘环奋勇从上压下，思溃围出，处处皆被乱箭射回。仍然屯住。不日粮尽，杀马而食。马尽，渐以人相食了。此时兵士大溃，云梦声息不通，无可救援，处乎绝地，坐以待毙。襄阳太守崔国器等至此，方知德威不守凤林关，而守岘山之意。官吏军民，人人称庆。

一日，刘环请贾琳曰："事急矣，末将拼死杀出，将军随后，得出重围，便有生路。"贾琳然之。刘环结束饱食，舍命当先，被德威一马拦住，刘环不敢抵敌，虚掩一枪，夺路便走。德威引弓就射，刘环带箭而逃。德威且不追赶，回马正遇贾琳，亦溃围出走，交马只一合，被德威于马上擒之，败兵皆不堪战，口称愿降，德威许之。其余同刘环逃去者，不过千余人而已。枣阳、宜城传檄而复，德威大获全胜，凯旋城中。贾辨押赴刑场，数其罪斩之。将首级沿江晓谕，送赴行省。安抚使敖魁大喜襄阳得人，奏闻元主，力荐德威，将才可用，云梦可平。表至上都，被丞相桑哥匿不以闻，密遣心腹舍人至襄阳。若能以千金为寿，即领京湖节钺，更有锡命。德威大怒曰："血战疆场，漫言宦囊羞涩，不足以厌老饕。即使黄金满屋，岂肯借钱神之力，邀铁券之赏，令摧坚陷阵者短气哉！"唾之不顾，舍人羞怒而退，回至上都。桑哥恚甚，立劾德威，拥兵自守，枣阳、宜城，连失二县，坐视不救。洎拿获首逆，又不槭送京师，自行正法。请旨逮问，以正欺君之罪。果然世祖闻桑哥之言，如声应响，即时准奏。旨下，并荐主敖魁，皆逮入京。中书完泽，极力谏阻。始停白麻免逮。另下诏，切责安抚敖魁，不行纠察。扈德威姑念有功于后，降汉川县千户。德威一闻此命，愤惋泣下，连声曰："安抚误我，安抚误我。"太守崔国器亦为之不平，书空作咄咄怪事。不日旨下，德威遂离襄阳，望汉川赴任。众官吏及所属部曲、麾下军士，皆依依不舍，殷殷饯别。德威平日恩威并用，人心悦服。城中百姓，老扶幼携，哭送曰："襄阳赖有将军，百姓安堵。从此一去，小民等不聊生矣！"德威见此光景，亦掩面而泣，安慰百姓，谢别众官，直至鹿门山而别。匹马扬鞭，独行踽踽，至阴城庞公镇，日已昏暮，遂于驿中安歇。当晚星月皎洁，银河耿耿，玉露盈盈。驿中阒寂，一人寝不成寐，孤灯背壁，兀兀独坐，感叹不已。忽佩剑在壁上，铮然有声。德威骇异，忙除下按剑言曰："扈某乃有功无罪之人，冤遭贬黜，剑匣告警，驿中决有奸细。"言未毕，梁上有长叹声，欻下一人，短袖轻衫，头挽双髻，腰系革囊。德威知是刺客，一把擒住。刺客乃从容告曰："将军休慌，某奉桑哥丞相之命而来，实不利于将军。某若有意行刺，则将军之首早入某革囊中矣。"德威惊异。久之，刺客又曰："某本枣阳人氏，幼年落魄江湖，曾遇青城道士，教某此术。身轻体健，往来如飞，白昼大都中，抉人首级，神鬼莫测。襄阳乃父母桑梓，将军威镇，贼除民安。某虽不肖，丧心不至于此。惟后继者至，将军亦难保矣！"言毕，纵上檐角，屋瓦无声，瞥忽而去。但闻四壁虫声，啾啾唧唧，灯烬初落，仍复挑起。德威不敢久居，收拾起行，出驿而去。约行十余里，身体困倦，遥见山谷中，隐隐露出灯光，尚有人声。德威异之，近视，乃一张仙观也。内有人击剑而歌。歌曰：

元戎无主枉谈兵，血溅征衣恨未平。
脱却孝侯三尺剑，何人踏浪斩长鲸。

歌毕，浩叹一回，把酒剔灯，又低声吟曰：

北平飞将不封侯，更笑武安死杜邮。
底事皆含降卒怨，沧江何处下金钩。

吟毕，德威叩门。内闻剥啄声，门随启，一赤帻丈夫，岸然而出。灯影之下，目光外射，见德威亦赳赳武夫，遂揖之。德威系马而入，礼毕坐定，将襄阳事逐一告之。又言驿中，遇桑哥丞相遣人行刺，故暮夜仓皇至此。其人失口叹曰："女无美恶，人宫见妒。士无贤否，立朝见嫉。某与足下，可谓同病相怜耳。某即昔日战贾翀之韩搏虎也。"德威惊谢，叩其行止。韩搏虎曰："某至云梦，被逐，羞归汉阳。权且托足观中，行将登太行之巅。俯瞰京湖，待时之清，草泽中隐身去矣。公汉阳之行，不必往也。"德威曰："某昔仕元，实非本意。为今之计，某往汉川固不可，即公往太行，亦非所宜也。"搏虎拱手曰："计将安出？"德威曰："某与足下，并非毛义捧檄，为得禄计。不过因廉访使再三恳遁耳。足下先祖父出将人相，为大宋名臣，功列钟鼎，名垂金石。即德威祖再兴，亦曾统制京湖，著百战勤劳，一心宋室。宋亡，我等不仕，稍犹可原，仕则已违祖训。况今者忠而得谤，信而见疑，尚何恋恋升斗之俸？今后某与足下，仍宋人耳。"韩搏虎曰："某有叔父名靖夏者，怒某仕元，累有书来责斥。今遁迹闽中，与足下之意同，然则今将何往乎？"德威移座就近，徐言曰："威昔镇长沙，闻广南罗浮有人起义，传檄遍达荆楚。安抚得知，不敢奏闻，非我等立身之地乎？"搏虎大喜，二人一席话，剌剌不休，忽闻长钟动野，村鸡喔喔，道士随起，鸣罢清磬。转身一见扈德威，知是襄阳都督，讶曰："将军何来？"德威曰："借宿仙观，将往汉川赴任。"道士叹曰："将军汗马无功，何苦劳奔驰，要作大元名臣也？"德威佯怒曰："方今大元一统，何得妄出狂言？"道士笑曰："不瞒将军，小道在宋，曾为江陵统制张顺部下裨将。主将弟兄，俱勇冠三军，耑习水战。因破襄阳，元兵三万有余。主将张顺力战而死。死经五日，方尸浮水面，逆流蹰上，犹是身披甲胄，手持弓矢，身中四枪六箭，怒气勃勃如生，直抵桥梁，人皆惊以为神。副将张贵遣小道持蜡书回郢都求援，小道能伏水中，七昼夜不食。五日遂达郢都，援兵来时，大江水阻，与张贵失约为元兵所乘。张贵身无完肤，被擒不屈而死。弟兄尽节，故襄阳至今，立有双忠庙祀之。当时小道派往樊城张汉英麾下，不料元兵攻襄阳不拔，先围樊城，截断救援。张汉英又令小道泅水往临安请援，贾平章置若罔闻，樊城、襄阳相继陷没。小道犹在枢密府，日日候令，反被堂吏翁应龙将小道革斥除名。小道愤甚，潜伏西湖水中，候似道葛岭游湖，即刺杀之，以泄天下公愤。奈爪牙甚众，不能下手，含恨出家。崖山一役，小道虽托迹清虚，尚怀不平也。况二将军以命世之英，反为仇敌效死疆场血战乎！"德威大惊，韩搏虎亦讶曰："某来数月，道长全未露出。"急叩其姓名。道士隐而不言。固问之，惟示以别号，湘阴道士，以已湘阴人，不忘故土也。二人遂以实意告之，道士大喜曰："愿将军早肃清宇内，扶持故国。世外人得托宇下，为故宋之逸民，不亦可乎？"搏虎曰："当今灭儒弃道，又何恋此黄冠为也？何不改换装束，仍整威风，我等亦得备顾问。"道士谢曰："衰朽残年，无心人世。元能弃道，焉能弃我？二公成功所至，当来造访。"德威、搏虎遂与道士盘桓数日，辞别而去。

第二十四回　铁幢浦秦楠败兵

却说秦锡帛既据寿春，僭称淮王，屡欲攻打太平府以窥金陵。伪参政万俟蛎曰："太平乃建康重地，最难攻打。为今之计，不如先往广陵，将二公子赚回，再议征进不迟。"伪相贾智深选曰："广陵之行，非参政不可。"万俟蛎慨然愿往，锡帛许之。随遣裨将数人，偕之而去。万俟蛎素衣小帽，一到广陵，见衣冠文物，往来都会，乃六朝花锦之场，心中暗喜。欲一游秦楼楚馆，碍着随从不便，遂命裨将从人等各分路打探，约定在城东骑鹤楼会齐。随从去后，万俟蛎乃鲜衣华服，散步妓馆。游至萤苑近处，遇一粉头，姓马名慕兰，风容色泽，技艺精妙，乃烟花队里领袖。万俟蛎昔在朔州，素喜渔色，加之慕兰十分趋奉，遂极力挥霍，流连院中。正是温柔乡，不让销魂窟，任你车马填门，笙歌彻夜，自谓慕兰是其专宠，他人不得分润。谁知江都县有一三衙妻舅魏公子名宏，已在院中，破费千金，不时来往。一日入院游宴，正遇万俟蛎，在露葵轩下，与慕兰联杯共饮。心头火起，自从人揪出，拳足交加，浑身皆伤。万俟蛎方欲开言，随有皂隶上前，将铁索套住，往外就走。万俟蛎气填胸臆，又恐遇着随从，低头而行。一至署中，三衙即时升堂，不由分说，飞签立杖四十，吩咐逐出。万俟蛎两臀疼痛难禁，暗思：此官狂病丧心，屈棒冤板，较我昔日在褒城尤甚。一时羞不是羞，恼不是恼，一腔怒气无可发泄，只有悔不应遣散随从，偷游妓馆，吃此大苦而已。行过塘务所，四顾无人，棒痛难行，遂不顾好歹，凭几而坐。忽一骑军汉，造门下马曰："淮安制置使，有信牌一面，速由塘递，赍往建康府去。"万俟蛎勉强挣扎，接过信牌。军汉飞马而去。万俟蛎细看信牌云：

> 淮安制置使石中孚，为晓谕沿江水路军情事，照得附近寿春，贼势猖獗，各处水关屯卫斥堠员弁兵丁等，宜严加防范，细意盘诘，至广陵所质二贼，须重为禁锢。太平乃建康要地，尤防其窥伺。晓请到日，毋得疏虞，须至牌者。
>
> 至元二十一年三月初一日

万俟蛎看毕讶曰："石中孚已升淮安，二公子得离犴狴矣。"放过信牌，方欲起身，猛省曰："欲赚二公子，此牌即至宝也。"遂藏过信牌，煞住疼痛，急望城东而走。刚至骑鹤楼下遇从人等，齐曰："参政一去不回，令我等物色殆遍也。"万俟蛎老着脸怒曰："不入虎穴，焉得虎子。此非容易事，岂草草便得确情可归来也！"从人曰："我等探得二公子，禁锢府中。石中孚已升淮安，离任时将二公子交付太守沈之奇，谓二人关系扬州安危，宜小心在意，慎勿疏虞。沈太守许诺，防闲严密。继任都督尉迟涟，性最刚烈，然暴而寡谋，多在醉乡，平日吹毛求疵，斥责部曲，鞭打士卒，人心大失所望，特禀参政得知。"万俟蛎曰："爷已定计，可赚二公子出狱矣。"遂取出牌文，将"重为禁锢"四字，摹仿笔迹，改作"械赴淮安"四字。再假造令箭一支，命从人四散流言，说寿阳贼兵，将打淮安。

然后令随行裨将一人，扮作淮安钤辖，赍信牌令箭，拥槛车二乘，直入扬州府中。言奉石制使之令，淮安有警急，将所质二贼，械赴淮安，以制贼兵，不敢攻城。广陵无事，惟慎加防守，别无他虑。沈太守验过信牌令箭，心中犹豫曰："前日石都督将二贼重托我，永镇扬州，今复反前言，殊难凭信。再观钤辖，并随从数十人，亦无一相识者，十分疑异。惟信牌令箭不差。"遂往都督府，与尉迟涟商议。以一贼留扬州，一贼械淮安，岂不两全！尉迟涟恚曰："石制使以二贼为质，倚如太山。去了二贼，束手待毙矣。焉能镇淮安耶？府公即将二贼械去，不必忧虑。"沈之奇曰："其中恐防有诈。"尉迟涟大笑曰："府公文人，何其怯也？扬州有某在，宁畏贼兵哉！"沈之奇不悦而回，随将秦杞、秦梓齐上槛车。回文一角，给与信牌，并饬沿途州县，拨兵护送，直抵淮安，不得违误。钤辖离了扬州，即时起程。万俟蛎先在琼花台等候，渡过扬子江，由仪征县泰川至骆驼岭下僻静处，打开囚车，秦杞、秦梓如鱼脱饵，如鸟出笼，深谢万俟蛎不已。一行人众，望寿阳僻路而走。

不日已至寿春，秦锡帛父子聚首，喜不自胜。万俟蛎又纪大功一次，劳慰再三，设宴庆贺。秦梓在席前，与万俟蛎举觞上寿。万俟蛎一饮而尽，颇自居功。伪相贾智深曰："参政跋涉劳顿，面目青紫矣。"万俟蛎唯唯，莫绥猷曰："参政步履之间，已成跛躄，用谋出奇，十分劳瘁，应晋爵太傅，以示优异。"万俟蛎勉强支吾。锡帛甚喜，即晋太傅，命二子执贽受业。众人奖誉备至。弄得万俟蛎攒目皺眉，满面羞涩，用手轻试两臀，隐隐犹痛，忿焰中烧，不敢吐泄。又见众人宴酣欢洽，大饮大嚼。万俟蛎如坐针毡，愈想愈羞，又惭又恼，忍耐不住，忽然击案大怒曰："吾与三衙，誓不两立。"一时盅箸交起，众人大惊，急问曰："太傅何出呓语？"万俟蛎格格不吐。半晌，乃大哭而诉曰："二公子禁锢广陵有年，可怜囹圄之内，受尽苦楚。三衙巡视，百般恐吓，此仇不共日月。今脱离桎梏，此仇不可不报，广陵不可不伐。"座中有邢士龙、蓝天蔚等一班武夫，皆切齿痛恨，争欲出兵立破广陵。锡帛问计于众。秦杞见秦楠已为世子，快快不语。秦梓愿领兵复仇，伪相史献畴独曰："不可！广陵得质二公子有年，一遭赚出，必严加准备。况沈之奇料事不差，尉迟涟刚而有勇，两人合谋，我兵决难取胜。"万俟蛎曰："广陵沈之奇、尉迟涟等，皆行尸走肉耳。以我兵临之势一摧枯，何难之有？"秦梓深然其言，贾智深请按兵观衅，不可妄动，一时议论不合。锡帛不悦。秦楠献策曰："父王欲报杭州之仇，含恨日久。今兵精粮足，何不趁此机会，直犯杭州，以抗大敌？"锡帛大喜，遂命秦杞、秦楠率兵侵杭，以刑土龙为先锋，孙虎、乐螭为后劲。随发雄武营兵一万出征。刑士龙领兵先行。独秦杞十分怨望，次日告病，不愿与秦楠出师。锡帛不喜，命秦楠一人为帅，领兵由广德、湖州直趋富阳。无人出战，围三日拔之。随后大军继进，再攻海宁。早有史天雄、阿察木多二将领兵三千前来御敌。史天雄虽是宿将，年已老迈，统制阿察木多与刑士龙大战于海宁之百尺浦。

元兵奔溃，刑士龙前哨遂抵钱塘，屯吴山，报入临安。平章脱脱讶曰："贼兵神速至此耶。"自统大军来吴山，相隔五里下寨。次日刑士龙摇旗擂鼓而来，脱脱遣健将范文龙出马，不数合被刑士龙刀劈马下，元兵大败。脱脱见贼兵英勇，且战且退，南城屯扎。秦楠大军遂逼近杭城，于铁幢浦下寨。脱脱按兵不战，一连数日。秦楠喜曰："脱脱胆落矣。”随派人马，令孙虎领兵三千，左出攻其后；乐螭领兵三千，右出攻其前；刑士龙领兵一千，前后策应，攻破大营，擒了脱脱，则杭州大事定矣。次日，众将鼓噪而进，谁知脱脱坚闭不出，直攻其营，坚不可入，只得退回。百计索战，元师不出。秦楠等无不笑脱脱以为怯，编成歌词，令士卒歌以羞之。歌曰：

脱平章，守浙杭，出师无策守营帐，连战皆北乏主张。

坐穿铁甲，食空糗粮，紧闭辕门不敢出兵将。恁般奴才，也任封疆。恁般奴才，也任封疆。

元军将士闻之，皆怒欲战。脱脱下令有一骑一人擅出辕门者，立斩。众将皆私语曰：“吾军坐守于此，殆欲天雷震杀贼兵也。”互相嘲笑，脱脱置之不闻，相持半月有余。忽一日脱脱传令，遍集诸将谓曰：“连夜见毕星缠于太阴之分，天河内亦群星繁乱，数日必有大雨，潮信将至，百家奴引兵五百，暗将贼海石塘拆去一角。阿剌达一面准备战船，只待水发破贼。史天雄领刀斧手，埋伏虎林。阿察木多领弓弩手，埋伏鼍江。各分头去讫。”众将如梦初觉，此时方知不战之意。且说秦楠遣将逐日讨战，攻之不破，骂之不出，无计可施。刑士龙曰：“脱脱不过以主制客，坚壁固守，以老我师，俟粮尽击我耳。我粮运不绝，粮道不梗，其计不行，但我兵徒与相持无益；不如来日扬言分兵三路，一军打余杭，一军夺新城，一军守杭州。彼闻我分兵，决然出战，一鼓可擒矣。”秦楠大喜，当夜遥望杭城，灯火辉煌，楼阁参差；四顾水光接天，星稀月朗，敌营旌旗不动，刁斗无声；回看江上，一白如练，不啻千里，水面泊舟万艘，樯楫林立，商贾辐辏，富甲南都。秦楠暗思：临安乃故宋都邑，若得临安，较寿阳百倍，可以南面称尊矣。

三更后，忽然狂风骤起，大雨如注。秦楠不以为意，惟令提防元兵冒雨劫寨。少时，闻钱塘江上，若鲸翻鼍吼，万马奔腾。众将大惊，起视下寨处，忽如汪洋大海，军士大半尽在水中，载沉载浮，挣扎不起。秦楠顿足叫苦曰：“潮信至矣，奈何奈何？”刑士龙慌忙上马，望孤山而走。秦楠与众将随后。锣声响处，杭兵尽乘筏驾舟而来。贼兵上岸者，截而杀之；在水中者，用捞钓抓着，擒获无算；其被水淹没者，还不计其数。秦楠同众将登高阜处，眼睁睁望着杭兵，往来若飞。而寿阳之兵，擒者、死者、逃者、降者，三停人马，擒去一半，水淹一半，其余相随者，二千余人而已。秦楠此时，如乱箭穿心，急急走过武林。忽一声炮响，史天雄引刀斧手，摆开，挡住去路。乐螭见史天雄须发皓然，欺其年老，纵马上前，不数合，被史天雄刀劈马下。孙虎保护秦楠而走，刑士龙舍命断后，士卒死者甚众。逃过新桥，将近鼍江，阿察木多拥众，一马杀出，箭如飞蝗。时败兵已人困马乏，焉能抵敌？孙虎、刑士龙死力杀开血路，身带重伤而逃。杭兵抢夺器械衣甲、辎重马匹不计其数。秦楠等甚是狼狈，窜出富阳界口，渐抵桐江，追兵已远至此量无伏兵，放心而行。忽一派鼓声，遥望富春山，红旗招展处，见平章脱脱，狮盔鸾带，锦袍金甲，腰悬弓，手按刀，骏马高据，身先士卒而来。喊声到处，贼兵束手就缚。秦楠此时，眼中带泪，口内失声曰：“今番死矣。”二将亦面面相觑。脱脱手起一箭，正中秦楠，带箭拍马落荒而走。刑士龙、孙虎俱为流矢所中，血流满面，拼死杀出，保护残兵，簇拥秦楠,望吴兴而去。杭兵大获全胜。脱脱传令,速将捍海石塘,江水引退,积石植木,立刻修补。回府诸将上功毕,脱脱谓众将曰:“兵法有云:‘多算则胜,少算则败’而况无算,可言决胜乎?汝等请战,皆谓我为怯矣。但一味血战,有何裨乎?”诸将拜服。脱脱重赏军士,随即奏闻元主。时杭州军士,鼓舞欢欣,亦作一歌,以颂其功。云:

脱平章,镇杭州,大播皇威著远猷。水淹七军贼破胆,功成一旦民分忧。凯奏铁幢浦,业胜筹边楼。深沟固垒有来由,将不在勇而在谋。事业彪炳,江水悠悠。事业彪炳,江水悠悠。

第二十五回　拓跋将计取南安

却说涪陵在建昌府操练人马，欲攻抚州。皇甫惇进曰："殿下且按兵盱江，某请先往。说以大义，如不纳款，再攻未迟。"涪陵喜曰："先生此去，抚州下矣。但须慎重，免生他变。"皇甫惇许诺，随带小僮一人，直往抚州。时建昌已下，抚州戒严。皇甫惇至城下大呼曰："侯太守故人相访，速往通知。"巡城军士，见皇甫惇恂恂书生，谅非奸细，报入府中。侯长孺大疑，此间何来故人？即请相见。皇甫惇飘然而入，侯长孺一时记认不起，正在犹豫。皇甫惇笑曰："府公忘栖霞岭题诗人矣？"侯长孺顿悟曰："是矣。"皇甫惇礼毕，先谢其玉成之德，始叙寒暄。侯长孺曰："恶棍媒孽事端，妄相告讦。仆当日竟为所倾，名裂身败。继闻葛令执法，实出足下之谋。然则足下，亦湖海豪士也。今日一晤，甚慰鄙怀。行旌自何处来？"皇甫惇曰："自建昌来。"侯长孺错愕良久，又曰："然则足下何以教我？"皇甫惇曰："请问府公，厉兵秣马，登城守陴，所为何事？"侯长孺曰："子且勿言，子必已从建昌来下说辞也。"皇甫惇曰："不瞒府公，愚某实欲来说抚州，非说府公也。"侯长孺曰："仆即抚州之主，欲说抚州，非说仆而何？"皇甫惇曰："愚某此来，不过将天地之道，圣贤之礼，顺逆之义，晓谕抚州人士。使知谁为贼，谁为非贼，谁为从贼。辨明贼之一字，愚某之意足矣。何暇来说府公也？"侯长孺艴然作色曰："子以吾不识道理，不谙大义，谓仕元为从贼耶，欺吾太甚！方今兵戈扰攘，盗贼纵横，行省传谕，严拿党与，不拘郡县，生杀可便宜行事。姑念子为儒士，从轻惩治。"吩咐监下。皇甫惇笑曰："府公已叛离名教，尚知儒士耶？"侯长孺益怒曰："仆即不才，亦叨附黄甲，非纳粟出身也。子焉得以儒笑我？"皇甫惇曰："儒为席上之珍，儒诚可贵。府公独不知儒有君子，亦有小人乎？君子之儒，以名义为重，纲常为尊，大节所关，生死不变。今蒙古灭天毁圣，乱华为夷，置儒者于娼之上、丐之下，识者尚犹羞之，乃竟有名登故国之榜，身立仇敌之朝，谁贼谁儒，蒙混示辨，君子之儒，当不如是也。愚某之说毕矣，即请就狱。"侯长孺不觉两颊发赤，急下阶手挽之，再三谢过曰："相逢尽道休官去，林下何曾见一人。此宦途中呓语也，请先生释疑，勿咎既往足矣。"皇甫惇亦谢曰："狂妄之罪，在所不免，望府公见原。"侯长孺急问曰："前石门山有人啸聚以号召故宋为名，仆窃有疑，恐仍中山狂人之故辙耳。征抚两字，尚持未决，仆亦不料攻城略地，若此其速也。今已得建昌一府五县，声势逼近。抚郡又有先生在焉，先生必有主见，何以赐教？"皇甫惇曰："府公之言误矣。今日之事，乃秦王一十七代元孙，涪陵公赵晟由崖山失散，航海十年而归，仗义大举，光复故国。并非诸人自称宋主，若中山之狂人也。故义旗一建，势如破竹，军民无不纳款。"侯长孺大惊而起曰："赵氏尚有人耶？足下胡不明言，而重长孺之罪乎？"皇甫惇曰："府公以说辞相难，愚某不得不辩。然今已约会广南罗浮起义，传檄南安大庾兴师，不日仍见故宋天日矣。未审府公，亦曾三思否？"侯长孺谢曰："长孺愚昧，何遂至此？"随令人请都监、万户、提点、府贰、县尉，并合属佐贰官员人等至，具道其事，众皆大喜。惟都监汪彦国执意要战，长孺再三以大义动之，汪彦国坚持不允，反面斥长孺等守土畏死，有负国恩。长孺大惭，万户马晋臣拔剑而起，汪彦国亦挺剑来斗。长孺大惊，解劝不及。马晋臣武事高强，一剑将汪彦国割了首级，提出府门，大呼曰："我等原本宋人，抚州今日，有归故宋。有不从者，以汪都监为例。"军民皆诺。请过皇甫惇与众相见，又将大义申晓一遍。众人心服，设宴款待。长孺即遣通判史良璧、万户马晋臣，至建昌纳降。皇甫悼谢别起程，不日即达。涪陵得知，大喜迎入。马晋臣、史良璧手捧降书，并献抚州府六县图籍。涪陵亲手扶起，再三慰劳赐坐曰："晟不幸，国家多难，流离失所。卿等不忘故国，钟鼎之名不朽矣。"设酒相待。数日后，涪陵亲至抚州，奖慰长孺，抚恤军民，出榜晓谕。命府贰史良璧暂摄府事。侯长孺请过建昌，参赞军务。定位之后，方始进爵。众官无不举手加额曰："不图今日，仍为大宋臣民矣。"

再说蓬头寨史进，自得涪陵之书，大喜。与众议曰："今史进所投之主，决不误矣。"即令人往桂阳岭，约会三关守将拓跋琳起兵。拓跋琳，乃大同府朔州人氏，原本东晋时北魏国王之裔，其先出自黄帝。黄帝以土德王，北俗以土为拓，以石为跋，故以为姓。拓跋琳虎臂熊腰，碧眼黄须，极有膂力。元太傅伯颜，掠地至大同得之，用为虎贲将军，拨守江右三关。三关者，一北藏关，一上梧关，一上蓬关。南扼交广，西拒湖湘，连控隘所。一人把守，万夫莫开。总名之曰：桂阳岭，此外更有揭阳、临贺、始安三岭，乃响马出入所在。拓跋琳总镇三关，威慑全岭。绿林不敢正觑，因昔年落魄山西酷好樗蒲，为乡里所贱，漂泊在外。史进家资巨万，贩负为生。路过壶关羊肠坡，遇红毛贼巢瑰剪径，与史进大战不已。恰好拓跋琳中途遇着，拔刀相助，杀败贼党。史进德之，遂订车笠之好。又怜其贫，赠以百金，令作经纪。奈拓跋琳一见双陆，即又技痒，呼卢而进，倾囊而退。久而逋负益深，自顾无颜，流落泽潞间。史进又令人访之，延至其家，再三勉慰，又赠以千金。拓跋琳不觉泣曰："生我者父母，知我者史进也。"遂立意改行，旧日交游，概屏绝之，立志自励，仍归乡里，一时拓跋琳之名大噪。伯颜略地至朔州，召而用之，故授总镇。史进自杨镇龙身死，千里奔赴蓬头，与桂岭声息相通，不时来往。拓跋琳屡欲荐之，史进不可。然拓跋琳久镇三关，威名甚著，五载并无升迁。此时完泽未相，桑哥当国，累来索贿，拓跋琳怒而不与。继闻史进约投故宋。大喜曰："今日有以报史公矣。"即引心腹数人至蓬头寨，与史进商议，或攻茶陵，或攻南安。史进曰："先取南安，路通江右，随后好清闽广。"拓跋琳即起身附耳低言，如此如此。史进大喜，各自回归。次日，史进引兵，直下大庾岭，离南安五十里下寨。令人哨探，南安城四门紧闭，星夜往桂岭约兵，前后夹攻。史进得实，率兵直逼南安城下，讨战。其统制海迭塔速儿残酷不仁。平日减刻军粮，兵不附将。临时勉强附以恩信，督之守城，稍拂其意，又鞭挞随加。太守郝成志柔懦无能，兵临城下，方寸已乱。幸府丞冯道南内外调停，抚恤军士，整饬器械，清理糗粮，各门巡哨防守，井井区画，各有条理，人心赖以少安。自知城中决不可战，惟待桂岭兵至便可成功。史进日夜督兵，攻打甚急。城中日日盼望，忽见尘头大起，知是援兵至矣。海迭塔速儿准备接应出战，史进之兵即时退去里许，结阵以待。少时拓跋琳鼓噪而来，掉起开山大斧，与史进交手。不数合，史进败走。海迭塔速儿乘势从城中杀出，一齐混战。史进兵弃甲抛戈而逃，海迭塔速儿大喜，收兵，即请拓跋琳率众人人城，设宴庆贺，犒赏元兵。府丞冯道南进曰："援兵今晚，且在城外安营，以防他变，得犄角相援。"海迭塔速儿曰："贼兵败去，岂有复来之理！况援兵远来，安营城外，非敬客意也。"冯道南叹息而退，海迭塔速儿遂盛开筵席，呼卢畅饮。犒赏不及南安军士，仍责令小心守城。军士各出怨言。太守郝成志，亦言己兵无功，不加犒赏。冯道南又赍牛酒，私自登城，慰劳军士。恰际黄昏，史进又引大兵杀至，擂鼓呐喊，将城紧紧围困。冯道南大惊顿足曰："统制不听吾言，援兵入城，大失策矣。"拓跋琳、海迭塔速儿等，一齐登城，见史进耀武扬威，指挥攻打。冯道南觑定分明，拽满雕弓，一矢正中史进甲上。登时拔出，血流如注。史进大怒，催军速打，手出流星，打上城去。军中四下，遍悬红灯。只见城上拓跋琳手起一剑，将太守斩之，提着首级，大呼："我等奉故宋涪陵公之命，收复南安。不伤百姓，军士降者免死！"南安兵先无斗志，援兵斩关落锁。史进首先冲入，兵不血刃，尽愿投降。海迭塔速儿方欲下城而走，见左右概是桂林援兵，一齐向前，擒住上绑。冯道南知大事已去，方欲自刎，被史进追上城来，一把擒定。于是皆降，出榜晓谕。齐至府中，军士绑海迭塔速儿至，史进立命斩之。

少顷，冯道南亦缚至，史进一见，咬牙切齿大怒曰："汝还能射否?"冯道南面不改色，从容请死。只见满城百姓，扶老携幼，齐至府门泣告曰："若杀冯府丞，是杀满城百姓也。"投降军士皆大呼："愿替一死。"史进大惊，回嗔作喜，慌忙下阶，亲解其缚，扶之上座，纳头便拜。谢曰："冯先生，君子人也。史进愚莽村夫，负罪多矣。不知肯与史进等共事否?"拓跋琳亦婉言劝之，道南乃降，百姓大悦。史进遂出涪陵手书，与道南观之。道南看毕，惊谢曰："冯某不合误伤将军，然冯某区区一纸，招降南康上游崇义三县官吏，以助将军，免烦劳师动众，何如?"史进大喜，即请修书，遣人分头去讫。原来冯道南以集贤院大学士降授府丞，三县邑宰皆其门生，得书皆来纳款。史进又将府事请道南摄理。拓跋琳仍守桂岭，遥为声援。自引本部兵，望建昌府告捷而去。

第二十六回　涪陵公兵进邵武

却说涪陵既得抚州，驻军建昌，遂遣张怀亮、马遇乐，并新降查士珩、马晋臣等，分头攻拔会昌、石城、宁都，未下州县，遂达揭阳，以通闽广。一日，马遇阳引史进来见，涪陵迎入帐中。史进拜伏于地，曰："史进今日有主矣。"涪陵挽起赐坐，寒暄毕，史进遂将南安版图呈上。涪陵惊曰："将军已得南安乎？是何神助，如此其速？"史进备陈纠合拓跋琳，袭取南安方略。涪陵大喜，手抚其臂曰："得将军，大宋有光矣。"即遣皇甫惇去抚慰南安三关等处，以冯道南知府事，三关将士皆有犒赏。史进随军听用，署右先锋之职。史进闻长宁未下，愿领兵去取长宁，涪陵许之。忽报有吉安太守公子，遣使纳降。涪陵怪而问之，则太守姓长孙，名轨，其子名如意。如意狎昵比匪，与诸恶少时同卧起。日游廛市，太守屡戒不从，怒加鞭挞。母氏梁夫人，曲为庇护，与太守往往反目。公子如意，益无忌惮，或朝出而暮返，或一出而不归。民妇有貌美者，辄思染指。人家有一花一木，可供赏玩者，皆抉墙撤屋，取之而去。厮仆倚势贪横，人皆苦之。县尹佐贰徇情，匿不以闻。故太守署内，纲纪益发不振，梁氏愈纵，如意益横。所谓世禄之家，鲜克由礼，良可叹也。如意好佩鹦，不惜百金，市一俊鹦，锦衣健翮，系以金铃，行止所在，鹦皆从之。

一日游至城南凌波亭，如意科头箕踞，于亭上俯瞰江流。空中飞过秦吉了数头，啁哳有声。如意所佩鹦，振翼疾飞逐去。岂知秦吉了出自南中，黄冠红头，耳聪心意，舌巧能言。锦鹦身带金铃，逐之不上，从空落下。正当县南汪涯铁十字处，为民家一犬，嗾之立毙。如意一见，椎胸大哭，若丧父母。一时恶奴厮仆等扭其人至，榜掠无完肤，复交县尹治罪。如意被发号泣，跣足入庐陵衙中，县尹设词安慰。如意坚执，请破家偿金，诛民抵鹦，县尹无可如何，含糊问过，命且监下。谁知此人伤重，当晚毙于狱中。县尹谓此人已死，如意当无言矣，遂置不问。民家冤屈无伸，人人传说，皆谓今后家家不再喂犬矣。当时吉安合当有事，县令告满离任，继者正是钱塘葛天民。下车一闻其事，大怒，即捕恶奴一人，杖杀之。据情以报太守。太守如梦初觉，将如意痛加斥责。梁夫人方欲开口，太守骂曰："骨肉事小，官方事大。有玷官方，恐骨肉亦将难保矣！"梁氏语塞。太守因即禁锢如意，不许出署。梁氏暗纵之去，如意深恨葛令，诸狎客复怂恿之，遂出一策，愿献吉安自为内应，城下时杀了葛令，可报此仇。

一日，背父潜逃，亲至建昌纳款。涪陵闻之，大怒曰："叛君父者不忠不孝，莫谓区区吉安一县，即全奉豫章，赵某亦不受此奸命，被天下非笑也。"立命逐出。诸将请曰："如意固属非义，机会亦不可失也。"涪陵曰："子父不奸之谓礼，守命共时之谓信。管仲尚能以此相齐，诸公独不能以此相某乎？古人言：'行一不义，而得天下，不为'。况区区一吉安，独无他策以下之乎？"诸将惶恐而退。却说葛天民已知如意叛父献款，私往建昌，笑曰："此呆孺子耳，不惟无功，且将被斥。"遂故作仓皇之状，禀知太守，以探其意。果然长孙轨惊得手足无措，一面令人守城；一面入内寻梁氏大骂。睁目切齿，气填胸臆，口中说不出字，直奋老拳，迎面欲打。犹未下手，梁氏竟先批其颊，一把扭住，拔落髭须无数。太守拽足拽手，未及扳着梁氏，而满面血迹，已皆梁氏指爪之痕。幕客门役等亦惊慌无措，齐为劝解，方始丢手。葛令在外衙袖手冷笑不止。太守此时，不便升堂理事，令葛令请万户推官都监等商议守城。又委三衙等点查户口，以防奸细。城中出入，密加盘诘。又令人役，拆毁城外民居。许多吩咐，一时传出，葛令徐禀曰："不劳张皇，吉安高枕无忧。"太守问何意，葛令曰："郑公子华之事，府祖所知也。故宋兴复之兵，岂受奸命？"太守顿悟。后闻如意，果然被斥，逃去不归。密捕狎客等，亦不知去向，方始放心。

且说涪陵在建昌，不问吉安，命将镇守各处，整饬人马，择日起行。沿岭直过闽中，先打邵武。拓跋琳在上梧关闻之，亦以兵来会合，于卧佛岩住。卧佛岩者，相传昔日有头陀卧于石上，七日不去，遂坐化于此，故名。路皆险恶。幸得拓跋琳熟谙此处路径，履险如夷。涪陵劳慰备至。拓跋琳曰："前去五十里，有飞狐岭，连控隘道。再去三十里，杉关岭，一连江西新城县界，一接福建光泽县界，乃二省交界处所。邵武路重镇也，殿下不可不防。"涪陵深然之，命诸将量敌而进。不一会，果见一岭，巉岩峭壁，连云摩天。隘口上有蓝旗招展。涪陵曰："此飞狐岭也。"前哨乃刘瑛为正先锋，史进副之，一至岭下。史进勒兵讨战，元兵万户龙从云出马，十余合，被史进一枪刺死。刘瑛督兵攻杀，元兵退走。遂抢了飞狐岭，报入中军继进。沿途山势凶恶，林木丛杂。刘瑛、史进率军士缓缓而行。忽路旁飞起一鸟，状如鸱鸮，蓬首而人面，足如人手，向着众兵长鸣曰："鸫鸫。"三军突见异鸟，无不骇然，齐声呐喊。史进引弓一发，带箭望西南而去，一时惊动山谷。又出一蛇，长过数寻，青黄其色，青黑其首，蜿蜒昂头，高起丈余，尾如风声。见人如飞而来，三军慌忙一齐乱箭射去。蛇尚翘首四望，目炜炜有光，鸣声如磬，口出毒螯，状如炊烟。触者皆头闷眼晕，呕吐不止，三军不敢前进。中军拓跋琳大怒，欲仗剑往斩之。涪陵止之曰："将军虽勇，奈有毒螯，不可近身。"命军工以神臂弓射之，然蛇近，无有躲处。军士皆远远而射，百步之外，多不能中。马晋臣请以轰天雷击之，军士急安置炮座，方欲发动药线，谁知炮不举火，众军错愕，不知所出。蛇已张吻乘势飞来，一时军士奔走不及者，咋而食之，啮者立毙，触者皆头痛欲裂。瞬息之间，蛇已化为悠然丈夫，长有丈余，高语曰："余玉京王世子，将过柴桑，归洞庭。尔非寄奴，焉能阻吾去路？"诸将骇绝，面面相觑。涪陵拽满雕弓，嗖的一矢，丈夫顿仆，仍化为蛇。涪陵事急智生，急命军中取一斗鸡来。鸡闻螯气，振翼长鸣，毒整全无。再鸣一声，蛇已俯首。众军刀枪并举，砍碎为泥。少时军士受毒者，俱大吐不止。众将问其故，涪陵曰："鸡食百虫，能吸毒螯，此夏禹制骄虫法也。"众将皆曰："蛇之大者，至此无以加矣。非殿下以法毙之，其毒几不可制。"涪陵曰："蛇之大者，固不止此。然某昔在暹罗时，饮过香雪春，味甚甘美，其蛇可以酿酒。又在海上遇鲛人时，见一异蛇，阔五寸，长五寸，厚一寸，首尾俱齐，如绸帛，五色相错而方。口大如斗，某不知为蛇，而以为手巾也。方欲拾之，鲛人曰：'此扁蛇也。'某方悚然。少时其行如飞，比狡兔更速。始知蛇更有扁蛇、圆蛇、方蛇之类。但不知此蛇，自言为玉京王世子，过柴桑，归洞庭，作何解耳？"时候长孺随行在军，进曰："昔安期生，每跨蛇以朝玉京，故谓蛇为玉京子。又柴桑有地，名曰"蛇里，"意者过蛇里乎？寄奴新洲射蛇，固以殿下今旧一箭应之。而又云归洞庭者，必是巴蛇。方有此巨，即吞象之蛇也。"涪陵问："巴蛇，何以于洞庭见之？"长孺曰："夏时后羿，射杀一巴蛇，在洞庭湖边，腐后，其骨撑持若陵，故曰：'巴陵'此其证也。又帝尧有善射之臣，曰羿，擒封豕于桑林，屠长蛇于洞庭。合而考之，总不外巴陵取义一事。故知此蛇，必巴蛇也。"涪陵甚喜长孺考据之精，诸将皆叹其博洽。遂传令大军起行，直叩杉关。

且说杉关乃邵武咽喉，有都督韦权、总统曹瑜、副使李继业三将把守，共有五千人马。闻宋兵至，大开关门出战。刘瑝与曹瑜交马，十余合，曹瑜诈败而走，刘瑝欺曹瑜年老，纵马来追。李继业引伏兵杀出，宋师被围。刘瑝左右冲突不出。正在危急，忽史进引一支人马，从东南冲突而来，将元兵分为两段，刘瑝始得全军而还。韦权、曹瑜商议曰："宋师此来，锋芒甚锐，须如此如此，方能取胜。"李继业随遣健将李弼、吴宣去讫。令守关军士多设炮石弓弩，闭关固守，不与交锋。相持不止一日。涪陵营中，渐次粮草不继。按日计程，马遇阳应该五日前运粮早至，迟延许久，沿途恐有疏虞。急令拓跋琳引本部兵去催赶接应。拓跋琳去后三日，更无回音，军心慌乱。一连数日，士卒全无支给，口出怨言。涪陵行坐不安，又命史进火速前去催督。史进犹未起身，忽杉关上擂鼓摇旗，呐喊而来。军士皆无斗志，喜得众将坚布鹿角，紧闭营门，用神臂弓，翼以破敌弓退之。皇甫惇又进连弩法，侯长孺又造霹雳炮，士卒皆忍饥死守，营不得破。

且说马遇阳押定粮草，惟虑着飞狐岭路途险隘，不防卧佛岩相去十里蜈蚣岭，两厢俱是峭壁，孤悬一径。出峪二小路，一达杉关，一通蓬头寨。惟过岭一径，路稍平坦，差远数里，乃杉关大路。马遇阳催赶粮运，一心赶急，直取小径入峪。四望见南道路狭，草木蓊郁，心中狐疑，约住人夫，命哨探而进。言未已，忽一声梆子响，李弼一军杀出，箭如飞蝗。马遇阳不敢恋战，慌忙且退。后面吴宜又引兵截住去路，马遇阳叫苦不迭，又逼隘道，无力可展，令军士舍命而护定粮车，腹背受敌。看看势力不支，抢去粮车无数，挨至晚下。马遇阳几次突围，欲夺路出走，皆被乱箭射回。元兵前后紧紧围定。星月之下，俱不敢少懈，披甲荷戈，松风刺骨。又闻草虫乱鸣，入耳凄楚。惟见宿草遍野，满目萧条。一片英雄心，几乎化为乌有。马遇阳仰天叹曰："天不欲复兴大宋也，何其绝人太甚耶！"遇阳心中十分惶惑，恐军中无粮，军心有变。又虑身入险地，无从用武。左右寻思，来日不可不死中求生。一时一股雄心，按纳不住，似左右麾下，不少千军万马添力助威。回视元军，直刍犬土鸡耳。次日结束停当，一刀一马，奋勇杀出。正遇吴宜挡住去路，遇阳咬牙切齿，大喝一声，刀劈马下。忽元兵在前者，纷纷扰扰，辙乱旗靡，抛戈弃甲者无算。只见拓跋琳引兵冲杀，如入无人之境。元将李弼迎住，交手不三合，被拓跋琳一斧砍死。元兵死者甚众，余者逃去。马遇阳大喜，急督军士，夺回粮车。二将合兵一处，遇阳深谢拓跋琳救援之力，拓跋琳亦言奉涪陵殿下之命，催赶粮官。此方路径，无过某熟，某正虑此处地险有诈，恰好遇着。营中已无粮食三日矣。马遇阳大惊，不分星夜，急急催行。中途又通史进，亦言奉命催粮，军心将乱，恐为元兵所乘。马遇阳益发急如星火，赶赴营中。交割后，伏地请死。涪陵甚怒误限之罪，幸未失粮，姑免深究,将遇阳喝退。一时三军得食,欢声如雷。

次日即命史进率兵搦战,韦权开关。令骁将李通出马。史进抵住,战了数合,宋军阵后,先自纷乱,乃曹瑜、李继业引奇兵,从关左抄出,截断后军。刘瑛弟兄奋杀不退。元兵尽是铁骑,不能抵挡,大败出走。史进回马来援,亦被围垓心。正在危急,有中军张怀亮,马遇乐各引兵一支,透入重围,始将史进救出。查点人马,折伤无数。刘瑛、史进入帐请罪。涪陵曰:“非汝二人罪,乃我兵不识地利故也。今后进兵,各宜留意,不可孟浪。”诸将退出。拓跋琳入见涪陵,愿往哨探关后路径,涪陵戒以小心,拓跋琳遂扮作樵夫模样,直过半岭。见萝径蔓延,荒草满目,峭壁危立,阒无鸟声。更行十余里,见云气滃郁中,露出林峦,林中闻伐木丁丁。拓跋琳急急赶至林边,有二樵子在内,相和而歌。歌曰:

深山伐木遣情怀,独步闲行上石崖。
樵罢归来观夜月,逍遥胜似陟金阶。

歌毕,二人拍手大笑。拓跋琳闻之,自叹不如樵者清闲也。入林问以关后路径,二樵子俱言不知,急急担薪,如飞而去。拓跋琳怅望良久,见关后多是悬崖峭壁。惟有鸟道,并无人径。遂下岭来,转过峪口,倏见一小溪。水声潺潺,直过关南。心中暗喜,有溪必有径,远望隔溪一带,皆荒林茂草,绿褥葱翠,怪石卧起。沿溪看去,不数里,忽山凹有一乞者,手中横笛,一路长歌而来。歌曰:

赋性孤高似野牛,衔杯执杖过汀洲。
竹篮向晓提残月,檀板临风唱晚秋。
两脚踏空尘世界,一身历尽古今愁。
平生不受嗟来食,村犬何劳吠不休。

乞者歌罢,一见拓跋琳,惊曰:“将军为何来此?”拓跋琳讶之,诳以樵子。乞者笑曰:“将军休得瞒我,明修栈道,暗度陈仓,杉关后路,非我不能知也。”问其姓,则曰:“姓石名雄,汀州归化人氏。在家不事生产,习惯武艺,流落至此。将军欲过杉关,若能挈带,石雄即是向导。”拓跋琳问习何武艺,石雄放下竹笛,随于篮中,出流星二枚,使动之下,寒光一瞥,呼呼风声;又如二白龙天矫攫拿,一上一下,不见人影。拓跋琳大喜,即命同行。随入营中,禀见涪陵。叩以关后小径,从何偷渡。石雄曰:“此关控八闽之上游,据岭表之要害,山扼江右,水引樵川,若无杉关,是无邵武也。关后素无行人,惟出紫云峪,转石子垭,渡落魂涧,上天梯岭,岭左右有二小路。由左出则大风窝、九龙坪、鸟扳石,直抵关后,即此关间道也;出右则狼毒山、仙坛观、蓝田道,通五龙谷,合蜈蚣岭,由江右去矣。但沿途皆羊肠小径,只容一人一骑,不堪队伍。”涪陵叹曰:“马遇阳运粮被陷,不谙此间道故也。地利可不审哉!”随令张怀亮、拓跋琳、马晋臣三将领精兵一千,以石雄为向导,抄出关后,前后夹攻。涪陵自率诸将,头带冲天金凤双翅盔,身披黄金五环锁子甲，腰系紫络宝绦金弯带，挂剑上马，亲临行间，直抵关下搦战，一时士气百倍。元兵屡胜，不以宋师为意。又闻打关，韦权欲守，曹瑜欲战，李继业请二将俱守，自己率兵出战。刚开关门，史进一马突至，李继业抖擞精神，战了一会。史进狂叫如雷，力不少懈。李继业战史进不下，虚掩一枪，绕关而走。涪陵将旗挥动，马遇乐领兵从东杀来，查士珩领兵从西杀来，刘瑝领兵从南杀来，刘瑛领兵从北杀来。元兵一时冲散，兵不顾将。宋师遂围了杉关。关上韦权、曹瑜方欲出兵救应，忽报飞鹤岭有兵，直袭关后，韦权大惊，忙令李通、王双火速往护。谁知石雄已早爬上，军士蚁附而登。王双被石雄举起流星，死于非命。李通亦被乱军所杀。前关亦奋力攻打，韦权力不能支，望阙拜谢曰："臣力竭矣，誓将一死，以报国恩。"遂拔剑自刎。宋师斩关直入，曹瑜巷战马蹶，死于乱刃之下。李继业匹马逃往邵武而去，余兵尽降。涪陵入关，出榜晓谕，军民安堵，秋毫勿犯，重赏石雄，大犒三军，养精蓄锐。

不日，进攻邵武，又将韦权、曹瑜二将尸首收殓葬于关下，以旌其忠。

第二十七回　**范国昌入梦承简命**

却说范国昌、司马肃、白映雪三人在襄阳，闻德威遭贬，皆为不平，遂济湘江。遇同舟一人，口吴音，喜谈往古兴废事迹。见三人举止不俗，引与共语。言及豫章，有人崛起草泽，以故宋为号，攻下建昌、抚州、南安各郡县，复赴各地招安，归附甚众，其志不小。范国昌讶曰："阁下知其人否？"答曰："此人行径有高世之见，下抚州时并非征战。乃遣一士，前往劝说。太守遂倾心纳降，虽未识其人，然其器重可概见矣。"国昌等闻之一惊，急叩姓名。答曰："不知。"因问阁下何人，则曰："太仓卜人刘知几也。"一时萍水契合，谈论移时，共剖心腹，共图归向豫章。当晚同宿舟中，翌日登岸，遂达房县。

且说房县本太宗贬秦王光美为涪陵公时安置之所，秦王郁郁疾卒，房人怜之，立涪陵祠。春秋拜祷，不时祭奠。元世祖佞佛，崇尚西僧，凡学宫犹改为佛寺，何况此祠。此时涪陵祠，已改为菩提寺。遂有群髡住持其中，皆不守清规的贼秃，专一奔走大家，认干亲，结识些护法尊神，曲为阿庇。菩提寺中，规模闳肆，又曲加修饰，罗列古玩珍画，名花异草，群髡则遍体吴绫越锦，冰绡雾縠，庄严比邱。居然风流子弟，梵宫精舍，即是楚馆秦楼，逐日兴赛龙华浴佛无遮等会，煽动乡愚。又命红颜少妇、青春女子，浓妆淡抹，拈香礼拜，岂但徒饱群馋之眼，亦且累抱不白之冤。一日，范国昌等行经寺外，闻寺内隐隐哭声，数人谛听，乃女子呼救声音。知有蹊跷，欲待入寺，却又不敢造次。白映雪心内鹘突，愤焰中烧，暗想：若是昔日作令饶平时，一纸文书，足以了此公案。今以孱弱书生，欲进不能，欲退不可，为之奈何？范国昌曰："汝休性急，尚有近邻可以探察。说毕，白映雪、刘知几分头而去。少时，二人汗流满面而回，皆言附近居民，呼之不应，招之不来，真是异事。范国昌又自去告诉一会，亦置若罔闻，大惊曰："蒙古风俗固如是乎？"四人正在为难。司马肃曰："馋猿遇果，饿犬闻腥，吞下喉咙，容有吐出之理？若稍缓时刻，则烧琴煮鹤矣。"说罢，挺身直入，众人亦然其言。刚欲入寺，恰有扈德威、韩搏虎二人，由襄阳弃官而来，迎面相遇。德威一眼认定白映雪在内，大呼："表弟何来？"白映雪如闻霹雳一声，睡梦惊觉，三人也不管是张是李，是军是民，一见二公气概不凡，急将寺内如此恁般，逐一告诉。扈、韩二公一闻大怒，也不暇款曲，迈步飞奔人寺，众人放胆从之。寻至哭声所在，重门紧闭。扈德威一脚踢开，更在内面，打关而入。见二女子蓬头散发，哭倒在地，旁有少年二僧，各守护一个。见来势凶猛，慌忙踱出，往外欲逃，刚刚到门，与白映雪撞个满怀，一手捞住。韩搏虎亦擒着一个拔剑欲砍，范国昌急止之曰："且住，问他的确，再斩不迟。"二女子起身即谢，口称后面还有数僧，各拥民妇，日夜在内宣淫。扈德威即往后搜去，果见美妇数人，藏在复室。僧已知风逃遁。数妇各言被骗至此月余，离家甚远，一毫信息不通，未能回归。腆颜人世，遗恨罔极。问用何骗法。众妇皆言来酬心愿，或燃指头香，或还血盆素，致将我等数人，禁锢在此。范国昌曰："此非僧骗汝，乃汝自入骗耳。"问何处人氏，有言宝康，有言郧县，皆远数百里者。范国昌叹曰:“贼秃罪不容死矣!”惟先所救二女子,抵死不从,尚未污染。问其里居,即寺近二十里,湘乡樊进士之女也。从早进香来此,致人彀中。诸人为之浩叹者三。恰好樊家仆役已至,见二女模样,情知有变。返身飞报湘乡,不一会樊进士飞马而来。寺近居民,渐来探望。一时传遍乡里,来者益众,被国昌大加呵斥。众皆满面羞惭。佥曰:“当今崇尚释门,西僧权重,寺近乡绅富户,皆托亲寄子。我等于螳臂之力,岂足以当车辙耶?”诸人点头道是,益怒僧众。国昌又责樊进士曰:“身列儒林,名登黄甲,如何不整饬风俗,仪型乡党,一昧依样葫芦,倘一行作吏,安能振衰扶颓,为强项令耶?”樊进士此时,赧颜无地,不敢分说。急令家人领二女回归,再将众妇寄居近邻等处。然后同至方丈坐定,逐一起居问讯。始知韩、扈二人,即两湖专阃,慌忙肉袒谢罪。诸人止之,韩搏虎曰:“此寺本名涪陵祠,改奉金仙,几何年矣?”樊进士曰:“由至元十三年改建,今十五年矣。寺僧以城狐社鼠为奸,乡民非不稔知。奈投鼠忌器,隐忍至今。”范国昌曰:“此僧作何发付?”众言惟命是听。刘知几曰:“不如鸣官,且脱尔我干系。”扈德威、韩搏虎齐声曰:“不如某等自行处治,犹为痛快。”德威拔剑而起,范国昌又止之曰:“毋尔,一剑太轻,且污将军剑耳。我有一法,取洪钟一口,将二僧罩定,外面多积柴薪,纵火焚之,务令坐化,还彼三味本原。”众人大喜。樊进士即令居民,如法布置。二僧此时,魂飞天外。平日不耕而食,不织而衣,犹在温柔乡,无穷受用,岂料一旦竟得此报。樊进士恨入骨髓,命将二僧安放钟内,居民无不切齿,争来举火。一时焰涨迷空,火势正猛。忽一声响亮,洪钟已化,二僧遂为煨烬。樊进士一时为众所激厉,仍将菩提寺匾额,改为涪陵祠。范国昌等赞曰:“此义举也。樊公可谓失之东隅收之桑榆矣。”韩搏虎按剑厉声曰:“此寺本秦王神祠,今复仍旧,秦王遗爱,禋祀不替,必能造主一方。令汝等年丰岁稔,人安物阜也。”众皆大喜。樊进士又增置祀田,修葺殿寝,命父老中廉干者,直董其役。并请诸贤士,或作记一篇,或题诗一律,刻石祠中,以纪其事。白映雪奋腕直书一首云:

胆识真如百炼精,房州遗爱有杯羹。
能将既倒狂澜挽,且喜中流砥柱擎。
老父称觞仍荐酒,儿童化纸更陈牲。
从此名镌金石上,瓣香祈祷总关情。

范国昌等观之,谓只此一诗,足纪其事矣。樊进士命刊之石亡,末书,至元二十八年,秀水白映雪题。樊进士一片热心,欲款留众人至家,略修地主之仪。众皆坚拒不从,宿于祠中。樊进士亦偕父老数人,在祠陪候。众人忙了镇日,当夜始得互通款曲,风雨对床,促膝谈心。范国昌等不知罗浮之事,扈德威等不知豫章之事,略陈颠末,俱各惊异。惟碍着樊进士数人在内,难剖心腹,含糊称说。樊进士与众父老等早喻其意,齐声曰:“贤士等不必隐讳,我等望故宋复兴,非一日矣。贤士等若匡扶大义,岂惟故宋之幸,抑亦生民之幸也。”众大喜,樊进士又剪烛开樽,众父老亦举觞献芹,江乡风味,浮白畅饮。众人高谈阔论,父老甚是敬服。樊进士曰:“愚有一子,名东楼,颇不愚昧,从学有年，贤士等异日大张义举，当令奉教左右。”范国昌大喜曰：“来日可令一见。”樊进士许之。众人饮罢，方欲就寝。忽一声喊起，一派火光照见有数僧，率领许多强人，各执刀棍，闯关直人。国昌知是寺僧逃去，勾引匪类来复仇者。众人亦不少避，呐喊助威。韩搏虎早已跳出天井，随拔灯杆，约长二丈有余，手中试试，恰趁使用，候众人略近，劈空横面打去，霎时倒翻数人在地。扈德威直赶上前，拿获二僧，更不容情，拔剑剁下秃头。忽旁立一僧，手起枪落，德威虽用剑拨开，已伤了虎口，登时血出。德威大怒，飞剑掷去，僧应手而倒，夺枪在手，就此交锋对垒，杀将起来。众贼不敢近前，竟被二人截住。内中有贼大呼曰：“我等乃云梦贾大王麾下，特来纵火焚寺。”韩搏虎厉声曰：“既是云梦贼，可认得应城七败贾翀之韩搏虎否?”众皆股栗。扈德威亦大喝曰：“吾乃襄阳扈都督也。贾翀首级，尚在囊中，汝等能识之否?”贼众魂胆俱无，拜伏于地。尚有五僧在内，擒出献上，泣告曰：“小人等实奉白文狻之命，剽掠近县。今日遇此贼秃，骗我等云‘寺中殷富，且请复仇’。早知扈、韩二都督在此，小人虽死，不敢正觑。”德威笑谓众僧曰：“汝自不守法戒，恶贯已盈；又引贼焚寺，罪不容诛。姑贷汝蝼蚁生命，归语贾翀，早晚洗颈以待。”贼众喏喏连声而去。樊进士曰：“非二公先声夺人，强弩之末，几不能穿鲁缟矣。”司马肃曰：“此非慑之于一时，乃畏之于平日也。”诸贤你夸我赞，忽不见众父老。惊异久之，闻复室中窸窣有声，忙举火烛之，见众父老缩做一处，三十六齿，尽吃磴磴相打，浑身犹发抖不止。樊进士大呼曰：“贼去矣!”惊疑犹半晌始定，时入夜已深，众人方寝。

当晚范国昌伏枕，刚欲睡去，忽有人启之曰：“秦王候君久矣，君宜速行。”遂披衣而起，行至殿上，见侍卫甚肃，皆持彩幢锋节，羽葆花扇。中坐一少年王者，冠通天冠，衣云锦裳，蹑朱云履，玉佩环珂，光彩射人。见国昌至，起立迎迓。范国昌急问左右曰：“是秦王否?”左右曰：“然。”国昌趋前礼毕，秦王谢曰：“蒙君惠顾，光复梓里，然尚有简命，往见艺祖。”随即下阶，登舆而前。国昌随后，不数里，至一所在。但见琼楼玉宇，碧瓦参差，朱牌金字，题曰：“无佞府。”刚欲入见，先有一人等候，近视之，乃独松关相遇之岳燕超也。二人不敢少停，一同整肃而入。惟见云气缤纷，天花飞舞，殿上冕旒玉带，巍然高坐者，果太祖也。二人上前，拜舞已毕，俯伏金阶。太祖命赐平身。随有内官执玛瑙之壶，捧琉璃之盏，荐龙肝之果，倾凤髓之茶，皆世所罕见。茶罢，太祖宣言曰：“传卿二人，别无他意。朕弟龙行虎步，为太平天子。昭宪遗命，竟以中令一言，秦王致遭贬死。徒抱不白，赖卿二人，光复故物，宏我国家，以匡不逮。”二人叩首谢命。既而曰：“建阃固圉，开府从龙。三五播迁，六六一统。”二人一时理会不出，正在迟疑，方欲叩问，太祖又曰：“国昌守先忧后乐之志，燕超尽智信仁勇严遗策，二卿之能事毕矣。何必再问?”命秦王送之出。秦王至府门，亦嘱曰：“重建越王台，玉关不肯开。燕京承暗统，南去复南来。”秦王送至门外而别。国昌私问燕超曰：“公何时来此?”燕超曰：“某来此四十五日矣。”国昌愕然曰：“何久也?”燕超蹙额曰：“尚嫌其速，何为久也?”国昌方欲再问，忽邻鸡三唱，猛然惊觉，乃是一梦。不一会，东方发白，临晨起身，亦秘不敢泄。暗想：燕超此日，未知何处，当再质之。回视祠中，分外生色，心中窃喜。少时，樊进士之子，樊东楼一至。逐一礼毕，视其人，年虽弱冠，丰度奇异，亦英物也。樊进士曰：“孺子理合随侍左右,奈学犹未成,不敢造次。”众人慰勉备至,彼此款洽,非止一日,始起身辞谢。樊进士依依不舍,远远送别。

此时一行凡有六人,扈德威议曰:“广南豫章,吾谁适从?”严范国昌曰:“豫章广南,俱不必往。我等且由茶陵州出上梧岭,至闽广交会处,探两军信息,再定行止,乃为万全。”众大喜,望长沙而去。

第二十八回　刘先锋修书取漳州

却说邵武路制置使王方,乃河南阌乡人氏。登至元初进士,有文武才,以判福宁州,升任此职。常谓邵武乃八闽上游,邵武震动,则诉流而下,诸郡皆鱼肉矣。此时闻宋师夺了杉关,长驱而来。李继业逃回,忙与知府常庚扬、护军泰顺不哩、副统制朱昶等,商议应敌之策。王方曰:“宋人不谙向导,深入重地。为兵法所忌。朱统制引步兵一千,埋伏鹤冲溪左右。其地南道路狭,且多苇芦,最利火攻。去五里有山,曰‘樵山’,下有蒙谷,护军可领骑兵一千埋伏,俟敌兵过后击之。吾以大军策应两处,李总兵与府公护守城池,此番纵不能杀退宋师,亦令敌人胆落矣!”分拨已定,诸将去讫。果然刘瑛、史进前哨已过千松岭,渐近鹤冲溪口,尚无准备。石雄曰:“前面沿溪路险,恐防有诈。且王制使知兵,不可不虑。”刘瑛然之,分兵三队而进,前队有失,次队接应。次队有失,后队接应。史进奋勇争先,恰入溪口,苇芦中伏兵齐起,朱昶杀来,史进迎住。元兵方才举火,次队刘瑛已到,一齐混战。朱昶败走,史进追及樵山。蒙谷内号炮响时,泰顺不哩引兵杀出,史进、刘瑛被围在垓心。大战良久,不能抵敌,方欲退走。后队刘瑝、石雄又到,双马夹攻,用生力兵始退元军,四将合兵追赶不数里,王方大军已到,宋师困乏,朱昶、泰顺不哩领兵杀回,四将不支,大败而奔。刘瑛不提防,被王方拈弓搭箭,射中左腕。史进舍命冲杀保护,刘瑛方免,仍旧退回千松岭下寨。涪陵中军继至,即闻败绩,切责诸将,俱各谢罪。涪陵自提大队搦战。王方深沟固垒,一骑不出。涪陵大怒,勒兵攻营,坚不可入。纵马至鹿角边,细窥其营,布置井井有法。暗惊敌将,不可小觑。方欲回马,忽见元营中,旌旗麾动,一声鼓响,突出精骑杀来。有朱昶、李庠二将,飞马直奔涪陵,大呼:“赵宋孺子休走!”涪陵舞剑相迎,不三合,抵敌不住,落荒而走。众将俱被精兵围里厮杀,不及保护。只有拓跋琳,一见大怒,狂叫如雷,飞马赶上,手起一斧,李庠落马。朱昶见李庠已死,忿怒不休,挥刀来战。恰好马遇阳、史进亦到,朱昶正慌,史进轻舒猿臂,活擒过马,元兵始退。而宋师亦有损伤。三将齐保涪陵回营。皇甫惇、侯长孺二人谏曰:“殿下荷兴复重任,不可亲犯锋镝。语云:‘千金之子,坐不垂堂’。今后切宜珍重,防有他变。”涪陵口虽允诺,心中不以为然,命将朱昶监下。却说朱昶有兄朱昰,为团练副使,闻弟被擒,十分忿怒。入帐请兵决战,王方不许,朱出不悦而退。次日朱昰引本部人马,竟不奉令,直来宋营讨战。众将已有准备,命石雄引一军略战数合,诈败以骄之。朱出性烈如火,大驱人马,恨不踏平宋营,救出朱昶。忽连珠炮响,两军杀出,右有马遇乐,左有查士珩,元军围在垓心。朱出危急,却得泰顺不哩引兵杀入。朱昰人马已损大半,狼狈而归。王方怒其不遵军令,喝令斩之。众将再三请饶,王方怒始稍解曰:“且看用人之际,押赴军政司,重责一百军棍。”打至五十,众将又苦苦告免,方始发放,降副使为万户。朱昰满面羞惭而退。宋营得知,涪陵命放过朱昶,赐以酒食,抚以温语,令往元军招降朱昰。朱昶欣然愿往,偷入营中,与朱昰言及此事。朱昱正含恨在心，约内外夹攻，以火起为号。朱昶复命讫。一日王方大出军马，与宋师决战良久，未分胜负。忽元军后帐，屯粮处火起，王方情知有变，急往救护突出。史进、刘瑝二将，将王方抵住，宋师已攻入营中。泰顺不哩见前后皆有宋兵，弃营而走，被拓跋琳斧劈两段，元兵大败。王方一骑马，一杆枪，溃围杀出，领残兵急奔邵武。远望城上，静悄悄不见一军，心中大疑。令军士大呼，城上问为谁？王方答之。忽一声鼓响，刀枪齐竖，剑戟林立。涪陵凭阑坐定，左有刘瑛，右有马晋臣，指定王方笑曰："将军何自苦，不如归顺宋室，名列鼎鼐，尔副将赤尔温，吾已诛之矣。"将首级掷下。王方怒气填胸，挥兵攻城。只见城门开处，张怀亮飞马杀出，大呼："休要走了王方！"马遇乐从东门杀出，查士珩从西门杀出，一齐来捉王方。王方知是不敌，忽见乱军中一将，白马银枪，所到处宋师披靡，细认之，乃杉关总兵李继业也。二人号召败残兵马，杀开血路，望漳州而去。涪陵尽降其众，重赏朱昱、朱昶，众军俱有犒赏，出榜安民。又召父老而谕之曰："胡元御宇，残酷备至。天变叠兴，水旱不时，干戈四起，以致尔等横遭流离死亡之惨。吾今率兵，先奠闽广，光复宗社，以闽广昔年遭涂炭尤甚也。"闽中，乃昔年朱子讲道之乡，百姓深明大义，事定尚当轻徭薄赋，以苏民困，兵行处秋毫无犯，各安生理，勿致震恐。"邵武百姓，鼓舞大悦。皆曰："今后复为宋民矣。"涪陵驻师邵武，以控要地。张怀亮、史进、查士珩三将领兵三千，取汀州。刘瑛、马遇乐、拓跋琳三将领兵三千，取涧州。先得者便为首功。众将去讫。

却说汀州，乃瓯闽奥区，倚山为城，背负岭表，辖八县，而当三面，有云栈天梯，地极险阻。守将乃中尉蛮子沙，以地险可恃，不修武备，警报置之不理。宋兵入境，过莲峰山，张怀亮喜形于色。史进曰："将军未见敌而喜何也？"张怀亮曰："此山东傍莲城，峭壁攒峰，连亘数十里，乃天险也。此处无兵把守，汀州已入吾掌中矣。"查士珩曰："前去尚有鹤鸣、鸡笼二山，连控隘道，不可不虑。"张怀亮曰："莲峰之险且不守，况二山乎？"果然兵行处，如入无人之境，耕夫皆荷锄而观。师至荷囊岭，离城不远，令人哨探回报。隗府尹钩考钱粮甚急，中尉蛮子沙日在醉乡，全无准备。张怀亮大喜曰："我兵远来，人马劳顿，倚山为营，以防不虞。来日当一鼓下之。"三将皆久练沙场，当夜自然小心。夜半后忽阴云四合，狂风暴雨骤至，风雨中若万马奔腾之状。三将大惊，急起看时，见山前一派霞光，五色灿烂，光耀夺目。少顷，见一黄衣人，高丈余，举手向三将言曰："汀州可惜！"一时云霞飞舞，风雨顿息，黄衣人亦忽然不见。三将大疑曰："岂汀州未可取乎？"次日急寻土人问之。土人曰："此处地名狮子岩，乃定光佛驻锡所在。山上建有梵宫，香火最胜。近因隗太守为中尉祈福，每来梵宫，大作功德，故近来香火尤倍于昔。"三将问曰："隗太守官声何如？"土人曰："趋承上官，刻薄小民，其他小人不敢言。"三将命赏赐土人去讫。张怀亮大悟曰："所言汀州可惜者，乃汀州百姓可惜也。某三人当于神前立誓，城下时不妄杀一人。惟贪残官吏，罪在不赦。"史进、查士珩深善之。三将随至梵宫，果见佛像，与夜来黄衣人无异。暗暗祷告，拜毕回营。下令曰："此去城下时，若有妄杀一人者，不问兵将，立当枭首。"三军肃然。师至城下，蛮子沙犹踞胡床，拥侍妾，吹竹弹丝，辕门尚闻鼓乐之声。太守府中，亦在内衙施瑄楚，敲比钱粮，谄附中尉，助桀为恶。汀人恨入骨髓、闻宋师大至，争开城门。宋师一拥而入，府尹隗廉为乱军所杀。蠹役胥吏，平日作城狐社鼠者，俱为汀民杀而食之。蛮子沙拥数员健将，夺门望福州而走，军士阻拦不住，飞报府中，被史进追斩之。兵不血刃，遂下汀州。三将抚辑军民，父老称庆，众官皆降。惟长汀县韦蔚文闭户掩泣，誓不投降，坐以待死。诸将请杀之，张怀亮不许曰："某等所以神前立誓者，正为此人耳。"亲造其门，晓以大义，再三安慰。韦县令感其意诚，乃降。张怀亮即请韦蔚文权摄府事。查士珩领兵镇守，遂回兵邵武报捷。涪陵重赏诸将，随命刘瑝镇守汀州，换回查士珩总制杉关，以朱昆、朱昶副之。二将欣然去讫。忽报吉安府长孙太守，遣葛县令来邵武纳降。涪陵忙令请入。葛天民进见起居礼毕，将降书图籍呈上。涪陵览罢，安慰备至。随有皇甫惇、侯长孺各叙契阔。涪陵因问长孙太守公子一事，葛天民曰："如意逃去，今尚未归。梁氏念子，奄奄待毙。太守近来，方寸已乱，事无大小，皆天民处决。因思吉安乃江右第一富饶之郡，又形胜名区，早不纳款，定为他人窃据。异日殿下，又多一番争战矣。不如此时，遣使镇抚，以便专意南征。"涪陵极口称谢曰："赞成故宋之业者，皆先生之赐也。"设宴款待，甚是浃惬。次日因命皇甫惇、马遇阳随天民至吉安，抚慰军民去讫。

且说漳州控引番禺，亦是要地。守臣乃囊瓦后身，出桑哥门下，姓卢，名世华。兄名世荣，为工部侍郎。掊克聚敛，得幸世祖。世华以出入桑哥之门，拜后将军转运使，兼知漳州府事。逐日会计出入，钩考钱粮，汰减军饷，刻薄吏胥。凡受节制官校，靡不被其裁抑。武备废弛，防守无人。幸得王方、李继业二人来投，代为区画，略修守御。然世华傲睨自恣临下无礼，少拂意，便箕倨谩骂。李继业每屈受之，王方不能堪，而世华尤忌其能，多不礼。二人料宋兵既下汀州，漳州难保无虞，极力整饬戎行，修楼橹、挂毡幕、安炮座、设弩床、运砖石、施燎炬、垂檑木、备火油，凡防守之具，渐次修理。厉兵秣马，人心始固。恰好宋兵已到，刘瑛见城中并无动静，知有准备，就城北铜钵山犄角下寨。次日搦战，见王方守城，李继业出马。刘瑛暗惊二人却在此间，又遇劲敌。拓跋琳指李继业曰："既败之将，又临军阵，想汝狡兔有三窟也。"李继业怒曰："杉关偶失机会，汝等遂得猖獗。此间无非大元地土，有吾在此，汝等立见其败也。"拓跋琳即与交锋，二人抖擞精神，大战五十余合，未分胜负。刘瑛恐有失，鸣金收军。逐日交锋，宋师颇有损伤。又闻张怀亮已取汀州，毫不费力，得了首功。刘瑛等甚是焦急，绕城遍看，无瑕可攻。徒战则元兵或一日一出，救应出奇，不至大创。相持月余，而宋师反伤了健将杜容、李恢、张懋才等数人。一日，李继业领兵出城，检空阔处，布成一阵，名曰"七星八卦阵"。大呼："宋将能打阵否？"刘瑛等登高阜处了望，见阵内旗帜森严，金鼓响处，七将穿插在八门之中，各按星曜，各正方位，布置得井井有条。变态风云，大有声色。拓跋琳恃勇欲进，刘瑛、马遇乐齐声曰："不可！将军不谙阵法，误入其中，徒伤将士耳。别寻计破之。"刘瑛始知城中，全赖王、李二人保障。卢世华以行尸走肉，又贪婪，又忌刻，欲下漳州，计从此出。遂布散流言，说王、李二将军，屡败宋师，威名日著，所以不退宋师者，欲借宋师立威。夺卢转连后将军印也。此言传入城中，卢世华果然起疑，又兼军民无不推仰二将，保全漳州。卢世华益发羞恼成怒，暗与心腹将校计图二将。继业连日请战，卢世华不许。词色之间，未免绵里带刺，泥中藏针。王、李二人寝食不安。刘瑛知此消息，修书一封，拴于箭头，觑定无人，射入城去。有小校拾得献与王方。方拆书观之，书曰：

仆闻智者观时，达者审势，时势可为，决策而定大计。比如顺风而呼，声非加急，其势疾也。若时势已去，外有强敌，内有掣肘，纵使雄才大略，抱不世出之资，亦笑越客徒劳耳。况手无寸尺，寄人篱下，谗语蚊聚，流言迭起，不惟难建非常之功，亦且恐蹈不测之祸。尺纸到日，不忍坐视。附呈一律，祈请殿鉴。诗云：

胡马南来久不归，山河破碎一身危。
功名误遇等云过，岁月惊人似雪飞。
每事恐贻千古笑，此心甘与众人违。
艰难重有君亲念，血泪斑斑满客衣。

王方览毕，暗思宋将虽系反间，恰中心病。正在沉吟，李继业亦至。王方付书与之，继业观至后面，忽然色变，泪下如雨。王方大惊，问之，继业泣曰："此诗乃先高祖若水侍郎，尽节时绝命辞也。宋将不书别情，单用此诗，我殊内愧。继业当即日挂冠，匹马归去。"王方曰："汝祖若水，尽节于靖康。我祖刚中，独非尽忠于绍兴乎？责以事仇之义，我等皆名教中大罪人也？"继业益发欲去。王方曰："不可！岑彭归汉，亦上云台；尉迟投唐，终列麟阁。我等以昔日事元者，改而事宋，失东隅而收桑榆，于公可乎？"继业尚迟疑未决，王方大怒曰："凡处大事，明断而成，何狐疑之有？"随修回书一封，射下城去。约会宋师黄昏入城，以白旗为号。且知城中军土皆无战心，可为己用，暗暗谕之，无不愿降。惟市舶使贺琏，兵屯齐云阁，坚如铁石，立意仕元，说之不动。二人不以为然。至黄昏时，宋兵果来围城。王方连发火箭，竖起白旗，刚启北关。忽贺琏一马杀至，手起枪落，王方滚鞍下马，众军救起。李继业随至大怒，与贺琏巷战不休。宋师已入。拓跋琳当先杀来，斧劈贺琏，打入帅府。卢世华冠带自刎。马遇乐生擒指挥石守义。刘瑛亦获都钤辖霍仙芝。俱皆愿降，出榜晓谕，军民大悦。要知漳州府，东南即是大海，珍宝杂错，番船毕集，府库殷实，商贾辐辏。刘瑛随即报捷邵武，即率众将至漳州，安抚军民，赏劳诸将。王方命医调治，病愈试用；李继业权镇漳州；侯长孺知府事，兼市舶使。涪陵就水云馆大宴，贺诸将人闽战功，命文臣赋诗，以纪其事。

第二十九回　**赵涪陵聘贤龙首**

却说涪陵即得漳州，用重兵控制邵武，以遏江右、闽中两省援师，命马遇乐、拓跋琳分头领兵，略就近州县，方欲传檄以达广南，再议进兵。忽报皇甫惇、马遇阳由吉安回，至顺昌，遇着二将引兵来降。涪陵迎入。二将俱虎头燕颔，魁梧奇伟。一见涪陵，纳头便拜。涪陵慌忙扶起，再三劳慰，始叩姓名。其一姓高，名耀卿，渤海人氏；其一延安人也，姓韩，名靖夏，曾为宋末留守司统制，一向隐身闽中，近闻殿下江右起义，因于九龙山集兵千人。耀卿取了南靖、长泰二县，靖夏亦攻破福宁州，有建宁路都统制遣兵来援，某二人合败其师，方始来归，无可表现，权将二郡作贽进见。涪陵喜出望外，称谢曰："将军等不忘故国，则南宋之中兴有日矣！"遂登风月楼酌酒，与二将洗尘，又谓众人曰："大将已至，诸公当轮流把盏。"只见高耀卿推箸而起曰："殿下此宴，贺功则可，若云大将，则闽中尚有奇才，此人若至，国家厄运日消，恢复立见，纵使伯颜、张宏范复生，不足虑也。"涪陵急问其人，耀卿曰："马邑人岳燕超也，将略素裕，可当专阃之任。二子镇坤，俱非凡鸟。燕超与耀卿契交最久，伯颜曾令魏天祐以参政显职聘之，不就。则令州县密捕除之，恐生异日之患，盖阴以淮阴比燕超也。今隐霞浦县龙首山，殿下遣使聘之，则大事立成。"涪陵问："其人比将军何如？"耀卿曰："胜某十倍。"涪陵疑信参半，韩靖夏亦亟言："燕超可用，殿下不可错过。"有皇甫惇起身愿往招之。涪陵曰："古之圣王，侧席求贤，不惜三聘五征。国事既重，名贤自不可轻，宜遵造庐之礼，方足以表敬意。"且说当时涪陵以高将军权知兵马事，总制邵武；韩将军屯兵杉关，救应闽中，防建宁兵至；刘瑛、史进、拓跋琳领兵，控上梧、蓬头、桂岭三关，防脱脱兵，至救应江右诸郡。各处要地，俱用将防守。不日进征调用，收拾礼物，犹未起行，辕门上又传广南惠州府罗浮山有人奉表至，涪陵降阶而迎，乃韩昭、李穆也。二人叩见起居毕，奉表呈上，涪陵观之，其表曰：

伏闻殿下潜身海岛，十载播越，中州鼎沸，无所统属。今天诱其衷，万里归国，崛起雄师，使天下士大夫得以效死，图报国恩，人意既谐，天时亦顺，危运立时而销，中兴拭目可待。

夫以紫色余分，拟乱正统，已令英雄短气，志士灰心，况狂悖及于圣天。罪浮嬴政，凶暴至于陵骨，虐逾曹瞒，军民切齿。中外一心，语云："天生斯民，必有司牧。"当今司牧，非殿下而谁？献公之子九人，晋文创霸汉家之厄十世，光武中兴，师定闽广，席卷荆湖，则大事可成，王业可兴矣！仍遵航海国号，祥兴二年，会合勤王义师，雄兵百万，请约主盟，并示师期，先定广南，预建国都，招魂二王，肃清陵墓，其余地土，可传檄而定，无任恳款之至，罗游复宋营首领卫臣种世龙等，百拜谨表以闻。

大宋祥兴二年八月初二日奉表
韩。昭李。穆

涪陵观毕，喜极而泣。叩问广南用兵情形，啧啧称羡，约以来岁之春，师过罗浮。韩昭曰："殿下之兵，朝至广南，则广南朝定，夕至广南，则广南夕定。"李穆曰："罗浮聚兵，三万有余，能征惯战之将三十余员，兵精粮足，所以不敢攻城掠地者，一以军中无主，恢复尚属虚名；一以广南有一大将，尚未招降。故迟疑至今，未敢妄发。近闻殿下由江右入师闽中，罗浮士气百倍，不必两军对垒，而胜负之形判然矣。"涪陵见二人议论侃侃，举止安详，知是贤士，改容礼之，设宴款待，从容问及故国典要，条分缕晰，井井不乱。涪陵若饮醇醪，不觉自醉，又有侯长孺、皇甫惇等相陪谈心，意更款洽。涪陵私语左右曰："吾不喜得罗浮书，喜得二贤士耳！"语罢即命皇甫惇、侯长孺往罗浮报命，随带马遇乐、张怀亮及亲随数人，望福宁州礼聘燕超。不日遂达蔗洋，近福宁州西北，过太姥山，忽闻喊杀之声，涪陵大惊。登高而望，见旷野平原间，有二将面如傅粉，唇若涂朱，弱冠年纪，凛凛威风，一持梨花长枪，一舞方天画戟，二人正鏖战不休，杀得性起，如雪花纷纷乱舞，又似白龙攫云拿雾，腾空夭矫，惟见寒芒隐隐，不露人身。张怀亮、马遇乐亦极口称赏，均喝采不已。

时已过午，二将战了一会，勒马大笑而去。涪陵心慕其人，思踪迹之，但求贤来遇，只得先纵马下岭，约行里许，见空山落寞，草荒人稀，薜萝纵横，夹道皆碧苔青藓，愈行愈远，无可问途，从石蹬峻嶒中，纡折出峪，恍闻马蹄鸾铃之声，遥见鏖战二少年骤马岭上，其行如驶。张怀亮大呼问："谁？"其一按辔而去，其一停马审视。张怀亮始向前问路。少年飞马而去，见一行人众，举止非凡，便先问讯。张怀亮曰："我等奉赵殿下往龙首山，访贤至此。"少者曰："谁为赵殿下？将访谁也？"怀亮曰："前面紫衣骢马者，即宋涪陵公也，将访岳贤士燕超。"少年听罢，大惊，下马拜伏于地。涪陵忙令扶起。少年曰："某即燕超之长子，岳镇也。殿下至此，有失祗候。"涪陵大喜曰："前面演武者，想即汝昆季也？"少年谢曰："然。此山有东西二径，西达栖云岭，近福安县，下岭过扈崎山，下即小将蜗居。殿下从此登岭，越前面三峰而下，即见衡门矣，小将理当先驱。"遂跃马而去。涪陵一行人众，缓缓逾岭，果见林峦秀出处，左泉右石，其中结庐一所，茂林修竹，点缀掩映。不一会，已至门首。下马见一片平旷，知是走马之场，两旁大木，合抱参天。少时燕超，岸然而出。涪陵视其人，英姿飒爽，气宇轩昂，有儒将风度。二子亦神爽飞越，肃客而入。堂前依次礼毕，各叙起居。涪陵先将礼物币帛呈上，正襟而起曰："赵氏国祚倾移，涯山煨烬，固属大命已去，不易挽回。然蒙古之虐毒生民，中原板荡，灭天毁圣，伐陵鄙儒，种种狂悖之行，闻者发指。晟不度德量力，欲恢复故业，拯斯民之疾苦，雪先代之仇耻。有高、韩二将军，盛称足下，将略兵机，有经天纬地之才。故不揣冒昧，造庐请谒，乞足下垂念我太祖皇帝，开创艰难，即足下先代，亦有造我国家，小子漂泊海外，虎狼余生，所伏惟天，以有今日。然暗于时事，昧于机宜，不赖良弼，焉定厥功？未审足下肯赐教否？"言讫泣下，长跽而请。燕超大惊，急免冠伏地而起曰："殿下不择樗栎之选，下及刍荛，燕超敢不竭股肱之力，尽铅刀之一割乎？"涪陵闻燕超许可方起，燕超又叩首谢曰："殿下隆礼相觃，惠顾敝庐，如此知遇，虽肝脑涂地，不能报也。"涪陵大喜扶起。张怀亮、马遇乐等齐声曰："殿下闻君大名，每饭不忘，形诸梦寐。今君肯出而展其经纶，佐厥成功，即齐威之得管夷吾，符秦之得王景略也。吾属亦攀龙附骥，相与有光矣。"燕超逊谢不当，设筵枕戈亭下。涪陵酒酣，叩以当世急务。燕超曰："先建都邑，以属人心；次定名号，以立国本；都邑既定，名号既举，然后以深仁厚泽，固结民心。民心本未忘宋，而更以恩施德政收拾之，则不可动摇矣。"涪陵曰："固结民心，尽于轻徭薄赋乎？"燕超曰："仁民之政，不止轻徭薄赋，然相时立言，则当今与吾仇敌者，元也。元以暴，吾以仁；元以刻，吾以义；元峻而急，吾宽而缓。凡兴利除弊，一反元之所为。即如元主灭天；殿下自然敬天。元主毁圣；殿下十分崇圣。元主鄙儒；殿下加意重儒。上行下效，不外是矣，但此中缓急次序，调度施行，尚宜多亲儒者，商榷得宜，非燕超敢与闻也。惟捍御外侮，折冲之任，燕超与请君力当为之。"涪陵点头称善，又问兵行，先征何所？目下广南罗浮有书，约会举兵，此去能有济否？燕超曰："罗浮大有识者，传檄荆湖，聚会英雄，直待以殿下为名义，收复广南，决有成算。"涪陵曰："既得广南，即都广南乎？抑都闽中乎？"燕超沉思良久曰："闽广亦宋末之故都耳，故当时有'一汴二杭，三闽四广'之谣。夫天下者，常山蛇势也。秦蜀为首，东南为尾，中原为脊，若以东南为首，必不能起天下之脊，故自古中兴之主，起西北，即足以据中原而有东南；起东南，即不能复中原而有西北。天下形胜，川陕为上，荆湖次之，淮扬又次之，此已往之陈迹也，"又云："天下治，地气自北而南；天下乱，地气自南而北。今南方地气大至矣，不出百年，仍旧大治，亦天地剥复之机也。殿下重兴旧业，死灰复燃，据燕超管见，殿下兴师以来，所得州县，无过于邵武者。控制闽广，吴楚可通，前临海道，据八闽之上游。荆扬一带郡县，遣将取之，席卷可定矣。至行师运用之妙，在乎一心，临时应变，非敢预为决也。"涪陵大喜，自谓相见恨晚，马遇乐、张怀亮并请挽其二子，一同立功。燕超不可，曰："孺子业未成，且此间薄有田亩，力耕自给，勿致荒芜可也。"时二子在侧。次子岳坤平日喜操强弓，骑怒马，演枪试剑，闻聘乃父，甚是技痒，一见燕超不许，冷语冰人，面如土色；长子镇默然不语。张怀亮方欲开言，涪陵艴然不悦曰："足下许身为国，而令二子饘粥自给，是薄晟不能以禄诏贤也？同建功业，未为不可。"燕超起谢曰："年少新进，每多喜事，即易偾事，令伊耕田历练，再仕未迟。"马遇乐、张怀亮二人再三劝行，燕超坚拒不许。岳坤情急面涨通红，涪陵会意，不由燕超分说，命二子且随某去，临阵为左右护卫。马遇乐大喜曰："殿下临敌，正少扈从，二公子正当其选。"张怀亮怂恿二子作速谢恩，燕超不便再阻，二子叩首谢命，喜出望外，佩剑行酒，随侍涪陵。当晚即在庄上安宿，涪陵甚喜得士，竟夜不眠。

次日，燕超将行，召集村中父老，以庐舍田产托之。众父老闻燕超应聘出仕，各置羊酒鹿脯，迎门祖饯，问仕何所？燕超告以宋主，父老惊喜曰："我等皆故宋赤子也。昔日文少保开府南剑，大举勤王，我等从福安县谢翱，应募赴难，转瞬之间，十余年矣！"一齐叩见涪陵，伏地举觞上寿曰："此小民芹曝之献也。"涪陵见此光景，不觉泣下，心感其诚，逐一饮之，勉以孝弟雍睦，劝课农圃。岳镇、岳坤把车舆家小先行，涪陵与燕超等随后，众父老依依木舍，直送至十里外而别。

第三十回　狄招讨三征罗浮

却说漳州府治东南隅，有馆曰“水云馆”。前临浦水，面对梁山。沧洲绕其左，圆山峙其右。洵为一郡胜概。游人雅土毕集于此。馆前有亭曰“留珮亭”。相传景祐间，漳州有虎患，早晚常出伤人，漳民苦之。晋江吕祷来知漳州，颇有德政。因踪迹虎所出入处，设穽而死。漳民德之。后吕祷将去任，漳民挽留不能。吕祷留珮为别。后人因建此亭，以志遗爱。亭中遍植奇花异卉，开时，郡守邑令多来酌酒赏玩。时亭中有盆树一株，高可三四尺，干叶皆紫黑色，时小类石楠，质理细厚，无花，俗名铁树。凡事之难成者，譬之铁树开花，即此树也。一日李继业、马遇阳等，偕齐僚佐文武游至亭中，忽见此树，花开四瓣，皆紫白色，状如瑞香。嗅之有草气，久而不凋。继业大异之。有老吏进曰：“此花最难开者忽开，郡中定有佳兆。当为总镇预贺。”继业谓马遇阳曰：“其殿下得贤之征乎？”遇阳等然之。花间酌酒呼卢浮白，皆谓殿下此去必得奇才，以为良辅，共成王业。

忽丹霞屿守卒报入：“大洋内有只海舟。舟中人云：‘由占城国与赵殿下送亲来此。’李继业等不知原委，亦不知作何接待。惟马遇阳深明此事，遍告众人曰：“此必殿下漂泊海外，时至占城国赤城堡所聘，枣阳人孟来豳之姊也。来豳之父名琪，理宗时，官防御使。因见吕文焕将隐襄阳，豳家远徙，其父早卒。今来豳送姊回国，万里之遥，与殿下完姻。真铁树开花之兆也。”众人齐声称贺。继业大喜，下令满城军民人等皆张灯结彩，迎接贵人。长孺赴罗浮，漳州府事由葛天民代理。天民乃送冠诰至丹霞屿，登舟与孟来豳相见，各叙寒暄。天民备陈殿下由占城归来，于虎丘得遇故人张怀亮，自龙会山以刘氏弟兄起兵，历下抚州、建昌、南安等处，统御八闽，又得邵武、汀州等郡，近得高、韩二将军，荐一大将，殿下屈己聘贤，亲身造庐，不日回归，方请贵人入郡。殿下毕姻，目下且权在舟中安宿数日，大礼既成，香车始进。有蹇修令狐老先生，请同天民入城，与文武官僚一叙，时年已七十余，天民甚是尊重。其子韬亦趋谒天民，略叙款曲，一同入城。李继业率同文武，邀入宾馆，独马遇阳以子婿礼参见，众人始知来豳与遇阳，本联襟袂，李继业与葛天民等，准备花烛，诸事停妥，惟候涪陵归日，便是佳期。

且说来豳之姊名丽蓉，与母向氏，嫂令狐琼华并琼英等，在后舱中，历尽海岛，始达漳南，沿海探听，未得音耗，被海风吹到漳州之南，至丹霞屿泊舟，涪陵果在此处，篙工与舵师俱疑若有神助。琼英此时同在舟中，日看屿石：朝，色如丹；晚，色如霞。未免有情，不识意中人亦在漳州否，芳心脉脉，未敢明言。又见岸旁祗候官吏，逐日不断，馈送问候，但是姊夫孟来豳酬答，未审书柬中，马氏弟兄亦曾具名否，左右思索，欲窃一观。舟中耳目甚近，恐有不便，正在犹豫。丽蓉早喻其意，以言挑之，琼英未答，心中总未能释然。忽报，令狐威回至舟中，言赵涪陵公聘贤已归。约定香车彩舆，来日入城，以寅宾馆，安置孟夫人及琼英等二姓家小。贵人即以来日合卺，早正母仪，共秉国政，孟来玢亦诸事齐备,专候銮舆。却说涪陵与燕超等一行人众,回漳州,离城三十里,有葛天民、李继业、马遇阳等,率文武官吏,俱身穿吉服,前来迎候。涪陵以为庆得燕超不胜之喜。燕超下马,与诸人见礼问讯毕。俱各耳语,燕超听罢,欢喜异常。涪陵怪之,纵马入城,见家家结彩张灯,俱曰:“来日接贵人入城。”惟涪陵以卫王祥兴二年已卯十五岁由崖山逃遁海外,整十有一年,自起兵至今,又四易寒暑。纳聘占城已恍惚若隔世事,忽忽忘之。入府见罗列许多油幢、宝扇、金装、玉钿、香车、翠辇、珠帐、彩旗,并鸾箫、象管、凤笙龙笛,无不毕具。始暗暗会意。众文武参见已毕。燕超父子,再三致谢。誓报殊遇于万一。涪陵因未正名号,权将军马尽归总制燕超让诸众将,并言高、韩二公,可托大事。涪陵曰:“国家之事,同负责任。不必辞谢。”燕超方受命。随又力荐汝南范国昌,应令同参国政。涪陵问:“可方谁人?”燕超曰:“才略可方刘穆之。风节直逼高允。而学问建树,当亦不减耶律楚材也。但其人系风流名士,行从定耳。”涪陵愀然曰:“吾安能即得二贤士而用之?”燕超曰:“且令人四处物色,燕超亦不时探访;一面将漳州之水云馆,改为招馆,悬挂榜文,二人必将自至。”涪陵大喜,从之。发付已毕。葛天民进曰:“殿下昔在占城,所聘孟贵人,令已送至漳南丹霞屿泊舟,候殿下归,成大礼。明日即是佳期,应用仪注礼物,臣等俱已预借。但迎接贵人鸾舆,或用武职,或用文官,请殿下传令。”涪陵曰:“此家事耳。且待国事稍闻,再议成礼不迟。”葛天民曰:“人伦风化之首。殿下异日正位,即妾母仪天下。诸事可缓,此事万不可缓。”涪陵沉吟未对,岳燕超进曰:“所望殿下恢复故宋者,惟为赵氏一脉也。殿下已及壮年,尚未有室家,将何以负祖宗之望?慰将士之心?”涪陵点头道是,命文武酌议。李继业曰:“今日之贵人,将来之母后也。不拘文武,皆应同往扶侍捍车。”众人齐口称善。言未毕,有令狐威由丹霞屿复命。涪陵降阶而迎。令狐威再拜曰:“老臣风波余生,重视殿下,三生有幸也。一应仪注,孟夫人俱请如约。”涪陵拱手称谢。令狐威又与众人礼毕。马遇乐上前,重叙阔。各申款曲。次日已牌时,吉辰已到。漳洲府满城锦帐蔽天。彩缎铺地,笙歌盈耳,香气袭人,许多文武,俱锦衣骏马,簇拥一轮香车,直入府月,与涪陵交拜成礼。丽蓉命侍女,送还鲛绡帕,涪陵亦退回于阗玉,相隔万里,今日对面。丽蓉举目四望,见金屋银屏,满眼华丽,恐涪陵居安不能思危,就饮合卺,乃徐言曰:“海外贱妾,蒙殿下不弃,收入媵妾,自谓置身天上,不恋人间矣。未审殿下,还能记忆当日风波之险恶否?”涪陵知是箴谏,乃谢曰:“风波远涉,劳卿久待,地阔音稀,罪诚在我。但某归国以来,无日不卧薪尝胆,以当日险阻,奉为殷鉴,卿言及此,实深惭愧,尤望卿共勷国政,以匡不逮。”丽蓉起立谢曰:“殿下兴言及此,大宋之七庙有灵,生民有幸矣!”涪陵见丽蓉举止端庄,谈至更深,入帏就寝。外面令狐威、孟来玢等,自有葛天民、李继业、马遇乐等,一班文武相陪,宴至更许而罢。

次日,令狐威叩见已毕,涪陵先谢堡中绸缪之情,海道辽远,再三劳慰,并厚赐其家。遣马氏弟兄往慰母氏孟夫人,来玢待以宾礼,不时擢用,令狐威亦赏赉甚厚,赐第贡珠门左,养尊处优,以示遗老不敢臣之意。琼英,系涪陵执柯,亦为择吉,与马遇阳成婚。随有岳燕超、张怀亮等大小文武,州县官僚,一齐入贺。并邵武高耀卿,杉关韩靖夏,桂岭拓跋琳、刘瑛、史进,汀州刘瑝,南安马晋臣,抚州冯道南,建昌查士珩,吉安长孙轨，及降将王方、朱昶、石雄、朱昱等，会合漳州，皆来称贺。涪陵大设筵席，三军俱有犒赏，漳州城内，欢声如雷。有高、韩二将，与燕超甚是相得，临别，耀卿问燕超曰："兵过广南，当在何日？"燕超约以来春，二将遂别，各镇亦散。再说广州参政狄定国，因征罗浮，两次失利。二广经略孙静，奏闻元主，言定国玩寇败兵，宜正其罪。世祖大怒，命御前亲军侍卫，往逮之。时太傅伯颜已老，出奏曰："不可！定国虽两次失利，尚未大创，不如降职带罪出征，如胜赎罪，败则连坐，倘更逮入京，他将能保其必胜乎？"世祖允奏，下诏贬为参议，遣南台御史胡浩，奉诏催促进兵。胡浩奉旨至广州，定国望阙，惶恐拜受讫，谓胡浩曰："今日定国不能扫清罗浮，无面目回广州矣！"即点三千铁骑，令其子狄勇统至城下驻扎，然后设宴款待胡浩，因问元主之意何如。胡浩曰："元主甚怒，非太傅伯颜，将军业已被逮入京矣！此次务勉力图之。"胡浩去后，定国忧形于色，点兵二万，仍调王彦、陈同、屈突申、庹靖等，一同进征。定国策厉诸将曰："此去务凿釜沉舟，以期必胜，若更顿挫，罪难道矣！"直望惠州博罗县进发，时罗浮韩昭、李穆方至漳州府回。皇甫惇、侯长孺见寨中兵马强壮，将士云集，且皆命世之英，暗喜英雄聚会，却在此间，大宋不亡矣。逐日与韩李诸人，盘桓议论。种世龙、关普灵、寇复雷等至此亦锐气日增，投壶宴饮，豪情云上。练兵走马，旌旗生色。鳌怒思蹴翻五岳；鲸掣便掉破百川。即满营将士亦无不跃跃欲试。忽报广州狄定国带罪出师，来征罗浮，距胥桥五里下寨。种世龙曰："元兵锋芒正锐，且稍避之，待其少衰，一战可捷，欲定广南，在此举矣！"众人计议停妥，各去准备。有前哨狄勇率三千铁骑，竟过梅花村，直逼山下讨战。定国恐狄勇有失，令屈突申、王彦引兵随后，埋伏接应，又命廖云以连座车继进，自与陈同、庹靖统大军在后。相拒数日，罗浮始令王麟引兵出战。只见狄勇金盔银铠，面如冠玉，目若星朗，手挽双锏，立马门旗之下，两军对垒，狄勇一股锐气，直欲以靴尖趯倒罗浮，王麟抵敌不住，大败而走。忽虞凯一兵杀至，放过王麟，迎马横刀与狄勇大战三十余合，有元将屈突申、王彦接应兵至。王麟回马，慌忙救护，奈生力兵马，不能支持。少时廖云，又以连座军潮涌而进。罗浮兵将被围，左冲右突，正在危急，却得吴广、吴康、洪时锦、史霸，四将一齐杀入，救出王麟等，奔回山寨，元兵大获全胜，收军回营。定国重赏诸将，大犒三军。次日亲临行间，指挥军士，力捣罗浮之师。吴广、王麟等连战毕北，逐日元兵胜了数阵，营中诸将，皆谓指日可灭罗浮。独定国戒诸将曰："罗浮不可小觑，我师累胜，恐敌人骄兵计也。"下令四处哨探，防有埋伏，沿夜更鼓刁斗，务宜严明，人甲马鞍，俱不解卸，后军辎重，更宜着意，又调庹靖领哨兵一千，往来巡警防卫，方议攻打，仍令狄勇当先，廖云、王彦以连座车翼之。果然连座车势不可挡，又有铁骑冲突，吴广、史进等三战三北，退上山去，死守栅门。元兵已到半山，定国催动大队，鼓噪而上，山上檑木巨石，弩箭火喷打来，三军少却。定国按剑大呼曰："今日不灭罗浮，誓不回兵。"遂手拿蛮牌，身先士卒，冒矢石而进，杀散守兵，夺望楼，大军继进。吴广、史霸等把守不住，弃了前关，退入次寨。定国一声令下，将隘口围住，各隘口矢石如雨，此处连座车阻不能进，元兵颇伤。定国大怒曰："三军何怯也？"挺枪跃马，方欲上前，忽流星马飞报："宇文庆取了龙川，寇复雷夺了长宁，张燕、牛宏破了海丰，关普灵率大军直打惠州府，抢上白鹤岭，乘高以瞰。城中已围数日，我兵力不能支，请招讨作速提师往援。"定国大惊，跌足曰:“伐魏救韩,我兵危矣。”令狄勇、廖云、王彦、屈突申把守前关,勿与交兵,俟救惠州已回,方可议战。自率诸将直趋惠州。离城不数里,遥望合江楼,火焰迷天,惊知惠州已失,直奔城下,忽一声鼓响,突出一队人马,焦芳挺枪杀来,陈同敌住,不数合,焦芳望城东败走;杨孝伯一马杀出,庹靖敌住,不一会杨孝伯又望城西败走。定国见敌军队伍不整,旗帜不明,终是乌合,不以为意。忽城上锣声大震,一支响箭射下,伏兵四起,焦芳、杨孝伯分左右杀回,傅突一军直攻其后。定国麾兵三面迎敌,而斛律亢宗一马杀出,直捣其前。元兵披靡,纷纷退后。定国大惊,急催马迎敌,斛律亢宗,二槊并举,大战四十回合,不分胜负。而元兵已疲于奔命,人困马乏,弃甲而走,退十五里下寨。定国入帐,喘息未定,又报罗浮取去长乐和平等县,定国怒发冲冠,切齿不已。次日敌兵讨战,定国自出,见关普灵赤面绿袍,金盔银销,立马横刀,在门旗下欠身请曰:“狄兄别来无恙耶?”定国正色责之曰:“足下素称立志不凡,今为何从贼?”关普灵笑曰:“狄兄,曾不记文少保之言乎?从怀愍而北者,非忠,从元帝者为忠;从徽钦而北者,非忠,从高宗者为忠,然则今日从罗浮而兴故宋者非贼,从蒙古而事胡元者乃为贼耳!”定国不觉满面羞惭,欲战,知普灵不亚于己;欲退,又恐元兵见之不雅,遂勉强扬鞭大呼曰:“既临行间,且休饶舌,来日定决雌雄,掩袭者非丈夫也!”关普灵亦喻其意,按兵而退,自此不与之战,相持数日,定国左右思索,并无妙计。

忽一日,报肇庆府知府苗秀实,已将肇庆所辖十二州县纳款城中。定国急焰中烧,带罪出师,失陷州郡,罪益难逃。又一起流星马,飞报公子狄勇被罗浮擒去,廖云、王彦、突申三将皆败,兵退博罗县,闭城固守。定国惊得手足无措,爱子被擒,五内俱裂,忿怒曰:“吾今先复惠州,再扫罗浮。”遂下令三军:“有进无退,矢石当前,百步内有回首反顾者,立斩以徇!”拥大军直逼城下,城门紧闭。定国令军士恶骂,城中不理。定国大怒,令造起云梯,周围用木板遮护,一乘立二十余人,各把短梯软索,军中擂鼓,自下而升,一齐上城。谁知城上火箭射下,不一会,木板云梯,尽皆烧毁。定国立造冲车百余乘,四面分布,呐喊而进。城上用铁锁贯穿铁鎚,飞打冲车,无不击碎。定国再起虹桥,虹桥不成,遂填磴道。磴道被毁,令军士头顶铁鳌,累肩而上,拼力一鼓登城,奈城上戈戟如林,矢石如雨,人无躲处,不敢近身。定国智勇俱困,方欲收军。忽城门开处,焦芳、傅突两军突出,大杀一阵,元兵颇伤,诸将皆溃。定国回营纳闷,暗思:如何破了惠州,便不愁罗浮矣?然必擒得敌将一员,换回吾子方妙,来日当以混元一气阵擒之。次早传集诸将,各授方略,正欲进兵,恰好有漳州府皇甫惇至。定国闻报愕然,即命请入。皇甫惇儒巾儒服,飘然而进,定国素敬儒士,礼毕,分宾主坐下,因问:“先生何来?”皇甫惇曰:“从罗浮而来。”定国色变,曰:“先生亦罗浮之党乎?”皇甫惇曰:“然。”既而曰:“罗浮本无党,党在漳州,然漳州有朋而无党。汉末党锢,唐末党禁,皆亡国之事。元祐党碑,南宋以亡。招讨已入非党,尚言党乎?”定国曰:“何谓非党?”皇甫惇曰:“昔蒙山氏,当夏后时,国势强大,有臣五人,为国柱石,其后渐衰,臣民离散。有商之世,蒙山氏赫然中兴,立国伊耆之墟,四臣后裔,翕然来归。独一臣名祝龙者,招之不来,抚之不至,投于鬼方氏之国,累为边患。暨高宗武丁,伐而灭之,掳其臣民而归,蒙山氏四臣闻之笑曰:“父析薪而子弗克负荷,非吾属之党也。”定国听罢,满面发赤,大怒曰:“烈女不事二夫，忠臣岂投二主？定国既事大元，有死无二，吾以先生乃名教之士，却为罗浮作说客来耶！”怒气勃勃，顾谓左右曰：“匣中宝剑新磨，今日且将腐儒，发硎一试。”皇甫惇笑曰：“随何陆贾，不闻事楚，苏秦、张仪未曾叛君。恐匣中之剑，不能试某，招讨欲自试耳。”定国益怒曰：“汝能使罗浮诸贼杀我耶？”皇甫惇曰：“罗浮等众，焉能杀招讨？招讨戴罪出师，誓平罗浮，今罗浮未损一兵，未折一将，招讨既陷惠州，又失肇庆，公子被掳，三月无功，经略使孙静与招讨有隙，据以劾奏。元主忌刻残酷，人谁不知？此番被逮，纵有太傅伯颜，亦爱莫与助矣！夫日中则昃，月满则亏，必然之势也。疏不间亲，新不间旧，必然之理也。况颜子拾尘，尚惑于师；曾母投杼，犹疑其子。前经两次败绩，固已不胜众楚之咻，今又一翻大创，岂非又增一秦之患。殆哉岌岌，尚言匣中宝剑，能试某乎，元夜张宴夺昆仑，可惜一副好铜面具耳。吾言已毕，即请告退。”定国大惊，离座而起，慌欲挽之，皇甫惇不顾，拂衣而去。定国满腔心腹，被皇甫惇一一道破，进退维谷。诸将已默窥其意，方欲进言劝降，忽报公子狄勇已回，定国唤入，刚欲责其辱师被擒之罪，只见狄勇怒发如雷，大呼众将，归顺罗浮，重兴宋室。定国怒，欲斩之。狄勇大言曰：“父亲教子，须以义方，弗纳于邪，岂反令儿不忠不孝乎？”定国曰：“何为不忠不孝？”狄勇曰：“漳州府宋室复兴，乃是故主，今反颜事仇，何得为忠？先祖武襄节度为宋室股肱懿亲，今违命仕元，何得为孝子”定国无言可辩，乃曰：“畜生已入罗浮圈套，中他人计矣！”众将亦劝曰：“公子所言，俱有大义，招讨不可不从。”狄勇曰：“罗浮所聚，尽名世之英，义旗直举，声应闽中，大人三次起兵，能少挫其威乎？况种世龙、关普灵两位叔父，素与大人契交，今已入局中，大人何执迷不悟也？”定国沉思良久，尚在迟疑。又报元旨下，准备接旨。果然，定国因失陷州郡，被孙静劾奏，世祖大怒，命宦者洪实、给事中撒泰不哩奉旨，摘印械京。不一会，校尉簇拥二人入营，定国方欲下跪接旨，忽狄勇上前，拿住洪实，拔剑斩之，庹靖便杀了撒泰不哩。校尉缇骑，十余人济得甚事，被众将剁为肉泥，狄勇庹靖各提首级大呼曰：“今日全军归宋，有不从者，以二人为例。”三军皆言愿降。定国屡战不利，原有悔仕蒙古之心，只恐众心不服，今已杀使命，将士皆从，始下令改换旗帜，兵屯娘娘庙，遣使请惠州关普灵，罗浮请种世龙，至营中会议。

次日，世龙、普灵皆至，尚未开言，定国曰：“狄某执迷不悟，叛父叛君，想既往不咎了。”二人齐声曰：“当今之世，不但君择臣，臣亦择君，兄前日亦食其禄者，忠其事耳。”定国曰：“归宋一事，公等有何计议？”种世龙曰：“弟等已遣人表奉漳州，约会宋王，来春兵过广南，仗义大举。”关普灵曰：“宋主起江右闽中，已得十郡，根本已固，至过广南，尚冀狄仁兄羽翼，大事可成。”定国曰：“此间有二万人马，权作进献，潮州府所辖十县，乃部将曲猛镇守，某即发令箭，命改换旗号，更易服色，同归宋室何如？”世龙、普灵大喜曰：“可谓三人同心，其利断金矣！”关普灵曰：“漳州府皇甫惇、侯长孺二先生，何不请至一叙？”世龙曰：“甚妙。”定国始知皇甫惇，即宋主遣来会合兴师者也，催促二人，作速请至。世龙方遣从人出营，忽报营外有四人，俱高冠博带，轩然而来。定国出视之，即皇甫惇、侯长孺、韩昭、李穆也，逐一礼毕。定国一见皇甫惇，自觉惭愧，深谢曰：“定国武人，未尝学问，前日开罪先生，先生其有意乎？”皇甫惇正色曰：“将军是何言也？前日将军，若坦然即来归宋，则将军亦无心肝之人矣，于某何取焉？”定国曰：“采葑采菲，无以下体，诸公不我遐弃，保全余生，誓当努力报效，使前愆晚盖。”韩昭、李穆曰：“淮阴归汉，先仕西楚，不闻以执戟郎官，掩后日开国殊勋也。”定国逊谢。候长孺笑曰：“将军与长孺同出一辙，然皆皇甫先生力也。语云，为浮图者，必合其尖，越王台，当共为皇甫先生一建。”众人大笑。定国此时，意力释然，死心降宋，大设筵席款待，情甚周密，世龙、普灵亦令山寨赍牛酒至营中，大犒三军，将士鼓舞大悦。世龙请定国移兵罗浮，定国曰：“合兵一处，固属至便，但关仁兄守惠州，距罗浮不远，惟潮州最近海道，元兵由登莱而下，即到南境。定国分兵一半，屯潮阳岭，与曲猛犄角相援，再令狄勇、庹靖、廖云、王彦四将领兵一万，札阳江县海陵山，遥应肇庆，一处有警，各路赴援，待至来春，始合兵征进，岂不甚善？”众人甚喜得计，各回营中，厉兵秣马，广南大事，不日可定矣。

第三十一回　白映雪奇缘有幸

却说云梦贼贾翀，闻弟贾翀因攻襄阳，兵败殒命，陷没全军。号哭欲死。数日后，始有刘环领兵千余逃归，贾翀一见刘环，且怒且泣，立命斩首。时新收二谋士廖维新、翁国彤齐谏曰："楚杀得臣，而晋文公窃喜，不如留之，以图报复。"贾翀令重责一百脊杖，拨往水寨白文狻处听用。为弟贾翀发丧招魂，诸事办毕，遂与二人计议。廖维新曰："寿春淮南王兵精粮足，有虎视江汉之意。不如卑礼厚币，与之联合，约其攻打安庆。我师亦进蕲黄，声势相应。目下襄汉无人，淮南若得安庆，我兵若下蕲黄，首尾相顾，元人疲于奔命，大事定矣！"翁国彤曰："近今九月下旬，乃淮王寿诞，将军速备礼物，遣人祝寿，即与联盟，最为得计。"贾翀即备珊瑚枕一具，琥珀盏一架，于阗玉块一双，集翠宝裘二件，副以寿帐文玩，彩缎金币等物。令廖、翁二人，赍赴淮南。二人领命，离了安陆，登舟望淮南进发，直至庐江，转入淮清河，径达寿阳上岸。廖、翁二人，见寿阳城中，户户悬灯，家家结彩，各巷口俱竖起绮栏画楼，鸾箫象管，龙笙凤笛，一派仙乐，铿锵动听。秦锡帛妄自尊大，蟒玉受朝。贾智深等率文武捧觞上寿，毕祝嵩呼。廖维新、翁国彤二人，先谒贾智深，然后进见，颂扬礼毕，始达来意，将礼单国书呈上。锡帛略看一遍，再观礼单，见悉是重宝，欣喜不尽，当殿设宴，命平章贾智深、史献畴、参政万俟蛎、少尹英绥猷等陪宴。廖、翁二人，工谀献媚，历举王霸之业，忻动锡帛。锡帛不觉身在人间，自谓已居九重帝阙矣。廖、翁又与贾史诸人，链锋相凑，胶漆相同，联合之事，悉力赞成。锡帛手抚二人，曰："孤与尔主，愿结昆仲，扫平京湖，结为唇齿，毋负初心，成大业有何难哉？"二人称谢，盘桓数日辞归。锡帛亦以礼物答之，重赏二人，劳慰备至，且曰："既已联盟，孤即日命将先取庐州，次打安庆，以通京湖之路，归语尔主，速打蕲黄，机会不可失也！"廖、翁二人领命，尚与贾史诸人，恋恋不舍，珍重而别，一归云梦。贾翀喜不自胜，即大起水陆军马，命倪鹏儿、汪夜叉、姚太师、宋罗睺、赵阎罗等皆同出征，先打汉阳。汉阳自韩搏虎去后，军伍废弛，仓廪空虚，百官上下相蒙。府尹放衙后，便入静室，若优游事外者然。万户亦少年纨绔，荫袭得职，闻兵至，仓皇失措，军士望敌先溃。云梦兵由阳台汉沔先掠城市，次掳乡村，汉川一带，鸡犬俱尽，既入汉阳，民妇有姿色者淫之，不从者杀之；男子强壮者掳之，幼弱者杀之，苦矣！汉阳士女，实遇此惨酷也。贾翀既得汉阳，兵屯汉川，候淮南动兵，再攻蕲黄。时有范国昌、司马肃、白映雪、刘知机、扈德威、韩搏虎一行六人，由房县过长沙，扈韩二人，一股豪气，与诸人俱不觉劳瘁。内中惟白映雪，年少风霜，经几处名胜，触景兴怀，自顾身世，未免增感。一日至湘乡县，投宿邮亭，偶见一塔，额曰"观湘塔"，信步登临，一望云天缥缈，衡岳耸峙，眼底见左抗荆门，右纳夏汭、五岭、三湘，四顾空阔，自思若得北庭无恙，焉能奔波至此耶！泫然泣下，感怀吟云：

观湘塔上望家乡，万里云山共缈茫。
自昔风尘供下吏，略将甘旨奉高堂。
岳峰黯淡愁云锁，楚水潺湲泪点长。
铃语浮图悲寸草，犹闻慈训语琅琅。

吟毕而下。一日行至茶陵州，此州在千岩万壑中，地近江右，离长沙尚远，诸人入境，见户口寥寥，宅舍无烟，百姓逃亡过半，良由州牧钩考钱粮，敲臀吸髓，常例之外，无限诛求，正供之余，实多索取。征理司索贿州牧，牧州责之长吏，长吏问之胥役，胥役剥诸乡里：上下交征，不留余地。茶陵地僻民瘠，终几缧绁，田园荒芜，展转流离，怨谤四起，而州牧尚以敲比为能事，献谀长官，迎合上意。殊不知数万赤子，皆呼天抢地，无所控诉，思制梃而挞之矣！正值征理司穆尔忽儿按临茶陵，钩考本年分钱谷，州牧益加严峻，用铁蒺藜等刑，催比论囚。民不堪命，一声喊起，将城门紧闭，各执刀杖禾叉，打入行台。将穆尔忽儿砍为肉酱，随行人役亦死于乱刀之下。州牧夺路出走，恰遇范国昌等数人，范国昌曰："此纱帽下劫贼也！"言未毕，被韩搏虎射杀，大呼曰："杀了酷吏，救茶陵百姓。"随有一班蠹役家丁，上前抵抗，韩搏虎连发数矢，应弦而倒。扈德威亦拔剑砍翻数人，众百姓又蜂拥追来，刀杖交施，无处逃窜。末后擒一汉子，衣服华丽，气概勇健，百姓哗然大呼曰："此即茶陵第一食人虎狼也。"德威闻之，举起从空丢下，跌个半死，百姓争食其肉，顷刻皮肉皆尽。城中父老，大开城门，捧香迎接，皆曰："即请众贤士一位，为茶陵之主。行省兵来，我等誓愿竭力战守。"范国昌等招父老谕之曰："尔等各安生业，保全家室，流亡者招之速归，饥寒者赈之得所。我等暂守此城池，可速上梧关，请宋兵前来保护，尔等自有更生之庆。"司马肃髓惨书一封，命精悍数人去讫，范国昌等逐日招抚流离，修茸城垣，巡视田亩，稽查府库，民气稍复。惟白映雪优游山水，琳宫梵宇，古洞幽岩，足迹殆遍。茶陵州相去数十里，有只鹅灵岩洞，石室幽邃，居然大厦。相传后唐时，有耒阳人萧禅和，为弓手催租，宿一逋负家，夜闻两鹅对语，其一云："主人明日将烹我以待萧老，奈何？"及旦，诘其主，果然，遂索其鹅以去，隐居此岩，后坐化于永新之庆宁寺，鹅亦飞去，岩中石壁犹镌黄山谷所题诗云：

大厦高堂未足论，凿时功力借乾坤。
庆长可坐三千客，今古惟留十八尊。
谷口白莲生玉沼，壁间青蔓挂云门。
开山萧老今何在，六股鸣环锡杖存。

好事者、并镌双鹅于岩中，以志胜迹。岩前曲栏回榭，旁建小阁，额曰"凝香阁"，阁道后另有殿宇，香火千龛，非仙即佛，殿左又一斗室，内一像，貌美且都，似紫姑神者，双眸炯然，拈花欲语。映雪凝神，久之不觉心动，随吟云：

天台一别赴风尘，谁写芳兰证夙因。
洞口桃花真烂熳，应无仙犬吠刘晨。

吟兴不已，又云：

明眸皓齿偎灵岩，香火千龛表职衔。
冰作肌肤玉作骨，不为仙子也非凡。

映雪吟毕，留恋不舍，又爱其房室幽寂，欲为寺僧，僦屋小住，遂至客堂，与僧问讯毕，具达己意，寺僧曰："灵岩乃系名地，恐相公未必能诗耳，不然何碍？"映雪知此僧雅尚文墨，思以动之，请僧命题，恰有一行脚僧，结装欲归桂阳，寺僧即指曰："以此为题。"映雪应声云：

骚客送僧转桂阳，海门帆势极潇湘。
碧云千里暮还合，回首犹看江水长。

寺僧闻诗大喜，留居寺中，供帐饮食，甚敬礼之。当晚犹忆神像婉丽，挑灯不寐，戏作《风入松》一词以记之，其词曰：

十年留意访婵娟，今日始逢仙。梅花帐里惹鸳梦，空品评柳媚花妍。气少幽兰馥馥，神凝秋水涓涓。

香杳何处渺云烟？莹质最堪怜。又怪人间无艳雪，多应是玉映霞天。焉得良宵会合，百年长卧花前。

吟咏再四，方欲就寝。忽闻叩门有声，启之，一女郎蓦然而入，即所见之紫姑神也，粉光黛影，射入双目。较日间丰神益加绰约，映雪趋而揖之，回旋顾盼，几难自主，不知如何措辞，中心怔忡，俟神定，乃曰："卿紫姑神耶？"女郎笑曰："痴郎初见，便卿谁也？"映雪亦笑曰："尊卿爱卿，是以卿卿，我不卿卿，谁复卿卿？"女郎曰："妾非紫姑，乃水晶宫瑶华三姑子也。偶谪尘寰，未逢佳士。知君夙企仙缘，读郎诗，故引桃源入棹耳。"映雪讶曰："然则卿龙女也，卿家何处？"女笑曰："君日读死书，杜光庭尚有考记，郎还未知之也。妾家即在苏州之东，入海五六日程途，小岛之前，阔百余里，四面海水皆粘浊，独此水清，无风而浪高数丈，船不敢通。夜静时，远望之，见水面红光如日，方百余里，上与天连者，妾家即其下也。"映雪惊喜欲狂，曰："荷蒙仙眷，提掇凡愚，离脱俗尘，三生有幸。"女郎笑曰："郎真痴于情者。然妾奔趋已惫，良宵夜谈，尚犹有待。"随就灯下卸翠凤翘，金雀花双朵，解衣就寝。映雪搴帏，则已阒其无人，惟见衾枕横阵而已，大骇莫解，是真是梦？拥被孤眠，彷徨终夜。次日不言其故，散步廊室，眼睁睁盼金乌西坠，玉兔东升，准备今夕款洽，不可错过，低吟一绝云：

雾縠霓裳澹欲飞，人间若个许相依。
襄王爱作巫山梦，留住竹云不放归。

挑灯时，女果至。接谈之顷，意甚殷勤，口谈指授，渊辨不竭。映雪自顾，下帷十年不及也。然时侦察之，明明入寝，一登榻，仍复渺然。映雪不胜惆怅，自思来宵，且先寝以俟。次夕又至，扳谈数语，即先解衣而寝，见女郎披帏登榻，急捉其臂，随手转侧，如一团绛雪飞空，索之杳然，仍无形影。映雪弄得如醉如痴，莫可遣怀，戏作《黄莺儿》一阕，其词云：

处处惹人愁，最关情，是双眸，等闲一转教人瘦。
腰肢恁柔，肌香恁稠，凡夫端的难消受。
与卿谋，人神路隔，若个许相俦。

一夕女至，映雪责之曰："既观芳容，何须咫尺巫山？使人于邑，是何幻术也？"女叹曰："所谓仙家伉俪者，交以神，不交以形；若以形交，则秦弄玉应抱子矣，何以至今箫台上，犹寂寂无雏凤声也？妾所以就郎者，以郎为君子，妾为谪仙，完此一种夙缘，于愿足矣！若复恋恋床笫，则妾为私奔，郎为淫欲，郎又何取乎妾？妾又何重乎郎也？"映雪一闻此言，肃然起敬，敛容答曰："然则白某，不将终身一曲雉朝飞耶。"女曰："白郎前程万里，尚当翊戴兴朝，为国柱石，郎自有命妇，妾特为郎送一物至，即携此物，西去求之，当得美丽佳人，不亚于妾也。"映雪问携何物，女出一枕付之。曰："此枕名桃花水晶枕，郎君命妇，即此枕求之，决然不谬，白郎珍重，后会尚有期也。"女飘然而去，映雪爽然若失，怅望良久，不胜凄其。视此枕，长不逾尺，表里莹澈，精光闪烁，内现桃花一支，五瓣灼开，鲜丽可爱，映雪把玩不释。辞别寺僧，望西而去，行十余里，已入丛谷，四围苍莽，无可问途。忽一秦吉鸟娇冀高飞，映雪异之，迹至山南尽处，倏有村落槐荫，葱郁中，亚字墙绵亘百余步，左侧园扉洞开。映雪疑为大家宅第，不便探问，逡巡趋而过之。时已黄昏，欲入投宿，殊嫌造次，蹀躞之间，一老仆当门，见而问之。映雪告以故。老仆引路，映雪随入堂上，一翁拱立以俟，见映雪乃一少年书生，展问邦族。映雪具以实告。翁曰："秀水之白爷，系足下何人？"映雪起立曰："先君子也。"老翁不觉骇然诧异，连声曰："是吾婿也，是吾婿也。"随即笑容满面而入。映雪不知就里，徘徊中庭，见屏风后窥者数四，心中疑异。少时一妪偕出，翁指曰："此掘荆也。"映雪尚未施札。老驱笑曰："甚好风，吹得贤婿至此？荒僻简亵，休哂。"映雪益发不敢回语。翁已窥其意，始告之曰："老夫姓蔡，名德新，石门人。宋末时，与令先君同宦嘉兴，令先君官秀水，老夫令桐乡，老夫与令先君一十八载交好，情逾骨肉，指腹联姻，暨后贾似道误国，告休不仕，隐遁荒僻，二十余年，不通音问，更无子嗣，今贤婿至此，实慰鄙怀。"映雪如梦初觉，慌忙下拜展礼，已而泣下。二老惊问之，映雪曰："先慈母存日，亦言有蔡伯父指腹联姻一事，只说天南地北，永无会合。谁知犹有今日，惜乎！慈母不能得见耳。"二老亦代为哀惋，蔡夫人劝曰："贤婿贲卧，吾家有庆，往事不必悲悼。"于是大设筵席，殷勤款洽，蔡翁就席前，叩其别后始末。映雪将其家秀水，成进士，仕饶平，破巨寇，辞御史，游荆湖，逐一告之。蔡翁击节叹赏曰："贤婿忠孝两全，仁智交尽，青年发轫，便如许建树，他年出人头地，未可量也！"蔡翁喜不自胜，谓夫人曰："可惜女儿淑婉，抱恙未瘥，不然，乘龙佳期，真有幸也！"夫人曰："贤婿小住数日，候淑婉病愈，即当完姻。"映雪唯唯，不敢动问，饮至更深方寝，暗思龙女之言，确有先见也。

且说蔡德新无子，五旬后，始举一女，名曰"淑婉"，夫人曹氏，闺训维谨，女红之外，兼课文史。淑婉喜辞翰，触口皆成锦锈。其父常曰："淑婉易钗而栉，何愁玉堂金马不能唾手而得。"自适茶陵，若尘世外，自念与白氏宿缘尽矣。淑婉笔墨之暇，喜调秦吉鸟，拨翎刷羽，未尝离手，而慧鸟亦终日与言，啁哳不休。淑婉饲之则食，他人饲之则不食。小鬟在旁戏曰："小姐日日饲汝，宁不为小姐作合耶？"淑婉怒止之，秦吉鸟举翅飞去。又淑婉家中，蓄一水晶枕，光莹无比，淑婉自誓，愿与水晶比洁，行坐起居，爱弄不释。一日偶置案头，失手坠碎，只见精光错落，片片有桃花色，满地皆锦。淑婉大惊，如渊明失菊，伯牙碎琴一般，心甚不怿，暗思：宝物损坏，定非佳兆，宁身与枕俱碎也。淑婉逐日郁郁，又念亲老无嗣，益加感悼，渐至卧病不起。二老延医诊视，皆言此乃系念所好之物，中心忧郁，因得痼疾。以原物投之，自当奏效，非刀圭所能为力也。家人等又东西奔驰，物色良医，投以妙剂，俱不能起，瘦骨支状，奄奄待毙。蔡翁夫妇老大着急。一夕，遇映雪投宿而至，淑婉闻报，病约去十分之三，而中情郁结，缠绵未已。蔡翁虽日与映雪盘桓，心如是蜩乱，时忧时喜。映雪正欲探问，忽秦吉鸟当头呼曰："相公独不医小姐疾耶？"映雪暗惊此鸟，引我入幕，煞有慧心，举手谢之，问之家人，言即小姐调弄者也。因问病状，鸟言："惫甚。"映雪大惊，问：服药未？"鸟言："此疾非药饵可愈，乃系念桃花枕所致，原物一至，病立起矣。"映雪惊问此枕，系何物制成？鸟言："水晶所制，乃龙宫异宝也，此真爱莫与助矣！"映雪益惊龙女之言，毫厘不爽，遂向秦吉鸟，力言此疾可愈。秦吉鸟飞入病所，告知淑婉，淑婉不理。蔡翁出堂，忧形于色，映雪叩以致病之由。蔡翁备陈颠末，既而曰："非弱息溺于玩好，实先代之遗泽也。当年蔡君谟祖父，用鼠须栗尾笔，为欧阳公书表忠观碑，文字双绝，既而龙洞君，欲得此碑移镇水府，以水晶玉如意一支，水晶桃花枕一枚，置于墓所，易碑文而去。欧阳公异之，自受如意，以枕赠君谟祖父，相传至今。按水晶以日本产者第一，于涂次之，大秦又次之，至海内所出，则南方者黑，信州者浊。此枕性坚而脆，刀刮不动，色白如冰，内有桃花，无丝毫瑕痕，高出于涂倭国之上，盖稀世之珍也。弱息每以此枕莹洁自况，今病垂危，百药罔效，恐身与物俱碎也，"言罢呜咽。映雪曰："大人勿忧，是即龙宫宝物，某有一具，未知当否？"遂出怀中一枕呈上。蔡翁惊视之，温润光莹，桃花内现，形式无二，一时狂喜，持入以示夫人，急至病所，与淑婉言之。淑婉疑信参半，夫人出枕示之，淑婉突见故物，蹶然而起，一时四体舒畅，抑郁顿解，哑然笑曰："沉疴不知何往？"如释重负，把玩不舍，直如骨肉重逢，良朋远至。秦吉鸟亦飞舞近前呼曰："不是白相公，遮莫群医，用遍妙药罔效也！"淑婉面颊发赤。蔡翁夫妇，喜出望外，急至堂前，与映雪称谢。

淑婉养息数日，平复如初。蔡翁夫妇，逐日预备择吉成婚。至期红烛高举，笙歌迭奏，回廊复榭，锦幔重重，无何彩舆停驻，笼烛数十簇，与新人交拜讫，导入内寝。映雪从烛花影里，微窥淑婉，宛然龙女，亦画中人也。映雪以黄甲出身，出宰告休，游遍京湖，方胼嘉偶，一时亲友如云，传为嘉话。蔡翁肆筵设席，鼓乐交作，欢呼畅饮，喜溢门楣。次早，映雪、淑婉双双谒见，忽架上秦吉鸟曰："鸾凤得所，忘却红叶。"蔡翁大笑，令小鬟取美食饲之，不食；淑婉饲之，亦不食，映雪笑曰："是矣！"举箸饲之，秦吉鸟方食。自此，映雪非宴饮堂上，即谈论闺中，一日方与淑婉寻诗遣兴，忽一丽人搴帘而入，笑曰："得妇之言，今可验否？"映雪视之，即龙女瑶华三姑子也，不及款曲，慌忙拜谢，淑婉亦拜，龙女急止之曰："贤妹代吾完此夙缘，我之受惠多矣！何用拜为？"映雪深为感慰，淑婉亦谢其预赠宝枕，得延残喘，欲往告父母，龙女止之曰："宝物自有定数，白郎既成嘉礼，即宜振翼雄飞，恐金兰辈悬望久也。"映雪猛省，谢曰："来日即当赴州，未识前路可成功否？"龙女曰："恢复事业，已有八九，戮力同心，何虑无成？但白郎亦识令先君存日，有异闻否？"映雪曰："无之。"龙女曰："令先君酷好放生，令秀水时，予时偕一婢子，改成鱼服，游钱塘江下，为渔者所得，几罗刀俎，幸遇令先君，见予鳞中灼灼有光，以五十金买而放之。予感佩不忘，无以报德，故为白郎完此一段情缘，使旷夫怨女，两得其所，望与吾妹各相保重，从此迢迢蓬山，盈盈弱水，予虽有薄谴，自此升矣！"话毕，卷帘而出，映雪、淑婉欲挽留谢别，但见云生足下，冉冉而去。

第三十二回　寇竹生惨遇无辜

却说杉关总兵刘瑝闻桂岭上梧关无人把守，即命部将庞英控制上梧，因史进、拓跋琳俱随涪陵出征，蓬头关由史进部将王辽镇守，北藏岭由拓跋琳部将张昌控制，加以庞英，三关以固。当时庞英一得茶陵书信，立请王辽、张昌分巡上梧，自率本部兵急下桂岭，来守茶陵。范国昌等得庞英兵至，大喜，一面守护城池，巡视隘口；一面设宴款待庞英。诸人皆以座中不见白映雪为忧，二十余日，未知何去。扈德威欲往踪迹之，又虑孤城无人防守。范国昌只好遣人四下探问，物色殆遍，并无音息。一日访至灵岩，问寺僧始得确耗，又不知去向，正在忧疑，忽见无数车辆，簇拥映雪而来，车上大书助饷旗帜。范国昌、扈德威等异而问之。映雪始言云合屯如何投宿，如何叙旧，如何成婚，一一备陈颠末。临别时，岳翁蔡德新他无所赠，闻兴义举，愿助饷银五千，略资犒赏。诸人一齐称谢，皆笑曰："白子丹路入天台，作娇客去矣，怪底尔许未归也。然贺得佳偶，吾属当以金叵罗，各敬三锺。"映雪唯唯，是日欢呼畅饮，尽醉而罢。令人赍书谢蔡翁助饷之德，各作准备，不日会合闽中。时长沙郡守失去茶陵一州，损坏长吏行人，忙申安抚，请命征剿；一面拨本部兵马先往茶陵，然守府军官庸懦无能，卒伍不整，郡守大惊，会合都监，逐加检阅，不堪调遣，始行札付各属，派点民兵策应。一时长沙所辖十一县丁口，纷纷藉藉，骚扰不已。有湘阴县五甲，汨水村笙东乡寇复云一户，亦在点中，其子竹生，诉于县曰："生员忝列胶庠，例免徭役，老父师何不笔判春风，使生员得尽菽水之养乎？"邑令不许，竹生再三恳求，邑令作色曰："一班俱是朝廷子民，食毛践土，同受国恩，苦乐自宜均受，安见绅民遂有例免之理？"寇竹生拂衣而出，大言："水上打一棒，盖以俗云空无用也。"邑令闻之，不省其意，疑为恶语讥讪，唤转怒问之。竹生以实告，邑令恚甚，思有以难之，曰："汝能赋此，当免其役。"竹生遂朗吟云：

丈丈琅玕杖碧流，一声惊破楚天秋。
千条素练开还合，万颗明珠散复收。
鸥鹭尽飞红蓼岸，鸳鸯齐起白苹洲。
想应此处无鱼钓，起网收纶别下钩。

邑令欲待不允，业有成言，无隙可寻，笑而免之。且说竹生父复云，素行端悫，心气傲岸，家本饶裕。县中胥吏及奸猾恶棍等，请托全无，然极好施与，里党咸德之，惟与本乡宁廉孙百晓二富翁积不相能。宁翁以刻薄起家，悭吝异常，亲邻借贷，闭关自守。独喜夤缘官长，破钞挥霍。门庭冠盖相望，借长势焰，道路以目，所生三子，纳粟俱有前程。元世祖至元二十四年，京湖两路大旱，赤地千里，人民相食，湘阴县寇家积谷，罄用赈饥。谷尽，继之以钱。钱尽，而来者陆续不绝。宁翁积谷，连庾累囤，闭粜以邀重价，计所蓄积，息已数倍，犹且得陇望蜀，私心祝曰："更一月不雨，则三湘七泽之利，皆入吾彀中矣！"孙百晓本浔阳舟子，因渡一贾人，窥其橐中多金，刺船至僻港处，劫而沉之，遂至湘阴，置田产，称素封。生子世保，疼爱珍惜，身服文绣，口厌膏粱，凡事任之，不敢拂也。及长，遇他人亦谨朴恭顺，独忤于其父，动辄谩骂，势若仇雠。百晓每向亲友，饮泣欲绝，至是与宁翁约请术士扶乩，宁问米价，孙问子逆，仙判孙百晓云：

六月初三风雨恶，浔阳江上一时错。
汝儿便是唤舟人，自受原来由自作。

百晓见之，汗流脊背，亡魂丧魄，归数日，病死，其子遂荡其家。仙又判宁翁云：

丰年积谷为凶年，一升米粜三升钱。
天心若与人心合，头上苍苍不是天。

宁翁玩之，不以为意，继后方欲出粜，仓中无故火发，愈发愈烈，无可解救，数年蓄贮，一时煨烬；其弟宁宽，素行平恕，分毫不毁，咸以为神，湘阴之人无不称寇翁之德。而幸宁翁之灾，恩怨两形，人人称快。寇竹生闻之，叹曰："家门之祸，自此启矣！"宁翁闻之，果恚曰："万石谷焉能窘我哉？寇某施惠沽誉，幸灾乐祸，我必有以报之。"遂入县与蠹役猾吏谋，媒孽告讦。吏役俱德宁而嫉寇，正欲陷之，数日后，恰好拿获云梦逸贼十余人，啖以金，令一口咬定寇翁，扳入案中，再令人以纠众可疑，连夜告变，府中幕宾累沾宁翁余沥，亦命以前日竹生免役一诗，力证其事。邑令大惊，立命隶役锁拘赴案。时寇翁已染病在家，一愤而绝，竹生气填胸臆，呼天抢地，号啕恸哭，草草敛毕，当不得隶役辈蜂拥直入，不分良贱，概行锁拿，将竹生用铁索套住，牵定就走。竹生欲待分说，则蒺藜杵无端乱打。一时喧嚷，惊动本乡饥民，传呼殆遍，约集数百人，阻定隶役不放，皆曰："寇先生活我，乡党可代白其冤也。"竹生急止之曰："若尔则竹生死期至矣！"饥民等始放行，号哭相从，邑令闻之，再委弓兵，并饥民亦拿获到案。饥民得知，有逃窜者，亦有挺身向前者，皆曰："我等死则与寇相公俱死耳。"邑令将竹生质以盗口，证以饥民，佐以诗词尾句，褫衣衿，坐以不轨。饥民众口呼冤，县令不理，命将饥民押出。竹生抗言曰："学生读书明理，守典奉法，薄有微积，不过赈恤乡里，未敢市恩，何言不轨？老父母休听一面之辞。"邑令大怒曰："前以斯文待汝，汝利口饶舌，动吟歪诗，今已谋逆，尚犹倔强耶？"命重责之，然后监下。竹生方悲父丧，又遭此惨，满腹冤屈，无处可伸。逐日，邑令又严刑鞫问，孱弱书生焉能承受，两臀已打得皮开肉绽，鲜血淋漓。受杖时，即是吏役辈世忿时也。吁！世道之难容也如是。竹生受刑不过，大言曰："士可杀而不可辱。罗织成狱，生死听之。至谋逆一款，头可断，名不可受也，皇天后土，可鉴此心。"邑令因竹生前日请免役时，业已衔之，当下见竹生不招，将三木套上，竹生晕绝数次，沃水复苏，书役捏就供词，坐以大辟，申详安抚。

时王用槐从大名省墓而归，闻耗大惊，不分星夜，将入县代为申诉。闻通路传言，姻戚里党都入连坐，用槐叫苦不迭，奔赴行省安抚左丞等处控告。众饥民亦多赴长沙府郡守及宣慰等处投词伸诉。不日，邑令招详，尽行驳转，众人诉状批赴长沙知府委理刑厅勘问。推官复审，吊卷详玩，多在疑似之间，又看竹生，恂恂书生，时已病剧，惟群盗众口一辞，供定不易。推官再三讯之，俱无实验，大惊，禀知太守，切责县令。县令老大着急，忙与佐贰幕僚计议。旦说县令姓钱，名奉世，闽中长乐人，以贡士出身教谕，任满除河南怀庆府经历，继迁湘阴知县，初政颇顾声名，久而利令智昏。幕僚等又教猱升木，竟纱帽下行劫矣，伊以贡士由经历迁知县，皆姊夫卢顺之力。卢顺以卢世荣之侄，出自桑哥门下，授河南行省左丞，及楚省敖魁离仕，卢顺遂安抚湖广，兼屯田大使。钱令见府中诘责，饥民又各处控冤不止，急令心腹家人，与卢顺关说此案。卢安抚果然行文，通饬本省，有云："目下盗贼横行，云梦未剿，入其党者甚众，若不严刑，奚以迅扫，该地方官有拿获得实，及入其党者，立即处决云云。"札至长沙，郡守、推官等遂不敢违贰，将竹生原案，仍照该县供招，发转县中。竹生与众民惟望此番，覆盆可雪，谁知官府黑幕密布，无可解脱，惟延颈以待秋决矣。宁翁出入衙中，见此案已定，大喜过望，以为得计，邑令、幕僚上下俱有馈送。惟王用槐愁苦万状，知此案万无可翻，君门万里，焉能以一纸径达天听？日夜饮泣。竹生悲悼不止，更不待言。忽一日有按察司副使巡至长沙，副使姓陈，名思谦，亦由提举司升授此职，用法强恕，喜判冤狱。时适行过湘阴，王用槐拦舆，首控此案，随至行台。饥民为寇竹生诵冤者，亦络绎不绝。副使细察全案，大惊曰："谋逆者族，岂同儿戏，立提各犯，重新复问，"并推官、县令、佐贰幕僚等，赴辕伺候。独宁翁反得逍游事外，各官俱悚息待命。副使首传王用槐，问系寇氏何人，既非宗党，何故擅自出首？妄逞刀笔，从长刁风，若不实供，律有三尺。王用槐曰："幼联桑梓之谊，长叨羽翼之恩，十载同窗，情逾骨肉。髫年游泮，义订金兰，赴郧都而省墓，展我松楸。回湘江而下帷，已罗桎梏，暂学睦媚任恤，宁知曲突徒薪，怜他洽比其邻，竟致城门失火，如涉虚诬，愿甘连坐，或有疑异，请同族诛。况管鲍分金，已是生我知我，而羊左共烈，不妨死之从之。纵饥民申诉于前，适所以速其死，而安抚行札于后，尤所以重其辜，生不忍坐视，等于秦越人之肥瘠，而作风马牛之不相及也。如蒙昭雪，岂但寇氏没齿不忘；即生也亦当啣结相报，用槐为友一腔热血，无可沥处，今日尽情托出。"诉毕，声泪俱下。副使动容，命且退，单传寇竹生，问以父母兄弟，家室年龄，并何年补弟子员，琐屑之事，逐一问之，全不问案中情节，问毕，押往别室，再看饥民。鹄面鸠形，救死不暇，焉能谋叛？亦命押赴一旁；始唤一盗，问以如何入党，如何举事，如何往来相识？盗随口答应。继问以寇姓家室，竹生年龄，则直相去天渊；再唤一盗问之，又是一番言语；历问数盗，越形差错，甚且含糊吞吐，答应不出，勉强支吾，半属懵懵。副使大笑曰："寇竹生一人有如许年龄家室也，令上刑具，供出指使便休，少有抵牾，立即粉身碎骨。"群盗自知业已败露，终不免死，何苦坐受锻炼，遂一齐将吏役等主谋，尽行吐实。钱县令如冷水浇头，慌忙褫去衣冠，俯伏跪下。副使大怒，将吏役等满加重刑。毕竟吏役原系狡狯，齐声叫屈曰："通盗非实，而买嘱人心，定不虚也。"副使叱曰："饥民饿莩余息，瘦骨支立，买嘱何用？汝县中义社两仓，积储充盈，毫不念及民隐，人施赈济，彼饥民不往，将坐以待毙耶？且寇氏所赈者亦有限，安能买遍人心？"一役曰："寇某若无异情，何以动至数百人，阻遏不许赴案？”副使又曰：“愚民焉知嫌疑，感其恩者，恨不为之雪其诬，代其罪。且此数百人，不过疮痍之夫耳，非强梁者持械拒捕也。”又一吏曰：“寇竹生犹有反诗可证，其心叵测。”副使掀髯微笑曰：“汝辈狠心辣舌，焉可言诗？寇竹生亦就诗咏诗耳，即有他意，宁不于平日抱膝长吟，而至公堂上对官长咏耶？”吏役等俛首，无言可辩。佐贰幕僚，一皆伏地不敢仰视。副使喝令加刑，随供出宁翁闭籴招怨，媒孽告讦，平日出入衙署，往来甚密，官吏皆其指使，一一招出。副使即令人役，飞拿宁廉到案，偕吏役等共上刑具，将竹生、饥民开释，听候发落。指县令叹曰：“语云，县令破家，民之父母，顾如此哉？”又指推官怒曰：“经汝复审，何得糊涂了事？”推官梁义成，从容将前后两安抚批文札付，两相矛盾，细意剖明，且曰：“下官非不严讯，但属在下僚，焉敢相抗？”副使作色曰：“罢官吏事小，尽职事大，明系患得患失，不肖作强项令也。安抚非狼非虎，能天噬人哉？”梁推官唯唯谢罪。陈副使曰：“卢安抚札付，虽系通饬全省，然此案却针锋相凑，大有可疑，再将各官亲近，用刑具一吓，尽行吐实。”副使大骂各官无良，上下交通，律有明条，尔等二罪俱发，乃援笔判曰：

朝庭严昏墨之条，惟期一腔白水，同官励冰霜之志，只携两袖清风。故吕侯有命，一篇载在壁经，而萧相成书，千古遂为国宪。今湘阴钱令，实堕官方，弗察民隐，弃德从奸，辄思上下其手，即聋从昧，妄云轻重在心，不仅安重霸受州民之三脡，岂识杨伯起谢故人以四知？竟执莫须有之词，坐平民以不轨，且将释不经之意，揽上官以舞文，六月飞霜，滥施五刑之用，三年不雨，实乏百里之才，既交通以枉法，宜罢职而为民；县尉蔡某，官有常司，不思靖共尔位，漫指关节可通，身任薄书，心同，溪壑，利入囊中，不问池鱼之何罪，有皆局内，欲托社鼠以为奸，全无恻隐之心，偕主簿例应同坐，难免故人之律，并幕宾罪当问徒；推官辄徇偏私，罔分曲直，金科直同空文，铁笔视为儿戏，虽迹涉嫌疑，下令亦有强项，倘义不引避，上官能勿寒心，阿附取容，听他人皆入瓮，模棱持法，定多网漏吞舟，一家哭知弗恤也，三尺法将安在哉？降补知县，以肃官箴，失察府尹，著贬三级；宁廉为富不仁，闭籴邀利，财虏居心，逞狼威于卿党，老饕肆志，吐蜃气为楼台，虽彼铜臭，使法堂上陆地生波，纵乃钱神，致仪门外青天掣电。祝融纵火，不思省愆，囮媒成风，妄相告讦，偕胥吏重加三等，并蠹役枉法重论；寇竹生士林翘楚，素行可风，如彼岁旱，尚指囷以无难，遭此凶年，犹倾囊而不吝，赵清献减价越州，心可见也；富郑公发粟山左，德莫大焉，释尔覆盆，拨云见天此日，复汝席帽，乘风破浪他年，众民俱无所问，群盗如法拟斩，云云。

判毕，将饥民释放，宁廉吏役等尽加满杖，连众官一齐发往本府，如律施行；推官梁义成，即摄湘阴县事。陈副使又谕之曰：“湘阴民困已久，速发仓廪，以赈贫穷，着意抚恤，不日自有推迁。”梁推官受命讫。陈副使始唤寇竹生至前，安慰一会，命取黄金彩缎花红等物，旌赏之。竹生不受，叩头流血，泣而请曰：“小子遭家不造，亡父存日，酷好施与,不料小惠,遂搆大祸,卧病受惊而绝,殡而未葬,小子尚未成服,今蒙宪台,俯赐昭雪,得归,终丧三年,于愿足矣!不忍受赐。”副使见竹生,病已尪羸,而犹举止雍容,心甚恻然,首肯者再,赐银五十两,为寇翁修墓,又大书“湘阴义民寇翁之墓”赐之。副使故精书翰,笔力劲遒,竹生捧此八字,再拜谢曰:“大人洞悉民隐,光及泉壤,亡父死且不朽矣!”副使又唤王用槐至前慰之曰:“汝为友情义交尽,用心至矣,今还汝一个完名全节寇竹生,金兰共励,后效勉之。”王用槐亦再拜称谢,与竹生辞归。时寇姓家已中落,竹生庐墓三载,用槐每顾恤之。宁廉发往边远。一子随行,死于道。余子在家,为恶不悛,益遭衅祸,又大肆淫赌,家亦荡然,流为乞丐。宁翁窜至远方,闻之,恚怒病死。且说安抚使卢顺闻此案忿甚,暗恨副使陈思谦,欲中伤之,乃托人至燕京,与桑丞相说知。桑哥素嫉思谦,即将滥参官爵,纵容民叛各节,嗾工部给事中贾钦奏之,陈副使亦将钱奉世与卢顺姻戚交通,及卢顺夤缘相府,得擢显要各款,条陈奏闻,事连桑哥。一时科道九卿,及侍郎张九思,中丞崔彧,御史王晖等,皆交章论桑哥不法数十事,世祖知桑丞相稔恶已久,又见各官纷纷劾奏。大怒,将桑哥系狱逮治,命尚书省按问定罪,籍其家,金宝至数万,姬妾累千,溺器等物皆七宝镶嵌。世祖益怒,命穷治之,提卢顺至京,交部议处。后来桑哥伏诛,卢顺窜死,党与俱贬黜有差。世祖遂专任完泽为尚书左丞相,不忽木平章政事,升按察副使陈思谦为都察院殿中侍御史。

第三十三回　翔龙府风云会合

元世祖至元二十五年三月，广南经略使孙静奏："罗浮兵起，攻陷惠州、潮州，狄定国三次出师无功，叛附罗浮；肇庆知府苗秀实亦以所辖郡县，叛降罗浮，兵势大振，陛下作速命将出征，云云。"世祖惊问完泽曰："前脱脱亦称江西有故宋兵，陷没建昌、抚州、并闽中邵武路等处。直省奏至，俱被桑哥遏不以闻，倘两处会合，则势难攻矣！"完泽、不忽木齐称："陛下所见甚明。有张宏范之子张景略，现为都督佥事，镇居庸关，将家子也，命帅师往征，恢复广南等处。责福建参政魏天祐复邵武路、江西平章脱脱复吉安，两京镇将，俱受景略节制，当有奇效。"世祖允奏，即命张景略率兵十万，分道并进。张景略得旨，离了居庸，调集各路将佐，如宣府总兵曹伯雄；青州总制鄢知节、古北口总兵刘巨原；上都路护军马如龙；大同总兵丁不拔；及随营将佐魏文通、刘耀、李梁、王豹、牟衍昌、钮师成等，各引本部，分五路进发。大同总兵丁不拔自负才勇，请为先锋，景略许之，且戒之曰："前去由大名过徐淮濠梁，直济洞庭，出长沙以攻肇庆，捣其右，江西闽中更有兵至，以捣其左，我师从此攻入，彼左右受敌，救应不暇矣！"全师起行，方过河涧，忽报有监军至，景略延入，则兵部左侍郎赤老温，奉旨来监其军，称元主谕："令景略以大军倍道而进，驻定广州，先固根本，然后进攻各处。"景略受命讫，见设监军，知是世祖心疑，有鉴前日狄定国之事，意甚不怿，赤老温见了景略，又傲睨不礼。景略途次，竟不与接谈，赤老温衔之，景略遂由南雄抵韶州，至英德县。忽前军报来：广州已失。景略大惊，兼程而进，过清远，将渡胥江，见有大队军马阻住隔岸，旗上大书"宋"字，望见元师，营脚移动，徐徐而退，诸将争欲前进，景略曰："不可，此兵未战而退，诈也。"将营扎定，令人哨探，四下并无埋伏，知是疑兵之计，遂命曹伯雄、鄢知节、刘臣原、马如龙、丁不拔五将，下成五寨。第一广武，第二阳武，第三德武，第四涉武，第五修武，五寨俱依山傍水，列成五虎靠山之势，甚有机变。惟监军赤老温拨兵五千与之另下一寨，于五寨之后，名曰"救应"，而实远之，不喜其人也。

次日，景略随带裨将数人，欲探宋兵消息，暗思此去广州，仅一百七十里，遂由僻路前进，沿途隘口，盘诘綦密，乃易作商贾服状，行近番禺，远远望当道下三大寨，旌旗鲜明，鹿角密布。唤土人问之，则中寨乃元帅岳燕超，左故宋王，右罗浮兵也，由闽中过广南，一路号令严明，秋毫无犯，人心悦服，合罗浮之师，沿途望风而降，三战而达广州。宣慰文炳、参政朵尔思、都督耿仲烈等，力不能支，城陷而死，一时城中文武死者数十人，余者尽降，距元兵之来，已十七日矣。景略问："有多少人马？"土人曰："合罗浮闽中两处之兵，不下五万余众。"景略易之，遂别土人而归，回营令人直下战书，严兵以待。宋营批允，次日即有寇复雷、张怀亮二将列成阵势，叩营讨战，前哨广武营丁不拔，奋勇争先，合兵鏖战良久，宋师少却。修武营曹伯雄、涉武营鄢知节，率兵助阵，宋师大溃。丁不拔麾动大队欲追，景略鸣金收兵，丁不拔入帐，问以鸣金之故，景略曰："欺敌者必败,宋师严整,虽败成阵,未可追也!”丁不拔叹息而退,诸将又欲移营前进,景略不许,诸将退,谓众人曰:“将门有将,乃怯敌至此乎?”数日后,寇复雷、张怀亮又来索战,有阳武营马如龙、德武营刘巨原两翼齐出,寇复雷二人督兵略战又败,马、刘二将大驱人马,从后掩杀,不数里,伏兵齐出,焦芳、傅突双马迎敌,二将死战不已,却得张景略自引一支生力军策应杀来,救出二将。忽宇文广、马遇乐一军掩至,大杀一阵,景略护定人马,且战且走,方始回营,怒责二将轻敌,几误大事,二将唯唯谢罪。景略命人打探江右闽中两处,可曾动兵,须三路合攻,以牵制其心,或可获胜。谁知闽中杉关有韩靖夏把守;高耀卿又护卫邵武,接应杉关;魏天祐将才非所长,见各路坚不可攻,引兵而退;江西建昌吉安等处,亦有狄定国节制隘口,命将控据要害,处处下连珠砦,直接桂岭三关,遥为之势,虽脱平章才不亚于定国,而宋将一味持重坚守,脱脱不能久待,全师引还。景略闻二处不能进兵,遂扬言欲夺肇庆,并打惠州,用声东击西之法,震慑人心,使分兵应敌,思乘其敝。燕超闻之,请涪陵移军城中,有种世龙、关普灵保护城池,自统大军,亲临胥江,并不分兵往护二郡。燕超一见元军五寨,暗笑曰:“张宏范之子,亦有学识,彼以奇,吾以耦。”遂命寇复雷、张怀亮、马遇乐、杨孝伯、宇文广、王建忠六将,以六队精兵,各按五色旗帜,五色衣甲,列成六甲神将敌之。

次日,景略誓师已毕,两军大战于胥江之浦,元左师先溃。寇复雷遂斩德武营大将刘巨原,元兵夺气,五营不能相应,右师败绩。宋军六队并进,夺获衣甲器械鞍马无算。元兵遂遁,正奔走间,忽见戈戟森森,一队兵掩至,皆“宋”字旗号,景略见其兵少,麾众围之,谁意兵不在多而在精,内有二将,分头杀来,万众辟易,燕超大阴赶上,前后攻杀,死者近万,直奔至韶州梦觉关而止,此兵非他,乃扈德威、韩搏虎、范国昌、司马肃、白映雪、刘知几也。德威等在茶陵,闻广南已定,特来会合。燕超一见范国昌等至,大喜过望,举手加额曰:“宋室有幸矣!”范国昌、司马肃齐曰:“不想独松关一别,会合却在今日。”相与携手回营,与众将一一礼毕,燕超询及扈、韩、映雪诸人颠末,大加称赏,设宴款待,意甚惬洽。次日,退营至五十里扎定。

燕超率范国昌等入城,引见涪陵,涪陵降阶而迎,以宾礼接见,范国昌等不许,涪陵曰:“小子既未造庐,又失拥篲,理合长跽请教,以匡不逮,岂敢倨傲鲜腆,以见长者?”推逊再三,国昌等始行庭谒之礼,起居毕,涪陵一一慰问。燕超始代诸贤各剖哀曲,互陈前事。涪陵即向范国昌、司马肃称谢曰:“久慕芳名,延访未遂,今日贲临,实慰渴想。至白贤士,扈、韩二将军,俱蒙弃官相投,必能光复我家故物。然某昔在太湖,若无刘先生,又焉有今日也?”诸人皆曰:“臣等葑菲之质,樗栎之才,得蒙收录,已属望外,敢不竭尽愚衷,以陈一得之愚,报崖山之仇乎?”涪陵狂喜,置酒称庆。一时觥筹交错,欢呼畅饮,酒半,涪陵正襟而谈曰:“诸君不忘故国如此,赵氏不朽矣!但拨乱反正,恢复中兴,必有高世之才而后可,不然,恐折足覆餗,徒以博天下后世人口实,而无以副诸君之望也!”司马肃曰:“天生斯民,必有司牧,崖山一役,赵氏几无孑遗,独殿下于千岛万屿间,崛起称雄,何愁不济?”扈德威曰:“当此疮民蝗国,盗贼横行,有能拯其危者,莫不欲率土归之,矧殿下以帝室之胄,靖难为心乎?”刘知几曰:“举大事者,必先定国本,以安人心。殿下体人心以复故国,目下义旗所指,无不响应,此人心也,亦大势也!”韩搏虎曰:

“汉南一带，已被贾㺐等骚扰不堪，民之望救，如饥者之望食、寒者之望衣也！元人出师，屡战不胜，安定伟绩，此皆有待于殿下，殿下岂无意乎？”白映雪曰：“寿春汉阳两盗，自应殿下除之，以苏民困，而系天下之望。至定国之计，建国之谟，尚当徐议，所谓求治勿太急也！”岳燕超亦曰：“白子丹之言是也。”范国昌独曰：“殿下所处，与汉唐诸君不同。汉唐之世，不过暴君御宇，权奸窃命，女主僭位，异姓渎宗而已，未以夷乱华也，非有深仁厚泽，不足得民心；非有大功伟绩，不足动天下，所以百战而后定。至殿下所处则不然，鞑靼以乌桓猋集之师，歼我中夏，值国运日蹙之际，劫而夺之，加以剽悍暴戾，狡狯残贼，灭天毁圣，伐掘陵寝，斥儒重佛，狂悖已极，又磔屠生灵，所过蹂躏，虽虎豹豺狼，未若此之甚也！而说者乃以天命归之，即言天命，亦且彗星叠见，太白经天，妖气灾象，地震山崩，古今来中国有如此天子乎？当此生民涂炭，殿下以帝室之裔。仁以禁暴；义以除贼；文以安民；武以靖乱。天戈一指，则荆扬吴越之区，行见箪食壶浆，以迎王师矣！请殿下勿疑。”涪陵大喜曰：“闻先生言，不佞顿开茅塞，吾与蒙古，誓不两立，望诸君勿吝赐教，则不佞幸甚！”种世龙、关普灵推箸而起曰：“光武白水起义，仅一旅之师，某与公等努力同心，何愁大事不成？”涪陵谓众曰：“今日文武云集，会合不偶，此城昔在祥兴时，名翔龙府，今日仍复旧名，以志风云会合。”众人皆曰：“事非偶然，殿下所见甚明。”涪陵再命大设筵席，会集文武，尽欢而罢。

第三十四回　南雄镇雷雨交兵

涪陵将广州改为翔龙府，又得范国昌等风云会合，一时如龙得水，遂觉意气自雄，神采英畅。一日大集府堂商议，谓燕超曰："某欲分兵两路，夹攻元师，一师由五羊城趋阳江，越肇庆、高要等处，纡道以攻韶州之后；一师由峡山出涵晖谷，度浈阳峡，抵曲江，攻韶州之前。卿当其后，某当其前。韶州若下，张景略必奔南雄，可乘破竹之势，长驱直进，使疾雷不及掩耳，一鼓成功。"燕超等皆然之。涪陵留兵三万，命种世龙、范国昌等守城，自率兵一万，以关普灵为先锋，扈德威、韩搏虎副之，余者随军听用，分拨既定，即时起行。燕超亦在营中，令寇复雷为先锋，史进、焦芳次队，斛律亢宗、拓拔琳三队，张怀亮、宇文广四队，自统众将押后，五队并进。又将人马列作五龙奔海之阵，由肇庆抄出韶州右路而进。涪陵前军，径达曲江，至日观台。元兵阻定芙蓉山，当道下寨。关普灵令人哨探，乃大同总兵丁不拔也，暗思：此人乃长洲籍贯，外强中干，必无胆气，命多张旗帜，多鼓金声，以震荡其心，方与之战。果然丁不拔一见宋师，便准备迎敌厮杀，宋营中几次鼓角齐鸣，旗旛麾动，皆不见出战，疑有诈谋，正在错愕之间，关普灵出其不意败之。丁不拔甚忿。次日，又率兵讨战，关普灵横刀勒马而出，战不数合，宋师后队忽乱。因有元兵在后，军士皆惊。普灵下令曰："回顾者，斩。"督兵向前极力攻杀，元兵遂溃。少顷，宋营后元人伏兵，俱被扈德威、韩搏虎二将杀败，四散奔走。宋兵大杀一阵，有元将鄢知节救应兵至，方始收军。涪陵大军既至，谓此间已离韶州不远，且将人马略屯，候燕超兵至，夹攻破之。

且说寇复雷一军，由高要县直趋英德，张景略亦料宋师两路齐进，令马如龙屯兵英德城中，寇复雷思夺其城以抢头功，直抵城下，误入伏中，为马如龙所破，颇有损伤。复雷十分纳闷，自思前队失利，已干纪律，欲极力攻打，又城小而坚，一时不下，左右思索无计。遂跨马出营，且看元兵动静。见城门紧闭. 城西一山，巍然在望，上有旗号招展，人语马嘶。暗思：此山可瞰城中虚实，元兵预先驻扎，防我师乘高以瞰英德也。复雷又问左右："此山何名？"左右曰："此大庆山也。"复雷喜曰："计在是矣！"率兵直往争山，元兵死据山腰，酣战良久，马如龙在城上望见，恐夺去此山，急率兵接应，寇复雷便接住如龙厮杀，不数合，忽报宋兵入城，如龙情知有失，虚掩一枪，回马便走，寇复雷从后追杀。元兵大败，如龙奔至城下，见吊桥拽起，城上悉是宋师，欲奋勇攻城，则箭如飞蝗。又后面追兵已近，不敢迎敌，遂望曲江而走。寇复雷取了英德，暗喜曰："而今可免罪矣！"

且说马如龙带领残兵，直过曲江界口，正遇丁不拔、鄢知节，三人合兵一处，如龙曰；"韶州后路已陷，与公前路相持者，谁人兵也？"丁不拔曰："即赵宋主也。"如龙喜曰："此易与耳。赵涪陵未谙兵事，恃众深入，不知地利，前去有鹿头寨，南道路狭，孤悬一径，吾与交锋，引入绝地。丁将军以精骑断后。鄢将军用柴草、木石阻塞其前，火焚之。

涪陵成擒矣!”二人皆云:“此计甚善,”分头去讫。

且说涪陵兵屯芙蓉山,元将马如龙引本部兵,声言索战,宋营中扈德威、韩搏虎皆愿出马,有副将王建忠曰:“不劳先锋,建忠一往足矣!”涪陵甚喜曰:“诸君如此努力,元师不难破矣!”随命史霸、种世虎领兵五百,从后策应。王建忠引兵一马杀出,见如龙所部悉轻弓短箭,笑曰:“此游兵也!”遂令军士各持长斧,如墙而进。马如龙抵敌不住,拍马便走。建忠骤马赶来,马如龙回身又战数合,建忠抖擞精神,奋勇冲杀,马如龙又败。军士皆弃甲抛盔,骡马糗粮,失落满地,迤逦望鹿头寨而逃。建忠大疑,约住追兵,令人哨探而进。忽又见尘土大起,知是种世虎、史霸接应兵至,建忠闻报,放心前进,且恐二将来分其功,大驱人马,直抵鹿头。鄢知节一军从半山杀出,一派喊声,伏兵即在后面,将干柴乱草塞住山口,顺风举火,烟涨蔽空。王建忠大惊,欲杀回寨口,量已塞断归路,前面鄢知节人马阻住,自知难免,咬牙切齿,大呼陷阵,横冲直捣,杀开血路,鄢知节挥戈迎战时,已被建忠一枪刺中左腕,几乎坠马,赖元兵保护,建忠得以突出,人马折损过半。建忠率领杀往山后而走,却无去路,两厢俱是危崖峭壁,勒马回转,不数里,正遇丁不拔引兵截住,大呼曰:“宋将休走! 某在此等候多时矣!”建忠忿怒,挺枪跃马交手,不一合,元兵先将绊马绳将马拽倒,搭起挠勾,活擒建忠,尽降其众。种世虎、史霸二将引兵杀至山前,被鄢知节一军阻定,二将情知建忠已入虎口,无可救应。忽元兵大队拥出,闻建忠被擒,二将大惊,不敢抵敌,师亦大溃。时有丁不拔、马如龙、鄢知节三将合兵,将王建忠械至韶州,张景略立命枭首,号令城上,并降兵歼之。即出五万骑兵,离城三十里下寨,余者命监军赤老温统之守城。

却说种世虎、史霸领败兵回营,正值涪陵会食,二将伏地请死,言建忠被擒全军尽覆,救应不及之故,一时满营皆惊。涪陵投箸而起,喝退二将升帐,谓众将曰:“张宏范灭我国家,殄我宗社,已属不共戴天。今其子景略又如此猖獗,欺我太甚,某与景略,誓决雌雄。”命史霸由间道走报燕超,令倍道而进,两处合兵,限三日立下韶州,“有功者不吝爵赏,不用命者,杀无赦”,部署既毕,怒气不息,全身披挂,欲亲临战阵。关普灵、皇甫惇二人谏曰:“胜败乃兵家之常。建忠不谙乡道,误陷险地,偶有败挫,大队未损伤也。殿下必亲冒矢石,然则军将何用哉?”涪陵曰:“某不亲临行间,将士焉肯用命? 种世虎、马遇阳二将随身保护,万无一失,诸将努力向前可也。”关普灵等不敢再谏,各厉兵以从。张景略闻之笑曰:“此忿兵也,吾有以破之矣!”即调马如龙、丁不拔、鄢知节、曹伯雄四将为四正;按鸟蛇龙虎,调刘耀、李梁、王豹、牟衍昌四将为四奇;按天地风云,自以一军居中,为天柱;以魏文通、钮师成率二军,出为游弋,入为护卫,战为救应,收为断后,严整旗鼓,阵于曲江之南原。涪陵则命关普灵列阵于东;扈德威列阵于西;自与韩搏虎居中,种世虎、马遇阳二将,紧紧护从。在门旗下,遥见张景略阵前旌旗鲜明,金鼓响应,诸将皆以为劲敌,宜避其锋,涪陵不可。关普灵进曰:“张景略以忿兵目我师,当乘其惰气破之。”涪陵曰:“何谓惰气?”普灵曰:“凡敌人之气,朝气锐,昼气惰,哺气归。故善将兵者,避其锐气,击其惰气,此治气者也;以治待乱,以静待哗,此治心者也;以佚待劳,以饱待饥,此治力者也;勿邀正正之旗,勿击堂堂之阵,此治变者也。今我军宜严阵以待,乘其惰而攻之,敌必走矣。”涪陵深然其策曰:“诚如公言。”果然元阵中两次擂鼓，摇旗喊杀而来，宋师不理。

少顷，元兵人马已惫，涪陵此时勇气十倍，直欲并吞元军，皇甫惇暗喜曰："刘将军遇小敌怯，遇大敌勇，此之谓矣！"涪陵一股锐气时已不可按纳，拥队欲出。韩搏虎曰："殿下率性更阻一会，我师之气百倍矣。"此时元兵已十分劳顿，人思归，马思食，景略亦恐宋师乘之，方欲收兵。忽宋阵中鼓角齐鸣，人人思战，奋勇争先，元兵少退。景略毕竟善战，忙挥动太白旗，即有魏文通、钮师成两军阻住宋师。其余人队，仍结成阵势，号炮震天，八队一齐围上。方方有门，门门有将。马足到处，箭似星流。宋师一时遮蔽不周，韩搏虎曰："此未足奇也。"舞动雕旗，将三阵列作常山蛇势，首尾互应，大战良久，两军未能取胜，各鸣金收军。涪陵回营谓众将曰："景略小竖子，乃能治兵，宏范不死矣！诸将各宜注意，防彼劫寨，来日当设计破之。"

次日，张景略忿甚，直率大军，逼宋营讨战。有扈德威愤然作色曰："景略且不能胜，焉能定广南也?"绰枪上马，鼓譟出营，元将李梁、王豹双马向前。扈德威力战二将，全无惧怯。普灵恐德威有失，拈弓搭箭，觑定敌将，一矢正中李梁右臂，二将败走。突有魏文通挥刀抵住，德威又战魏文通五十余合，魏文通武艺绝伦，精神倍增，德威只能抵敌，不能取胜。韩搏虎舞刀飞马夹攻，张景略速令马如龙、牟衍昌助阵，韩搏虎大喝曰："能战者速来交手，"五将正遇强敌，势不相下。忽探马飞报，韶州城已被岳燕超围困，攻打垂破，三将不敢贪战，勒马便走。景略大惊，鸣金不迭，已被扈、韩二将督兵掩至，景略忙令后队改作前队，且战且退。涪陵命众将齐出，力攻其后，元兵回至营中，喘息未定，宋师追及，乘乱砍开鹿角，景略立营不住，拔寨而起。涪陵率兵，长驱直进。景略奔回韶州，见郡城已破，赤老温偕数员健将狼狈出走，至皇图岭，景略遇之，笑曰："奉旨监军者，乃如是也。"赤老温两颊发赤，至南雄，飞章劾奏张景略，无功失律，逗留不进，请逮京按问。景略大怒，亦表监军不坚护城池，失约，致陷韶州之罪。元主情知二人不和，有误军国，亦悔不应监军，掣时无功，命缇骑赤老温撤回；更切责景略出师三月，恢复无功；令京湖兵马使童应彪调骑兵一万助之，责以后效。景略已失韶州。至南雄拜命讫，乃修理垣墉，备造器械，用重兵分布坚守。自率精兵次保昌县九十里洪崖寺驻扎，以遏宋师。燕超既得韶州，命宇文广驻乐昌；史进下翁源；寇复雷平定各隘口。始请涪陵入城，随至皇图岭，谒虞帝庙，此时涪陵方知王建忠不屈而死，伤悼不已，令寻其尸，葬之曲江。涪陵曰："兵贵神速，可乘势直取南雄；不然，则日久难下矣！"燕超曰："景略亦一劲敌，擒了景略，则庆南传檄定矣！"关普灵曰："某观景略，兵法虽熟，多拘死法，若有机会，元帅当以计胜之。"燕超深然之。涪陵命燕超尽统其众，往保昌而进。燕超令前队以轻骑挑战。景略持重，约束军士，不可轻战，候京湖兵至，再议御敌。相持数日，童应彪兵到，景略问："何以战?"童应彪曰："敌将知兵，未可轻动。某意欲引轻骑，由间道暗袭广州，然后元帅引兵，疾走其营，盖解纷者不控卷，教斗者不搏撠，批亢捣虚，形格势禁，敌兵自溃，此救赵伐魏之策也。"景略曰："将军计非不善，但广州尚有重兵，未可轻袭。此策恐亦瞒不过岳燕超也。不如先挫其锋，此处有地，名曰"黄塘"，可以伏兵，将军领兵三千，军于黄塘，据山列阵，分五百人各带弓弩，埋伏前五里榆林中，敌至佯败，引入浅湾，吾以大军截出，将军可急攻之，信炮响时，弓弩齐发。纵不能大创敌军,亦可少挫其锐。”童应彪见景略不用其策,意甚怏怏,领兵而去。

有宋营前哨史进、右军傅突领游骑数千探敌,直抵黄塘,望见前山旌旗,知有元兵拦阻,拍马向前,正遇童应彪,二将即与交锋,不数合,应彪往后便走,史进不追,傅突曰:“前面无多人马,量无诈谋。”史进遂与傅突驱兵赶去,直上两山,但见榆树成林,阒无鸟声,史进始悟此中有伏兵。前山信炮已响,人马拥出,一将绯袍银铠,盖鄢知节也。二将不敢恋战,刺斜杀出,王豹、李梁率兵追赶,二将奔过林中。忽一声梆子响,五百弓弩手一齐放箭,宋兵死者无数,傅突身中数矢,史进亦带重伤,王豹李梁抵死不退,二将引败残人马而逃,不数里,一军拦住,二将急曰:“今番休矣!”视之,乃张怀亮、杨孝伯也,截杀一阵,元兵始退。史进、傅突回营请罪。燕超怒其轻敌妄战,致损兵威,立命斩之。众将伏地请免,燕超不允,喝斩益力,业已绑赴辕门,关普灵在后帐闻之,即入见曰:“二将失律,理应伏诛,念主上恢复大举,得人为难,宜赦之,使立功赎罪。”燕超初不之许,关普灵视之以目,燕超顿悟,即命召转二将,重责一百军棍,逐出营去。二将羞惭无地,抱头出营。关普灵挥之以手,令速去。傅突愤懑中烧;史进暗思:既从宽免死,应责后效,胡为见逐?但关先锋亦挥手使去,决有深意,将入后帐问之,忽自悟曰:“是矣!”遂同傅突径去,当夜投于童应彪营中,言:“战败回营,为燕超斥逐,愿投麾下自效。”童应彪初疑有诈,二将大哭,曰:“我等忠而获谤,信而见疑,宋营被逐,不投大元,将投汉阳、寿春耶?不如以死自明,”夺左右佩刀,遂欲自刎。童应彪忙令救免,终疑是计,且曰:“斥责受辱,无可证验,此诈降计也!”二将又哭诉前事,谓:“如何问斩,如何受棒,如何告免,且某二人随赵涪陵最先,江右闽中,皆某二人血战所经,今岳某有小才,一旦得志,旧日将佐,无不受其凌屈,人心不属,妄自尊大,犹云指日可定广南,所谓鼈翅瓮中,而尚诩诩焉自咤为垂天之翼也,不亦傎乎?”童应彪疑信参半,命启其两臀视之,见皮开肉绽,鲜血淋漓,目不忍视,暗思:受杖非诬,始录用之。因问:“广州虚实,可袭取否?”二将曰:“广州有重兵控守,种世龙、范国昌等防范綦密,袭之末成功,目下可袭者,惟韶州耳。”童应彪怒曰:“汝二人诈也。广州且不可袭,而云韶州,韶州新下,又系赵涪陵居守,岂无重兵?二人决有诈谋。”速令斩之。二将神色不变,大笑曰:“将军徒居幕府,行军机宜,尚欠分明,兵法不云乎?十则围之,倍则攻之,广州久据,根株已定,韶州新下,人心未坚,目下虽系涪陵控守韶州,然自恃其近,仅以数千人马镇之,何不可袭之有?”童应彪始回嗔作喜,谢曰:“非二公指迷,几误大事。”设宴待之,叩以兵事,应对如流,暗思:宋营无目,如此将才,弃以资敌,良可笑也?二将请袭韶州,愿得执鞭,共效尺寸。童应彪亦坦然不疑。二将遂暗暗报入宋营,应彪谋之景略,景略曰:“兵不厌诈,恐宋人之苦肉计也!”应彪谋以一军探之,见可而进,景略不从。应彪坚请欲行,景略惟戒以慎重,不可妄动,虽无功亦无过。应彪大怒曰:“袭广州则云有兵,袭韶州则云有诈,从裹粮坐甲,将欲天雷震杀宋师耶?吾奉元主密旨监军,恢复城邑,尔拥兵逗留,有心欲学狄定国乎?”景略不得已,以一军付之,且曰:“降将宜送至大营为质,不可同往,恐生他变。”应彪曰:“即在某营中,用兵守之,何害?”景略又拨马如龙、丁不拔、牟衍昌、钮师成四将率兵一万,缓缓而进,自引大队,驻保昌界口,以便策应。时燕超既得密报,即升中军帐,大集将佐,如关普灵、寇复雷、扈德威、韩搏虎、张怀亮、马遇乐、杨孝伯、斛律亢宗、焦芳、史霸、牛竑、张燕、宇文广、洪时锦、刘瑛、岳镇、岳坤、拓跋琳、虞凯、王麟、吴广、吴康、查士珩、种世虎、马遇阳、马晋臣等。除去史进、傅突，营中尚有三十六员将佐。时燕超发言曰："胡元歼我宋室，夺我中夏，某与诸公先代，无非宋室股肱。虽天命已去，不能救之于未亡之前，而人心思奋，何难复之于既灭之后？主上既卧薪尝胆，我等宜破釜沉舟，兴复大举，在此一战，诸公各宜努力，勿得退阻，有功者赏，违令者诛，军法所关，万不徇隐。"众将皆曰："诺。"燕超遂将红旗一面，令关普灵为南路先锋，统焦芳、史霸，领兵七千，概用红旗红甲红缨，至南雄镇，按南方丙丁，离位埋伏，如胜，即打南雄府之西，应火克金；将青旗一面，令寇复雷为东路先锋，统牛竑、张燕，领兵七千，概用青旗青甲青马，至南雄镇，按东方甲乙，震位埋伏，兵进城下，即打南雄府中，应木克土；将黑旗一面，令扈德威为北队先锋，统刘瑛、岳坤，领兵七千，概用黑旗黑甲黑马，至南雄镇，按北方壬癸，坎位埋伏，如胜，即打南雄府之南，应水克火；将白旗一面，令韩搏虎为西路先锋，统查士珩、马晋臣，领兵七千，概用白旗白马，白甲白缨，至南雄镇，按西方庚辛，兑位埋伏，如胜，即打南雄府之东，应金克木；又将黄旗一面，令张怀亮为中队先锋，统吴广、王麟，领兵七千，概用黄旗黄甲黄马，至南雄镇，按中央戊己，中路埋伏，如胜，即打南雄府之北，应土克水；再调斛律亢宗，引兵五百，优于张景略营之左、拓跋琳引兵五百，伏于景略营之右，候敌兵一出，即掳其辎重，拔元帜，立宋帜，但据其地，不可出战，又调马遇乐、杨孝伯、宇文广、种世虎四将，各领兵八百，由曲江直抵保昌，沿途埋伏，候敌兵既过，始出诱战，许败不许胜，务将敌将引转南雄，便算功劳；再令虞凯、吴康领兵五百，至洪崖山左童应彪营中，救出史进、傅突，即偷上山巅，火焚洪崖寺，以惑乱景略之心，不可竟奔韶州，防有他变；令长子岳镇引兵五百，沿途号召接应，指挥进兵，昼则扬旗，夜则举火，会合史进、傅突，以蹑景略之后。景略既败，必奔梅岭，万不可放过，如违，先斩汝首。岳镇受命而退，燕超保护涪陵，固守韶州，命马遇阳、洪时锦二将，屯兵城外韶石山，以备不虞，分拨已定，诸将各去，燕超不敢御甲，登城昼夜巡警，以待捷音。

且说童应彪统轻骑万余，望曲江而来，方过保昌，近清浦县界，忽后面连珠炮响，童应彪心疑，暗想：景略救应兵至，决不举炮。正走之间，忽探马飞报宋兵果在后面，掩袭而来，应彪大怒，情知中计，忙将后队改作前队，拨马回转，至石牛岭，正遇宋将马遇乐一军拦住，应彪举枪就刺，不三合，败走。遇乐竟不夺路抢过，反奔保昌，童应彪暗笑：此贼命合休矣！沿途俱有接应兵至，所谓自投罗网也。吾令不袭韶州，先擒此将，偏不落汝圈套，督车追杀回转。遇乐正奔走不暇，忽元将钮师成一军排开，遇乐略战数合，方欲败走，童应彪大军亦至，遇乐不敢恋战，落荒而走，钮师成曰："童将军与某率性杀回，会合诸将，擒获此贼，再振旗鼓，袭韶州不迟。"应彪然之，合兵而行，不数里，宋将杨孝伯杀来，放过马遇乐，敌住元兵，应彪、钮师成双马来战，孝伯不敌，几乎坠马，牟衍昌一军又至，截杀一阵，宋将马遇乐、杨孝伯弃甲抛戈而逃，童应彪遂合三人之兵，穷追不止，随又见元兵旗帜对对，戈戟森森，马如龙、丁不拔二将屯在前面，遇乐、孝伯正在逃窜，马如龙、丁不拔亦分兵截杀追赶，五将会合，童应彪益发气壮，迤逦赶去，忽号炮一震，宇文广、种世虎左右杀出，列开阵势，纵马舞枪，敌住五将，遇乐、孝伯回马夹攻，童应彪怒发如雷曰:“此兵且不能破,焉能袭韶州,复广南哉?”挥刀跃马,正往斯杀,宋将见山椒岳镇,已将红旗招展,遂一齐败退。马如龙曰:“宋将明系诱敌,决有埋伏,将军不可穷追。”童应彪曰:“纵然诱敌,乃败而反走,已是鱼游釜中,况前面尚有元帅大军未动,虽天罗地网,不足惧也!”马如龙曰:“某所虑者南雄耳,此间胜败,何足介意,不如趁此全师而还,会合元帅,别求他计破之。”童应彪作色曰:“将军惧战,请回营中,饱食安坐,应彪乃关西男子,不畏死也!”马如龙不敢多言,立命小校飞报景略,请速接应。景略骇异,令人往应彪营中,将史进、傅突囚在后军,用健将四召护守,防其逃逸。始命王豹、李梁紧守大营,自率兵接应。行三十里,忽回头见洪崖寺火焰烛天而起,急遣鄢知节回营护卫,心中疑异,缓缓而进,以便接应两头。谁知斛律亢宗、拓跋琳二将,乘景略起行后,即乘虚夺营。虞凯、吴康、岳镇三将引五百壮士,突入左营,杀散军士,四员健将俱被岳镇搠死。虞凯打开囚车,放出史进、傅突,吴康领捷足军士数十人,溜上山椒,纵火焚寺,僧人不知就里,四散逃出。当时五将会合,直奔大营助战,王豹、李梁皆非斜律亢宗、拓跋琳之敌,弃营而走。二将降其余众,改换旗帜,遂据其营。五将继至,一可据守。时鄢知节将兵回营,至中途,遇王豹、李梁,知大营失陷,大惊。见族旗飞动,悉是“宋”字,鄢知节大怒,杀近鹿角,强弓硬弩,利镞穿骨,人不敢近。鄢知节已中数矢,大惊而退。王豹、李梁亦被乱箭射回,营中竟一骑不出,三将无可如何,引兵去讫。时张景略已合着应彪之兵追宋师,三将引败兵亦至,景略闻夺去营寨,失许多辎重,大怒曰:“贼将如此猖獗,吾誓决雌雄。”马如龙谏曰:“元帅宜慎重,此间据末将愚见,决有诈谋。”景略曰:“何故?”马如龙曰:“苦肉计败露,诱敌至此,宁遂已哉?穷寇勿追,望元帅三思之。”景略知童应彪倔强,不肯退兵,乃下令曰:“南雄空虚,防有他变,且分兵一半,护守城池,再议攻战,即请童将军去保守南雄,某等力任攻杀,以均其劳。”童应彪抗令而言曰:“将军之意如何?”应彪曰:“此去离南雄仅数十里,呼吸可应,不如分兵两路追杀,且战且走,见可而进。”景略按地理图示之曰:“此间即南雄镇之西陵道也。南雄镇距郡城四十五里,两路可通:北多险阻;南较平坦。某与将军从西陵分兵,全队退入城中,再追杀不迟。”童应彪大言曰:“如此,元帅请回南雄,坚守城池。战者自战;守者自守。南雄设有疏虞,应彪当来救援;应彪若有败挫,南雄亦来策应,则首尾成犄角矣!”景略知应彪执意,不可阻挡,即分兵二万,健将十员,与应彪追杀,行至南雄镇,遂各下营寨。此时童应彪方令人探宋将败往何处,打点进剿,战而捷,再拔韶州。忽轰天雷震响数声,两营皆惊讶不已,只见宋将马遇乐、杨孝伯、宇文广、种世龙仍督败兵,杀奔南雄镇来。重应彪见之,尚不以为意。惟张景略以宋将出没诡异,十分着急。丁不拔、王豹、李梁正在出马,种世龙上前,手起一枪,刺李梁于马下。一时伏兵,五路俱起。见正西韩搏虎;正北雇德威;正东寇复雷;正南关普灵;中央张怀亮,五将杀来,各执五般兵铠,各树五色旗帜。明分八卦,暗合九宫。按十干五星,列成五方五帝之阵。张景略认定前后,令众将分头杀出,则前后势若长蛇,首尾救应,坚不可攻。景咯又列作两翼,约住众将,分左右而进。则左右如龙虎之形,风云会合,无懈可击。景略见不是头,勃然大怒,令童应彪临阵。应彪见宋兵如荼如火,四面八方,若有百万之众,束手无策,亦不知从何处杀起,不得已,舍命向前,直犯王西韩搏虎,见白旗缭绕,搏虎忽然不见,惟左有查士珩，右有马晋臣，双枪并举，应彪奋勇，力敌二将，不提防门旗下突出韩搏虎，一马杀出，应彪措手不及，被韩搏虎刀劈马下，二将取了首级，白旗高举，阵势依然。元兵死者无数。丁不拔杀奔正东，寇复雷挥动青旗，牛竑、张燕二将敌住。不一会，旗开处，寇复雷一矢射来，丁不拔虽勇，奈痛不可忍，被张燕一斧砍死，金鼓不震。张景略见连折二将，急督众军，一齐混战，思乘势杀出，直奔南雄，再作区处。谁知宋兵五队，团团围住，自未初杀至黄昏，不能杀出，已戳伤刘耀、箭毙曹伯雄，人马损失大半，元师大溃。当夜雷电交作，风雨骤至，元兵混杀一会，冲突而出，急奔南雄，喘息未定，宋师随至，一声响喊，五路人马将南雄府围定，关普灵率焦芳、史霸攻其西；寇复雷率牛竑、张燕攻其中；扈德威率刘瑛、岳坤攻其南；韩搏虎率查士珩、马晋臣攻其东；张怀亮率吴广、王麟攻其北，电光闪烁，灯火照耀，如同白昼。幸城中有生力军二万有余，守御皆备，攻至三日，马如龙巡至西域，偶被流矢所中，拔箭而死。太守姚映藩朝服望阙，仰药自尽，其余将佐，死者甚众。关普灵知城已垂下，便撤开西路一军，张景略果然力不能支，令钮师成、牟衍昌二将作头队，魏文通、鄢知节二将作二队，自己断后，弃城而走。不数里，焦芳、史霸分两翼杀出，牟衍昌措手不及，被史霸轻舒猿臂，活擒过马。钮师成舍命与焦芳厮杀，二队魏文通、鄢知节亦至，焦芳不堤防，为鄢知节暗箭所伤，翻身下马。钮师成正欲举枪，忽后面有人大呼看箭，乃刘瑛也。岳坤随后上前，舞枪敌住，钮师成已箭中左肘，宋兵已将焦芳救起。刘瑛、岳坤截杀一阵，魏文通、鄢知节、钮师成三将夺路而去。比张景略杀出城时，有寇复雷、韩搏虎二将所部齐至，张景略不敢贪战，突阵而走。忽前面关普灵一军拦住，景略命副将王豹出马，不一合，被关普灵挥刀斩之。张景略随与交锋，不三合大败而走，关普灵放马来追，大呼曰："张景略，汝父张宏范，能灭宋室，今日天道好还，汝非冲霄之羽，料难出罗网也。"景略尚率残兵数千，舍命奔走，只见先来诱敌之马遇乐、杨孝伯、宇文广、种世虎四将一齐排开人马，阻定去路。后面关普灵亦相距不远。景略情急智生，令从军抛弃骡马铠仗，器械财物，以饵宋师，果然军士见了财物，皆争出抢夺。景略奋勇挺枪，又冲杀而去，四将紧紧追赶，直至南安大庚县界，景略奔上梅岭曰："任汝穷追，今无奈我何矣?"盖此岭为五岭之一，江右广南，两界之间，岭上多植梅花，中通一径，乃唐时曲江公张九龄所凿。景略自谓登岭，有险可恃。忽山坳中锣声鼓响，有岳镇、史进、傅突、虞凯、吴康五将引五百刀斧手，一齐涌出。时张景赂已身带重伤，随身将佐死亡殆尽，军士面面相觑，实不堪战，景略见此光景，情知不免，叹曰："吾命休矣!"勉强兜马向前。宋将史进奋勇争先，挺枪便刺。马遇乐等四将追兵亦到，紧紧围定。岳镇、傅突四人，又左右夹攻。不一会，景略已血流被面，大呼曰："天亡我也!"又北向泣曰："臣力尽矣!"遂拔剑自刎。史进取了首级，众将上前，争脔切之，尽降其众。九将合兵，回至中途，遇关普灵引兵至，闻景略已死，一齐收兵。是役也，张景略丧师七万有余，死大将三十余员，列将百余员，免者鄢知节、钮师成、魏文通，三人率裨将数员三万余众，不敢径过南安，由间道达临江而归。自此一战，元兵闻宋师之名，皆胆落矣。时关普灵待兵屯城外，众将齐入南雄，寇复雷等安辑军民，整顿公廨，备接涪陵。

次日，涪陵、燕超随至，诸将各上功毕，涪陵再三劳慰，急令皇甫惇出榜晓谕军民，不用元政，仍行宋法，与民约定，秋毫无犯，问伤吊死，鳏寡孤独，皆有赈恤，人心大悦。涪陵随设香案，书故宋列祖神主，用张景略首级祭告已毕，命史进镇守南雄，傅突副之，以酬其功。保昌始兴两县，官吏如故，刘知几权府事，兵过韶州，以刘瑛、吴康留兵镇之，乃回翔龙府。于是将士皆有推戴涪陵正位之意。涪陵恐广南初定，人心未属，辞以稍缓。燕超又与范国昌、种世龙等，再三劝进，且曰："殿下固以让为美德，然海内无主已久，将士血战疆场，九死一生，犹无名号推翊，独不灰将士之心乎？"涪陵不好推辞，始择吉日，祭告天地，昭祀神祇，尚无宗庙，乃书一十八帝神主，先行祷告。即于翔龙府进爵为涪陵王；行省公署府第，改为翼天殿；论功行赏，大集文武，以范国昌为参政，兼少傅；种世龙、韩昭为左右丞；司马肃、李穆为左右参议；皇甫惇为赞善大夫；岳燕超为武威大将军，都部署；狄定国为武功大夫，行破虏将军，兼防御使；关普灵、寇复雷、高耀卿、韩靖夏、扈德威、马遇乐、张怀亮、韩搏虎、刘瑛九人，俱骠骑将军；白映雪为学士，知制诰；马遇阳、刘瑝、宇文广、杨孝伯、种世虎、斛律亢宗、拓跋琳、焦芳、牛竑、张燕、史进、史霸、岳镇、狄勇、傅突等，授怀远将军；任天鹏、夏侯杰、岳坤、吴广、正磷、吴康、虞凯、洪时锦、李继业、查土珩、马晋臣、王方、庹靖、屈突申、廖云、王彦、陈同等，俱武议大夫，兼都尉；侯长孺、葛天民、苗秀实、刘知儿、冯道南、长孙轨为资政大夫；耿进诚、宗梦弼、苏伏威、韦蔚文为资治少卿；陆宣、陈畅、陈华为中丞；庞英、张昌、石雄、王辽、朱昶、朱升等为武功郎，大开帑藏，赏劳三军，阵亡之家，俱有优恤，随征将士，死者另加封赐，一时翔龙府欢声鼎沸，文武逐班拜舞谢恩毕，设宴大庆。时广南已控六府一州五十七县，惟高廉、琼雷等四州，未入版图。福建控三府一州二十一县，江右控四府二十五县，兼有茶陵一州，直抵衡湘。涪陵王乃加狄定国为副统制，镇建昌府，当江右一面；高耀卿为留守司，镇邵武路；韩靖夏为兵马使，用重兵镇杉关，二人当闽中一面；寇复雷为都监，率吴广、王麟引兵三千，驻茶陵州，兼制桂岭；而用牛竑、张燕、马晋臣三将，守北藏、上梧、蓬头三关，遥应江右；斛律亢宗守福宁州，史霸守潮州，二将俱用重兵防海寇；韩搏虎镇吉安，阻临江一路；宇文广、杨孝伯、拓跋琳三将守肇庆，防湘湖兵至；降将李继业，加团练使，仍守漳州；王方已老，不作外任，调归翔龙府，作金吾将军。其余各郡守，略加更移，如葛天民知翔龙府、侯长孺知韶州府、刘知几知南雄府、冯道南知肇庆府、长孙轨知惠州府、陈畅知潮州府、李继业兼知漳州府、苏伏威知邵武府、宗梦弼知汀州府、耿进诚知建昌府、苗秀实知抚州府、陆宣知吉安府、群蔚文知南安府。其余武将，俱分制险要，弹压各处，以靖人心。

第三十五回　德报德上官朴免祸

松江府娄县韦子琇，以丞倅宦游山左，得青州之乐安主簿，家小侨居于青，自以一琴、一鹤赴任，不半载卒于任所，宦囊如洗。一妻一女，由青州奔至丧次殓毕，舆榇不能归里，遂瘗乐安。母女二人，茕茕无依，艰苦万状，以女红佐薪米，每至缺乏，贫病交迫，继而转徙靡定，流离东昌。有聊城尉署内招乳媪，急往投之，其女偕往，谓自此可免饥寒矣。不久，尉挂冠去，母女仍大窘。有怜之者，令入澣衣局，终日任劳，渐获安燠，忽又卧病，并澣衣局亦不能执役，母女束手待毙。又值岁荒，只得卖女与一富商作小鬟，得银四两，正将诀别，母女抱头而哭。忽有一人，来问其故，母具告之，其人恻然，拂袖而去。少时，案上得银一锭，知为此人所赠，欲追谢，已不知所往。母乃还富商之银，骨肉保聚，相赖以生，而终以不识赠银之人为憾。有知之者曰："此高唐州上官朴也，其人好行隐德，往往有不令人知者。"且说上官朴，字太贞，博学能文，然不事章句，好击剑，落落有大志，慷慨重义，乡里多德之。夕有偷儿入其家，被拿，责之曰："堂堂五尺，何甘作梁上君子？"偷儿泣拜曰："母老家贫，千里投亲不遇，路无资斧，不能归故乡耳。若蒙恕宥，誓当自新。"上官朴闻之动心，乃曰："穿窬之行，不可再也。"取银十两与之，偷儿拜谢去，家中仆役，无不笑以为愚。

一日泊舟临清江下，夜静，闻邻舟哭声，迹其所在，至最远一舟得之，见一男子，白皙而修，望月而泣，叩以故。其人姓方，名连茹，徐州砀山人也，曾隶辽阳镇都督麾下，因至常州无锡等处，为都督运河粮，中途闻家中母病垂危，拭目以等永诀，欲赴辽阳则不孝，欲归砀山则不忠，心中如碎，是以悲耳。上官朴问："同行几人？"连茹曰："仆某一人。"又问，"河粮，他人可代运否？"连茹泣曰："长河数千里，干系非轻，谁肯代为任者？"上官朴遂力肩其事，谓曰："某高唐州上官朴也，辽阳一役，某任之，决不负公。文簿册籍等项，速速交出，汝星夜直归砀山。以尽人子终天之念。"方连茹一闻此言，五体投地，谢曰："感君高厚，实同再造，此间河粮二千三百五十八斛，号船五十只，船户人名，册籍可稽，札付批文等类概以交君，沿途无碍。但都督袁珙，素极傲岸、峻急，因目下真定刘勇士余党窜登莱间，其势复张，朝廷欲行剿除，急需军饷，海道太缓，命某度淮，倍道而进，至天津营交纳。君至彼处，先见刘参军，直陈某意，自有方略，"言毕开船，匆匆而去。上官朴待至天晓，唤集船户，遂名点查，并道已意，顺风开舟，不日直达天津，至参军衙内投文交割。参军刘孝德，命粮官验过米色，登时收楚，立传方记室入见，上官朴坦然直入。孝德一见愕然，上官朴参谒已毕，备陈颠末，自言："愿伏庖代之罪，以尽彼人子之心。"刘孝德回嗔作喜曰："足下乃诚实君子也，倾盖相逢，素无一面，能寄托大任，可敬可嘉，但方记室之事，某须向幕府处力为周旋，以全足下盛意。"上官朴称谢。刘孝德请至宾馆，设宴相待，两情相投，备极款洽，饮至更深始出。盖方连茹乃刘孝德之甥，连茹母病垂危，孝德自然极力周全。次日与袁都督说知，都督亦无异言。刘孝德心义上官朴之为人，荐于都督，请重用之。都督用掌书记，旋用为参谋。时登莱业已兴师。袁都督引兵会剿，即命随军听用。兵过海州、盖州，由金川卫所直达登州。袁都督知会两镇，率兵进剿，一战莱阳，再战旗山，三战海宁州白沙河，追过昌邑，势如破竹。再抵胶东，进劳山，路途渐狭，且多险阻，上官朴谋曰："连战皆捷，都督之威力矣！宜屯兵险要，先播威德，剿抚并用，不可深入重地。"袁都督不听，大驱人马，直捣劳山，登莱两支人马，一剿石城蛇皮岭余党，一追焦山豹林等处，惟袁都督所部，迤逦驰去，沿途俱无敌兵阻滞。袁都督喜曰："贼已入吾掌中矣！"上官朴又谏曰："彼虽乌合，恐有诈谋，宜探虚实，待两镇兵至，三路齐进，方保无虞。"袁都督一股锐气，横捣直冲，有进无退。上官朴十分忧虑，议将人马分作三队，先后继进，即有不测，可相救援。袁都督勉从其策，自作前队；裨将段逵、鲁镐次之；上官朴领后队策应。分拨已定。袁都督纵马当先，直入谷口。见山路崎岖，并无人影，遂放心前进。

正行之间，忽山坳里鼓角齐鸣，贼兵分左右杀出，截断归路。前队陷于伏中，火炮石子、万弩齐发，袁都督虽骁勇，已身带重伤，部下死亡将尽，仰天叹曰："悔不听上官参谋之言，乃为鼠辈所欺。"拔剑自刎而死。全军尽覆。一时敌兵蜂拥大出，二队段达、鲁镐力不能支，弃甲抛戈而走。死者枕籍，不计其数。上官朴后队，犹隔数里，闻前军失利，督兵疾进，慌忙迎敌，愈杀愈众，以全军渐次陷没，乃弃马卸甲，杂乱军中而走，敌兵一拥擒住，缚赴大营。当晚大犒三军，欢呼畅饮。上官朴知已必死，忽一贼直入后帐，四顾无人，竟开囚车，释其缚，悄悄引出后帐，指明山谷，赠以干粮，命速走。叩其姓名，则即向日赠金之偷儿也。再欲问之，惟用手一推，令疾走，不顾而去。上官朴遁出山峪。数日，始遇着残兵，会合段达、鲁镐二将，回至辽阳，人人危惧，静候朝命。时直省平章，业已奏闻世祖。世祖大怒，命将辽阳镇随征大小军官，并登莱二镇将齐逮入京，系狱论罪；另调保定府总兵胡深，镇守辽阳；再命曹州府兵马都监阿沙不花剿贼。旨下，刘孝德叹曰："可惜上官参谋，为都督所误，岂不冤哉！"临行时，孝德惟多赠礼物，珍重而别。上官朴等入燕，经三法司会勘得实，以副将段逵、鲁镐失护主将，临阵而逃，致陷全军，论斩；登莱二总兵，分军剿贼，逗留不进，从宽革职，军前赎罪立功；参谋上官朴，虽再三谏阻，计议未行，然已充后队，不能救援。与失律同科，拟决监候；袁珙愎谏丧师，虽阵亡不与荫袭，请旨定夺。上官朴闷坐天牢，日待旨下，淹及一年，竟成立决，自叹曰："华亭唳鹤，东门牵犬，人事大抵如斯，但首丘之悲，未知尸横何处耳！"将至岁暮未决。忽一日有兵部尚书董文用，表称：劳山贼党肃清，登莱总兵业已复职，袁珙荫子，已仕至都督同知，惟辽阳镇参谋上官朴，未能免罪，非圣主深仁厚泽之意也，亦宜复职以责后效。旨下，仅允免死，放归田里。上官朴死中得生，既出狱，自思待死年余，乃得一素昧生平之董尚书，上表拯拔，不可不一识其面，乃具名帖，赴尚书省启请，尚书即时传见，上官朴伏地陈谢。董尚书曰："老夫为公为国，非市恩也，有恩于足下者，其崔谏议乎。"上官朴唯唯而退，满腹疑义，问明谏议公署，在给事中衙左，又往叩谏议大夫崔百禄，谒见时，崔百禄乃曰："救汝者，兴文署陈学士也。"上官朴又唯唯，随又往集贤院，拜谢学士陈功甫，即升堂，方欲跪下，学士用手扶住，笑曰："救足下者，更自有人，小弟不妄受也。"上官朴大惊，暗讶：此也不是，彼也不是，宁鬼神之呵护，群仙之手援耶？

正在沉吟，学士又笑曰："此足下之自救耳，少时便知，"随命设宴款待，上官朴勉强就席，学士坐于主位，殷勤把盏，上官朴此时，匕不敢擎，卮不敢举，如坐针毡，较在天牢，其难尤甚。俄而，帘卷处，一丽人明眸皓齿，珠挡玉珮，锦妆花簇，数小鬟扶持，如携蔷薇一支，摇曳而出。上官朴急欲起避，丽人已俯伏席前，口称："恩人高厚，铭感不忘。容妾拜谢，略酬万分之一。"上官朴不知所措，急问其故，学士曰："此弟小荆，即足下东昌府赠金之韦女也。"上官朴心始恍然，因念无意间所救二人，今日大难，深得其力，十分感激，因问尊阃遇合，在于何所。学士曰："弟昔在滁州未遇时，已丧前妻，再娶梅氏，至正二十年，梅氏又故。继得史中丞荐剡入京，道经彭城，遂聘此女，迩时母女相随入燕，不久其母遂卒。每言足下大恩，无缘报答，及闻被难，寝食俱废，令弟保救。奈弟职非言路，因恳敝同年崔谏议代弟上章一言，崔谏议亦虑事关军情，难回上意，又转恳其老师董尚书，幸得允旨，不辜韦氏之意。然溯其由来，非足下之自救乎？"上官朴如梦初觉，犹再三称谢，韦夫人不置。学士笑曰："从此书断鸿沟，二家皆以恩报恩，完此一段公案可也。"上官朴此际，疑虑尽释，方欢然与学士陈功甫开怀畅饮，誓结昆仲而别。

数日，离京欲归，忽忆辽阳刘参军颇重义气，不可不往辞之，以示来去分明。仍转辽阳，以布衣谒见。刘孝德喜出望外，安慰再三，礼意殷勤，款洽数日，告别，孝德执手言曰："黄钟毁弃，瓦釜雷鸣，吾深为公惜，并深为朝廷惜耳！但目下此镇都督，比前任刚愎尤甚。愚甥方连茹，闻已投故宋去了，足下珍重，遇合尚自有期，上官朴亦应以得时则驾；不然，急流勇退可也。"二人依依不舍，洒泪而别。上官朴遂由天津，不日抵东昌，风景依稀，桑梓未改，至其家，则庭户封锁，蛛网悬空，前后皆扃，阒无人声，不胜骇异。往问比邻，皆言："女家已通仕籍，官参议，令人迎家小赴任所矣！"上官朴目瞪口呆，不知所谓，暗晾曰："宁吾业已朝露为异物耶？"复视庭树萧疏，修篁窈窕，故园旧井，明明在目，彷徨久之，里门外忽一骑飞至，滚鞍下马，视之，乃老仆王安居也，自言："千里觅主，今幸相遇。"问何来，答曰："徐州。"上官朴急问家室何往，王安居曰："主人别后，家中大有异事，"遂历历言之，先是上官朴有弟，曰上官诚，韶年秀美，励志下帷，仁厚有朴风。一日，寒食游野外萧寺，见二桐棺露殡所，不忍正视，方欲反，日已昏暮，乃投宿寺左庄户家。是夜，风月澄霁，忽听外有吟声，其一曰：

野烟禁处故人稀，埋首荒原无所依。
春草年年寒食露，离魂犹共鸟争飞。

又有一吟声微低者亦曰：

翠袖香消云鬓斜，飞飞燕子客还家。
荒村无人作寒食，夜月空临棠棣花。

凄绝之音，动人悲楚。上官诚素有胆识，起视之，二女子，一衣紫，一衣绿，俱绝代佳丽，愁惨之态，似无可告语者，问其故，二女子曰："殡宫雨风飘拂，求君子举榰葬之，则泉下人不朽矣!”上官诚许诺,二女子奄忽不见。次日,将二棺瘗之高原,以帛爵奠之,始归。时上官朴已赴辽阳,家有小厮曰王四,素黠,托病逃役,唆众不和,诚累责之:“待兄归,将摈斥焉。”王四又与众詈而殴,四诉于诚。四本理直,而诚以黠故呵之,王四大恚。越日黄昏后,诚卧书室,淡月微星中,见先后数人,蓦然直入,少顷,榻下有声甚厉,烛之,则王四晕绝在地,犹手持利刃,呼仆从起而缚之。知四行刺,诚大怒,将鸣于官。其嫂刑氏,劝以存厚,不如逐之,生死听所适。诚遵嫂命。王四既出,仍投一大姓家为奴。诚不之理,昼则经纪出入,夜仍扃户读书。一夕方挑灯,忽见前日萧寺中所葬二女子,紫绡绿罗,俱作鸣蝉髻,贴翠凤翘,丰姿绰约,流光顾盼,益增妩媚,双双而入,敛衽致谢,诚甚异之,因叩生前姓字里居,紫绡者曰:“妾,琇琴,沈氏,舒城人,父以司李,官堂邑,妾颇耽书史,好笔墨,父钟爱过甚,未笄而夭,”又指绿罗者曰:“渠名倩桃,即聊成邹内翰之侍女也。元兵扰攘,停棺萧寺,历十有余载,感君高谊,得托幽壤,前恶奴不逞时,姊娣小用斡旋,然不置之死,恐将来祸未已也。”诚始悟当晚王四之晕绝者,二女力也,谢曰:“感卿救护,得保首领,未来隐忧,可明示乎?二女曰:“不足虑也,但小有虚惊耳。临时,自有分辨。”诚又问:“卿等处地上乎?抑处地下乎?”二女子曰:“鬼在地下,犹鱼在水中也,地之不碍于鬼,犹水之不碍于鱼也。”诚曰:“地下阎浮提主者,有更换乎?”二女皆曰:“然。”诚曰:“地下主者,德以何为重?”二女曰:“纯孝。”诚曰:“恶以何为先?”二女曰:“淫恶。”诚曰:“幽明无二理也。”又问:“地狱之说,果有之乎?”二女曰:“俱在人世。”诚曰:“然则十八重之语何说?”二女子曰:“此特论其理耳。夫人于眼所见,耳所闻,鼻所嗅,舌所味,身所触,意所思处,为六根界;色、声、香、味、触、法,为六尘界;眼识色为眼识界,耳闻声为耳识界,并鼻识界、舌识界、身识界、意识界,为六识界,总为十八界,夫十八界,即十八重也。释氏以心即佛,妄为业,皆目前者也。使六根、六尘、六识,不得其所,即地狱耳。”诚曰:“然则长人土伯,皆为寓言,烂土雷渊,俱无实地,前此之言地狱者,不皆谬乎?”二女子曰:“地狱之理,为中人而言,若穷凶极恶者,生前十八界,俱得其所,没后始用业风团结,成种种形状,受无量布苦,盖不如是,不足蔽其辜。”诚大喜曰:“地狱乃不常有,而亦不常无,所谓无常也。”又问:“二卿主者为谁?”二女曰:“女子最重者守贞,一有不贞,则无处而非约束。妾二人贞魂,独往独来,即阿姆坤英夫人,亦不拘也。”诚曰:“二卿乐生乎?乐死乎?二女曰:“生来死往,岂有往而不来之理?然与其不顺而生,宁死而得其安也。”诚笑曰:“二卿甚乐其死,能携吾一游乎?”二女曰:“然则君好死而恶生也。”诚笑曰:“不然,卿辈芳泽伊迩,犹之购十二金钗图,作一销魂窟,宁不春宵一刻千金值乎?”二女子掩口笑曰:“郎君辞亵矣,幽魅之气,不足以奉巾栉,将报君者,反害君矣,愿订文字交结再生缘,可也?”诚闻言,爽然若失,敛容起敬曰:“料得也应怜宋玉。”二女齐声曰:“肯教容易见文君?”既而曰:“今夕之遇,不可无词,以记其事。”紫绡女子沈琇琴遂首唱云:

罗袜无尘悄访君,西窗剪烛共论文。
痴情纵有高唐梦,不作巫山一段云。

绿衣女子倩桃亦云：

夜雨春郊点翠钿，短歌唱罢冥冥天。
感君高谊托华表，化鹤来归订夙缘。

上官诚细味诗词，怅然久之，亦奋笔书云：

良宵大好入芳丛，金屋徒劳撇梦中。
绛雪丹烧犹有待，元霜臼捣竟何功？
鞋尖彩凤双飞紫，袖底鸳鸯一捻红。
咫尺蓝桥增惆怅，偏将别恨恼文通。

二女子叹曰："郎君情深，见于辞矣！然宜自保重，郎君固非红楼选梦者流，而妾辈亦非紫陌寻春者比。姊娣勉为之，则嬴台月暗，双凤可乘，铜雀春深，二乔重锁。妾与郎君，未必无人面桃花相映红时也！"叹息一会，时晓鸡三唱，逡巡辞去。上官诚于邑者累日，忽一日见王四，引持黑索者数辈，汹汹而入。诚方欲问之，不由分说，将铁绳系颈而去。诚如闻青天霹雳，仓皇失措，随至州署问之，始知为王四所告。盖王四所投汪姓，名向瑶，巨富而有二女。一夕二女忽失去，汪治家，方严有法，婢仆不敢犯，自思并非私奔，决有妖异，即鸣于官。高唐州刺史准案缉访，汪归家亦悬金赏购，四出密捕，正值王四投入，暗思行刺时见上官诚书室中，倏有二女子，适从何来？非汪女而谁？乃言于汪，且出首告讦，将诚拘至，而刺史素重上官昆仲之为人，取邻里保结，俱无证验。王四所言，俱属梦梦。上官诚始将王四叛主行刺诈陷等情呈上，刺史大怒，将王四满杖，囚于狱中，并责汪向瑶擅收叛奴，妄听诬扳，上官诚始得无事。

且说汪向瑶素尚任侠，交游甚广，见刺史推尊上官，于已多不礼，遂大忿恨，日夜与侠客辈出谋，思相报复，无何？而二女得于上官诚别墅庄户郑氏之家，先是某日有一女觋，冒雨入汪之门，向瑶唾骂之，女觋有幻术，恚而摄去其女，寄于郑，郑惧祸出首，而觋已逃去，二女得归。汪向瑶曰："欲控上官氏，不患无辞矣。上官诚家世长厚，亦虑为庄户所累，难免株连。闻其兄朴，已为辽阳镇参军，将往省之，以避此案。继闻劳山败绩，逮京问罪，讹传者遂言已坐覆军极刑，家属发边卫安置。"上官诚大惊，方欲逃去，既而曰："嫂不可弃也！"乃与嫂商议，买舟直窜淮南。刑氏闻言，不胜惶恐，仆役闻之，一齐散去。上官诚曰："事急矣！且去聊城舅氏家少避，再行不迟，"正欲起身，忽见一人飞马而至，诚暗思：必军官也。其人下马，皇遽直入曰："某砀山方连茹也，感上官先生，代任得归，母病全愈，今闻被陷，家属岂可坐以待罪？"上官诚急问何策，方连茹曰："今日惟投宋一计可免，某亦有心久矣！"故连夜由间道八百余里至府，略酬前日信义。上官诚急唤家人，多半逃尽，惟老仆王安居应声而入，命收拾细软物件，雇车乘马，并刑氏嫂，直达徐州濠梁，由江右而去。却说上官朴消息，闻其放归，急遣安居至故里待之，恰好相遇，上官朴始知别后情事，亦以元室不获大用，主仆二人,一同归宋,至翔龙府,则家属已由方连茹安置停妥。上官诚已知乐昌县,方连茹亦任连州州判,二人相见,促膝谈心,以为士遇知己死也。数日后引见涪陵王,涪陵王亦重其人,命判府事。

第三十六回　冤构冤万俟蛎杀身

却说寿阳伪王秦锡帛，联合云梦贾琳起兵，闻贾琳攻下汉阳，即命蓝天蔚领兵一万攻淮西，邢士龙领兵一万打安庆，两路进发，贾琳亦引兵进袭蕲黄，三处飞章告警，报入燕京，阁门大使奏闻，世祖临朝，右相完泽出班奏曰："前董文炳表称寿阳贼起事数年，兼有名号，濠梁路梗，陛下可即命宣抚使，酌量各镇，移师进剿，不可迟延。"世祖从之。有御史中丞崔彧，请行省："兼用招抚，免致流民从贼，党与既众，剿杀愈难，亦剪贼羽翼之一策也。"世祖不允，荆湖宣慰使立智、理威，亦上章：请恩威并用，剿抚俱行，得坚壁清野之法。世祖曰："此所谓养虎贻患者也！见今贼势嚣张，若不疾加迅扫，恐淮南万里，将流毒靡涯矣。"卒用完泽之计。旨下，各省凡从贼者，概行诛戮，罔有攸赦。时世祖年已七十有余，性仍强戾，每事多遵蒙古旧制。宏吉剌皇后，专预朝政，宰相枢密使，不得见帝，每事辄取决于后，故江淮荆湖，盗贼纵横，即夺去州郡，犹不之知。皇太子奇渥温真金，颇仁孝，于至正二十二年已卒。帝复昵群小，日与狎客，宫闱宣淫，完泽等忧之。行台侍御史王晖，作《承华事略》二十篇进献，世祖观毕，曰："此腐儒之见也！"惟钱法，令更造至元宝钞，颁行天下，与中统交钞并行，以至元钞一贯文，值中统五贯文，子母相权，务使新旧互用。江南诸路，学田钱粮，概用钩考。时又拟更律令，方传右丞何荣祖等改造新律。忽近臣奏张景略殉节，广南陷没六郡，丧师七万有余，军将得归者仅数人而已，闽中江右，两不能进，无功而退。世祖方执笔在手，大惊，投笔于地，曰："寿春、汉阳虽不足介意，惟故宋素得人心，借此号召举事，云集响应，大元宿将无人，恐朝臣非其敌也。"令广右衡湘，紧把关隘，待二贼平后，更议征宋。

却说安丰路宣抚使董文炳得旨，即调淮安制置使石中孚，领兵救淮西；调京口都督彭悦，领兵救安庆太平府；都统耶律渊，进兵袭濠梁。一时三路起师，合肥守将张知白，正与蓝天蔚相持，石中孚兵至，蓝天蔚不能抵敌，连战皆北，石中孚命张知白守护淮西，自率兵长驱而进。时秦开岐守凤阳，率兵登埤，悉众出战。蓝天蔚已退至宿州三峡关，会秦开岐接应兵至，乃与石中孚大战良久，元兵少却。开岐正督兵进战，忽报耶律渊已攻破定远，宜速退，不可恋战。石中孚乘势大杀一阵，敌兵死者甚众。蓝天蔚死拒宿州，石中孚日夜攻打不息。忽耿星星、乐螭二将兵至，蓝天蔚令："速往协守凤阳，宿州不足虑也。"石中孚见攻打不下，弃了宿州，移兵灵壁县，一鼓破之。蓝天蔚大惊曰："凤阳前后俱失，淮王若无重兵来援，危矣！"石中孚竟不攻宿州，与耶律渊合兵，围困凤阳。秦开岐本无技能，惟令庞奋、褚点、耿星星、乐螭日率乌合，轮流出战，遇耶律渊、石中孚，二人俱是能将，不贪野战，庞奋、褚点相继重伤而卒。石中孚又箭中乐螭，坠城而死，造云梯虹桥，一拥上城，耿星星忙率兵保护开岐等，弃城走往宿州，二将复了凤阳。石中孚谓耶律渊曰："都统兵镇凤阳，老夫还将宿州下之"，遂引兵复至宿州，筑长围以困之，城中渐次粮尽。蓝天蔚、耿星星力不能支，保护开岐溃围而出，遁回寿阳去了。

石中孚又复宿州，分兵镇守，耶律渊即请石中孚权守凤阳，自率兵将往宁国，曰："兵贵神速，乘破竹之势，数节后自迎刃而解矣！"领本部兵去讫。且说秦锡帛闻淮西败归，恐凤阳有失，急命耿星星、乐螭领兵协助凤阳，犹放心不下，又命张师旦兵屯紫金山，自率大军往应，师未起行，流星马飞报凤阳已失，宿州告急，锡帛大惊。又报刑士龙，攻打安庆不下，退回泗州，阻兵盱眙江，京口都督彭悦夺广德州去了。锡帛一时见不是头，仓皇失措，正欲命秦杞、贾智深领兵速救广德，忽报宿州已失，乐螭、庞奋、褚点等俱死，宁国公已回，入见。锡帛咆哮大怒，贬开岐公爵，不准预事，欲斩蓝天蔚、耿星星等，有史献畴、莫绥猷二人，极力劝免，始喝退二将。当下万俟蛎进曰："汉阳许久不闻信息，恐未动兵，坐观成败，非联盟之义也。大王可遣使，令速起兵，牵制元师。"锡帛先令人探之，则已被蕲州守将刘耀，杀败而归，两处皆不能成功，锡帛反失凤阳，十分忿怒。

不日，惟广德州报来，京口都督彭悦，败回镇江而去，而宁国府又被太平都督耶律渊，攻打垂危。锡帛立命蓝天蔚往救，以万俟蛎监军，星夜赴援。孙虎死拒宣城，以待援兵，蓝天蔚所部一到，奋击元兵。孙虎亦从城内杀出，耶律渊不能抵敌，退五里，就宛溪下寨。万俟蛎与孙、蓝二将，宣城会合，大军驻于城外，靠定敬亭山，以作声援，元兵既退，设酒称庆。是夜，万俟蛎宿于帐中，酒后闷闷，寝不成寐，方合眼，忽刁斗一声，旋又惊醒，既而阴风透骨，冷气逼人，恍惚间闻有人声，自远而近，呼曰："万俟蛎，偿我命来。"万俟蛎睁眼视之，见褒城刘友恭挺立面前，手执利刃，当心便刺，万侯蛎大叫一声，惊觉乃是一梦。而心中鹘突，犹隐痛不止，自知不祥，恐不利于出师，不如托病，请镇广德州，权避此地。次日，飞奏伪主秦锡帛，锡帛最重万俟蛎，善理钱粮，较贾、史二人尤加亲任，言无不从，贾、史二人嫉之。锡帛既允，万俟蛎引兵一千，赴广德去讫。蓝天蔚即命孙虎守城，自勒兵出战。元阵中健将裴金仙出马，不数合败走，追过敬亭山，耶律渊一马杀出，麾动旌旗，四下伏兵大起，蓝天蔚所部，围在垓心，左冲右突，奈元兵如铜墙铁壁，坚不可撼，却得孙虎引一支生力兵，接应而出，余兵夺路奔走，自相践踏。元兵追至城下，蓝天蔚、孙虎入城，见城门已闭，吊桥拽起，城上皆元兵旗号，盖孙虎闻蓝天蔚被围，引兵救应，离城时元兵已赚入矣！二将一见城陷，拍马回身，思走南陵，耶律渊追兵已到，直取二将，二将挺枪交战，不三合，耶律渊手起刀落，斩孙虎于马下。蓝天蔚恋战，刺斜里杀出，保护残兵，直望南陵而走。耶律渊复了宁国，城中官吏，仍复降元，抚集余众，不日征进。

且说寿阳伪王秦锡帛，既贬开岐，摘取印绶，不与军国重事，勒令闲居。开岐颇怀怨望，忿不朝参。贾智深亦自负有创业起事之功，与史献畴等不见宠异，又曾与蓝天蔚论功忿争，锡帛叱之，心共怏怏。万俟蛎又每对锡帛言贾智深，其心叵测。锡帛性多猜忌，小有不合，辄科头箕踞，谩骂无礼，既疑智深，而复托以重任。智深益横肆骄恣，每曰："淮王非贾某，能寿阳称尊耶？"时智深已势倾朝野，会开岐有美妾娟娟者，善歌舞，有国色，智深求之，开岐不与，遂诬以怨望谋反，而复撼以危言，激以他变，两相附会，不由锡帛不信。况锡帛本残忍之徒，又因失陷凤阳，岂无芥蒂？立命下狱审问，务得实供发落。适万俟蛎自广德州回，即命鞫之，贾智深手书小纸，付万候蛎曰："此事关参政一言，务令得实，不然，淮王徒负杀兄之名，参政有未便焉？"万俟蛎不知原委，拿出老法司锻炼手，提出开岐，用重刑拷掠，令招反情，开岐无一挠辞。万俟蛎大怒，喝令狱卒，严加榜掠，狱令用铁蒺藜杵，浑身拷打，皮开肉绽，体无完肤，死去用水喷活，又以檀木攒指，旁立二人，用杖敲击，然后以二人拿住，攒指厮扭，左扭右抵，抵得开岐头发散乱，指骨皆裂，就地打滚，恁般酷刑，仍然不招。万俟蛎再命用绳重重缚定，以纸糊其口，烛之以火，开岐渴极求饮，以酒与醋灌之，一时受刑不过，五内俱裂，大叫一声，七窍流血而死。贾智深闻开岐已死，命将秦栋、秦桡二子弃市，急令心腹，往取娟娟，娟娟闻之，泣曰："身非绿珠，今日亦当为石季伦坠楼也！"投后园池中而死，贾智深叹惜不已。奏知锡帛，锡帛问："有何验？"智深曰："罢黜怨言，谋为不轨，事虽不明，观其事体，皆莫须有也。"锡帛误听莫须有为莫绥猷，大怒，立命将莫绥猷斩之。贾智深急奏："事出于莫须有，非参议莫绥猷也。"锡帛亦怒曰："莫须有三字，何以成狱？"贾智深曰："大王，先太师之决岳少保，固有是狱也。"锡帛见智深出语讥讪，一时急焰中烧，欲彻底根究，再问智深，智深以推万俟蛎。锡帛怒，唤万俟蛎问之。万俟蛎奏曰："此大王意也？"锡帛未及答，只见开岐妻梁氏，携幼子入见，牵锡帛之衣而哭，声动左右，锡帛问死，时有何言语，梁氏言："惟指天誓日，并无别词。"锡帛气填胸臆，顿足大哭曰："冤哉吾兄，被贼奴所误矣！"喝斩万俟蛎，万俟蛎仓皇失措，目视贾智深，智深急谏曰："万俟蛎勘问此案，纵然有罪，乃奉大王钧旨，且理财有功，亦当从宽恕宥。"锡帛怒气不息，废黜不用，以莫绥猷代其职。莫绥猷此时一惊一喜，深德贾智深不已。锡帛明知此事乃贾智深伎俩，然无可奈何。命厚葬开岐，优恤梁氏母子，恩礼有加。

万俟蛎出朝，方知为贾智深所卖，追悔无及，离了寿阳，将家小安置。自思：惟投故宋，若得收录，便怂恿兵伐淮南，少泄吾愤，从此当洗心涤虑，痛改前非，或可收之桑榆耳。遂望合肥，过洪都，一日行至枫香驿，旅邸投宿，命主人具食。主人设五著，讶其太多，主人曰："客人时，相随数人，客一人独食耶？"万俟蛎闻言，毛发皆竖，挑灯独坐，终夕不敢安寝，耳畔每闻涕泣声，长叹声，号呼索命声，未及天明，仓皇遁去，至一山峪间，时晓色蒙迷，见树木翳天，不辨远近，信步而行。忽林中一声鸣镝，奔出数人，一把擒住万俟蛎，万俟蛎忙将橐中资斧，双手献上，擒者曰："我等非图财宝，未敢专决，且见将军，自有定夺。"随将万俟蛎绑缚，押至一处，见有营帐。少时三通鼓罢，众逻卒禀知，鹰抓燕拿而进，帐中一少年将军，凭几危坐。万俟蛎看时，好生面善，那将军一见愕然，起身觑定，再三审视，忽问曰："汝非阳武县之万俟蛎耶？"万俟蛎尚未答应，将军又问曰："汝非任褒城县令之万俟蛎耶？"万俟蛎闻褒城二字，自思：今番死矣！结舌不敢答应，将军掀案大怒，喝令夹起，只见军士拔出利刃，将万俟蛎两足心，两手心，各刺一隙，用绳穿定，始将三木套上，以辘轳转轮，霎时便撑起丈余。万俟蛎生平，惯用非刑决囚的老辣手，并无此法，今日一见，屁滚尿流，慌忙说招，军士已撑将起去，魂魄俱无，四肘愈穿愈裂，三木越夹越紧，不等追问，已将如何任褒城，如何走寿春，本末始终，毫不敢隐。但一面说话，一面呼疼，口中语，眼中泪，两俱滔滔不绝，说毕放下，晕绝在地，水沃复苏，用手轻摸四处，方知夹棍，如此利害，问左右曰："某头还在否？"左右不理，谁知少年将军，即褒城刘友恭之子刘遇隆，已仕元至指挥，调守安庆，因蓝天蔚兵退，仍屯兵隘口，令逻卒四下巡绰，防有奸细。万俟蛎端端至宿松县，冲入网中，事岂偶然。当下刘遇隆谓军校曰:“此贼与某不共戴天,今又投入寿阳,为国大患,不可以常刑处也。当寸寸磔之,为国除害,并为褒城人士少泄冤忿。”军校皆曰:“遵指挥令。”万俟蛎闻言,魂不附体。刘遇隆随于营中设香案,浇酒焚帛,泣告其父之灵,始将万俟蛎绑出辕门。万俟蛎已昏愦不省,忽睁眼一视,见持刀者乃少年刽子,酷似当年褒城屈死之偷瓜贼也,始自叹曰:“万俟蛎,汝生平恶贯已盈,今日始死,亦云幸矣!”眼睁睁觑着刽子,剁其四肢,钩其舌,剜其心,又将抉其目,断其首,忽后面一人,用手托住,回视之,秦开岐也,忙掉头一视,已身首异处矣。刘遇隆令将其尸寸磔之,吁:“天道好还,谁谓苍苍者愦愦乎哉?”

第三十七回　涪陵王大兴屯田

却说耶律渊既复宁国，蓝天蔚尚拒南陵，以精兵围之，南陵城小而坚，积储颇足，急切不下。元军中一时无粮，军吏禀曰："请都督暂缓其围，待粮至，然后攻之。"耶律渊乃下令曰："营中无粮，三军各奋努力，攻破南陵，以就馆谷，机会万不可失！"遂手执蛮牌，身先士卒，一鼓作气，军士皆蚁附而上。蓝天蔚自知孤城难守，杀开血路，拥兵望吴兴而去。其泾县旌德等处仍旧属元，耶律渊安抚人民已毕，驻兵宁国，整顿师旅，欲随取广德州。忽报凤阳府石中孚年老病卒，耶律渊大惊，急调安庆府刘遇隆暂守宁国，自率本部，星夜往凤阳镇守；一面为石中孚发丧，拨兵扶榇归里。安抚奏闻：荫子承袭，追中孚为骠骑将军、都指挥使。石中孚巨鹿人，年老知兵，抚下素有恩信，历镇京口、广陵、淮安、凤阳等处，闻其死者莫不泣下，自此惟耶律渊一人，作江淮之保障矣。

且说涪陵王控三省一十四郡，日在广南，养精蓄锐。一日有怀远将军史进，往抚州犒兵，荐一将至，入见，乃杨镇龙部将慕容长也，涪陵王命为牙将。慕容长拜受讫，涪陵王又命学士白映雪、赞善大夫皇甫惇，制诰敕文书，分赍各镇将吏，操练士卒，修造器械，严禁掳掠，肃清盗贼；司牧长吏更宜抚恤人民，勤课稼穑，务使春秋耕敛，尽力田亩，毋得骚扰民生，以培元气；至各处税粮，有逋欠者，连遭兵戈，概用蠲免，务令得沾实惠；监禁人犯，非十分不赦者，释放回家，狱讼不许连累妻孥，羁縻日月，便宜诸事，条陈分递各处。闽广江右，人心大悦。

一日涪陵王御殿，访问群臣以恢复用兵之要，参政范国昌曰："兵家之用，情状万变，不可测度，虽良平处之，亦未能烛见其利害，而逆断其成功。古者凡创业中兴之主，多引老成宿将，相与谋划，盖彼已身历行间，故谋必中机会，而动必将成功。赵充国所谓兵难遥度，百闻不如一见也。承平日久，则武事废弛，殿陛左右，率多不出都城，坐取卿相之人，耳不闻金鼓，目不见旌旗，成败利钝，何由得知？边陲有警，仓皇发纵，稍有败挫，即行阻抑，虽名将不能展其略矣！是以婢为耕，以奴为织，未有不颠倒错乱者也。今殿下宜择老成持重之将，专而任之，勿挠其志，勿馁其气，勿掣其肘，然后责其成功。则事有专属，将尽将职，相尽相职，军民皆不劳而理矣！"涪陵王嘉纳之，随有左丞种世龙条陈便宜十事上之，其目曰：

一、举贤俊。二、择守宰。三、慎出纳。四、裕邦储。五、简官职。六、宽民力。七、恤穷困。八、课农桑。九、立学校。十、旌节义。

又有参议司马肃，亦上九事，其目曰：

新法制，行赈恤，变风俗，信赏罚，革弊政，杜侥幸，建宗庙，定都邑，开经筵。

涪陵王皆次第举行，惟定都邑、建宗庙二事，尚停议有待。统制岳燕超承制，遂上屯田便宜七事：

一谓、屯田备粮，战守并用。

二谓、开垦荒芜，可得沃壤。

三谓、裁骑兵，以省国家巨费。

四谓、均逸劳，以免农人馈饷。

五谓、闲暇即训练士卒，两不失业。

六谓、积储即缮治器械，各自为用。

七谓、更番出征，人劳我逸，坐得必胜之理。

燕超曰："臣窃观肇庆府德庆州；南雄府始兴县，汀州府上杭连城二县，延平府永安县，以及抚州府晋安县，赣州府会昌、龙南、石城三县，俱有隙地可垦，废地可种，并故田公田，可得十余万亩，屯其要害，浚以沟渠，每人受二十亩，量地容兵，每屯军以三分守城，七分耕作，给牛种，教树植，复租税，民不困而饷益饶，其无可屯田之虑。则留兵捍卫，如此更番迭战，更相休息，以五队列一寨，名曰"五花寨"，每队五十人，二十面战鼓，二十面旌旗，多造兵器，积储糗粮，更以十人扫地叫杀，则兵坚寨固，兵精粮足。如此不越五年，臣能保其必胜矣！"涪陵王大喜，即命刘理屯德广州，傅突屯上杭连城二县，吴康屯始兴县，虞凯屯永安县，焦芳屯晋安县，王方屯会昌、龙南、石城三县，而以张怀亮、马遇乐二人为营田大使，经理屯务，总摄其成，不时抚谕劝课。又有关普灵进言："请各镇修军政、各关严边防，沿江置斥堠，招附豪杰，有能拔一州复一县者，即如唐时方镇之法，以团练防御等使授之，使人乐为用；士有必死之心；军无可夺之气。与蒙古一决雌雄，不足畏也！"涪陵王甚壮其言，乃曰："行兵多算则胜；少算则败。况无算而欲取胜，其可得乎？"关普灵曰："王者之兵，贵谋而贱战，盖以全取胜也。故百战百胜者，非策之善也。语云：未得胜，先料败。预为不可胜，以待敌之可胜，斯无不胜矣？"涪陵王欣然曰："如卿者，可言孙吴之略者矣！"随又访任相之法于右丞韩昭，韩昭对曰："自古人君，惟赖一相，相得其人，则朝廷正，而天下之事举；相非其人，则朝廷乱，而天下之事废。然任相之道，在人主能择能用，能专能久而已。"

昔管子语：'齐桓公有云：不能知人，害霸也；知而不能用，害霸也；用而不能任，害霸也；任而不能信，害霸也；能信而又以小人参之，害霸也。'夫知人能信任，而参以小人，尚足以害霸。矧欲建中兴之业乎？愿殿下察管仲害霸之言，留神于君子小人之间，使诸臣得以竭尽愚衷，则中兴不日可待矣！"涪陵王会意，乃曰："昭烈任诸葛，苻坚任王猛，神宗任安石，高宗任秦桧，为治为乱，其大较也。"众臣毕悦而退。

第三十八回　淳于丹论史匡君

却说涪陵王好微行，一日带近侍数人，至香山，见其地草色苍翠，竹花迷离，峰峦竞秀，岩峪争奇，长松掩映间，又衬出怪石峻嶒，溪壑潆洄，遂心乐之，信步而行，各处佳胜，观玩不辍，见一处赛胜一处，昔人曾作《招隐诗》以纪胜，云：

翠竹林中景最幽，人生获此更何求？
数方白石堆云起，一道清泉接涧流。
得趣猿猴堪共乐，忘机麋鹿可同游？
红尘一任漫天去，高卧深山百不忧。

涪陵王正欣赏不已，忽见左泉右石，茂林深处，现出茅屋数椽，小小柴门，靠着短墙未扃。近窥之，内一老人，方踞胡床读《汉书》，至伪游云梦处，乃释卷长叹数声，且曰："韩侯将才则优，而臣道岂未之闻也？"朗吟曰：

若使英雄早见机，奇谋肯立汉邦基。
囊沙破敌功虽大，蹑足封齐事已非。
既谓无心从蒯彻，何缘执手教陈豨？
未央宫里当时事，千载令人泪满衣。

吟毕，浮一大白。涪陵王知为隐者，叩门而入，老人惊起礼毕，讶曰："殿下何来？"涪陵王视其人，童颜鹤发，飘飘欲仙，因问曰："叟阅几何甲子矣？"老人曰："臣于孝宗三年，判国史馆，光宗五年，以老病乞休者也。"涪陵王叩其姓字，对曰："臣阌乡人，淳于丹也，殿下轻身微行，独不念恢复重任乎？"涪陵王问以恢复之计，微笑曰："颓迈之人，荒僻陋处，枕流漱石久矣！"涪陵王再三叩之，惟谢不知，又问曰："叟当年职史馆，应知史馆之事，靖康中北狩其详可得闻乎？"老人愀然曰："烟霞痼疾，强半遗忘。然二帝北狩一节，勉为殿下陈之：按靖康元年丙午，二月初二日，金人围汴城。二月初三日，金人北去。十一月十九日，金粘罕元帅，再围京城。二十五日，京城陷，金人入城。二十六日，粘罕遣使入城。求两宫幸彼营议和割地事。二年，正月十一日，粘罕遣使入城，请帝车驾诣军前议事。二月十一日，车驾出城，幸彼营。十七日，帝还宫。三月初三日，再幸彼营，次早帝见太上皇亦至彼。初四日至十五，皇族后妃诸王陆续到营。十六日，粘罕令以青袍易帝服，以常人女服，易二后服，侍卫番奴，以男女呼帝。十七日，金以张邦昌为帝，国号大楚。十八日，上皇及帝二后，乘马北行。二十一日，次黄河岸。二十二日，入卫州。二十三日，入怀州。二十四日，至信安县。二十六日，至徐州。二十七日，至泉镇。四月初一日，过真定府。五月二十一日，至燕京，见金主。六月初二日，朱后崩。年二十六岁。十三日，至安肃听候。六月末，移居云州。绍兴二年，郑后崩，年四十七岁，二帝移居五国城。绍兴四年，金主死，孙完颜亶即位。五年，移居西均州。六年，上皇崩于均州，年五十六岁。是年，又移少帝于源昌州。八年，金人立伪齐刘豫，召少帝于源昌。本年十月初九日，少帝复至燕京，与契丹耶律延禧同拘管鸠翼府。十三年，赐帝居燕京。十八年，歧王完颜亮杀金王主亶，并后，自即位。绍兴十五年，徙少帝出城东田玉观。二十年，复徙少帝入城，囚于左院。二十二年春，帝崩，年六十岁。"老人言至此，涪陵王随问少帝之崩，作何情状，老人曰："殿下犹未知耶？乃为彼奴射死于马足之下。"涪陵王听罢，不胜愤懑，乃曰："当时彼此不共戴天，桧贼专政，日主和议，误国误君，万死不足以塞责也！"老人叹曰："宁徒桧贼误哉？高宗亦自误也。桧贼误于前，似道误于后，高宗之下不可忘靖康二君，犹殿下之不可忘德祐二主也。"涪陵王敛容谢之，随前席请教，访为君之大略焉，老人曰："恭俭仁恕，以明君德，亲贤远佞，法天重民，治道庶几近矣！"涪陵王请就国为师保，不与政事，闲居以养其老，得备顾问，老人坚辞不许，涪陵王曰："叟四壁萧然，贫也实甚。小朝廷纵不能容叟，然敬老之典，不可废也！"不日安车至矣，老人笑曰："贫莫贫于未闻道；贱莫贱于不知耻。士能宏道曰达；士不安分曰穷。殿下敦尧舜之盛，老臣守巢许之节。"安车虽至，不与知也。涪陵王遂辞而归，遣人厚赠之，令有司以时问候，恤其家。涪陵王深愤南渡偏安，权臣误国，乃锐意兴复，思大有为。

一日下议曰："当今百职庶司，所最宜得人者，惟吏部户部为要，吏部司铨衡，择监司；户部判度支，理财赋，非谙练老成者，不当此任。"其以司马肃兼吏部，韩昭判户部，而以葛天民、苏伏威等为谏议大夫，大开言路，务敦实效，去虚文，各陈时政枢要。参议李穆上言曰："立国以建都为本；而治国以恤民为先。建都择地，必当设险而后国可固；国之有民，犹人之有元气也，而可不恤哉？轻赋税，除盗贼，迁守令，更弊法，省官吏，皆恤民事也。既能恤民，而后立政有经。有经，然后赏罚当，赏罚当而后号令行。人心既从，惟上所命。守之则固；战之则胜；攻之则克。而国以定矣。"涪陵王喜曰："卿所言恰中款要，"即命吏部选举官吏，户部斟酌赋税，务恤民隐，次第施行。

越日因大集文武，一决定都之议。左丞种世龙奏曰："自古人君图王霸之业者，必定根本之地，以作固守之基，若汉高之于关中，光武之于河内是也。纵经营四方，而根本自为重任，坚固不摇，方可进取，而犹非定都之谓也。天下建都之地，自有定所，关陕为上，荆襄为次，江淮为下，此大较也。然殿下今日，宁一时遂及此哉？广南虽抚有六郡，僻处海隅，无所控制，不如邵武据八闽之上游，枕三吴之襟带，控引二广，荆楚可通。昔文少保四镇建阃之策，今可用也。"参政范国昌、参议李穆、将军关普灵，皆主其说，独司马肃曰："依臣愚见，闽广皆近海表，不如收复长沙，更议定都。盖长沙峙以五岭，环以三湘，左纳荆门，右统夏汭，较之邵武尤便。"谏议大夫苏伏威曰："长沙虽据形胜，然未入版图，不如建昌控三吴之襟带，据五岭之咽喉，牵制江淮，呼吸瓯越，经营中原，实当冲要。"学士皇甫惇曰："臣之见与谏议相合，请殿下钧裁。"岳燕超曰："不然，自来建都者，西北可据中原，东南不据西北，古今大势已定，即南渡之事，殿下所深知也。

舍建康而都临安，偏处一隅，弃六朝之遗迹，尚难振起，而况今日仅在闽广中求胜地哉？一时权宜，则非邵武不可，臣前于殿下固言之矣！”资政大夫刘知几进曰：“臣以术占之，江青三百年王气，虽尽于六朝，然不出百年，金陵佳气，重见兴旺。殿下不如都建昌，为近江淮丘墓。南宋陵寝，当必有发祥于殿下者。”涪陵王笑曰：“但得卿等同心戮力，众志可以成城，无形之险，牢不可破，况语云：在德不在险乎？然闽广中非邵武，亦无险可恃矣，”卒主种世龙之议，命耿进诚允工部，经理建都事宜，祟墉浚池，筑关竖险，建宫立署，朝市社稷以次齐备，择日车驾当临幸焉。

第三十九回　岳燕超练兵演阵

涪陵王闻寿阳伪主秦锡帛将败，而汉阳巨寇贾豿犹盘踞云梦，骚扰州郡，行省奏知元主，而世祖年已昏髦，置不为意。贾豿愈横行无忌。涪陵王遂欲乘此抚定衡湘，平此巨盗，以苏民困，随集众将议之。关普灵曰："元人专意寿春、云梦不以为意，此殆天与殿下收复衡湘之机会。况安丰路虽复凤阳，仅一老将石中孚可制贼兵，然已病故，今耶律渊一人，不暇为谋，必用江右临安二省，合兵剿之，元人既征寿阳，必不能回顾荆楚，三湘可传檄而定矣！"岳燕超曰："先复衡湘，次定广右，自不待言。但目下秦锡帛，虽无能为，恐元人亦不能歼除之也。"涪陵王问故，燕超曰："近日昂将耶律渊，守定凤阳，不能移动。江浙二省，惟脱脱知兵，已回上都，其余镇将，直庸才耳，但锡帛贼党终必自相鱼肉，不久必败，殿下且静听好音。"涪陵王曰："寿阳、云梦二贼，皆我大宋误国元恶之后，若亲手刃之，方泄吾愤，但此时云梦猖獗尤甚，卿等宜整饬人马，以俟征进。"燕超奏曰："我兵除分去屯田，其在各营中，尚三万有余，臣等当逐日操演精兵，以便大举。"涪陵王甚喜。

燕超次日领兵，至教场扎定，聚众将，分拨人马，列作五营：令马遇乐屯其东，用青色旗帜，按苍龙之势；种世虎屯其西，用白色旗甲，按白虎之势：杨孝伯屯其南，用赤色旗甲，按朱雀；张怀亮屯其北，用黑色旗帜，按元武；以刘瑛屯其中，旗甲器械，概用黄色，按勾陈戊已。又设招摇北斗七星皂雕旗，自掌中军。始将各队人马，逐一检阅，去老弱而选精壮，士卒俱量才而用：身材长大者，拽弓拽弩；矮小者，持矛戟；少壮者，鸣金鼓；强健者、持旗者、不能远视者，听号令；不能聪听者，望烽火；肥者为马军；瘦者为步军；日食斗粟者，为前驱；日行二百里者，探机密。更换纪律，部伍一新，乃命各部以五人为旗，十人为总，用队长头目，执旗以为其表。余者随后，务步迹相继。一不许混乱行伍；二不许退后；三不许喧哗；四毋得越规；五要遵约束。将禁约三令五申。令军中鸣鼓：一鼓整兵；二鼓习阵；三鼓趋食；四鼓严扮；五鼓就行。鼓声既合，然后举旗，旗举处，果然麾左则左，麾右则右。燕超约略演了一会，见三军颇服其威，士卒亦皆用命，乃召集诸将谕之曰："练兵之法有五：曰、练胆、练艺、练阵、练地、练时，五者缺一不可。师若不练，虽百万军可立溃也。然五练之内，又有三威：一日清；二日明；三曰严。金鼓威耳，不可不清；旌旗威目，不可不明；号令威心，不可不严；故军伍贵严整，士卒贵齐备。今可令任天鹏为军政司，兼五军提点，多用书手，将练兵实录，缮写成编，分给各部，使将士知阵法，谙进退，营屯有阴阳，有生旺。队伍如何排列，阵势如何调度，奇正如何相生，动静如何起伏，以便将军等教演士卒，如何是入队，如何是出队，如何是行营，如何是安营，如何是对敌，如何是摧敌，如何是埋伏，如何是攻夺。营阵方向，出入纪律，各有条理。大约三月，可成精兵，某当五日，巡视一次，不可违误。"众将受命讫，自此日日操演，燕超不时阅视，见将益熟，兵益精，甚喜。

三月有余，一日涪陵王与种世龙等，俱来视师，燕超先至营中，又下一十七禁令，晓谕辕门，将士观之，曰：

其一、闻鼓不进，闻金不止，旗举不起，旗按不伏，此谓悖军，犯者斩之。

其二、呼名不应，点视不到，违期不至，动乖师律，此谓慢军，犯者斩之。

其三、夜传刁斗，怠而不报，更筹换度，声号不明，此谓惰军，犯者斩之。

其四、多出怨言，怒其主将，不听约束，梗教难治，此谓横军，犯者斩之。

其五、扬声笑语，蔑视禁约，驰突军门，此谓轻军，犯者斩之。

其六、所用兵器，弓弩绝弦，箭无羽簇，剑戟不利，旗纛凋敝，此谓欺军，犯者斩之。

其七、谣言诡语，造作鬼神，假托梦寐，大肆邪说，蛊惑吏士，此谓妖军，犯者斩之。

其八、奸舌利齿，妄为是非，调拨吏士，令其不和，此谓谤军，犯者斩之。

其九、所至之地，凌侮其民，逼淫妇女，此谓奸军，犯者斩之。

其十、窃人财物，以为已利，夺人首级，以为已功，此谓盗军，犯者斩之。

其十一、军中聚众议事，私近帐下，探听军机，此谓探军，犯者斩之。

其十二、或闻所谋，及闻号令，漏泄于外，使敌人知之，此谓背军，犯者斩之。

其十三、调用之际，结舌不应，低眉俯首，面有难色，此谓憾军，犯者斩之。

其十四、出越行伍，挽前越后，言语喧哗，不遵禁训，此谓乱军，犯者斩之。

其十五、托伤诈病，以避征伐，扶伤假死，因而逃避，此谓诈军，犯者斩之。

其十六、主掌钱粮，给赏之时，阿私所亲，使士卒结怨，此谓弊军，犯者斩之。

其十七、观寇不审，探贼不详，多则言少，少则言多，此谓误军，犯者斩之。

满营将士观罢，无不股栗，各归队伍，悚息听命。燕超升帐，众将参见毕，燕超谓众将曰："阵图一书，虽系行军死法，然为将之道，亦不可不知。故阵而后战者，用兵之常，不阵而战者，用兵之妙也。今主上亲临视师，三军操演已熟，诸将其各如约，毋违军令。众将皆曰："诺。"于是，燕超请涪陵王登台，观兵耀武。燕超下令演阵，只见众将整率人马，挥之则前，伏之则退，左右有法，启闭有路，金鼓响应，旗帜严整，规矩准绳，毫厘不差，按九宫四象八卦，列五行十干十二支，旗虽尚赤，而引军开道者，则按五方；制虽为王，而威仪号令，则专五伐；合四阵而为一阵，起则为长蛇；分一阵而为四阵，止则为四门，坐作起伏，井然不乱。涪陵王叹曰："将军练兵如此，虽颇牧不是过矣！曩日之兵，真儿戏耳！"种世龙笑曰："殿下曩日以儿戏之兵，犹席卷各郡。今兵已有纪律，宁畏蒙古哉？寿阳、云梦，直拉枯折朽耳。"涪陵王甚喜，奖誉将士，大加犒赏，燕超令三军，谢恩收阵，一时，欢声如雷。涪陵王观毕，有种世龙、岳燕超等保护始归。

第四十回　蓝天蔚弃暗投明

寿阳伪将蓝天蔚，由南陵败走吴兴，时耿星星镇守吴兴，二将商议，欲雪败衄之耻。耿星星乃移兵屯石门县走马岗，遥为声援。蓝天蔚领兵由秀水海监，偷渡泾水，直走南陵，过石砻矶，拿获沿江屯卫守卒，用为前导，袭破南陵。

时，宁国府守将乃指挥刘成，即刘遇隆也，火速提兵，来争南陵，大战于朗陵坡。刘遇隆三战不胜，遂失南陵，退守石柱关，蓝天蔚直抵关前索战。刘遇隆少年，亦颇有识，因出牛千余头，角束利刃，尾施油炬，列为火牛大阵以御之。蓝天蔚久经沙场，望见火牛，笑曰："此死法也，岂可再用？"令军士速掘深堑，宽丈余，长十余丈，复翼以强弓硬弩。一牛仆，二牛必不能行。然后令善射者，发弓矢，直射牛鼻，牛负痛狂奔，元兵必溃。既而蓝天蔚略与交战，佯败绕堑而走，元军中放出火牛，势甚猛烈，果然一牛仆，二牛便阻，弩箭直中鼻上，牛痛急乱窜，元兵自相践踏，死者无算。蓝天蔚督兵掩杀一阵，刘遇隆弃关不守，败入旌德城中，坚闭不出。蓝天蔚围之三匝。刘遇隆暗思：贼兵远来，粮必将尽，能战不能守。旌德城小而坚，积储充足，准备持久，俟粮尽击之。谁知蓝天蔚亦早计及此，因敌就粮，督兵攻打，不三日攻陷西南一角，元兵不支。刘遇隆恚甚，跃马下城，挺枪直取蓝天蔚。刘遇隆怎敌蓝天蔚，不数合，大败而走。蓝天蔚又夺了旌德，方喜士卒得食。讵刘遇隆出城时，早约守城军吏："如胜，急鸣鼓助战；败则火焚仓库，弃城而逃。"一时烟涨蔽空，不能扑灭，连库糗粮，一火煨烬。蓝天蔚叹息良久。急遣裨将，火速往广德州，借粮以济燃眉。

时，广德州守韩某系贾智深妻舅，智深素与蓝天蔚不睦，州守又忌其功，竟不与粮。先是韩某镇守广德，京口都督彭悦兵来时，韩某死拒建平县之诸葛城，百计御之。彭悦久而无功，引退。韩某当万俟蛎去后，仍权州事，至是闻蓝天蔚连复二县，暗遣心腹至寿阳，与贾智深说知。智深瞒过恢复二县之功，劾其贪战邀功，越境启衅，乏粮必败，有失淮南锐气。伪王秦锡帛于失陷凤阳时，即有心杀之，奈史献畴、莫绥猷等保奏免，今又妄动致败，益中其忌，怒命史献畴以槛车囚至寿阳杀之。史献畴沿途打探，则蓝天蔚连战皆捷，收复南陵、旌德、太平、宣城四县。刘遇隆抵敌不住，死守宁国府，相持未决，蓝天蔚筑起土山以瞰城中，日夜攻打。刘遇隆渐不能支，蓝天蔚下令军中，限三日下之。恰好次日史献畴槛车即至，蓝天蔚接待毕，史献畴因述来意。蓝天蔚曰："参政奉命囚某，某有何罪？或出淮王本意，抑贾平章之主见也？"史献畴曰："虽出淮王令旨，乃贾相奏将军贪战邀功，引兵越境致败，有损国威，故有是命。今将军连复数县，所战皆克，则左相所奏，皆虚诳应坐。史某当回寿阳，与将军辨明此功，水清自然石见。"蓝天蔚曰："某若攻宁国不下，愿就槛车，以正擅兵越境之罪。某之功罪，皆赖右相一言耳。"说罢恚怒不已，深恨贾智深忌妒，有误大事，自念理直气壮，亦无嘱托，更无馈送。史献畴怏怏出营，路过广德州，州守贿赂甚厚，二人甚合心事，盘桓数日，计议停妥。回至寿春，直奏："蓝天蔚握兵倔强，不就槛车，大王可命广德州守，就近以兵袭而擒之，久则生变。"锡帛许之，贾智深即令人往广德州去讫，州守既得密旨，即拥槛车一乘，刀斧手五百人，直望宁国而来，方至中途，闻蓝天蔚已破宁国，大惊，顿足曰："计不成矣！"踌躇一会，令藏去槛车，直投宣城，令人报入府中，说淮王已知将军恢复宁国，功可赎罪，令韩某权摄府事，请蓝将军面叙。蓝天蔚心疑，命人哨探韩某来此，曾带人马否？人役回报："随行五百刀斧手。"蓝天蔚立即上马出城，遂远望见韩某领五百刀斧手，一字儿列开，蓝天蔚纵马上前，方欲施礼，韩某手中弓弦响处，箭已当头，蓝天蔚急闪，一手接住，大怒曰："与尔素无冤仇，如何暗害？某当走诉淮王，谁功谁罪？"韩某大言曰："奉命拿获叛贼以正国法。"军士一拥围住，缚定，韩某直入府中，盘查仓库钱粮，打点章奏，拟三日后即押赴寿阳正法。蓝天蔚怨气冲天，终日闷恹欲死。

不数日，又闻淮王令下，不必械赴寿阳，即于宣城处决，以有前功，赐仰药自尽。蓝天蔚听罢，大惊曰："某与淮王患难相从，今事业未成，遂忘故人耶？"一时愤惋，至于泣下。既而曰："鸟尽弓藏，古人皆然，况某等乎？静以待命而已。"恰好刘遇隆兵败琴高山，得此消息大喜，不分星夜，倍道而进，一鼓袭破宣城，转夺宁国，下令曰："有人生获蓝天蔚者，千金重赏；有伤其生命者，族诛。"元兵急将蓝天蔚拥入府中，刘遇隆亲解其缚，扶之上座，纳头便拜曰："以将军才略，何不辅弼大元？扫清宇内，名垂青史，奈何助桀为恶乎？"蓝天蔚羞惭满面，无可措辞，惟请死塞责而已。刘遇隆笑曰："将军何执迷也？尔主起义，惟将军相从最久，犹听谗言，槛车就征，即以报将军之功也，将军何负于尔主哉？今大元一统，群雄窃据者，不久即灭，将军何不三思乎？"蓝天蔚曰："某本顺昌弓手，亡命江淮，自谓择主而事，不负生平，讵知血战半生，为贼党所卖，不忠不孝，两无所辞，尚复觍颜人世耶？将军若施法外之仁，赦某还乡，老死垅亩；若欲归元，宁作刀头之鬼。"刘遇隆见他执意不从，艴然不悦曰："遇隆以豪杰待将军，将军犹以木偶人视遇隆也！"仍令囚之。刘遇隆始清查户口，修理城垣，吊生问死，召集流亡。约有数日，安抚早奏：以刘遇隆失陷宁国府兼四县，法应斩决，念已恢复，宜逮入京，交部议处。差官到日，刘遇隆错愕不知所出，褫去衣冠，束手受缚，自入囚车，差官簇拥而去。蓝天蔚在狱中，叹曰："夫差诛子胥，勾践杀文种，何不约而同也？"耶律渊闻遇隆已去，乃调合肥张知白，来守宣城，控制要害，以防贼兵窃发。原来张知白，亦素闻蓝天蔚将才可用，一到宁国，即放出囚车，荐往京口彭都督处。蓝天蔚拜辞去讫，暗思：刘遇隆械京逮问，年少可惜，当设法救出此人，共投明主，方不辜负一场邂逅。蓝沿途打探，闻已过丹阳，喜曰："计在是矣！"遂直往镇江，投入都督营中，将荐书呈上。彭悦令为裨将，随军听用，有功升赏，蓝天蔚即请将令，沿途巡哨。彭悦许之，蓝天蔚赚得将令，乃急出城，追至金坛，款住差官，且言："彭都督有密语嘱托，请暂回京口，缓行数日。"差官验过令箭，约住人役，仍返旧路，暗思：彭都督必有贿嘱。时刘遇隆在车中，见军官乃蓝天蔚，心中大疑，蓝天蔚频顾以目，遇隆不省。是夜宿于青龙镇。蓝天蔚一人破钞，大犒人役，无不欢喜过望，差官与蓝天蔚呼卢畅饮，亦酩酊大醉。至夜深睡熟，蓝天蔚为刘遇隆落去肘锁，附耳曰："趁此月明，馆驿后越墙可遁。"二人偷出镇后，直渡青龙湾，刘遇隆始问曰："将军为何来此？"蓝天蔚曰："有继任宁国府守将张知白，荐某京口听用，某思将军少年可惜，故赚得令箭，救出将军，另投明主，也不枉与将军争战疆场，一番识面。”刘遇隆称谢曰：“兔死狐悲，物伤其类。遇隆得蒙拯拔，足觇高厚，未审瞻乌爰止，于谁之屋耳？”蓝天蔚曰：“今日欲投明主，惟归故宋耳。”刘遇隆曰：“属在敌国，恐不见录。”蓝天蔚曰：“不然。江右闽广收录多少豪杰，而况我等千里投奔乎？前日某所以不愿归元者，只此故耳。”刘遇隆始悟，二人遂望广南而去。

却说差官次早直至日上三竿，高卧方起，唤醒人役，不见刘遇隆、蓝天蔚，惊得目瞪口呆，不知所措。从人曰：“且去京口问彭都督，如何妄发令箭，失我钦犯，并问金坛、丹阳两县令作速追缉，大人或可免罪耳。”差官然之，投入营中，说知此事，彭悦暗吃一惊，明知为令箭所误，却又不肯任咎，惟问差官交还令箭。差官无言而退，再问两县，县令亦言：“钦犯若在监狱逃遁，责不容辞。驿路限期，业已逾界三日，县中不与闻也。”差官默默，左右思索，难免一死，托言且禀安抚，于中途亦逃去，祝发入山，不知所终。

第四十一回　谢侍郎燕京死节

谢叠山先生枋得，原故宋江西招谕使，知信州，宋亡，更姓名，遁入建阳。元世祖至正二十五年，廉访使程文海访江南人才，荐宋遗士三十人于朝，枋得在其中，枋得曰："某所以不死者，以有母在耳。今先妣考终，某自思无意人间事。某至愚极暗，决不可以辱召命也明甚"，坚拒不行。既而翰林承旨留梦炎，亦以枋得才可大用，力荐于朝。枋得闻之，复遗书留梦炎，言："江南无人才，示有如今之可耻者，春秋以下之人物，本不足道，今欲求一人如瑕吕饴甥、程婴杵臼，卒不可得，"辨论凡数千百言，亦卒不行，隐居唐石山，廉访使程文海与福建参政魏天祐，交章荐之，天祐遣差官至山中，再三催促请行，枋得乃以书辞云：

某所以宁为民不为官者，忠臣不事二君，烈女不更二夫，此天地间常道。蒙大元以礼招徕，上有尧舜，下有巢由；上有汤武，下有随光、夷齐。某所以效虞人之死而不往，学夷齐之死而不仕者，正欲使天下万世，知大元之量可与为尧舜、汤武，能使谢某不失臣节，视死如归也。兹蒙钧旨云，欲访问某何事？某决不敢。鲁有公父文伯死，而母敬姜不哭，室老曰："焉有子死而不哭者？"其母曰："孔子圣人也，再逐于鲁，而此子不能从。今其死也，未闻有长者来，内人皆行哭失声，闺中自杀者二，此子也，必于妇人厚，而于长者薄也，吾所以不哭！"君子曰："此言出于母之口，不害其为贤母也，若出于妇人之口，则不免为妒妇矣！"言一也，所居之位异，则人心变矣！某义不出仕者也，今虽有忠谋奇计，则人必以为妒妇矣，恐徒为天下所笑。

时刘忠、齐仕元为相，亦荐枋得于朝，谓加以重任，必有奇效。枋得亦以书报之云：

某江南一愚儒耳，自景定甲子，以虚言贾实祸，天下号为风汉。先生之所知也，朋友自大都来，乃谓先生以贱姓名荐，朝廷过听，遂烦旌召。某乃丙辰礼闱一老门生也，先生误以"忠实"二字褒之，入仕廿一年，居官不满八月，断不敢枉道随人，以辱大君子知人之明。今年六十二矣，某断不可应聘者，其说有三：一曰：老母年九十三而终，殡在浅土，贫不能备礼，则不可大葬。妻子爨婢，以某连累死于狱者四人，寄殡丛冢，十一年矣，游魂漂泊岂不怀归？弟侄列国者五人，体魄不可不寻，游魂亦不可不招也，凡此数事，日夜关心，某有何面目见先生乎？此不可应聘者，一也。某在德祐时，为监司，为帅臣，曾握重兵，当一面矣。自丙予以后，已解兵权，弃官远遁，即不曾降附，宋朝文臣降附表，即无某姓名；宋朝帅臣监司寄居官员降附表，即无某姓名；诸道路县所申归附人户，即无某姓名，如有一字降附，天地神祇必殛之。甲申岁，大元降诏，赦过宥罪，如有忠于所事者，八年罪犯悉置不问，某亦在恩赦放罪一人之数。予若贪恋官爵，昧于一行，纵大元仁恕，哀怜孤臣，予有何面目见大元乎？此不可应聘者，二也。某前后累奉太母诏书，并不回奏，惟有缴申二王，乞解兵权，尽纳出身以来文字，生前致仕，削籍为民，遁逃山林，如殷之逋逃臣耳。闻太母上迁久矣，北向长号，恨不即死，然不能寄一功德疏，如任元受故事，今日有何面目，捧麦饭洒太母之陵乎？此不可应聘者，三也。今朝廷欲跟寻好人，某决不可当此选，愿与太平草木同沾圣朝雨露，生称善士，死表于道曰："宋处士谢某之墓"。虽死之日，犹生之年，感恩感德，天实临之，先生亦可以察某之心矣！

又与廉访使程文海书云：

大元制世，民物一新，宋室孤臣，只欠一死。某所以不死者，以九十三岁之母在堂耳，先妣以今年二月，考终于正寝，某自今无意人间事矣！苫块余息，心死形存。小儿传到郡县公文，乃知大元欲求至诚无伪，明达治体，可胜大任之才，执事荐士凡三十，贱姓名亦玷其中，执事荐异才而及某，非其人，非其人，贻笑于天下，取讥于后世，非大元梦卜求贤之意也？孔子有父母之丧，君命三年不过其门，所以教天下之孝也。传曰：求忠臣必于孝子之门。为人臣不尽孝于家，而能尽忠于国者，未之有也；为人君不教人以孝，而能得人之忠者，亦未之有也。某亲丧未克葬，持服未三年，若违礼悖法，顺执事之意，其为不孝莫大焉，决不可以辱召命也。昔丞相史嵩之父殁，天子诏起复，太学生叫阍阖而攻之，其词曰：天子当为国家扶纲常，为天地立人极，夺情非令典，起复非美名。是故，忠臣论事，必识大体，君子取人，先观大节，执事不可称非其人，而辜大元求才之意。某不可进不以礼，而误执事知人之明。传曰："为人子，止于孝。为人臣，止于忠。"某不能为忠臣，犹愿为孝子，惟执事亮某之心，使某幸而免不孝之名，是成我者之恩，与生我者等也。

程文海得书，见枋得十分坚拒，不好再强。惟参政魏天祐心中大有不快，暗思图之。又值寿春、汉阳两处用人孔急，天祐入朝，力荐岳燕超于太傅伯颜，及回福建，则枋得日卖卜于建阳驿桥，与岳燕超不时往来。魏天祐心中暗喜，以为一箭双雕，及燕超去后，暗思：必枋得纵之也，给入衙中，以一室禁锢之，久之释归，仍设卜肆。至正二十六年，会当入朝，天祐欲逼以北行，于是又命差官来启曰："奉参政命，请先生入城演易。"枋得遂收行李，令其子定之随侍左右，然后笑谓差官曰："谢枋得死期至矣！"差官愕然，同入参政府中，见天祐磬折以待，枋得举手就座，天祐益恭，茶罢，始启曰："大元肃清区宇，肇造诸夏，制度文物，未遑议处。故侧席求贤，各路设廉访以聘名士。先生乃故宋黎老，焉敢播弃？前者程廉访天祐，俱有荐章，开罪于先生，先生岂无意乎？"枋得曰：

"亡国之大夫，不可与图存。李左车犹能言之，况稍知诗书、颇识义理者乎？参政有荐章，枋得亦有小启，参政想应谅我矣！"天祐曰："不然，箕子乃是懿亲，尚陈洪范九畴，先生何吝玉至此？"枋得一闻以商况宋，以周比元，艴然不悦曰："枋得若贪恋官爵，昧于一行，纵大元仁恕，天含地容，哀怜孤臣，不忍加戮，枋得有何面目见大元乎？故夷齐不仕周，食薇亦知武王之德；四皓不仕汉，采芝亦佩高帝之恩，大元之赦枋得屡矣！枋得受大元之恩，亦厚矣！请参政勿劳说辞。"天祐左右思虑，俱不能动，日以诗酒盘桓，时而邀游考亭山水；时而选胜武夷洞天；时而幔亭张饮索诗，枋得则俯首无语；时而衙斋设筵论道。枋得又带刺行讥，相处月余，天祐俱容忍之。枋得每当酒后，好论乐毅、申包胥、张良、诸葛亮事，若抱千古不平之恨者。天祐乃讥之曰："人情责人则明，责已则暗。古今人大抵如斯。"枋得怒曰："慷慨就死易；从容赴义难。若辈恶足语此。"天祐亦不能堪，怒责曰："封疆之臣，当死封疆，安仁之败何不死？"枋得曰；"程婴、公孙杵臼二人皆忠于赵，一存孤，一死节，一死于十五年之前，一死于十五年之后，万世之下，皆不失为忠臣；王莽篡汉一十四年，龚胜乃饿死，亦不失为忠臣；司马子长有云：'死或重于泰山，或轻于鸿毛。'韩昌黎亦云：'盖棺事始定'。参政宁知此也？"天祐无可回答，乃曰："强辞。"枋得曰："昔张仪语苏秦舍人云：当苏君时，仪何敢言？今日乃参政之时，枋得复何言？"枋得自此以后，绝口不饮食者二十余日，不死，乃复食。一日魏天祐起行入京，逼与俱往，由建宁路起行，枋得旧日交游，俱来送别于建宁县之凤凰台，相持泣下，饯诗甚多，叠稿盈几，内有张子惠者，与枋得更为知已，饯诗独出人意表，曾有句云：

　　此去好凭三寸舌，再来不值一文钱。

枋得会其意，甚称赏之，惟令其子定之护送，谢别众人，卧眠轿中而去，不日抵太平府，渡采石矶，瞿然曰："不食矣！"自此每日只少茹菜果，日就尪羸，犹勉强起立，南向再拜恸哭，积数月，困殆益甚。四月初一日，始至燕京，天祐见枋得如此，亦未便奏闻。至初五日，枋得卒于驿中。天祐始奏知元主，世祖深叹："其人死不屈节！"令归葬故里，以成其志。枋得子定之始得护骸骨，归葬于信州弋阳，为题曰：宋处士谢叠山先生之墓。定承父志也。枋得生平，无书不读，为文章高迈奇绝，自成一家，学者多师之，所著有《诗传注疏》行世，其精忠劲节，与文少保如出一辙，论者谓扶纲常于夷狄乱华之时，振风化于宋柞将倾之际，身虽死，而英气凛凛，至今犹存，此公可谓遵孔孟之训者矣！此信传至广南，岳燕超闻之，临风悲奠，恸悼不已，急奏知涪陵王，涪陵王亦泣曰："先朝节义之臣，国家之元气也。"亲为设祭，复其官爵，谥曰文节。遣吉安知府亲临信州弋阳，筑墓表阡，致奠毕，厚恤其家。

第四十二回　梅参政淮南召兵

元世祖至元二十七年庚寅，各路地大震，武平尤甚。压死官民等七千余众，坏仓库局四百余间，民居不可胜数。江阴、宁国等处大水，百姓转徙流离者四十五万余户。时世祖年七十有六，春秋既高；内有弘吉剌皇后专政；外有诸王驸马并阿合马、塔即古、阿散等，表里为奸。尚书省与征理司钩考百司仓库钱谷。无非贪饕邀利之人，骚扰各处。民不聊生，盗贼纵横。有行台侍御吏程文海入奏，帝不省。兵部尚书董文用与平章不忽木二人齐奏曰："江南守将耶律渊、石中孚与贼连战皆捷，寿阳锐气沮丧。今石中孚年老病卒，仅耶律渊一人，应接不暇，恐贼势复炽。陛下曷不委将协征寿阳，平定江南，在此一举。机会不可失也！"世祖允奏，随有议郎程鹏飞进曰："左都督梅殷，从太傅伯颜出征最久，历练知兵，可当此任。"世祖从之。诏以梅殷兼行省参政，协同耶律渊征寿阳，觞之便殿。文武送至蓟门邮亭。梅殷举手谢众曰："殷若灭贼，则回军有期。不然，则朝天无日。"文武为之动容。梅殷奉旨，自望安丰路而去。

且说淮王秦锡帛，自失宁国等处，与贾智深议曰："联盟汉阳，结为唇齿，竟不足恃。方今惟广南兵最强，号令严明，所向无敌。莫若姑示顺从，借为声援。以观其变。"遂遣莫绥猷奉书币纳降，愿为内附。且以次子秦梓为质。莫绥猷直达翔龙府，禀见涪陵王。参拜已毕，将书币呈上，并达淮王之意。有韩昭、马遇乐、皇甫惇三臣欲纳其降。涪陵王本不悦秦锡帛，因不欲却其来意，婉言谢曰："广南寿春，间关阻隔，江右微近，仅堪自守。上国士马精强，何虑元师？况古者虑人不从，则为盟誓，盟誓变而为交质，皆由未能相信故也。苟忠信以将之，便当推心置腹，诚实相与，如青天白日，何自怀疑义，而用质子为哉？"乃厚赠莫绥猷，以温语遣之。恰值梅参政协征淮南之信亦到寿阳，秦锡帛益急。又遣使以犀角带、象牙梳、珊瑚枕、龙凤镜四宝来献，且请江右等处遥为声援。涪陵王笑曰："地土且不受，何有于珍玩？孤正有事于四方，所需者文武才略，所用者谷粟布帛，他非所好，悉却之。"使者不敢停留，离了广南，急回寿春。路经临淮，遇颍川豪士刘汉杰。见使者押扛礼物，光芒外射，知是异宝，惊讶不已。又见上有淮王旗号，大喜曰："此人口馒首也！"一声呼哨，庄客家奴数十人打散舁夫，一拥夺去。使者星夜逃回寿春，禀知淮王曰："故宋不受礼物，亦不肯声援，礼物押回，行至临淮，被强人夺去。特来请死。"秦锡帛只急得双目直瞪，咆哮大怒曰："孤不惜重宝，求援与国，何不沿途小心？有辱使命！"立将使者斩之。唤过邢士龙，命率三百轻骑，夺回重宝，拿获强人，不得有违。贾智深急谏曰："不可，临淮颍州，乃系元人地土，焉可去兵？此宝已失，量难夺回。大王且速议御敌之策，若复凤阳，数宝自有下落。"秦锡帛恚曰："珊瑚枕、犀角带，俱海外异产，价值千金，不足为奇。龙凤镜乃先太师未第时，与同窗数友偶游石镜山，遇一异人，见先太师，惊问曰："此长脚者何人也？"众告以姓名，异人愀然曰："此人他日贵显无比，但不克令终耳！"先太师拜恳以保全之术，异人因出古镜一枚曰："此石镜后身也,有此一镜,可保首领矣!”先太师拜谢而归,见此镜无甚奇处,惟镜背有龙凤交互之文,故呼曰:“龙凤镜。”镜面亦模糊不甚光华,但不时张望,屡有警报。靖康中从二帝入金,见镜中诸臣、文武皆被囚。而先太师独不然。后果得还国。绍兴二十年正月朔旦,将入朝,忽镜中见一小校,执利刃甚怒,及入朝,果遇施全行刺,不中被获。家世珍藏,洵稀世之宝也!今故宋幸灾乐祸,求援不与,显然欲我鹬蚌相争,彼坐受渔人之利也。孤意欲分兵伐宋,以图江右等处,一面抵敌元帅何如?”贾智深连声曰:“不可,不可。劳师袭远,万难成功,是又生一秦矣。目下惟先发制人,趁元兵未到,令耿星星仍由吴兴袭南陵,张师旦由宿州袭临淮,邢士龙由广德袭六安州,三路并进,亦牵制之一策也。”

秦锡帛从之,下令去讫。惟张师旦袭临淮一支人马,正遇耶律渊引大队抵住去路。张师旦暗思:江南惟一耶律渊知兵,若不除之,终为寿阳之患。张师旦遂整饬人马,直与接战。耶律渊横刀勒马而出,张师旦遂与交锋,不数合,大败而走。耶律渊按兵不追,张师旦休兵复战,终不能胜,接战数日,连战皆北。耶律渊颇易之,兵屯临淮县高唐馆之南。是夜,恍惚若老将石中孚进营,约与入朝,方欲问此间托付何人,石中孚不答,忽然惊觉,乃是一梦,甚异之。

次日,闻左都督梅殷奉旨来征寿阳,又报贼将张师旦搦战,耶律渊大怒曰:“誓当扫除妖魔,陛见元主,方显将略,”舞刀跃马而出,马忽失前蹄,将耶律渊掀跌在地,众家将慌忙扶起,齐谏曰:“今日将军出马,恐有不吉。不如休兵数日,候梅参政到,一同破敌何如?”耶律渊叱曰:“我往彼亡,何不吉之有?大将临阵,凿凶门而出,宁问祸福耶?”家将不敢再言。耶律渊一股锐气,按纳不下,恨不一刀一马,踏尽贼兵。张师旦望阵先逃。耶律渊追过渔台,濠梁左右,芦苇成林,时秋风骤起,满目荒凉。不觉心动,问家将曰:“此非战国时庄子休观鱼处乎?”家将曰:“然”。言未毕,荻港蒲丛中伏兵四起,大呼曰:“休放走了耶律渊!”耶律渊顿足叹曰:“吾一时轻敌,中贼计矣!”贼兵万弩齐发,张师旦抄在后面,阻住归路。可惜大元名将,竟为张师旦所算,射死于观鱼台下。张师旦拨回人马破了临淮;不分星夜,仍旧复了凤阳;报捷寿春。秦锡帛大喜。遂命三子秦楠领兵同守凤阳,张师旦进爵有差。不日又报耿星星袭破南陵,邢士龙亦占了六安州。安丰路大震,日渐强盛。兵势复张,及梅殷到日,各路失陷已三日矣。梅殷闻报大惊。忙令三军,与耶律渊发丧,表奏元主,为之请荫。驻兵合肥,调集各路将佐,大阅士卒,不上万人。讶曰:“行伍全然不整,焉能破敌?”下令:“一面召募,一面征调,再议征进不迟。”

且说颍川刘汉杰,年逾四十,尚无子息。因至栾城妻舅韩氏家,回归,路遇淮使,夺得贡物,急舁回白鹿庄。启椟一观,见犀角带、象牙梳、珊瑚枕,皆稀世异宝。不胜惊喜。又一古镜,斑驳陆离,不甚光华,暗思:此系贡物,必有异用。就床前悬之。是日,重赏庄客,大犒家奴。自与妻韩氏,亦就中庭,设宴庆贺。韩氏曰:“我家世居白鹿庄,纵遇凶岁,不受饥寒,焉知非前人余庆,但已过壮年,尚无子嗣,未免形影相吊耳。”汉杰曰:“古人云:‘无官一身轻;有子万事足’。惟此最为难耳,但刘氏世多修积,不应绝嗣,若获早岁抱子,慰我属望,庶得桑榆晚景之靠。”韩氏曰:“前者妾曾于莲花院弥勒佛座下，布施金钱二十万，祈福求嗣，近来腹痛隐隐，早晚间若得分娩，实叨神贶。”汉杰曰：“若得刘门有后，誓当皈依佛前，朝夕礼拜，以答神庥。”夫妇饮至更深而罢。是夜星光朗耀，香气袭人。韩氏果然分娩，竟举一雄，面目峥嵘，日角有光，试啼声，英物也。刘汉杰大喜，急向神前，叩祷拜谢。

次日即命仆从，辇钱至莲花院，酬还神愿毕，回归。路遇故人赵豹、薛超，问：“何往？”二人皆言：“往合肥投军效用。”汉杰正喜得子，挽留至家，当轩酌酒，十分款待。二人亦举手称庆，畅饮大醉。刘汉杰乘兴言曰：“贤弟辈欲投军自效，固属有志勤王。但当今势变难料，盗贼纵横，朝廷多不之理，况四帅虽死，五奸犹存，骚扰天下。激厉英雄，多从草泽中崛起。贤弟既到合肥，当见机而行，慎勿拘执。”赵豹、薛超齐声曰：“某二人不过借此机会，一观朝廷气运何如耳，安得如仁兄脱然事外，东山高卧哉？”汉杰曰：“非愚兄偷闲自乐，见大元机局，已约略可知矣！但贤弟辈皆有用之才，入军投效，自当选拔。”三人促膝谈心，至次日珍重而别。赵豹、薛超，行至中途，又遇泰州杨进、娄县徐有芳、海门魏镛，皆往投军，五人同至庐州合肥县，直渡巢湖，闻梅参政兵屯藏舟浦，凡投军者，皆先入亚父馆注名，申送营中，考验收用。赵豹、薛超等注名已毕，见悬挂榜文云：

安丰路行省参政兼统制兵马招讨使左都督梅

为召募事宜，晓谕军民人等知悉，所有各件才艺，胪列于后：

其一、熟谙兵法，深明韬略，可为元戎者。
其二、骁勇过人，斩将搴旗，可为先锋者。
其三、武艺出众，才堪驱使，可为散骑者。
其四、谙晓天文，善占风候，可为策划者。
其五、素知地理，深通险易，可为向导者。
其六、心术公平，为人正直，可掌纪录者。
其七、机变精明，动能料事，可与议军情者。
其八、语言便捷，足能动人，可以为说客者。
其九、精通算法，毫厘不差，可以掌书记者。
其十、多读诗书，以备顾问，可为博士者。
其十一、素明医学，神圣工巧，可为国手者。
其十二、善能驰骤，探听机密，可为细作者。
其十三、掌管钱粮，出入有经，可以给军饷者。

以上十三件中，凡有晓一件者，即赴亚父馆注名，申送幕府，听候考验，果称其实，立即重用，不拘资格，尽心王事，务图报效，懋著功绩，不次超擢，封侯相，悉在此举，敬兹告示，晓谕通知。

至元二十七年　月　日押

五人看了榜文，投入幕府，梅参政委牙将验过，皆录入裨将，以次擢用。旬日，梅参政又召集军士万人，不时检阅，操练精熟，乃发令箭三支：一调京口都督彭悦，进广德州；一调徐州钤辖戚磷，赴六安州；一调松江统制裴金仙，取宁国。自领大军，直捣凤阳，由和州而进。

第四十三回　金山寺索通盗宝

云梦贼贾翀，既破汉阳，兵屯汉川，四出大掠，将犯黄州。有倪雕儿、汪夜叉、姚太师、宋罗喉、赵阎罗等议曰："此去蕲黄不远，攻城掠地，不足介意。惟兵饷不足奈何?"赵阎罗曰："我兵目下云集响应，不下十余万众。古云：'兵多将累，粮草不敷，决遭困惫。'不如大加检阅，精壮者留，其难民胁从者，用武安君长平之法坑之。"汪夜叉曰："不可，饥民胁从，用以冲锋则不足，用以掳粮则有余。随从我军，令自觅食，亦足以壮声色。即官军截杀，亦无损于大队。岂不两便?"倪雕儿曰："二公议皆未尽善，某有一法，难民俱有用处。"众问："何用?"倪雕儿曰："我兵行处，并无辎重押后，全靠掳掠。今将掳掠之法，分为三等：第一酷比缙绅，第二赎取妇女，第三搜刮富户。夫缙绅之家，即在任廉介者，薪俸之余，岂无微积；若贪污官吏，日坐私衙，敲精吸髓，民膏民脂、橐辇归，遂甲第连云，膏腴万顷，非我辈不能出所藏也。至掳掠妇女，另置一营，不准男女混杂，以身分高卑，定贵贱取赎。素封之家，累世蓄积，严加搒掠，拷出私窖，粮饷自充矣。"众人皆曰："此计甚妙，比缙绅掠富户二件，即令难民胁从者任之，为伊等平日吐气，当有奇效，惟赎取妇女一事，非我辈自为稽查不可也。"倪雕儿曰："各委部下将校主掌，但纪律不可不严，掳来妇女决不可犯。如有士卒奸淫者，立斩不赦。如此则赎取日众，而银钱自广矣。"众人如命，此令一下，纵兵四出，汉沔一带，鸡犬俱尽。时有安陆县郑恒者，度宗时曾知绍兴府。其高祖毅夫，仁宗朝状元及第，世代通籍。郑恒为绍兴知府，抗疏力言襄樊不可不救，贾似道讽台臣奏劾之，罢归安陆石柱乡，不久遂卒。宋亦随亡。妻梁氏生一子一女。子名梦兰，才华秀美。女名玉奴，姿容闲雅。一兄一娣，读书木兰山房，而玉奴颖悟过分。每相问难，梦兰自叹弗及也。年十五，工吟诗，善填词。七夕登楼，作《忆江南》二首，词云：

七月七，瓜果设庭中。乞巧穿针儿女技，在天在地誓深宫。银汉自空空。

其二云：

七月七，鹊渡诉离衷。尽夜绸缪今夜里，情魔难障太阳红。分手各西东。

梦兰见之，长然曰："字句虽然清新，声口未免懊恼，恐有不祥。"玉奴又题杨妃教鹦鹉，念心经一绝云：

春寒卯酒睡初醒，笑倚东窗小玉屏。
早悟眼前空是色，不教鹦鹉念心经。

又题绿珠坠楼云：

花飞金谷彩云空，玉笛吹残步障风。
枉费明珠三百斛，荆钗哪及嫁梁鸿。

梦兰见之喜曰："妹此二作，颇敛才就范矣。一日木兰亭前，池中芙蓉盛开，梦兰有感，乃作《菩萨蛮》一词云：

红云半压秋波急，艳妆泣露娇啼色。住梦入仙城，风流石曼卿。
宫袍呼醉醒，休卷西风景。明月粉香残，六桥烟水寒。

玉奴观毕，亦作行香子词，二首云：

如此红妆，不见春光。向菊前，莲后才芳。
雁来时节，寒沁罗裳，正一番风，一番雨，一番霜。

其二云：

兰舟不采，寂寞横塘。强相依，暮柳成行。
湘江路远，吴苑池荒，奈月朦朦，人杳杳，水茫茫。

梦兰看罢，愀然不乐曰："吾妹将来大有迍邅，观诗词声口可见矣。"无何云梦贼起，乃奉母梁夫人。避兵京山县莫愁村。时盗贼纵横，人情汹汹。家中厮仆逃亡过半，余者俱怀观望。惟老仆二人：一名索通，自称赛昆仑；一名马陵，绰号绍虬髯。二人素有肝胆。原本山东死囚，遇郑恒生之，收为健仆。后奉使淮西，夜宿蒙城。贾似道遣人行刺。被二人擒获，竟免于祸。郑恒待之益厚。景定间三使海道，颇得其力。但二人积不相能，常睇目视，同食不交语。睚眦小忿，辄奋老拳相殴斗。及闻汉阳已陷，纵兵四出，渐至近村，梦兰已束手无策，忙与母梁夫人及妹玉奴，弃家逃窜，仓皇出走。马陵搀扶梁夫人，一步一跌。行不数里，索通方负一橐赶上。喘息未定，忽一队贼兵蜂拥而至，主仆冲散。梁夫人母女，慌做一处。忽见一枯桥，内颇空阔，潜伏其中。俟贼去，乃逡巡而出，已不知梦兰与二仆何所，急寻僻路而奔。回望各村俱烟焰蔽空，道路皆横尸枕籍，见男妇号哭而行者，络绎不绝。行约数十里，力渐不支，足亦皲裂。乃投深林中，母女相对而泣，坐以待旦。腹馁特甚，捱至天明，又恐贼至，母女狼狈而行。午后已十分困惫，前临石桥，于绿杨深处少憩。饥不可堪，乃摘柳叶嚼之。惊布方定，闻桥上逃死者悲恸欲绝，不胜酸楚。又至黄昏时，四野虫鸣啾啾，母女更喁喁饮泣，自分必死。忽疏星淡月中，桥西若有人大踏步而来，口中唧唧哝哝，闻语云："夫人小姐，存亡未卜，此事怎了？"玉奴细听之，索通声口也，急低声呼唤。索通一闻大喜，急至桥下，扶出母女曰:“夜静行将安之。”索通曰:“此名离狐村,前去不远,有延庆寺,权往寺中,明日再作理会。”遂一步一步行去,直入寺中。月下见门庭荒芜,并无灯火。母女至佛前祷拜泣诉,就殿角坐定。索通将橐中食献上,夫人始问梦兰消息。索通愀然曰:“不知去向,业有马陵往迹之矣。”夫人泣不可止,玉奴亦泣曰:“仓卒出奔,并无资斧,倘至京山舅氏家,则无虑矣。”索通曰:“老奴橐中,幸预有准备,且过应城,须雇车马,方能直达京山。”三人勉强,捱至天明。索通前去探路,缓缓而行。但所过残毁,并无旅邸。索通觅食之。

一日道出乌坂,达鹿头口,将近大路,索通曰:“冲要之处,防有贼兵,老奴往探之。”夫人、玉奴匿路旁深林中。既而林外,忽闻有人来往。玉奴方探头一望,谁知正是贼队探军。一见玉奴,知是奇货。凡十余人,奔入林中,将母女拿住。夫人叩头不已,玉奴情知难免,正欲投崖。贼一绳缚定,慰之曰:“我等不伤性命,若有亲眷取赎,异日还可归家。”不由分说,押赴而行。少顷,索通飞奔而来,一见夫人、玉奴被陷,狂呼不已,投入队中。贼将刃之。一贼曰:“且问系此女何人?”索通曰:“老仆也。”贼曰:“既为主仆,即属亲眷。贾大王有令,不戮妇女,须用金赎取,决不食言。”索通恐诈,且泣曰:“老奴愿随军中,乞将主母、小姐释放。”众贼大怒,三拳两足,推之使去,曰:“非三百金,不能赎也。”簇拥而去,索通抵死追赶,且呼且泣,只见一贼引弓持满向之曰:“老奴才不畏死耶?某营中所得妇女,何止万千。但宦家女子,赎以千金,民家者三百金。命妇五百金,有金则归,无则死。”嗖的一声,索通应弦而倒,负痛而起,忙拔出箭镞,则右臂血流如注。裂衣束之,贼已去远矣。坐而泣下曰:“保主不全,不如一死。”即欲寻自尽,既而又转念曰:“抱惭而死,不惟无以见老爷于地下。且马陵有知,将笑我为偷死矣。今日之事,一生九死,不可不死中求生。贼明明告我以千金赎取,若得千金,则夫人、小姐生还皆可冀也。遂熬着痛楚,立起身来,暗思:主人旧日,颇有蓄积,家中岂无暗藏?不如仍归安陆。

遂连夜奔回石柱乡,方入里门,见凋残已极。再至家中,则庐舍已付煨烬。一见怆然,基址俱发掘靡遗,心如灰死,无计可施,左右思维,忽然曰:“计在是矣。京山县梁氏舅家,亦是世胄。且属至戚,惟此处为可望耳。”且幸身边尚有余金,行路有资,遂至京山,但梁氏家则先一月,已被抄掠矣。索通如冷水浇头,垂泪而已。抽身便走,又忽忆着主人存日,同僚有一苏学士,最相契。学士乃宰相苏颂之孙,世居丹阳。不如竟赴京口,且南徐不曾被兵,此计定不落空。遂不分星夜,雇舟直下,迤逦达于镇江,由江口拨运河,十数日已近丹阳。上岸访问居址,俱云:“苏相公世居城西晚香村,于大宋革命时,远迁台州去矣。”索通望空捉雪,大失所望。囊中羞涩,流落京口,幸幼年颇好引拳,尚能记忆,遂以卖拳营生,且救眉急。一日在丹徒县焦山镇,遇一头陀,亦枪棒师也。两人心投意合,言语之下,索通不时长叹。头陀怪而问之,索通以实告,且曰:“若得千金,则吾事成矣。”头陀曰:“此处金山寺,现贮数千金,何不取之?”索通惊问:“何金可取?”头陀笑曰:“其实金则无之,有一物可值数千金耳。”索通又问何物。头陀曰:“北宋时有一佛印禅师,乃是高僧,住锡金山。苏东坡学士,将往访之,直造寺中,禅师迎问曰:‘内翰何来?此间却无你坐处。’苏学士戏曰:‘借和尚的四大身体,用作禅床少坐。’

禅师曰：'山禅有一转语，内翰答得来则罢；不然，将身上玉带留下，永镇山门。'苏学士即解下玉带。请问何语，禅师曰：'山僧四大本无，五蕴皆空，学士要在何处坐？'苏学士一时答应不及，禅师即喝侍者速收玉带，苏学士欣然弃带而去。按，此带出宋皇上御赐，所值何止千金？见今存在方丈后佛顶阁，庋置第一层楼上。若得此带，胜汝数千金多矣。"索通大喜，深谢头陀。头陀戒之曰："汝义气可嘉，故以密告，但百年镇宝，盗之甚非容易，吾将逝矣。"索通力任不辞，头陀遂去。

索通便渡过扬子江，见金山浮在江心，四面悬绝，一径孤悬，暗惊此山如何可止？方逡巡山下，瞻前顾后，忽山头有人大呼曰："山下有贼至矣！"索通大惊，细审之，乃卖拳头陀声也，心中大疑，既而忿然曰："但得救主，赴汤蹈火，亦所不辞。"是夜方欲止山，闻寺内鸣钟不已。即当更漏，甚是分明，不敢入寺。一连数日。闻本月初七日，乃英烈龙王诞辰，赛会烧香，索通喜曰，机会在此时矣，至初七日，果人山人海，索通踱将上去。但人人进香者，俱至龙王堂而止。寺前寺后，巡视甚众。直延至晚下，见众僧俱登佛殿顶礼，喃喃喧扬佛号。索通由大殿，经过数重殿宇，混入方丈。侧左有门未闭，竟闯将入去。果见一阁，高出层霄。暗思必佛顶阁也。正欲登阁，一时闻方丈内，木鱼震响，众僧已入方丈。索通大惧，忙至阁子后，黑暗中伏定。少顷，又见十余僧合掌而入。索通悚息，毛发皆竖。见众僧一一掇梯，直上楼去。索通懊悔曰："计不成矣。"既而楼上梵音齐作。时腹中饿甚，遂出大殿，见佛前罗列供献果品，正好充饥。馋猿遇果，饿犬闻腥，任餐一饱。更转身入阁下，闻梵呗声少息。又欲踱上楼去，未及阁门，忽履声橐橐，慌忙转身，正在窘急，忽见回廊右手畔，有一小门，可盼江水。遂徐步而出，见有小径，可以纡道，直达山门。幸有生路，始潜身下山。正值夜渡船，搭过江去，宿于旅中。

当夜纳闷不已，展转床席，未能合眼。时月影当窗，猛听隔巷有行步声。起而窃视之，见一偷儿在隔巷人家壁下，蛇行而入。少顷，橐负而出，如是者再。索通看得分明，徐至壁下。偷儿正探头从窦中出，索通一把拿住。偷儿作慌，忙将橐中财物献上。索通一时触动心事，扭至僻静处，抵死不放。偷儿乞命不已，益发窘急，伏地叩头，乞免一死。索通笑曰："某非捕盗者，特有求于汝耳？"偷儿不省，索通曰："汝入此道几年矣？"偷儿听其声口，似同道者流，乃答以初学。索通不觉愀然久之，偷儿已窥其意，乃曰："实不瞒公，某作此勾当，近今十五年矣。"索通大喜，急叩以有闷子火，鸡鸣断魂香否？偷儿愕然，暗惊此人，乃大盗也。今晚小巫见大巫矣，因问以何用，索通曰："有则求之，无则不劳说辞。"即以橐还之，令去。偷儿负橐欲行，仍止。复问曰："足下果何人也？"索通怒曰："免汝一死，速去耳，饶舌何为？"偷儿愈不肯行，弃橐于地。再拜曰："何敢相瞒，某实系小偷。愿拜门下，以听驱策。若得承教一二，没齿不忘。"索通复笑曰："汝以吾为巨盗也，为汝求二物，殆将有所用耳。"遂以心事告之，偷儿大喜曰："断魂香、闷子火，惟吾师处有之。吾师为江阴巨猾之魁。每在皂角林、瓜洲渡等处，截江剪径，徒众百有余人，如虎生翼。要得此带，某去请吾师，将寺中掳掠一空便了。可劳如此琐琐。"索通大惊，不许，急以婉言谢之，令去。偷儿又曰："公既存心仁厚，不愿买祸。某一人去，竟将此带盗出。用以报公盛德，何如？"索通大喜，又曰："寺中防范綦严，重楼复榭，道路曲折，恐汝路径不熟，须某同去，方保无虞。"偷儿大笑曰："作此勾当，宁问道于人耶？某试探之，决不辱命。”

次日当晚，二人摇舟过江。至山下，索通遂止舟中，偷儿踱上山去。犬吠无声，至更许而回。索通急问之，偷儿曰：“业已探过，在阁上古佛龛前庋置第三层，以伽楠香木泥金匣装护，外用紫纱罩定。周围俱列禅庆，共宿一十六僧，明晚定当取至。”索通惊以为神，仍驾舟回至寓所，次晚又至旧处，将船系定，偷儿迈步上岸，已近寺门，忽犬吠一声，偷儿折身便转曰：“事不谐矣。”索通促之令去，偷儿曰：“大凡此道，最忌犬声。犬既司惊，入户必多危险。且俟五日后，再至可也。”索通恨不一时到手，便去赎取夫人、玉奴，十分叹息。偷儿曰：“盗取他人之物，岂可迫促？倘太仓卒，必生他变。”索通懊恨而回，二人遂隐至僻静处。

五日方至，黄昏偷儿忽不见。索通处处踪迹，并无形影。始叹强人无义，误我大事，十分追悔。乘着月色，再至江下。怅望一会，见隔江一人，驾小舟如飞而来。方欲避之，忽舟中人大呼曰：“幸不辱命，有以报公矣。”索通惊异，视之，偷儿也。弃舟上岸，手捧一匣，背负一橐，望僻静处而走。索通狂喜。直至北固山脚下，启匣视之，果玉带一围，用黄罗封裹。再启其罗，见带上镶嵌明珠二十四粒。中交环处，乃通天犀角，琢就龙凤交戏之状。两旁护腰，皆于阗玉也，光艳夺目，真希世异宝。匣中更有玉斝金樽，古玩珍奇十余事。索通德偷儿，惟取一带，余尽以赠偷儿。偷儿不受曰：“予橐中尚有货物，不啻数百金值也，得此足矣。”视之，皆金银器皿，白镪数十锭。偷儿喜出望外，曰：“得公义气所激，直入宝藏库中，席卷一尽，胜某十五年行窃矣。”索通笑问：“如何得近阁上。”偷儿曰：“此易与耳。阁中耳目甚众，俟僧等熟睡，竟从阁上，沿屋而下，既得此匣。又见龛前罗列许多宝玩，天与不取，留以供群秃作无穷受用也耶？”索通曰：“寺中既失许多宝物，必鸣官缉捕。足下此地，固不可留。即梁上君子之行，亦不可再。某劝足下刻意改行，前愆晚盖。有此数百金，不愁不作富家翁。”将匣中宝玩，尽以赠之。偷儿坚拒不受。索通怒曰：“可知赛昆仑是有肝胆男子，仗义救主，故作此事。并不为货财起见，尔坚拒不受，毋乃无意改行，而甘心作窃盗乎？”偷儿唯唯谢罪，泣曰：“某乃京西鲍立，家贫落魄。自念生平行窃，并无此胆。今为公义气所激，轻身涉险，若履平地。非天实启之乎？某从此仍归京西去矣。得此余生，皆公所赐。又承厚赠，感戴何极。”索通甚喜，二人遂迎江而上，过丹阳，由南京达湘湖，至黄梅渡口，方始分手。

索通再三嘱咐，鲍立泣别而去。索通将玉带用匣庋定，打听贼兵音耗。时已破蕲水，贼营现在广济。索通遂直叩营门，贼兵禀知主将。传言所掠妇女，尽在应城，有来赎者，自赴应城可也。索通听言，暗思：云梦去庆城不远，吾不如先赴应城，竟至云梦贼首贾翀处献带，免生枝节，主意已定，直奔云梦。先禀知廖维新、翁国彤二谋士，随令人见贾翀，将玉带呈上。贾翀一见，光艳照人，知是异宝，满心欢喜，把玩不置。遂问寥、翁二人，价值若干？廖、翁齐声曰：“此御赐宝带，岁月既久，应值五千贯。”贾翀狂喜，遂问索通：“欲金乎？欲官乎？”索通曰：“两俱不欲，愿得主母、小姐。并大王令敕，得保乡里足矣。”贾翀曰：“汝主母、小姐为谁？”索通曰：“主母梁氏，小姐郑玉奴，现在应城。”贾翀即付令敕，命廖维新引至应城，查出梁氏、玉奴，付与索通再赐银五百两，以赏献带之劳，不日面南称尊，佳兆在此一带矣。索通谢恩而出，同廖维新至应城，有刘环将册籍呈上,查命妇籍。果有梁氏,应赎五百金;宫女籍,果有郑玉奴,应赎千金。廖维新笑曰:“汝献带赎主,允称义仆。但价值过半。倘有姻戚,准更赎数人去。”时玉奴有同伴二女子,皆潜江人,逐日与玉奴寸步不离,甚是相得。闻玉奴赎去,悲悼不胜。夫人不忍,命索通一同赎去。二女子得离虎穴,皆索通之力也。

索通拜谢廖维新,领四人而出。自知京山不可复居,雇车马,直过江右,望九江而去。

第四十四回　周处台马陵伏妖

潜江二女子，长鸾英，次凤英，姓许氏，有殊色。父母俱逝，兄嫂犹存，遭乱相失，陷贼中，与玉奴亲若姊娣。得索通共夫人赎出，同至江右彭泽县，小姑山北，买山筑室。为避乱之计，内有夫人做主，外有索通经纪。玉奴三人，可以相安。惟不时叹息梦兰，不知窜离何所？夫人、玉奴每每泣下。索通时以温语安慰，谓必已同马陵，量无他虞，索通又雇人不时各处探听，并无音耗。

一日，夫人与玉奴正悲咽间，忽一人蓦然直入。视之，非他，即公子梦兰。母子相逢，喜出望外。索通急问："马陵何在？"梦兰自言："被贼冲散，一人逃至黄梅，窜伏数日，打听母妹音耗，又至蕲州天门等处，足迹殆遍，近日方问道归家。"索通曰："黄梅去贼巢不远，如何不知？"且马陵自言寻主不得，不归，宁肯背主而逃。心中狐疑不定。

谁知梦兰与马陵前时逃过建康，至上元备极辛苦，一日过周处台前少憩，梦兰因奔走太急，两鼻衄血不止，沥红满地。因过西州城，馆于村南庞老之家。归家之梦兰乃妖所托也。周处台下，旧有蛇穴，自梁至宋，约五百余年。一蛇偶出，见梦兰沥血满地，用舌舐之，遂化为梦兰，托名归家，竟至彭泽，为母子会合。

而真梦兰所主之庞老名洪者，上元素封也。有二子，延师课读。梦兰主仆，正无家可奔，遂托足任为西席。所居园亭幽寂，花木丛茂，梦兰安心住下。惟思念母妹，与马陵太息而已。住月余，忽有一女子，眉目如画。月夜就之。闻漏声则来，及晓钟乃去。每去，梦兰启扉而送，复掩扉而寝。庞氏二子，卧榻前月余，梦兰恐其觉，以微言试探，而毫不省。马陵独卧一室，更不知就里。会一日庞老留他客同宿斋中，女子先一夕告曰："暮有客至，妾不能来，当遣人迎子。"梦兰至是稍疑之。是夜三更后，果有两人自窗纸中入，皆衣青衣，貌极丑恶。梦兰不欲行，不觉被其扶掖出门。行如驶，至元武湖，蹑浪而渡。梦兰大恐，然毫不沾濡，无异蜻蜓之点水。既入门，则甲第连云，俨王侯家。女子貌益庄雅，服饰愈丽。迎梦兰于中门，慰劳甚欢。席间绮绣错陈，金玉罗列。酒酣，携手入卧内。至其陈设之璀璨，尤人所未见。帐前悬明珠十二颗，间有大于鸡卵者。双金鸳鸯，口吐香烟，环绕衣袂间。香不添而烟不减。梦兰至此时，目荡神摇，不知置身何地。榻前复设小酌，女子横玉琴弹之。捧红玉斝，满斟香醪，自饮其半，以半进梦兰。将就寝，隔帷箫声呜呜然。梦兰揭帷，忽见一女子，年十四五，姿态更妍。不觉得陇望蜀，不能自持。前女子急牵其袖曰："小妹学箫，羞见生客，无烦窃看。遂寝，女子揽被覆之。被如轻烟，若不知有被者，以手扪之，惟轻温贴体而已。鸡鸣，复呼二丑人送归。还至湖边，丑人推之入水。大惊，狂呼而寤。客与二弟子俱问先生："适梦魔耶？"梦兰唯唯。而窗外鬼声啾啾，闻之始惧。告于马陵，马陵视其面目形容，大与前异。遂与偕寝。迨女至，仍懵然与之欢狎。马陵无力可助。从此日渐尪羸，益惧。告于庞老，庞老使健仆数人守之。仍如故。众咸以为淫魔，连请数巫，俱不能遣。自此梦兰终日，昏昏若梦，病转增剧。马陵十分着急。庞老又访得天庆观羽士杨真人，善能伏魔降妖。不惜重礼，请羽士来，登坛作法。穿戴星冠羽衣，拈香礼拜。即念净心神咒，一手执七星降魔剑，一手持五雷诀，步罡踏斗。用天蓬尺在案上，三敲四击，口中唧唧哝哝，又念金光咒、净天地神咒、北方真武荡魔神咒。念毕，敕符遣将捉邪。庞老以为此妖定可伏矣。谁知女子即附在梦兰身上，至坛前敛衽言曰："奴与郑公子有夙缘，乃五百年前结好，何劳念咒书符。"杨真人见此光景，老大作慌，急将法剑在案上一击，扬声喝曰："都天大雷公，霹雳虚空，神兵千万上，来降此坛中，敢有逆令者，雷部定不容。吾奉太上老君，急急如律令敕。"念毕，随又烧符，召请庞、刘、苟、毕、邓、辛、张、陶、马、赵、温、关十二天君，速来降妖。女子在坛前，不觉抚掌大笑曰："杨真人，汝满身皆魔，自己心中魔，尚不能祛，焉能驱人魔也。俺与汝同是一魔，若以魔治魔，岂有此理？"说罢，仍转入书斋去，杨真人满面羞惭，只得收拾法器而去。"庞老无可如何，马陵守定梦兰，无可发泄，目中火出。日泣诉于岳帝庙前，而土偶无灵，梦兰日惫一日，甚且不肯服药。马陵忿然曰："可笑绍虬髯，直尔无能，便束手待毙也。"一日庞老谓马陵曰："汝能往信州一行乎？"马陵曰："何故？"庞老曰："信州天师张兴才，乃汉道陵天师三十八代元孙，元主封与才为太素神凝广道真人，领江南诸路道教。但往还千余里，汝若不辞辛苦，往求符箓，当必有效。"

马陵一心救主，毅然愿往。庞老赠以资斧。马陵次早，即离上元。不分星夜，数日遂达信州，直至贵溪。见山前两石对峙，如龙卧虎踞，乃道书三十二福地之一，马陵三次请谒，候至日晡，始入上清宫。见处处俱有神牌，十分严肃。少顷，天师出，马陵参见毕。遂达来意，天师见白手求符，面有愠色。微曰："此易与耳，汝速至茅山，可传吾命。请犹是道人去。"马陵见天师羽葆星冠，执笏秉圭而退，遂不敢停留，又望集庆路奔走。往还半月有余，始至句容。上茅山，至观中间犹是道者。或曰："在山下左侧茅庵种菜而居。"马陵问至山下，果见茅屋数椽。叩门问之，内云："粪田未归。"马陵暗暗叫苦。良久，果见一担粪桶者。头挽双鬟，时已秋末冬初，尚穿麻衣，貌甚猥琐。马陵足恭问讯，答言即犹是道者。马陵即拜恳伏妖，并达天师之意。道士笑曰："天师终年卖符箓，得金钱以千万计，降伏妖孽，终必烦我担粪人也。"遂命之入，道士放下粪桶，坐谓马陵曰："汝主所患者，蛇妖耳。非吾符箓，不能制也。建康故城西，旧有周处台，台下深穴，藏蛇甚多。自梁及今，魅人不知几许。吾所持者，乃太乙神符。念汝义气可嘉，将此符授汝，归而尽之。无留种类，贻害他人。慎勿负予心也。"道士遂口话指授，马陵尽得其诀，拜谢而归。回至西州城南村，则此妖已于三日前屏迹去矣。梦兰病亦少瘥，逐日痊愈。马陵深思妖蛇不除，此恨难消。遂偕庞老家健仆十余人，多备雄黄药水，种种毒蛇之物，直至周处台前，往穴中逐一注下。少倾，闻内喘声如牛，众人大欢。马陵命众少退，自伏剑以俟。不一会，果然穴内刮起一阵冷风令人毛发皆竖。窜出一蟒，身如吊桶，眼若金铃，张开血红大口，露出雪白齿牙。众人一见，手足皆软，退后便倒。马陵手持神符，恶狠狠奋勇上前，妖蛇一见此符，果然不敢妄动。马陵见路旁有大石，即用费长房飞石法，书符于石。石便飞空落下，此蛇粉碎。少时连出二蛇，微逊此蟒。马陵如法治之，无不立毙。始信担粪人不欺我也。马陵呼众人观之，已心胆俱碎，远远立定，无不吐舌。马陵候至半晌，俱无蛇出，始率众归。庞老得知大喜曰："可笑前此法师，直儿戏耳。"马陵叹曰："岂但各处巫师儿戏，即龙虎山广道真人，亦装腔做势，图骗金钱耳。向非遇担粪人，此妖乌能伏哉。"庞老亦笑曰："今后遇卖菜佣，慎勿以为不足齿之伧也。彼装模做样者，直黔驴之技耳。"马陵主仆，深感犹是道者不置。

梦兰病已全愈，辞别庞老欲行。庞老不敢强留，命二子拜谢，厚赠之。主仆遂渡采石矶。由太平芜湖以达池州。欲从安庆还江右九江，而回京湖。一日至东流县黄花驿，偶遇一人问曰："公子几时至此？"梦兰愕然，不识为谁。其人又曰："某昨自小姑北山来，公子犹在家中，何迅速如此？"梦兰益发不省。马陵心知其误，因私问曰："汝所问者为谁？"其人曰："郑公子梦兰，京山人也。家一母一妹，一老仆索通。如何不是？"马陵大惊，因问："家在何处？"其人曰："此去百余里，彭泽县小姑北山下是也，住此已数月矣。"马陵狐疑不定，催促梦兰，速过彭泽县小姑北山访之。主仆兼程而进，三日遂抵小姑，访至北山下，只见索通一见马陵，便大骂无义，弃主而逃，马陵见不是头，心内火起，挥拳便欲相打。索通忽又见一梦兰相随，大惊不止，声声叫鬼。梦兰喝曰："索通不得无礼！"索通忙上前即见毕，急先奔回家中，则家内先来之梦兰，已不知去向矣。连呼怪事。夫人问之，则云："又一小主至矣，先来小主，如何不见？"夫人叱之曰："老奴何昏愦至此。明明公子散步而回，何得家中一公子，门外又来一公子？宁公子有身外身法耶？"索通一手指定曰："马陵来矣。"只见梦兰与马陵徐步而入，梦兰叩见夫人曰："儿不孝，失散后，不知母妹何所，几乎骨肉不能聚首。"言毕，呜呜而泣，又与玉奴兄妹叙礼。夫人十分骇异，细察形音无异，惟面目少觉消瘦，似从病后来者。玉奴在旁大疑，鸾英、凤英满面发赪。马陵亦叩见夫人，泣述梦兰所遇之事。夫人、玉奴，益发惊骇。梦兰曰："莫非家中亦遇妖耶？"诸人疑惑不定。马陵遂大骂索通在家，真赝不辨。某因公子遇妖，茅山求符，历尽辛苦始回。索通亦骂马陵狂妄，某赎夫人小姐，曾向金山寺三次盗宝，始得生还。二人两不相下，转是夫人调停曰："两俱忠心为主，吾家自当酬劳。"时有鸾英、凤英姊娣俯首一旁，欲言仍止。梦兰不知二女来历，仓卒间犹未问及。夫人为言其故，始亦以兄妹礼见，夫人曰："汝姊娣何言，不妨直说。"只见鸾英羞涩满面，格格不吐，凤英情知难掩，遂向壁面泣曰："儿等已许身于前日之梦兰兄矣。"索通听罢，勃然大怒，欲发仍止。夫人心中鹘突，暗问玉奴。玉奴曰："儿每见他言语轻佻，出口媟嫚，心窃疑之，至今方知非吾兄也。"夫人大恚。马陵曰："此又一妖耶，前公子所遇，尚有巢穴，此则不知逃匿何所矣？"凤英遂向夫人低言曰："前中秋月夜，妖于酒后露出一言，说周处台下，更有二妹子。儿急问周处台何处，彼急掩饰，儿犹以为男子在外，风月常情，未及深问。"马陵恍然大悟曰："是矣。"即将药酒命二女服之，二女遂大呼腹痛欲裂。夫人惊慌无措，大骂马陵。马陵安慰夫人曰："非此药不能救二女。"至晚各产一小蛇，二人羞忿欲死。夫人再三慰之。马陵更以药服之，二女遂愈。马陵遂问索通曰："公子已归，吾二人再至周处台，斩蛇除害何如？"索通欣然愿往，禀过夫人公子，遂直往江南。

望建康故城不远，南至周处台，仍用前法，向穴内探之，无蛇在内。二人遂转过东府城，闻道路沸沸扬扬，说乐游苑左近，姚进士有爱女，被妖所魅，百计遣之不去。马陵问妖形状，云是伟然丈夫。各处法师，俱莫可如何。索通曰："定在此。"二人直叩姚进士门首,称来伏妖者。姚进士正无法可施,急出迎入。索通急问曰:“此妖现在何处?”姚进士曰:“日在弱息房中,飘飘然白面书生也。法师一至门首,即口吐白光,对面不见,不知何妖?”索通不信。命马陵守定外面,大踏步而入。至门首犹闻嬉笑之声,听之,梦兰也。索通更悄步从窗外窥之,则宛然一郑公子方与女在榻前,双陆作戏。索通不管好歹,闯关而入,以铁挝奋击之。妖梦兰一见索通,张口即喷白光,索通便倒。妖人抽身就走。索通在地,瞑目跃起,复以铁挝从后击之。不中,妖人奔出门首,马陵仗剑阻定,妖人大怒,倏化为狰狞恶鬼,两目灼灼有光,手持双刀,左五右六,且战且走。索通、马陵如何肯舍,直从乐游苑追过东府城,未能拿获。索通恨此妖人骨,一心欲生擒之,以察其变。看看又过建康故城,已近周处台矣。马陵恐其仍入故穴,急画太乙神符于剑,此符真妙用无穷。一时剑忽飞起,不偏不正,恰好从空落下,将妖斩去。仍为巨蛇,长有数寻。古长度单位,八尺为寻。索通大怒马陵,不应诛之,须生擒证前事。马陵亦怒曰:“此妖也,何能生擒?”二人忿争,幸得姚进士家丁十数人追至慌忙劝止。姚氏家丁,一见巨蟒无不悚然惊异。索通忿持铁挝,寸寸断之。姚进士随后亦至,邀请二人,转至家中。马陵、索通不得已,仍回乐游苑。姚氏庄,堂上大设华宴。姚进士亲为把盏,十分殷勤。其女病亦愈,命出拜谢。索通、马陵酩酊大醉。姚进士厚赠金帛,二人不受,回。

至小姑山家中,细言其故,夫人、玉奴等,心始释然。夫人遂有意以许氏二女配梦兰,不好出口,因与索通、马陵言之。索通愿说二女,马陵愿说梦兰。梦兰以为既定姊娣,岂应联婚?马陵曰:“此营中权宜之辞,彼自姓许,公子自姓郑,于兄妹何有?梦兰终以二女为妖所污不怿。马陵怒曰:“二女因在汝家,为妖所魅,公子独不为妖所魅乎?始终皆汝家所误,彼将谁归?”梦兰大惭,马陵正色曰;“此皆公子误之,非二女之过也。”梦兰亦念二女难中,无故为妖托名所误,我不娶之,更谁为之偶者。遂允之。马陵大喜,索通告知二女,鸾英、凤英含羞不语。索通曰:“此终身事,既无父母禀告,须自主持,何必羞涩?”鸾英泣曰:“姊娣陷于贼营,性命皆恩人所赐,姊娣更有何言?”索通怒曰:“老奴断不相强,允不允在汝一言。”凤英曰:“夜来梦父说姊娣天缘有定,沥血人即结发人也。当应在来日,恰好今日恩人说合,非泉下人预示兆乎?”两俱允之,索通甚喜,禀知夫人。夫人安排佳期,不日合卺,从此遂为一家。

第四十五回　梅参政昭关战死

元参政梅殷，檄调三路进兵，自统大队出巢湖，渡淮水，望历阳进发。兵行数日，闻戚磷在六安州弩台连战皆捷，恢复霍、山两县。裴金仙亦到宣城宛溪，惟广德州一路，尚未探的。梅参政既得此信，闻宿州无备，竟袭宿州，一鼓下之。有贼将杨洪、蔡汜兵屯怀远县荆山，闻宿州有失，引兵来援。梅参政以大队蹙之，二将败死，遂由怀远，径长驱而前，中途又败敌将樊貙、王雄、李敛之兵，再取虹县。倍道而进，已抵凤阳。

时伪主淮王，以世子秦楠守凤阳。张师旦偶过寿春未归，秦楠不意元兵猝至，又闻沿途军将皆败，仇怒不止，率兵出战，被元师大杀一阵，兵败入城。梅殷围之数重，急切不下。淮王秦锡帛闻之，命贾智深同二子紧守寿春，率兵赴援，史献畴将谏，贾智深视之以目，献畴不语。淮王以耿星星、邢士龙等皆有元兵抵敌，未可调回。惟张师旦方遣赴临淮。不数日，遂飞檄召之。淮王率精兵直趋凤阳城下，声言决战，锋芒甚锐。梅参政一面攻打，一面迎敌。秦楠闻乃父引兵亲援，亦大开城门，纵兵出战，内外夹攻。秦楠一马当先，正遇元将戴摩诃、马腾芳。双马拦定，秦楠便与交锋。二将败走，秦楠纵马直追。忽报元兵入城，秦楠猛省，回马望见城上，概是元兵旗帜。怒奔城下，箭如飞蝗，人不可近，抽身杀回，方与淮王合兵，混战一会，杀出重围。元兵已大获全胜，复了凤阳。

淮王父子俱带重伤，兵退剑山，遇张师旦从临淮引兵来援，方始屯住。张师旦请淮王仍归寿阳，请世子秦楠移军定远县，以就粮草，自率一军，即顿剑山。不日元将王峻引兵来取定远，被张师旦战败而去。师旦以定远城小而坚，请秦楠紧紧守定，剑山离城西仅三十里，元将戴摩诃、赤里古等兵来几次，皆被师旦败去。梅参政大怒，命马腾芳、王峻、薛超、徐罡四将用重兵守城，自引轻骑来攻定远。张师旦以定远终难抵敌，弃城而走，直奔临淮。梅参政既得定远，知张师旦乃淮南骁将，不除终贻后患。故又督兵，直追临淮。张师旦方渡淮水，参政追及。下令曰："今日之战，有进无退，能获秦楠赏千金，封万户；能取张师且首级亦赏千金，封统制。不用命者诛。"一时元兵奋勇争先，济过东岸，大战淮水之滨。张师旦毕竟英勇，刺翻元将十余人，身中数枪，顾不得秦楠，拍马便走。秦楠方溃围而出，被赤里古一搠刺死。张师旦不敢恋战，引败残人马夺路奔走。逃过历阳湖。填入和州。梅参政从西路追来，张师旦分兵一半，扎定遏狐城。元兵一至，张师旦以逸待劳，大呼陷阵。元兵少却，戴摩诃奋勇上前抵敌。张师旦咬牙切齿，将戴摩诃搠死马下。梅参政见元兵失利，鸣金收军，退保昭关。相持数日。张师旦闻六安、广德二州元兵俱失利引退。大喜曰："羯奴，吾有以破之矣。"不数日，耿星星、邢士龙俱引兵来会。师旦迎人营中，泣曰："二将军能助某一战，世子之仇可复矣。邢、耿二将皆愿效死力。张师旦曰："某观参政梅殷，知兵而不谙阵法，请二将军诱敌，吾用混元一气阵破之。"二将许诺，次日邢士龙直叩昭关讨战。

梅参政命赤里古出现。不合数，邢士龙败走。梅参政在关上，看得分明。见贼军队伍不整，终是乌合。亦虑赤里古疏虞有失，自率大军，从后掩杀策应。命杨暹、魏镛各引一支伏兵，以备不虞。梅参政追不数里，又遇耿星星截杀一阵，皆败去，不以为意。忽贼兵散者复合，邢士龙、耿星星二将又勒马杀回，大呼曰："梅参政何不纳降？"梅殷大怒，督众将力战。邢士龙手起刀落，赤里古死于非命。参政忿怒不已，援桴周鼓。杨暹、魏镛两翼伏兵杀出，邢士龙、耿星星分头迎敌，忽连珠炮响，张师旦引一支生力军马杀来，列成一阵，势若八卦，形如六花，团团围住。梅参政定睛看时，见雾笼烟迷，天昏地暗，并无门户方向，始大惊曰："吾生平不喜阵图，嫌为死法，今为贼将所算，麾下将士，有以识此阵者，方可杀出；不然，吾命休矣。"将士攻杀一会，杨暹、魏镛俱已落马，部下死亡过半。梅殷仰天叹曰："吾三入枢密，位极人臣，又从太傅伯颜，身经数百战，一旦落于贼将之手，有何面目于人世乎！"乃北向泣，谢曰："臣辱国丧师，不能平贼，有负知遇之恩，愿陛下速遣兵将，以救淮南百姓，臣死目不朽。"言讫，拔剑自刎。元兵死者降者不计其数，余皆逃回凤阳。张师旦三将合兵，来夺凤阳，马腾芳等不能抵敌，闻参政阵亡，心胆俱裂，弃城而遁。

三将又复取凤阳，报入寿春。淮王秦锡帛，此时因痛惜其子秦楠死于淮水，亦不行赏。惟令邢士龙、张师旦二将镇守凤阳，耿星星仍领本部兵，守广德州而去。

第四十六回　贾平章寿阳篡位

淮王秦锡帛，自凤阳败归后，猜忌日甚。淮水之战，又以张师旦不力战保护，致陨世子。痛恨诸将，欲行诛杀。一日与左相贾智深议曰："张师旦虽智勇足备，而强悍暴戾，终难驾驭。孤欲因事除之，免生他日之患。卿以为何如？"贾智深曰："此无难事，凤阳之复，大王尚未行赏，以犒功为名，赚入寿阳，诬以怨望杀之。不然，一生他变，恐诸将非其敌也。"淮王深然其策，既又以耿星星在广德逗留，不速赴援致败，亦欲逮之。贾智深曰："一箭双雕，大王此举甚善。"淮王大喜。议妥，即差官往凤阳、广德去讫。不知贾左相久蓄不臣，淮王之猜忌日甚，左相之觊觎亦日深。此谋一定，智深即遣心腹，通知二将，以淮王近日，妒贤忌能，谋杀功臣，已定某日。饮至策勋，实赚杀二公之谋云云。

二将自恢复凤阳后，见不行封赏，未免觖望。又闻此信，益不自安。张师旦乃以言挑邢士龙曰："淮王为人，残刻少恩。将军由六安州直趋历阳，血战千里，毫无封赏，将来若临行阵，谁肯用命！"邢士龙曰："淮王之不行赏者，以丧世子，失凤阳故也。凤阳若不恢复，则吾与公罪且不免。将功折罪，亦云幸矣。尚得陇望蜀哉？"张师旦曰："凤阳之失，世子失之，独无应得之罪乎？"我等复故城于既失之后，元大将死者，不下数十员，杀其参政，覆其全军。即铁券分封，恐不为过。吾与公等疆场备战，所望者只此耳。今懋典竟安在耶？"邢士龙曰："不然，凡为人臣者，尽心为国，与君分忧而已。至疆场争战，皆为将者分所应当。即有功不赏，亦静以待命而已。其他非所知也。"

张师旦见说他不动，暗遣人至广德州耿星星处约会。耿星星回书，密言淮王不仁，不如推戴贾丞相，共图霸业。约于某日，会合寿阳，议图大事。"张师旦正合心意，暗暗准备，不日差官至凤阳。命邢士龙一人镇守，张师旦即随差官，同入寿阳，时贾智深已密布心腹，不时打听。闻张师旦、耿星星至，即邀入府中，直至密室。则韩某先已在内，更有参政莫绥猷、左丞杨瑊、院判王芝仙、铃辖耿青、府丞蔡传荆、章坦等，惟右相史献畴连邀数次不至。时座中莫绥猷曰："淮王近日，荒酗猜疑。在廷诸臣，人人危惧，又复谋杀有功。文武解体，元兵一至，寿阳何以当之？"今贾相豁达有度，功德日隆。我等曷不共相翊戴，正位称尊，徐图大举。诸君以为何如？"众人皆言如命。蔡传荆曰："举大事者，须得人心。今我等无不愿推右相。机会诚不可失。"耿星星曰："史献畴不至，恐泄机密，不如令人劫之。"张师旦曰："史献畴一人，焉能成事？但邢土龙尚拥重兵，守凤阳，系淮王起义之人，若不防备，内宁必有外忧。"韩某曰："且请右相，一同商议。"少顷，贾智深至，诸人备言众口一辞，力相保戴。惟史献畴、邢士龙二人，一在内，一在外，未免稍掣肘耳。贾智深故为推逊曰："智深有何功德，焉敢当此！"众皆曰："人心所属，此天与也。天与不取，必有大咎。"贾智深曰："史献畴为人，隐忍少决断，不足虑也。邢士龙远在凤阳，何能便至？即至而主客相形，一战可以成擒。淮王近日日在醉乡，已与智深定计于千秋节，设宴含章殿，就席前执张、耿二将军，以掷杯为号。今日之举，即可将机就计。韩某以铁甲兵一千，阻塞朝门。耿青率壮士五百，埋伏殿角左厢。一闻钟声，即入宫捕秦氏。无少长皆杀之。淮王业有令旨，命智深画计，谋杀二将。兵入禁门，必不疑也。余皆依计而行。"贾智深更有心腹健将二人，一名项嗣昌，一名阎飞熊。俱力敌万夫，智深命随侍左右，临机应变。是日淮王陛殿，文武拜舞毕。淮王宣言：凤阳叠次陷没，失而复得。随征将士，几经血战，厥功殊伟。孤欲仿古人饮至策勋之典，便殿设宴，君臣同乐。文武诸人当为张、耿二卿把盏，群臣举手称庆。少时供俸官陈设方物，水陆珍错，无不毕集。淮王命依次列坐，喜乐交作。

淮王一心以贾相为之计划停妥，频以目视之。贾相亦暗相照会。酒过三爵，淮王举杯，方欲掷下，忽贾智深将金钟连撞数声。见殿角下无数甲士顿起，耿青仗剑，直奔淮王，张师旦、耿星星随后。秦杞、秦梓，情知有变，掣剑上前，望智深便砍。早被项嗣昌、阎飞熊夺剑杀之。淮王下殿欲走，耿青一把扭住。张师旦按剑厉声言曰："淮王残刻不仁，素无君德。我等共推左相为主，有不从者，先试吾剑。文武吓得面如土色，莫绥猷、蔡传荆等皆曰："惟将军命。"众官无可奈何，皆曰："诺。"惟史献畴就席前举起玉卮，望贾智深迎面便击。大骂篡国逆贼，言未毕，被耿星星拔剑斩之。淮王秦锡帛瞑目大骂贾智深："孤自金山起义以来，何负于汝？身为篡逆，祸不旋踵，天道好还。孤生不能啖汝之肉，死必褫汝之魄。"一时骂不绝口，有耿青回顾贾智深曰："杀之乎？生之乎？"智深曰："速杀之，为南宋人吐气。"耿青麾动甲士，淮王及侍从内竖数十人，皆死于刀剑之下。耿青率兵直入后宫，不分良贱数百口，诛戮殆尽。贾智深乃命约定前后军士打扫宫殿。莫绥猷等始率众官，请贾智深升殿受贺，更称为寿阳王，妻韩氏为妃，长子熙为世子，次子尚幼。莫绥猷、韩某为左右相，蔡传荆为参政，张师旦、耿星星为左右都督，阎飞熊、项嗣昌为龙虎二将，耿青为指挥使，杨醹、章坦、王芝仙、汪维彦等俱任枢要。内外文武俱加升赏。传谕各处将士，紧守要害。消息传至凤阳。邢士龙闻之，勃然大怒曰："智深与某等起义，共立淮王。今逆贼弑君篡国，不共戴天，誓必杀之，为淮王复仇。"遂倾凤阳之兵，直抵寿州而来。中途，早有张师旦、耿星星二将引兵来迎。邢士龙一见二将，愈加忿怒！"嗔目大骂曰："二贼党恶弑君，有何面目，更立人世？"二将在马上欠身施礼曰："将军但知其一，不知其二。淮王残酷不仁，自取灭亡。我等所以更立寿阳王者，防元兵若至，为将军守昔日血战开基之业也。"邢士龙怒发如雷，任你花言巧语，如何肯听，挥刀便砍。二将用枪尖抵住曰："我等念疆场共事，故婉言劝之。公一味执迷，我等宁惧汝耶？"邢士龙复手一刀，二将不提防，虎口震破，鲜血迸流，一齐大怒，双枪并举，邢士龙毫无惧怯。大战五十余合，渐次力乏，遂走。二将亦不追袭，收兵回营。邢士龙打点精神，次日力战。当日困倦，被二将劫寨。所将之兵，亦多二将部下，降去大半。

邢士龙欲战，二将闭营不出，一连数日，忽报凤阳已被耿星星夺去，家口俱陷。邢士龙大惊，只见张师旦、耿星星耀武扬武，列阵讨战。邢士龙挥刀而出，二将笑曰："将军家口，已接入寿阳去矣。曷自苦乃尔？"邢士龙不听，二将又接战一时，不数合败走。邢士龙不舍，骤马赶来。忽踢踏一声，连人带马，跌入坎堑中。两旁伏兵，用捞钩抓起。

二将回马，招降其众。将邢士龙簇拥直入寿春，押赴府中。

寿阳王贾智深一见，忙下队亲解其缚。邢士龙大骂弑君之贼："淮王何负于汝？而汝反耶？可恨士龙手无寸铁，不能剜心抉目，为淮王招魂高祭耳！"寿阳王笑曰："将军与智深，乃同事起义之人，淮王猜忌日甚。谋杀勋旧，为众所迫至此，非智深本心也。将军为淮王复仇，力已尽矣。将军家口，业已安处无恙。将军何不辅助智深，共图王霸之业，必区区以淮王为念乎？"士龙骂益厉曰："与贼共事，狗彘不如！"忽奋手夺过卫士佩刀，望智深掷去。智深急闪，插入殿庭石柱上，入有寸许。火星直进。龙、虎二将。忙将士龙依旧缚定。智深知不肯降，命推出斩之。邢士龙至死，骂不绝口。贾智深怜而葬之，邮其家。

第四十七回　凤凰台大开武选

元世祖二十八年，上都太原等处大饥；平阳地震。世祖御殿，各处奏知下令赈恤。右丞何荣祖奏曰："淮南自耶律渊阵亡后，行省参政梅殷，相继战死。寿阳不能讨平，陛下须诏文武，会议讨贼一事。"世祖即定右丞相完泽，问以平贼方略。完泽奏曰："寿阳合郡，贼盘踞已久，区区征调，人马无多，京师宿多物故者，精兵亦少。不如即命集庆路安抚，自行招募，伺便图之。一举两得。"世祖允奏，即传此诏，达至建康。

时行省安抚，乃宣徽北院使塔思不花，一接此旨。即大阅士卒，武备一新，与僚佐商议，再行设法招募，以充行伍。有广陵府统制鞠弋仲曰："招募之法，前梅参政已于淮南行之。安抚欲选武略，何不竟设武科？俾天下英雄，尽赴建康选取。安抚亲行典试，拔其尤者，练成一队，为常胜军。余则分列各部。至选将之道，则以万人敌者为上将。次者副之，又次者将为裨将。大选十八日，命自相角胜，则技艺尽矣。"塔思不花喜曰："不拘资格，不限贵贱，而以能者为尊。大选十八日，十万师不难聚也。寿阳闻之，亦足以夺其气矣。"淮安兵马使臧凯进曰："安抚既开武选，须高设一台，台上陈设诏命，诰敕奖赏等项。台下角艺，胜者升台受赏。填写诰身，补作某官某秩。至考取之法，首韬略，次弓矢、杂艺，次强大有力。一材一技，皆分别录用。更宜设一典试都监，须足智多谋，勇冠三军，方可当之。"塔思不花抚掌称善曰："都监之设，凡应选者，须与比试。有能胜过都监者，方得上台受赏任职。否则仍归卒伍。如此，不惟选举不滥，亦足为朝廷生色。"即有松江统制裴金仙、京口都督彭悦，齐声曰："典试都监之任，非镇海将军戚璘不可。"时戚璘亦在座中，安抚欠身揖之。戚璘起立曰："安抚为平贼起见，大开武选，璘不才，愿以郭隗自任。"安抚塔思不花大喜，即传令出榜晓谕远近，限以三月内齐，集建康应选，一面择地建台。府尹周岐政曰："建康乃文献之邦，遍是名胜，然无过城西凤凰台，即今之保宁寺也。宋元嘉中以凤凰曾降此山，故建台。唐宋以来，名人多有题咏。李白所谓'三山半落青天外，二水中分白鹭洲'是也。昔南朝陈将吴明彻，亦在此山，练兵伐魏。安抚即就此处建台，揆文奋武，亦有声有色矣。"塔思不花从之。即委官吏，预为应供。凡选场应用器物等项，无不兼备。惟候英雄毕集，登台阅武。

此信一出，远近无不周知。时登州府莱阳县高丽村有一人，复姓勾龙，名阔海，力能扛鼎，稍涉书史。不事生产，落拓有大志。一闻此令，不觉技痒。数千里赴选，一至建康。见人山人海，凡一技一长者，无不来归，以求录用。不数日，安抚使见期限已逾，应选者亦已毕集。订期于上月初六日起，至廿四日止。先期射策，以衡武略。次则角艺，以校武力。又与文武将校等，拟就各款条例二十则，张挂台下。若能中选，依次擢用。众人至初六日，皆纷纷攘攘，争往献策。安抚与僚佐等逐一阅毕。大惊曰："似此选举，焉能拔十得五也？就中熟谙韬略者，不过十数人而已。若不分别去取，则珐玉莫辨；若概用收录，又滥于取材。欲仅录此十余人，又恐阻天下应选之意，奈何？"都监戚璘进曰:“安抚开选,不专用射策,取韬略也。待角艺比武后,则优劣定矣。”安抚允之。

次日,戚都监结束停当,令台下校射,能于百步外箭中红心者,上赏。戚都监下令毕,即下台纵马。连发三矢,从此中红心。只见台左涌出一少年壮士,自称南阳史忠,都监之射,不足为奇。亦纵马连发三矢,不上不下,不左不右,皆一贯出之。戚璘赞声未已,台西又出一碧眼紫髯者,大呼淮北马昌,连放二矢,而于末后一箭,反背射之,亦中红心。史忠惊讶,马昌面有得色。忽台东涌出一人,面如重枣。大呼:“钜鹿人韩双,待某射来。”控马上前,三矢更反背而发,俱一贯出之。台上安抚暗暗喝采,命从官注记分明。一时争奇赛胜,射无休息。

校射三日毕,更演枪法及各般武艺。亦是都监戚璘,首先出马,大呼:“应选者,能与某力战三百合否?”一时应声而出者不数合,俱被戚者监战败。末后有辽西耶律霸者,挺枪上前。大战五十余合,戚都监力乏,方欲退下。不提防,耶律霸暗掣铜鞭在手,喝声:“着中。”戚璘负痛而走。戚璘弟戚璠,在台上大怒,纵马下台。耶律霸接住又战三十余合。戚璠抵敌不住,右臂业已被创,鲜血迸流,带伤而逃。有寿阳将阎飞熊,暗在队中。看定二人皆败,勒马杀出。不数合,耶律霸量不能敌,虚掩一枪便走。随有韩双手挽双刀而出,力战二十余合。见力不能胜,遂暗发紫金标,思以中之。连发三标,俱被阎飞熊接去。回手一镖,韩双几乎坠马。史忠、马昌双马齐奔,不三合,皆败。又有汉阳贼将白文狻、宋罗睺在队中。见阎飞熊战败数将,大怒出马。寿阳项嗣昌恐伤同伴,急骤马上前助战。台上早有人认识四人者,暗暗告知安抚。安抚大惊,急令诸将下台拿获。都监戚璘曰:“不可。四贼骁勇异常,诸将又全无准备,造次妄动,倘选场一乱,将如之何?不如听其争战,两虎竞胜,必有一伤。”塔思不花已惊得六神无主,惟令诸将紧护台下,不可稍离。只见四人,恶战不已。勾龙阔海暗思:“此时可出马矣。”从中杀出,撇开四将,左右敌住。四将暗吃一惊,随与交锋。殊不知四将鏖战半晌,业已力乏。不数合,早被勾龙阔海枪挑宋罗睺、锏打项嗣昌,一齐败下。台上戚都监大呼:“战胜者登台填爵受赏。”勾龙阔海甚喜。正欲上台,谁知寿阳张师旦,暗藏台下。从人丛中觑定台上,暗发一矢。安抚塔思不花应弦而倒。台上下一时大乱。阎飞熊、项嗣昌,欲杀上台去,有裴金仙,鞠弋仲,臧凯等,忙掣剑阻定。而汉阳贼将白文狻、宋罗睺、倪雕儿、汪夜义,四人偷入建康,思从中取事,亦乘乱杀出。幸有勾龙阔海,奋勇抵敌四将。戚都监兄弟,分头迎敌。有耶律霸、史忠、马昌、韩双、应选诸英雄,一时分别不出,惟助戚都监弟兄往来截杀。顷刻间凤凰台下,校场改作战场。兵民相杂,各难分辨。践踏死者,不计其数。寿阳贼将耿青,乘乱混入城中,纵火焚仓廪,粮草一空。有集庆村花山贼、莫天夜等三十六人,亦乘乱劫了宝藏库而走。及官军来追时,业已去远。时变起仓卒,又无号令,东西奔走,处处救应,处处俱不及救应。幸得勾龙阔海,战退白文狻等四将。又来助裴金仙等,夹攻寿阳三将。当下项嗣昌为流矢所中。张师旦、阎飞熊渐不能支,刺斜杀出便走。裴金仙等亦不暇追赶,急来保护安抚。且幸受伤犹轻,拔出箭头,用药傅上,簇拥回府。戚都监等已扑灭了火,迎入府中。众将齐伏地请罪,疏于防范。安抚使塔思不花,自顾无颜。见众将佐,无不带伤,亦未便深究。遂迁怒太府周岐政,不应以凶地作选场,致生此变。欲行奏免,周太守推说:“大开武选,不与文员相涉。若无防范,虽城中难保不生变也。”安抚满面含羞,惟唤集将佐,大加呵斥而已。

台下保护,深得勾龙阔海、耶律霸等之力,且武略迈众,遂请过诰身。勾龙阔海议升建康副都统制,耶律霸都指挥使,韩双、马昌、史忠等,俱武功郎,余皆进秩有差,编入卒伍者,共得三万余人。命鞠弋仲、臧凯二将各引二百轻骑,分追寿春、汉阳两处,贼将务获。戚璠引二百轻骑,追花山贼。三将引兵,沿途追访,俱言去远。不得已齐归复命。

时寿阳张师旦等四人,改换服色逃归。不久,项嗣昌遂卒。子普略见淮南不可久居,望南阳而去。汉阳白文狻等,虽偷入建康,大闹选场,而汪夜乂、宋罗睺俱身受重伤,回归卧病不起。就中惟花山贼,席卷财宝,满载而去。

第四十八回　鸳鸯绢巧判良缘

新城九龙潭，有沈生名菁华者，亲没家贫。下帷苦读，为邑诸生，端谨自持。其邻崔铉，家亦中产。有两男一女，其女以中秋月夜而生，故名蟾蜍。貌美，且娴阃训，已占凤于本乡魏仪之子魏夙。魏仪曾判池州，致任在家，富甲一邑。虽与崔氏联姻，而嫌其非阀阅。子魏夙亦傲睨骄恣，每悻悻自言曰："魏公子岂崔氏娇客哉？"

沈生亦与魏夙相善。魏夙为此言，沈生每规劝之，魏夙不以为然。适里中有严从典者，亦富翁也。闻沈生家贫苦读，遂以女妻之。沈生一日出门，偶于路旁拾得鹅黄轻绢香罗一幅，上绣芙蓉一枝，鸳鸯双栖于上。刺理精妙，巧夺天工。沈生把玩不已，回斋中置之案头。一日魏夙过访，一见即突然问曰："兄何来此物？"沈生以拾得者漫应之。魏夙观玩一会，忽然色变。少顷，又满面堆笑曰："兄好造化，拾得此美人物也。兄必有别情，休瞒知己？"沈生素谨朴，一闻此言，不觉面赤无言可对。魏夙益发心疑，遂乞此绢，沈生未可。再三相恳，沈生拒之益坚。魏夙又含笑曰："家娣雏年学女红，欲假此作刺谱摹绣，不日当原壁归赵也。"沈生许之。日复一日，不见退还。欲往追索，未免不雅。一日友人相召作赏花饮，沈生方欲出门，忽有公干持朱票者数人至。不由分说，簇拥沈生而去。直至县中，始知为魏夙所告。沈生如闻青天霹雳，吃惊不小。

且看县令，作何区处？原来魏夙亦有一绢，乃与崔氏联姻时，崔铉所赠，云为蟾蜍手出者。又见沈生亦有此绢，如何不恼？归家两相比较，针工线理，一毫不差。且长短广狭，乃一幅香罗，裁为两段者，眼见系出一手。当下说与乃父，魏仪尚在疑信之间，其母重将两绢比对，毫厘不爽，乃曰："系一人手出无疑。沈生与比邻而居，非赠沈生而何？"魏仪不觉大怒曰："何物市侩，玷我清门。但沈氏寒酸子，如此欺我，誓不容之。"令人先绝崔氏之婚，次控沈生在案。盖即以陷沈生者，绝崔氏也。崔铉一闻退婚之言，忿怒不已。欲与控诉，情知石卵不敌。暗思蟾蜍素守母训，且蓬门桑户，左右咫尺，容有别情。遂与妻唤出蟾蜍问之，坐索此幅绣绢。蟾蜍一时仓猝，左箱右笼，寻觅殆遍，乃用汗衫一领包里在内者，两俱不见。崔铉又闻有汗衣一领，情景逼真。勃然大怒，拳足交加，妻亦辱骂不已。蟾蜍此时，有口难辨，自顾已面觍颜人世。至宵分，乃泣下叹曰："红颜薄命，信不诬也。"作诗一首，遂投缳自缢，诗曰：

精卫衔山不计年，冤沉海底奈何天。
而今化作香魂去，不绣鸳鸯绣杜鹃。

次日崔铉夫妇启门，业已呼唤不醒。懊悔无及，恸哭一场。备棺入殓，成丧出殡。崔铉将诗辞玩味，明明赍恨而死，恸心饮泣，深恨魏仪无状，断送蟾蜍一命。闻已控沈生在案，亦入县中。控诉魏夙憎贫诬奸，逼休陨命，以诗词为证。且说新城莫县宰，将魏夙所控各节质讯，因见沈菁华，恂恂书生，言辞朴讷，非儇薄子弟，绣绢未必即苟合之谋。沈生口中，亦毫无分辨，惟言路旁拾得者。莫县宰暗思，必女子另赠他人，失落于此，沈生得之。适中魏夙之忌，而魏夙以捕风捉影一词，遽绝婚姻，人伦风化，岂可造次？此案须提崔女，澈底根究，方得水清石见。恰好崔铉亦至，将控魏夙状子，附诗词呈上。莫县令观毕，讶曰："崔女业已死乎？然羞愤而死。其中不无私情，绣绢之赠，根株其在此乎？虽诗词有抱怨声口，女殆薄有才名，故用是自掩耳。"时莫县宰心中，有徇情魏乡宦之意，又以沈生、崔女，又属比邻。一有才，一有貌，针锋相凑。愈想愈真，沈菁华遂覆盆难释矣。当下翻转面皮，复问沈生曰："汝等文士，每恃才华，笔墨勾挑，何所不至。业已污人名节，断送人命。绣绢之来，夫岂无因！"沈生一时仓皇失措，惟指天誓日，自明心意。莫县令大怒，喝叫行刑，将三木套上。沈生冤填胸臆，抢地呼天，熬住痛楚，抵死不招。魏夙心中暗喜，崔铉老大不服。抗声言曰："小民甘贫守素，桑户咫尺，时有防闲，私情从何说起？求贤父母高悬秦镜，照彻魏夙肝胆，则民女污名湔雪。贤父母实生死人而肉白骨矣。"县令责之曰："家训不严，致生风波。绣绢自在女家，闺阁之物，何至落于人乎？汝痴梦未醒耳，尚言为女昭雪也耶！"崔铉含泪，力辨绣绢之诬，非蟾蜍所出。且"描鸾刺凤，谁家闺阁无之。安见绣绢，独为崔氏之物？而诬以不洁之名乎？民女实为屈死。"县令未及回答，魏夙即插口咬定："以绣绢明赠沈生，何得谓诬？迨羞忿而死，奸情毕露。沈生与崔铉，同口一词，事益可见。且天下有如此同形相似之物，而谓出于二人之手乎？"崔铉大怒曰："恃汝门户，嫌我寒微，有悔亲之说。汝将绣绢，作成圈套，绝婚是实。今逼出人命，魏夙应宜抵偿。"莫县令见崔铉抵赖支吾大怒，笞之二十，令众逐出。乃曰："魏夙业已绝婚，不必饶舌。"亦麾之令去，再将沈生拶起，拷问一遍。沈菁华以孱弱书生，熬授不过，登时晕绝。胥役等以水沃之，少顷复苏，仍然不招。莫县令命且系狱。而富翁严从典，一闻此事，始知沈生无行，亦入县中逼沈生退婚。沈生身陷囹圄，不敢不从。魏仪闻之喜曰："沈氏寒酸子，吾有以报之矣。即托人与严富户联姻委禽，严从典欣然便允。魏仪不日，遂与子成婚。彩舆花烛，旌旗鼓吹，喧阗辉煌，炫耀乡里。沈生在狱闻之，吞声饮泣而已。魏夙合卺后，谁知严氏女，乃挛耳印鼻，齞唇历齿者。即遍用珠围翠障，抹巾掩袖，强作媚态，益增其陋。魏仪父子，懊恨无及。然门户相当，亦隐忍听之而已。

且说蟾蜍缢绝坠地时，却未尝身死，奄奄一息。崔铉夫妇悲愤中，草草殓毕，舁棺即殡。殊近处有偷儿数人，以为崔老葬女，棺内岂无金银簪珥？次夜即乘月色朦朦，遂发其棺。甫撬开棺盖，正待伸手入棺，去头上掇取首饰。讵料蟾蜍在棺内，忽长叹一声。偷儿数人闻之，以为死鬼尸变，吓得魂不附体，回头便走。一步一跌，耳内但闻窸窣声响，从后赶来。益觉心慌。数人你颠我仆，狼狈奔窜四五里，回头看时，并无鬼影。低头审视，原来足上带着一根草索，系定荆棘，愈奔愈响。遂不觉疑心思暗鬼，偷儿逃去。蟾蜍苏醒，觉得身如束缚，不能转动。少顷，星眼微瞬，惟看残月在树，疏星几点，荒芜满目，古木参天。见自己躺在棺内，方知已死复生。挣扎而起，渴极思饮。翘首见柏叶上，露液晶莹。乃以掌掬之，吸入口中。鸡鸣后，不觉精神开爽，心目了然。天明，见幼弟偶至墓前，一见辄大惊小怪，抽身便走。蟾蜍呼之，而已无及。少顷，崔铉夫妇，举家齐至墓所。见其复生，喜出望外。急命人搀扶舁之归，进以汤药，安定魂魄，母夫人微微唤之，蟾蜍靦然答曰："儿含羞，又履人世，魏氏退婚，有此事否？"崔铉曰："岂惟退婚，现构讼未休。西邻沈生，亦系累在狱，案悬未结。"蟾蜍泣曰："为我家不白之冤，又株连他人。魏公子薄情，亦至斯耶。"母夫人见其悲悼，恐生魂未定，令崔翁勿与之言。安慰一会，仍命人将棺掩好，勿令人知。休养将息，案完结与否，听之可也。

且说当夜掘棺偷儿数人，奔至天明，亡魂丧魄。正遇捕盗马快，用铁绳锁定，牵入县中。时莫县令署中，亦被大盗。窃其衣物器具等项，席卷欲遁。偶遇阍者夜遗，惊而去。衣物等项，失而徐得，遂不以为意，而莫县令不知也。按莫县令，一子一媳，同在任所。子名如珩，媳叶氏，夫人樊氏。被盗之次日，叶氏偶过复室中，见一物在地。拾起看时，乃并蒂莲瓣绣香囊。上系伽楠香佛手柑，并于阗玉扇坠一个。叶氏随手携归卧室，挂于壁上。是日，樊夫人至叶氏房中，一见绣囊，知是莫公之物。惊问："何来？"叶氏回言，乃得自复室者。樊夫人素有醋癖，见莫公香囊，乃入叶氏房中，也不多问，候莫公退入私衙，迎着便骂："老无耻，老乌龟，汝绣囊赠与谁人去也？汝常言儿媳贤淑，桑榆有靠，却作如此勾当。"莫县令一毫不省，见其妻出言丑诋，恼羞成怒，亦大骂泼妇无耻。樊夫人益加忿怒，其骂愈厉。莫县令激得双目直瞪，挥动老拳，犹未打击，而樊夫人已手批其颊，连髭须拔去一半。脸上指爪血痕，端然五具。莫县令咆哮不已，操杖逐之。樊夫人直望外衙走去。婢妾门子，慌忙阻住，挽留入内。幕僚、宾客，亦劝止莫公。樊夫人犹且骂且泣，莫公正捶胸顿足间，忽报儿媳叶氏缢死。莫公惊慌无措，樊夫人骂亦顿止。齐往观之，命公子如珩，速速呼唤，已气绝矣。莫公大骂樊氏，造言生事，逼死儿媳。一时忿焰中烧，声泪俱下。樊夫人此时，亦呜呜咽咽，哭不成声。幕友、宾客等，一一劝开。犹幸叶氏，乃莫公原郡所娶，并无亲眷相随。买棺入殓，声称中恶身死。不日出殡东郭，莫公恸悼不已。又以面上伤痕，不便理事，托言养疾，乞假一月。

莫公日含泪眼，卧牙床。深恨夫人迭与反目。后始知内衙被窃未果，香囊必失落在复室中者，遂大恨窃贼。立即饬差，严加缉捕，不拘城近城远，大偷小偷，鼠贼猾贼，数日后拿获约有数十。莫县令骇然曰："何新城县盗如此之多也？"限满一月，伤痕亦愈。开门提讯，用重刑拷打。内有二盗，果入府中行窃。而实未得财物者，问："何从出入？"盗言出署后，逾墙升屋；越阁道直入内室；又出左侧回廊；过复室中；出内厨；为阍夫起溺所阻，弃物而遁。又问："所窃何物？可一一记忆否？"盗言衣物器具，大小数十事，然强半遗忘矣。又问："所窃有香囊扇坠等物否？"盗猛省曰："有之，似未出内厨，业已失落。"莫县令暗暗点头，命用长枷，以铁钉钉之。余盗俱加榜掠，监下。"狠狠而退。衙役等皆窃议曰："县公自此，疾贼如仇矣。"莫县令退入私衙，始将绣香囊原委，一一说知。叶氏实系屈死。樊夫人至此，悔之无及。惟日赴叶氏殡宫，啼哭不已。莫县令当晚，在枕上翻来覆去，寝不成寐。猛想前日崔氏蟾蜍之事，沈生系狱，尚未完案，安知绣绢，不与香囊同出一辙？金鸡三唱，即披衣而起。令传梆，立提魏夙一案，两造复审，一班书吏差役，星飞火急，传唤各处不及。饭后已催促数四，午后始集。一到便审，始知蟾蜍复生，系盗开棺，惊讶不已。莫县令也不问两造，惟拘群盗拷问。有曾入崔铉家行窃否？事非偶然，仍是署内行窃二盗承认。言曾掩入室内，启其笥。被犬吠一声，仅得罗帕一幅，汗衫一领惊逸，罗帕不知失落何处，惟盗得汗衫而已。余皆分毫未动。莫县令拍案叫苦，只见崔铉伏跪在旁，不觉狂叫曰："原来如此。"莫县令喝住，二盗复承曰："崔女身死后，我等复往开棺，欲取金银首饰，遇尸变鬼灵，亡命逃走，为役所获，可见天网恢恢，疏而不漏。"莫县令见两事首尾，俱是此二盗所为，激得怒发冲冠，令速杖毙。

沈生之冤始白。莫县令传至案前，为去刑具，慰之曰："吾一时不明，几乎烧琴煮鹤。尔虽在缧绁之中，非其罪也。勉自刻励，有厚望焉。"只见沈生泣诉曰："生系狱累月，岳家已逼退婚，魏夙又娶我原聘，求大人作主。"莫县令一闻此言，满面发赤，命将严家父女一齐唤至，县令一见魏夙，怒容满面。即责以妄相告讦，离散两婚。令杖之。魏夙窥见蟾蜍甚美，亦在堂上，即叩首伏罪，愿续前好，与崔氏仍为翁婿。严从典在旁，怒气勃勃，尚未发言。崔铉厉声曰："魏夙乃宦家子，既不齿于崔宗，岂有绝而复续之理？"严从典自知已误，岂容再误，惟叩头谢过，甘伏退婚另嫁之罪。莫县令此时也不暇与辨罪轻罪重，惟看魏夙傲狠猥鄙，与严女庞然大足者，允称配合。回看崔女蟾蜍，明眸皓齿，一种嫣然，与此人物俊雅、潇洒出尘之沈生，亦天然鸾凤。遂唤崔铉、沈生近前曰："沈生弃艾获兰，蟾蜍逐鸦得凤，凶者吉之兆，祸者福之基。鸳鸯一绢，殆为汝等牵绣幕之丝也，汝二人应作翁婿，两不可违。"崔铉、沈生，一齐应允，叩首谢恩。言未已，只见乡宦魏仪，公服上堂请曰："崔女既白玉无瑕，治下魏某，业经聘过，愿续旧好，领归成婚。"莫县令因此案，左袒魏氏正在满腹牢骚，无可发泄。今魏仪又出此谬戾之语，遂让之曰："兄真以婚媾为儿戏耶！"魏仪艴然作色曰："县公以魏某无力，竟不能娶崔女耶？崔女即不归魏氏，亦不应配与沈生。魏某亦薄司民社，无此判法。"莫县令勃然大怒曰："魏仪以某为木偶人，不能为朝廷执法乎？"飞签令将魏夙满杖后，照加等之律，如法论罪。严从典阿富憎贫，亦受谴责，喝左右将魏乡宦逐出。竟令沈生、蟾蜍，当堂成婚。一时鼓乐交作，二人拜谢县尹。一夫一妇，女貌郎才，天生佳偶。莫县令公座受拜，始而喜，继而愠，终复浩叹。且暗暗垂泪，令彩旗鼓吹，送沈生、蟾蜍出衙，观者无不称羡。莫县令退至内署始叹曰："非叶氏一死，此案不能结也。是皆居官者，不严盗贼之故；而亦居官者，诬人名节之报也。可不慎哉。"

第四十九回　岳招讨计赚长沙

翔龙府涪陵王，命耿进诚在邵武，建都立国。经营土木之事。又分拨诸将，于江右闽广、大兴屯田，积储有余。都统制岳燕超，已在广南练兵，养精蓄锐。一日关普灵，引降将二人入见。涪陵王问之，乃刘遇隆、蓝天蔚也。涪陵王以用人之际，俱授武议郎，拨入统制营下听用。二将拜谢入营，会涪陵王拜统制岳燕超为招讨使。调集随营将士，选精兵十万，以扈德威为先锋。辞别涪陵王及文武等，由广南望湖湘而进。

前队扈德威，方逾桂岭，有兵马使寇复雷，由茶陵州，亦引兵来会，二将相见甚喜。扈德威问曰："长沙各处，守将何如？"寇复雷曰："长沙防御使杜元侃，颇有威望。而湘东守将邵伦、蒲宏，不协人心。可袭取也。"二将即首先引兵，济湘江，赴衡阳。至烟霞关，有元将撒哩合达阻住。扈德威、寇复雷将军马列开，势若长蛇，鼓噪而进。撒哩合达开关迎敌，两军合战。撒哩合达岂是二人之敌？不三合，中枪身毙。元兵遂败，宋师乘势抢关，降其余众。大队继进，二将直过回雁峰，遂抵郡城。邵伦登陴固守，蒲宏引兵出战。扈先锋督军，即与对垒。蒲宏鏖战多时，被德威奋斩之。元军大败，城内接应兵出，方鸣金收军。次日，邵伦死守不出，欲劳宋师。二将竟引兵徐退，至三十里屯住。元兵不省，城中闭关数日。渐次少懈，出入樵汲。五日后，宋师复至，将城围定。邵伦登城，亲自巡视，弓弩矢子，迭番施放。二将督兵，奋勇攻打。围至宵分，忽城西有人开关，接宋师入城。邵伦大惊，率兵下城巷战。兵无斗志，邵伦被擒。二将遂得衡阳，劝降邵伦，所属州县，传檄而定。时岳招讨大军在湘江，既得捷音。命张怀亮、种世虎、马遇乐三将引兵，徇下湘潭，以开路径，大队望长沙进发。经安化县，有杜元侃部将陈巩、苗贲，屯兵士星砦，以遏宋兵。招讨命岳坤退敌。岳坤以山势险峻，路径不熟，初战竟为所败。招讨大怒，立命斩之。众将苦苦告免，始杖之，仍令破敌。岳坤负罪引兵再战。陈、苗二将，果为所杀，破其军。遂过此砦，令人哨探回报，此去长沙，沿途俱有兵阻。而杜防御之兵，屯善、化县西北八十里金盘山，长沙城近，共七十二座连珠营，内外戒严。招讨闻之，即移兵向善化而进。中途又连遇元将马埏、张济、杜勋等之兵，俱为种世虎败去。遂抵金盘山，列阵讨战。时马埏等，败回金盘山。杜防御怒责之，黜退，令趋护郡城，自率部将迎敌。张怀亮一骑早出，元军中一将大呼："团练使刘鸿来也！"二将交马不一合，杜防御令健将白忠从东南角杀来，霍偈从西北角杀来。各引一军，横冲其阵。讵料宋师壁立不动，杜元侃援桴击鼓，督将士力战。混杀一会，招讨见两军互有损伤，鸣金收军。当夜宋营中有降将蓝天蔚、刘遇隆，请往劫寨。招讨不许曰："杜元侃老成持重，寨岂可劫？待别寻良策破之。"张怀亮曰："杜元侃辎重，必由浮邱岭益阳等处搬运。招讨若停兵数日，某愿往截粮道。"招讨曰："杜元侃驻兵于此，原非持久之计，粮运有限。但截断浮邱，令伊腹背受敌，亦是一策。惟不可不慎耳。"即令张怀亮率蓝天蔚、刘遇隆，引轻军一队，由间道去讫。

次日，杜防御引军索战，宋兵不出，一连数日。杜防御心疑，即命刘鸿率兵往益阳一路哨探。时张怀亮已偷过浮邱，阻住粮道。刘鸿兵至，已迟一日，为宋师所遏。遂大战于浮邱岭上。刘鸿不敌三将，为蓝天蔚所杀。兵皆逃散，入防御营中。杜元侃自悔疏虞，大队仍坚守不动。蓝天蔚暂守浮邱岭，张怀亮、刘遇隆二将，率兵遂袭益阳。益阳兵少，守将不支，遂溃。二将安民毕，又往夺宁乡。杜元侃自知善化难守，遂由金盘山，徐徐引退，众将皆欲追之。岳招讨曰："此兵进退，井井有法，不可追也。"令狄勇以一军拔善化，亦移营而进。时扈先锋引兵渡青草湖，会合湘阴。张怀亮亦至宁乡，会同进兵，直抵长沙，距城五十里下寨。杜元侃调集将佐，坚守城垣，迎战于银塘浦前。士殊死斗，宋师少却。而岳招讨压定阵脚，步伍不乱。杜防御亦举止慎重，立即鸣金收军。是役也，宋师颇有损伤。元军将士，无不称庆。杜防御不以为喜，惟令将士，益加小心。

次日宋营中，马遇乐讨战。元军健将霍㬥出马，不数合，马遇乐败走，霍㬥骤马赶来。狄勇、种世虎，两翼伏兵杀出，元军大败。霍㬥措手不及，为马遇乐所斩。仍来讨战，杜防御令白忠对垒。马埏、张济左右救应。不三合，马遇乐又败。白忠不追，令人哨探。号召左右救应，二军而进。忽鼓声大震，扈德威一军突至。大刀阔斧，阻定前路。马遇乐一军，反抄出元兵之后，前后掩杀。三将腹背受敌，元兵大败。扈德威轻舒猿臂，生擒白忠于马上，掷之于地。众军缚定，马埏正慌，亦被马遇乐刺死。张济落荒而走。元兵死者大半，余皆逃去，宋师大获全胜。杜元侃大惊，移军入城，坚闭不出。岳招讨且不攻城，即拨扈先锋率种世虎、刘遇隆等，引兵三千，直犯营阳。先拔江华、新田等县。进攻道州，道州都指挥赤丁引潇水以灌宋师，宋师少创。再战浯溪口，赤丁大败，退保祁阳。扈先锋既得道州，立攻祁阳。赤丁立脚不住，望营阳而走，扈先锋进兵营阳。以种、刘二将攻城。自引精兵五百，埋伏城西朝阳岩静候，种世虎、刘遇隆领兵围困营阳。东南击鼓，西北喊杀，炮声震天，班声动地。城内惊慌不定，太守严公辅朝服望阙再拜，服毒而死。军民缒城降者甚众。赤丁阻遏不住，溃围出走。种、刘二将早已撤开西路一队人马，赤丁乘势混战一会，望城西而逃，甫及朝阳岩，扈德威一军拦住去路。赤丁交马不一合，宋军俱用长绳绊马。赤丁坠地，一拥缚定，降其余众。扈先锋与二将合兵入城，出榜安民，连夜将赤丁械赴大营。岳招讨一见喜曰："吾计成矣。"即喝退左右，亲释其缚，设酒压惊。赤丁感其意诚，遂降。自言："愿效死力，赴汤蹈火，在所不辞。"招讨即附耳低言，给衣甲鞍马，带领营阳降兵，黄昏径奔城下。大呼营阳败兵求援。城上验之，果系元军。即令开门入城。赤丁一见杜防御，哭诉营阳失陷、太守殉节，求防御分兵，往复故城。杜防御细细问以失陷情形，不觉心疑。推言本处且守御不遑，岂可分兵？令协守城池，退敌后，且议营阳之事。

此时宋兵日夜讨战，杜元侃一味坚守不出，欲俟粮尽击之。宋师攻打日久怠生。坐卧辱骂，全无队伍。杜防御始以为诱敌之计，愈久愈甚。已忍耐不住，欲遣部将掩杀，又恐疏虞，遂令众护城，自领一军突出。宋师不意猝至，人不及甲，马不及鞍，仓皇遁走。杜元侃望见宋将张怀亮若丧魂魄，飞越逃窜，心中诧异。忽号炮震响，方欲约住众兵，见左侧红旗招展，狄勇一军杀出。右侧黑旗飞舞，史进一军杀出。前有先锋扈德威一军拦住。宋师人人奋勇争先，元兵不敌。杜防御情知中计，勒马杀回。只见青旗对对，拓跋琳将铁骑列开，握槊便刺。杜元侃无心恋战，虚掩一枪，刺斜杀出，望城而走。奔至城下，见吊桥拽起。赤丁独立城上，大呼曰："吾降宋已多时矣。"杜元侃大怒攻城，忽敌楼上刀枪齐树，剑戟如林，宋招讨岳燕超凭栏坐定。左陈同，右岳坤，招讨带笑言曰："杜防御力战辛苦，汝部将吾已擒获，何不纳降？"杜元侃怒忿不休，督兵攻打。只一声梆子响，矢石交下，杜元侃欲退，又见扈德威、拓跋琳、张怀亮、史进、狄勇五队精兵，一齐掩至，大呼曰："有能生擒杜防御者，封万户，赏千金，元兵当者即死。"杜元侃自知不免，仰天大呼曰："元侃竭尽心力，誓不负国。"遂拔剑自刎。一时元兵死者无算，余皆降之。

岳招讨安辑居民，吊生恤死，拔幽赈困，人心大悦。众将一一献功，设宴庆贺，赏赉三军，令将杜防御葬于八景台前，以旌其忠。

第五十回　慕容长鏖兵武陵

岳招讨既抚定长沙，议取建州。武议郎蓝天蔚进曰："末将初隶麾下，未建寸功。愿取建州，以酬知遇。"招讨许之。刘遇隆亦愿同往，招讨甚喜。拨兵一万与之，二将谢别起程。既过衡永，已非一日。将抵邵阳，闻朱梅岭有兵控制。刘遇隆先引一军探之。

且说镇守朱梅岭者，乃副将靳虎臣，骁勇善战。昔在安丰路，曾与刘遇隆相识，疆场共事者三次。刘遇隆乃按兵不动，潜修一书，劝虎臣降宋，虎臣大喜。其部下有牙将王秀，累犯军令，虎臣常责之。王秀得此消息，竟赴建州太守钱凤仪处告变。凤仪遂与都督解公辂，商议设宴。命牙将王秀代理军事。召虎臣议退敌计。就席间掷杯为号，杀之。虎臣既诛，王秀始至军中，一至朱梅岭，军士不服，鼓噪，营中大乱。刘遇隆闻之。疾赴其营。元兵争砍王秀之头以献。盖虎臣待下素有恩信故也。刘遇隆抚定余众，蓝天蔚后军亦至，喜曰："闻建州仅一靳虎臣，若解公辂，直奴才耳。"二将一同进兵，至鹿角岩，解都督引兵阻定。蓝天蔚曰："待某破之。"解公辂一见宋兵，方指挥军士，纷纷扰扰，列阵迎敌。蓝天蔚趁他行阵未就，即率兵如潮涌而进。解公辂不能抵敌，弃营奔入城中。守御各项仓皇未备，宋师接踵而至。满城军民无不叹曰："靳统制若在，当不至此。"解公辂闻之，始大悔。根府尹失策，钱凤仪不肯任过，亦谯让都督行军躁率。一文一武忿争不已。城外炮声大震，宋师围城，水泄不通。百姓惊慌无措，蓝天蔚、刘遇隆围仅三日，竟将西南攻破一角，宋兵蚁附而上。钱府尹在集瑞堂前解带自缢，解公辂不敢迎战，引家将数十骑，望武陵逃去。蓝、刘二将兵不血刃，遂得建州。其城步、新宁等县无不纳降。惟武岗州负固不服。刘遇隆引兵徇之，方始纳款。各处抚定，往返未逾一月，即告捷于长沙。岳招讨大喜曰："吾固知二将必成功也。"帐下有台州降将慕容长大呼而出曰："建州既定，武陵未收，当令末将建此微功。"岳燕超曰："武陵乃荆湖重地，必有能将镇守。恐汝非其敌，致损吾兵威也。"慕容长大怒曰："如长取武陵不下，甘当军令。"招讨曰："军中无戏言。"慕容长即写下军令状，招讨拨兵一万与之，慕容长大喜而出。有先锋扈德威进曰："此去武陵必下矣。"招讨曰："子何以知之？"扈先锋曰："观其临行时，意思安闲，必有成算，是以知之。"招讨亦以为然。

慕容长领兵，由桃源、龙阳二县，俱无阻隘，竟奔武陵。时常德守将屈突鹍因解公辂来奔，已扫清境内以待。一闻宋师入境，领兵者乃台州杨镇龙故将，大怒曰："鄙夫何敢欺我？"即命偏将王骜、穆良，引兵一千，离城三十里崔婆井埋伏。候宋师既过，从后击之。自统大队出城，就沈约台前屯住。果然宋兵不曾防备，前队竟为二将所败。比及慕容长知之，已无及矣。慕容长见少挫其锐，勃然大怒曰："长昔在台州，将乌合之众，尚欲横行天下。今大宋以堂堂之阵，正正之旗，兵精粮足，长若不能收复武陵，有何面目见招讨乎？"催军直逼沈约台下寨。立营未定，屈突鹍以逸待劳，出其不意，又败其军于武陵城外。慕容长直激得气焰腾空，太阳穴火星透上三千丈不止。

次日，结束停当，一刀一骑，坐索屈突鹍出战。屈突鹍怒欲出马，健将潘孟扬曰："何劳主将临阵，末将愿往败之。"慕容长见健将出马，益加忿怒。潘孟扬甫交手，已被慕容长刀劈马下，仍然勒马讨战。屈突鹍怒发如雷，正待出马，王鹜、穆良二将齐出，慕容长毫无惧怯，大奋神威。不三合，用拖刀计斩却穆良。王鹜着慌便走，慕容长拈弓搭箭，嗖的一矢，王鹜落马，为宋兵所获。屈突鹍在门旗下飞马来救，已无及矣。屈突鹍气满胸膛，恨不生擒，以与三将复仇。接住慕容长恶战五十余合，不分胜负。慕容长拍马便走，屈突鹍不舍，追过木瓜砦，慕容长手出一鹞，望空飞上，四下伏兵齐起，声声大呼："休教走了屈突鹍。"元兵围在垓心，死战不已，损伤过半。屈突鹍奋勇杀出，已中数创，奔至沈约台，始得生力兵一支，前来接应入城。慕容长性急如火，即督兵攻打。一见围城，屈突鹍愤焰中烧。次日登城大呼曰："宋将能与某力战，便将军马撤退；否则任汝攻打，守御有备，不畏汝也。"二将一性急，一性躁。慕容长果然将军马撤退五里，仍至沈约台前扎定。屈突鹍鼓噪而出，拣一平旷所在，列成六甲迷魂阵。大呼宋将打阵，慕容长定睛一看，见六队之中，颠倒参差，暗藏六神，不省此阵，未敢造次，亦调七队精兵，列为七星斩将阵敌之。屈突鹍见之，曰："此常阵也。"慕容长呼曰："能入阵否？"屈突鹍不以为意，选精兵千余，一马当先，杀入阵中。慕容长麾动令旗，抽出一军，以遏外援。顷刻化为圆阵，又将屈突鹍围在垓心。元兵死战，无路可出。屈突鹍仔细看时，讶曰："分明七星阵，倏化为六花阵也。吾一时期敌，误入此阵。"冲杀一会，却得建州都督解公辂引兵由西北杀入，接应而出。且战且走，奔至城中。喘息未定，宋师又至。

慕容长二次围城，屈突鹍守御甚严。宋兵攻打，即将灰瓶、滚木、金汁等项施一下，伤人甚众，慕容长大怒，量云梯冲车等物，不能破之，立造尖顶木驴，矢石所不能制者，运以攻城。讵料屈突鹍即用雉尾炬，拖铁镞，灌以油掷下，木驴尽烧毁。慕容长架起虹桥，屈突鹍以撞竿。慕容长命穴地道，屈突鹍暂堑以长濠，慕容长百计攻城，屈突鹍随方御之。攻者自劳，守者自逸。旬余，慕容长见城不能下，且解围暂退，兵屯茶陵山，屈突鹍又引兵出城北驻扎以敌之。

慕容长纳闷营中，暗思此城如何可下？左右思维，智勇俱困。是夜，星月交辉，夜半后，忽狂风骤起，大雨倾盆，终夜不止。慕容长猛省，柳叶湖之水若得暴涨，可以灌入城中。令人探之，果然水起丈余。慕容长大喜，急令军士沿夜冒雨，用木版堑定，阻其下流，湧入城西。并合玉带河之水，用灌武陵。果然，次日武陵城外澎湃汪洋，怒湍奔流，滔滔汩汩，不绝于响。城不陷者三版，慕容长率兵乘筏，鼓噪而来，三次攻城。时屈突鹍已移军入城，水势汹涌，无可消泻。虽有闸门数次，泄出有限，且随泄随满，无力可施，遂深恨宋将，登城认定慕容长，极力一箭，中在右臂，几乎坠入水中。得众军拥扶，熬定痛楚，拔出箭镞，忙用药敷佐。慕容长咆哮大怒曰："城下，誓将屈突鹍剐之。"时水势倍涨，高与城齐。元兵舍死，就女墙阻定，力不少懈。宋师见主将受伤，攻打益厉。不一会，城垣坍塌数处，元兵不能制。宋师乘筏直入。屈突鹍先杀妻子，然后与宋师决一死战。慕容长一见，恨入骨髓。令众军万弩齐发，屈突鹍体无完肤，死于乱箭之下。少顷，众军擒解公辂至，慕容长亦命斩之。其余大小官吏，逃者甚众，余者皆降。

时宋师以掘开水闸,元兵民死者皆众。慕容长始安辑人民,清查仓库,略定所属四县。事事皆定,乃令人往长沙告捷。岳招讨大喜。即令岳镇史进运牛酒犒兵,并黄金彩缎,先为慕容长奖其功。

第五十一回　西冷桥樊生遇艳

房县湘乡樊东楼，自涪陵祠，得范国昌、扈德威等，救二姊归后，其父樊进士，不久遂卒。母亦病故。二姊出阁，业已身无系累。因见范、韩诸人，落落行径，亦思作江湖散人，优游山水，待时而动。将家事托老仆樊鸿经理，买舟放于七泽，直至苏州之太湖上岸。按：苏州太湖，周回三万六千顷，与浙省之乌程、长兴等县接壤。樊东楼至苏州，游遍虎邱、吴苑馆、娃灵岩诸胜，遂过湖州、吴兴诸处，游览一会，由桐乡，达秀水，及富阳，访严子陵钓台。诉流而上，看钱塘江潮，始览西湖之胜。西湖山景，除却天竺，灵鹫，石屋，烟霞，葛岭，孤山而外，有城西十二里灵隐寺，尤为绝胜觉场。此山周围十二里，称为武林。发脉于新安，从富春至余杭，蜿蜒五百里，始结脉于两高峰。三天竺，每逢春晓雨霁，登山赏七级之浮屠，远眺群峰屏列，湖山镜浮，云光倒垂，万象俱俯，画舫来往，恍若飞凫。又山之峰，则有乌门、石笋、香炉、狮子、莲花、飞来诸峰。山之洞，则有呼猿、玉女、龙泓、射旭诸洞。山之涧，则有南涧、北涧、大涧。山之泉，则有月桂、伏犀、永清、倚锡诸泉。最足动人者，尤为冷泉。山之静室，则有韬光、白沙、石笋，无着、松偃诸庵。山之阁，则有望海、超然、永安、弥陀、云来诸阁。俱属天造地设，甲于天下。湖中胜景，则为苏堤春晓、曲院风荷、平湖秋月、断桥残雪、两峰插云、三潭映月、雷峰夕照、南屏晚钟、柳浪闻莺，花港观鱼诸妙。樊东楼寻山问水，应接不暇，四顾爽然。正所谓：若到西湖游一遍，就是凡夫骨也仙。东楼一心玩景，暂寓钱塘。日到湖上，见南山一带，树色苍翠，相连甚远。旦晚轻烟一抹，甚可人意。回看涌金、清波二门，一带城郭立于东。保叔塔、葛仙岭楼、赏乌石、北高峰，绕于西北。南高峰、南屏山、凤凰山绕于西南。竟将明圣一湖，包裹在内，俨然一面菱花水镜，而孤山宛在中央。但水阔烟深，可望而不可即。往还非舟楫不可耳。东楼此时，几如身入蓬岛，人在广寒。一日偶至濒湖桥畔，见一坟。题曰：“钱塘苏小小之墓。”恍然曰：“当年油壁香车，点缀湖山之佳丽者也。”乃以瓣香杯酒奠之。吟曰：

香车何处碾芳尘，怅望西冷草似茵。
风柳动摇苏舞袖，露桃开落剩歌唇。
行云岫冷连前梦，织锦诗奇悟后身。
识得鲍仁夸俊眼，湖山点缀有佳人。

吟毕，流连不舍。犹啧啧称羡曰：“美人，好一双识英雄俊眼，慨然以百金，赠鲍刺史于未遇之先。此须眉男子所不能者，岂风尘中物哉？”时道旁观者，无不笑为痴狂，东楼仍日日游湖，往来桥畔，玩赏茂林芳草，如亲佳丽。一日游览，渐次夕阳在山，逸兴遄飞，见杨柳依依，俨然招我。飞花片片，恍欲留人。信步沿着湖堤，观玩山光水影，又吟曰：

> 十分颜色十分才，岂肯风流便永埋？
> 自是西冷桥畔路，也应红杏出墙来。

沿堤踱来踱去，不觉少惫。至松杉茂密处，少憩片时。见一女郎，从松杉影里，披冰绡，曳雾縠，丰姿绝世，冉冉而来。向东楼敛衽曰："妾苏小小也。六朝至今，绝少知音。感君嘉惠，泉下不忘，特来一晤君子。所谓何处结同心。西冷松柏下也。"东楼狂喜，急起揖之，问曰："美人，宋苏小小耶？抑南齐之苏小小也？"女郎笑曰："妾本一人，何分齐遂读其诗宋？"东楼曰："美人独不闻赵司户与盼奴之诗乎？"遂读其诗有云：

> 昔时名妓镇东吴，不恋黄金只好书。
> 借问钱塘苏小小，风流还似大苏无。

又有虞美人长短句云：

> 槐阴别院宜清昼，人坐春风秀。
> 美人图予阿谁留，都是宣和名笔内家收。
> 莺莺燕燕分飞后，淡粉梨花瘦。
> 只除苏小不风流，斜插一枝萱草凤钗头。

读罢东楼又曰："诗曰钱塘，曰还似大苏无，词亦说莺莺燕燕之后，此为赵司户之苏小小也，明矣。美人何不一决千古之疑，免致作诗者，或误钱塘、或误嘉兴、或谓县治、或谓西冷，即如近日吾友张生光弼所吟曰：香骨沉埋县治前，西陵魂梦隔风烟。好花好月年年在，潮落潮生更可怜。光弼不知有二：既曰西陵，又曰县治。是并不知谁为宋人，谁为南齐矣。"女郎掩口笑曰："湖曲江干，两难凭信。南齐东晋，著说滋疑。妾本若兰后身，只因璇玑图巧夺天工，自恃多才，以故偶谪风尘。再生仍为苏长女身，后果前因，本来不爽，妾不知宋小小为何如人也？况妾虽为六朝金粉之冠，而家住西冷，实为山川增胜。即虎邱真娘墓，锦江薛涛坟，金陵湘兰冢，若辈皆远不逮妾。而更何有于宋小小乎？妾自鲍刺史一为表墓，虽千载下珠沉玉瘗，犹得骚客诗人唏嘘凭吊。妾生前之愿酬，身后之念遂矣。感君子贶以佳叶，妾亦有短句，愿渎清听。"遂朗吟唐多令词一阕，曰：

> 多少别离衷，相思谁与同？千年隔世信难通。曾记香车游览处，镜湖阁下帘拢。西子返，去吴中，长廊响屧空。独立怨东风，便令身轻如燕子，飞不到馆娃宫。

女郎吟毕，东楼狂兴勃发，亦还以阮郎归，词云：

衫罗肤玉映分明，松杉影真，风儿偏肯做人情，送来一爱卿。
云髻堕，可怜生，香车宝马迎。月儿不肯做人情，阻侬一归程。

女郎叹曰："名下洵无虚士，但君固多情，其如妾薄命何？承惠已多，结他生缘可也。"再赋一斛珠词一阕云：

今宵欢聚松阴小，并肩儿语。绫笺分谱相思句，说不尽情，总被情牵住。一刻千金空掷去，他时重会知何处？晓风吹断鹣鹣羽，怅恨风前，还向东风诉。

吟罢，怅然若失，拔紫玉钗一枚，赠东楼曰："君子珍藏之，莫谓女鬼无灵，惟识得昔年鲍刺史也。"语未竟，忽闻南屏寺钟声聒耳，惊醒，则身卧小亭。回顾松杉影里，晓月将残。起视手中，玉钗犹存。细审之，宛然数百年物也。再至墓前谢别而归。

第五十二回　木棉庵老魅谭禅

龙溪士人章生，性朴讷。读书城南木棉庵，寒暑无间。风雨之夕，庵左厢斗室中，常有悲泣声，章生不以为意。

一夕月明如昼，章生偶步东轩玩月。室中悲声顿起，章生谛听之，盖女子声也。涕泣一会，又互相告语。其一曰："妾来雁，本吴江人。幼娴书史，工词翰。奈家贫亲没，无以为葬。自鬻于淮西军。淮西夏贵见妾颇通音乐，遂送至葛岭，误我一生。今老贼既死，妾等衔恨以没矣。"言讫而泣。其一曰："妾嘉兴李兰香也。会稽守刘良贵，买妾献媚于老贼。得擢转运，及妾在半闲堂，斗蟋蟀，偶拂老贼之意，立杖杀之。妾死不足惜，妾有老母，未知身葬何处耳？"又一曰："妾蕙娘柳氏，偕老贼共游西湖，偶过断桥，见裴生丰度可人，不觉失声赞美。老贼心疑，可怜红颜薄命，竟作断头之鬼。"言毕哭声呜呜。又二人齐言曰："妾姊妹乃余杭沈氏，芳卿、瑞卿也。父为司李，一字本邑李侍郎长子，一字于潜吴学士三郎。姊妹偶出踏青，被翁应龙所见。禀知老贼，强被娶去。父含羞而死，李郎、吴郎亦郁郁而卒。妾姊妹自尽。十年，贾平章老贼，始时衰运退，为陈、潘两御史，劾奏免官。妾等间关奔走，先至闽中。俟老贼数尽，再图复仇。讵料会稽尉郑虎臣，衔冤尤甚。生则拉胸杀其身，死则吸魂索其魄。怒气勃勃，妾等不能近前。奈何？"此外更有数女子嘤嘤哭泣，方欲诉苦。有一人问曰："汝等沉埋地下，多历年所。岂亦贾平章所陷耶？"女子泣曰："妾等堕入香粉地狱，十余年矣。"蕙娘问曰："何谓香粉地狱？"女子曰："大凡阳世官吏，犯贪、酷二字，自有国法。而间有漏网者，地府则录其爱女、弱媳，入青楼以偿孽债，今之倚门卖俏者是也。"蕙娘问曰："汝等父母，生前作何官？"女子曰："妾等五人，一为县令媳，两为县令女，两为典史女。父皆以贿赂堂吏廖、翁二人，得选美缺。开门纳贿，赃宝无算。败露后，仍被上官搜括，献媚与平章去。妾等已罚入九幽，填补赃款，陷没至今。向使平章正身率下，廉以奉公，不开纳贿之门。妾等又何至于此？"蕙娘曰："汝等来漳州几时矣？"女子曰："妆等步迹追随，物色殆遍，首至越州。暨老贼终丧后，闻谪婺州；即随至婺州，及婺人露布逐之，乃徙建宁。随至建宁，又遇翁合文上表谏阻，始安置循州。妾等奔惫已甚。始随老贼而行，及今仍不能报仇雪耻。此恨何极。"言已，大哭不止，众女子呜呜咽咽，重复饮泣。

正悲悼间，忽又闻一老妪声。大笑而出曰："众女鬼何事悲恸？要报宿恨，非问过来人不省也。"众女子哗然曰："花月姑至矣。若相起居问讯者。"少顷，老妪又曰："昔非今是，一切休称。后果前因，铁无差忒。众女子及今，尚未悟彻本来耶。"众女子肃然听命，老妪曰："女等粉黛籍中，宿债未偿，或青年沦亡，或红颜未老，故今世同附和于富贵之场。以消魔障，从此脱离烦恼，当赴清凉世界矣。"众女子曰："妾等宿愆，固然应偿，而老贼生平，一味安乐淫佚，果何福报如此乎？"老妪曰："贾秋壑孽缘实深，罪如山积，渠一世为秦将白起，以杀孽太甚，堕入畜生道，为牛。雷殛后，得转人道，罚亳州为娼。

以赠金十两，曾救人七命，再世为江阴富翁。力行济人利物之事。在唐即李林甫，一居相位。顿失本来，阴险陷人，奸恶特甚。没后罚长白山为犬。司户善警，主人甚爱之。犬毙更为僧，能持戒，喜放生，全活者无算。故仍得宰官身。既入平章，故态复作。欺君罔上，吝军赏，开边衅，陷忠良，肆聚敛，种种误国，怙恶不悛。尚当与章惇、蔡京、童贯、秦桧诸人，受无量怖苦。从此永无轮回望矣。”众女子无不称快。老妪又曰：“误国之罪重，误人之罪轻。贾秋壑所误汝等者，乃生命耳。渠虽误人，实汝等自误也。故被郑虎臣一灵索去，汝等俱不能报。然女等不能报其身，独不能报其子孙乎？汉阳、云梦，咫尺不远，区区守此殡宫奚益哉？”众女子齐谢曰：“蒙花月姑指迷，妾等不朽矣。”

一时人声顿息，哭声亦止，章生在窗外，听得分明。次日急启其户视之，毫无他异，惟壁上题诗二绝，云：

山上楼台湖上船，平章醉后懒朝天。
轻盈妙质归何处？黄壤沉冤不计年。

其二云：

云鬟消尽转蓬稀，旅魄逐荒无可依。
牧马不嘶山月白，魂惊犹欲向南飞。

章生奇之，为白寺僧。始知庵中左厢，为贾似道死所，庵侧为贾似道殡宫地也。章生视其殡所，犹露棺在外，因责之曰：“误国老贼，汝生前踞葛岭，游西湖，有无穷受用。曾亦知有今日否？”命人举其棺碎之，后章生成进士，作南丰令，有循声。

第五十三回　扈先锋收复岳阳郡

岳招讨见连收数郡，三降将俱建奇功，即令人镇守，更换三将回营，十分奖励。仍命三将，各带精兵五千，乘破竹之势，略定郴辰、桂阳等处，再令先锋扈德威统水陆兵二万五千，率史进、狄勇、种世虎、拓跋琳、岳坤五将，径由漳州，过洞庭，取岳州府。分拨已定，扈先锋造齐战舰，统军率众，由湘阴拨舟人青草湖。径巴邱山，入洞庭之西。至巴陵峡口，有元兵阻住，扈先锋欲夺险而上。

时元军中乃常山王成吉思帖木儿，自引大队，阻住峡口。而以都督阿尔忽术守城。当下常山王望见宋师，号炮震时，早有骁将夔夔。放下四五十号战船，沿湖摆开，夔夔手横丈八蛇矛，立于船头，往来如飞。宋军中种世虎，已觑定分明。拽满雕弓，暗发一矢。夔夔正当上风头，行舟如驶，忽应弦而倒。元军大惊，扈先锋用枪尖一指，宋师齐进。两军水面交锋，元兵几次冲突，宋师列在水上，坚不可入。扈先锋昔年建阃襄阳，惯习水战。所造蒙冲，以犀革覆船。皆两厢开制棹孔，前后左右，有弩窗、矛穴、炮车，置垒木铁汁，安楼三重。列女墙战格，树帜幡，敌不得近，矢石亦不能败。其余战舰、走舸、游艇，俱设女墙木床。奔走往反，速如飞鸥。乘人不及，更有海鹘头船，头低尾高，前小后大，如鹘之状。左右置浮板，如鹘翅翼。虽风波大涨，不虑颠翻。当时扈先锋即乘海鹘头，往来冲杀一会。奋勇跃入元军舟中，砍翻军十。五将继之。元兵多半识得扈先锋者，望风而逃。又宋师精锐，元兵不敌，夔夔被创，不堪力战，弃船上岸。宋师遂夺险上岸。常山王大军，阻遏不住，移营少退。扈先锋直逼元军下寨，常山王令人下书，扈先锋批来日决战，暗与众将计议已定。

次日，以史进出马，元将夔夔捉矛交还。史进力怯，拨马望城东而走。夔夔自恃有常山王大队接应，督兵即追，常山王亦恐有诈，自出一军，随后策应。刚得离营，拓跋琳引兵，疾往砍开鹿角，元军将士，慌来抵敌，被拓跋琳槊翻健将数人，元兵不支而溃，遂据其营。常山王返旆来追，扈先锋引军拦住，即与交马，扈先锋乃久练沙场，常山王焉能抵敌，不三合败走。扈先锋亦不追赶。

且说夔夔追史进，直过城东，忽一声鼓响，岳坤、狄勇，各引一军，截出后路。夔着惊，即移后队迎敌。史进督军，勒马杀回。元兵围在垓心，死战不已。却得常山王败兵亦至，杀入救应，夔夔始脱身。保护常山王，且战且走。史进三将，追杀不已。都督阿尔忽术在城上望见常山王，正在危急，忙披执上马，引兵出城助战。混杀一会，夔夔已被岳坤刺落马下。阿尔都督，也不顾众军，舍命杀开血路，保常山王望城而走。忽探马飞报，阿尔都督引兵出城时，宋师已乘机入城。常山王大惊，奔至城下，只见宋将种世虎，威风凛凛，立于城上。厉声曰："羯奴吾取城多时矣。"常山王追悔不及。阿尔都督引残兵，保护望澧州而去。扈先锋率众将入城，招抚安辑，官吏降者无数，军民无犯，百姓大悦。随令狄勇引兵徇华容，岳坤领兵收平江，史进、拓跋琳引军进攻澧州。元常山王阿尔忽术，坚守石门关。且以二将兵少，思养精蓄锐，一鼓歼之，故闭关不战。史进即选精壮军士数十人，自己扮为赤松山樵子，各担柴负薪，混入关中。约定火起为号，拓跋琳引兵打关。史进内应，其关遂破。阿尔都督，为史进所杀。常山王自知澧州难恃，奔襄阳而去。州守不敢迎敌，皆降。安民毕，兵回岳州，扈先锋告捷长沙。

岳招讨见各路俱有捷报，举手加额，为涪陵王称庆。惟郴辰、桂阳等处三将，久无半音耗，暗思三将，连取大郡，战无不捷。岂区区郴辰、桂阳，不能收入版图？次日，探马飞报，三将合兵至辰州，郴州俱已纳款。惟刘遇隆战桂阳州，临武县，桐柏山失利。岳招讨听毕，有张怀亮等，皆欲请兵往援，招讨曰："小小进退，不足介意。彼三人同心协力，何功不成？且待数日，自有捷音。"

越三日，又报刘遇隆再败蓝山县锦鸡石。招讨闻之甚喜，诸将不解，直至扈先锋岳州兵回，始得露布告捷。刘遇隆诱战，引元将莫如龙、莫如虎，至天窗岩，陷入飞天网搅地龙之内。用地雷火攻，大破元将，覆其全军。桂阳所属皆服。岳招讨笑，谓众将曰："果不出吾所料也。"自是湘湖州郡，半为宋土，岳招讨飞奏宋主。一面檄调镇守肇庆府骠骑将军韩搏虎至，同征云梦。

第五十四回　元太后驾游五台山

元至元三十年，湘潭各处，相继陷没。湖广行省左丞，飞章告急。世祖昏耄病愦中，心志衰颓，无意出师。时常山王成吉思帖木儿兵败。表至，世祖不览，丞相完泽安童等忧之。十月紫微垣彗星见，抵斗魁，光芒丈余，三月乃灭。甲午春，正月，壬子，世祖不豫，以天变告警。免朝贺。

越日，御紫檀殿，召平章政事不忽木。问以天变如何可销？不忽木奏曰："风雨自天而至，人则栋宇以待之。江河为地之限，人则舟楫以通之。天地有所不能者，人则为之。此人所以与天地参也。且父母怒，人子不敢疾怨，起敬起孝。故易曰：'君子以恐惧修省'，诗曰：'敬天之怒，无敢驰驱'，三代圣王，克克谨天戒，鲜有不终。汉文之世，同日山崩者二十有九，日食地震，频岁有之。善用此道，天亦悔祸，海内义安。此前代之龟鉴也。愿陛下法之。"因诵文帝日食求言诏，世祖悚然曰："此言深合朕意。"既而叹曰："朕昔年平宋之后，一片雄心。欲扫尽海内，连年征交趾，捣日本，伐占城。而叛者四起，命将出师，殆无虚日。我国家建极开运，垂五十年，而一意用兵，遗黎残姓，游魄惊魂，虔刘荡摩，殆欲歼尽。而征愈劳，叛愈广，此皆朕嗜杀之过。无惑乎天怒人怨，灾异告警也。自今以往，朕不复用兵于海内矣。"言已而泣，不忽木亦泣奏曰："陛下善自保征，海内余氛，不日自当平靖。"世祖曰："朕所深虑者，广南故宋耳。其措画甚大，在廷诸臣无出其右者，朕抚心自问，恐昔年灭宋、伐陵诸事，未免太过。自此以后，卿等好为之。"不忽木叩谢而出。癸酉世祖随崩。时皇太子真金已卒，弘吉剌皇后即传懿诏，以真金第三子、皇孙铁木耳即帝位，是为成宗。尊弘吉剌皇后为徽仁裕圣皇后，同预国政。后即以御史大夫崔或彧献玉玺赐之。夏四月，兰州河清三日，先是世祖不豫，诸王颇怀觊觎。成宗方在军中，料理军务。欲整饬戎行，讨平荆湖，思大有为。

迨世祖既崩，以奔丧至上都。得即帝位，遂深感徽仁裕圣皇后之力，乃大崇释教，广作佛事。为皇后资冥福，修福宁寺。合经藏之数，共五千八百四十间。金碧荧煌，极其华美。有五台山，在太原府五台县东北一百四十里，周回五百余里，高出云表。顶皆积土，因谓之台。分东西南北中。又东五台，与西五台，相去二百余里。直至奉圣州之北，即世传北方文殊师利，所居之清凉山也，成宗为皇太后修寺。创始于元贞之初，阅三年而功未竣，花费钜万。群臣有谏阻者，辄罪之。至大德元年丁酉，又请太后，由上都路，入居庸关。经可汗州，临幸五台。诸王驸马、六宫妃嫔，随驾者数千人。所过郡县，供亿浩繁。民多逃窜，官吏苦之。荦薪运米，络绎于道。丁男不供，役及妇女。銮舆所驻，信宿即行。饮食委弃，狼籍满地。所谓蝼蚁人民，沙泥金帛，莫此为甚矣。御史台臣等，皆畏罪，莫敢发言。独监察御史李元礼，上疏谏曰：

臣闻五台山创建寺宇，工役俱兴，供亿繁重，民不聊生。伏以太皇太后，临幸五台，尤不可者，有五：盛夏禾稼方茂，民食所仰，骑从经过，不无蹂躏，一也；亲劳圣体，经冒风日，往复数千里，山川之险，万一调养失宜，悔之何及？二也；天子举动，必书简册，以贻万世。书而不法，将焉用之？三也；财不天降，皆出于民。今日支持调度，百倍曩时，而又劳民伤财，以奉土木，四也；佛以慈悲为教，虽穷天下珍玩供养，不为喜，虽无一物为献，亦不怒。今太后欲为兆民求福，而先劳圣体，使天子旷定省之礼，五也。伏望回辕中道，端处深宫。上以循先皇后之懿范，次以尽圣天子之孝诚，下以慰元元之望。如此则不祈福而福自至矣，臣无任屏营之至。

疏入，成宗大怒曰："此寺，乃先皇帝尝许修建，腐儒何知？辄敢讪谤！"立命下狱。敕右丞相完泽、平章不忽木鞫之。二臣不敢违诏，但迁延其事。俟帝怒稍解，方为保奏。时京湖各处守臣，请兵告急。日有表至，成宗览毕曰："广作佛事，兵戈永息，何事张皇乃尔。"敕下，令紧守要害而已。

且说太后既幸寺中布施动以万计。诸王驸马，争舍金钱，以资福果。群秃几富敌于国，藉焚献以充囊橐，土偶无知也。太后在寺中，留恋月余，只候官吏，苦不胜言。太原各郡生民，日朘月削，卖妻鬻子，死者枕藉于道，生者则负缧绁，犹肩荷重任，鹄面鸠形，含情莫诉。銮舆所经，罔不侧目，所谓敢怒而不敢言也。至土门关，有罗雄州酋长，阿那龙少，纠合生番子数百人，拦舆劫驾。太后大惊，诸王驸马，极力保护。命扈从将士剿拿，仅获生番子百余人，杀之。阿那龙少，竟被逸去。太后受惊得疾，诸王驸马等十分忧危。不日至幽州昌平，入居庸关。此关西连太行，东亘辽海。狼居胥诸山，皆为襟带。太后下令，不出北口，乃由关南，行仅一百二十里，遂抵大郡。銮舆至关南相通处，路绕两崖间，其隘如线，其侧如倾，其峻扪参，其降趋井。而下有深涧，巨石磊块，艰折万状。凡四十五里，太后正行两崖间，忽大风骤起，銮舆几为所掀，太后惊得魂不附体。路既险狭，不堪车辇，太后乃下车，令人扶掖而行。惟举手膜拜，声声我佛有灵而已。一时风又猛起，随从多坠崖死者。太后已心胆俱碎，诸王驸马、妃嫔内官，无不口出怨言。太后闻之，病转增剧。

诸王等急并日而行，始达上都。帝及文武，出郭迎入太宁宫。拜贺毕，帝慰劳曰："太后亲劳圣体，驾幸旃檀，佛日增辉。应受无疆之庆。"太后摇手泣答曰："几乎与官家不能面会矣。"帝惊问之，诸王驸马，始言其状，帝亦惊讶，太后怒曰："文武当时，何独无一谏者？"丞相完泽、平章不忽木，始奏御史李元礼因谏下狱之故。臣等奉诏，尚未鞫问。太后取疏观之，且感且泣曰："官家若从此谏，土门不受惊矣。"帝大惭。即日旨下：李元礼出狱，复其官，以金帛赐之。自此太后，遂卧病不起。

第五十五回　两先锋分剿云梦

云梦巨寇贾翀，虎踞江汉。控制德安、安陆、汉阳、郧阳、蕲州五大郡。几及十年，累胜累败。元人竟无如之何。后又与寿阳联盟，益肆猖獗。惟至元二十九年，集庆路大开武选，贼将白文狻等混入建康，大闹选场。贼伙汪夜义、宋罗睺，俱受重伤，不久遂死。从此势焰少衰。

贾翀随调白文狻，仍屯水寨。姚太师、倪雕儿驻扎汉江口。忽报宋师两路来征。正先锋扈德威，统兵三万，由岳州华容渡青草湖，直攻云梦。副先锋韩搏虎，统兵三万，由湘衡直抵荆山，取荆门州。贾翀大惊，忙令汉江口二将，移兵迎敌。云梦水寨，亦命准备。是时韩搏虎镇守肇庆，奉檄征讨。挂副先锋印，所部有任天鹏、夏侯杰、马晋臣、杨孝伯、虞凯、庹靖、廖云、陈同、吴广、庞英十将，共水陆兵三万。韩先锋渡汉江，击楫为众将言曰："搏虎昔在汉阳，曾将此贼战败七次。惜大功垂成不就。贼势益猖。今幸得与诸君，共佐明主。建阃出师，仗诸君威力。搏虎若不能肃清江汉者，有如此水。"众将皆曰："愿听先锋之令，共效死力。"

时宋兵既过汉江，贼姚太师、倪雕儿拥兵阻住。韩先锋大怒曰："二贼皆某败将，焉敢阻抑我师？誓必擒之！"廖云、庹靖齐出曰："割鸡焉用牛刀！"二将结束上马。姚太师手舞钢叉抵敌，二将混战一会，韩先锋所部，皆有纪律之兵，加以昔年威望，贼兵业已胆落。不三合，姚太师已被二将战败，贼兵皆鸟兽散。韩先锋麾动人马，如风雨骤至，残花败叶，无不委地。贼兵死者、降者，不计其数。所弃鞍马器械，山堆阜积。姚太师遂奔走当阳，倪雕儿乃窜过潜江。韩先锋遂拨任天雕、马晋臣、吴广、庞英四将，领兵一支追剿潜江。自统全军，追剿当阳。约定钟祥县会齐。四将引兵，追至潜江，与倪雕儿大战于覆釜洲。倪鹏儿狡狯善走，见不敌宋将，如狼奔豕窜，率兵又走京山，据城死守。四将筑长围困之，百姓斩关献城。倪雕儿夺门出走，为任天鹏所杀。尽降其众，壮者留之，余散归农圃。四将安辑民居，始回安陆。时安陆府城，贼已久据，府库空虚，满目荒凉。居民闻宋师平贼而来，争相出迎，四将肃队而入。

不一日，韩先锋全队亦至。时姚太师奔走当阳，追至漳江，竟为韩先锋所擒。贼兵降者过半，余皆逃去。四将出城迎入，百姓焚香道左。韩先锋再三安慰，命将姚太师绑至府城法场斩之，以首级晓谕汉江上下。居民人人称庆，无不牵羊挽车，犊门助饷。韩先锋养兵三日，即过汉阳。师至沔阳州，有贼将刘环镇守。韩先锋令夏侯杰探敌。

且说刘环昔日曾犯襄阳，为扈先锋所败，逃归应城。至是白文狻拔守两阳，闻宋师至，准备迎敌。时夏侯杰引兵讨战，正当沔阳之南，见刘环绕出西门，乃北向迎之，竟为所败。次日马晋臣出战，见刘环又屯营城南，心中暗算："须用心提防，倘再败时，将为夏侯杰所窃笑。"交马不一合，刘环临以精锐之兵，心内胆怯，又为所败。回营，韩先锋激得双目直竖，勃然大怒。一面分拨诸将逐处埋伏，一面令陈同出马。刘环抖擞精神，大战三十余合。陈同料难力敌，诈败而走。刘环追来，遂撒出锦标，回手放去。而刘环亦有心提防，锦标尚未及身，流星早已出手。陈同收标不及，已为流星所中，几乎坠马。却得吴广、庞英，两支伏兵杀出，刘环始退。陈同翻身杀回，贼兵大败。刘环正奔走间，忽信炮响时，左有任天鹏，右有夏侯杰两军阻定。刘环被五将，围在垓心，层层攻杀，人马渐尽。刘环犹奋勇抵敌，舍命冲突。陈同深恨着中流星之仇，随放一镖，刘环滚鞍下马，被众将砍为肉泥。五将合兵，奔赴汉阳城下。韩先锋大队亦至，一鼓下之，汉、沔皆平。诸将上功毕，一面赏兵，与城中父老，欢饮数日。令陈同守定汉阳，就此养疾。夏侯杰镇江口，任天鹏守安陆。自统众将，望云梦进发。

非止一日，行经应城、随州等处，韩先锋不觉感叹："物是人非，昔年风景，依稀犹在目前。"打探贼耗，则贾翀智勇俱困，被扈先锋围住水寨。贼将如赵阎罗等，战死过半。韩先锋遂督兵倍道而进。甫过应山，济东河，忽遇一支贼兵，仓皇遁走。韩先锋麾众围之，全股被擒，无漏网者。就缚审问，方知即云梦二谋士：廖维新、翁国彤也。因见贾翀势败，欲遁凤阳，入寿春，不期被获。韩先锋大喜曰："二贼助桀为恶，不可不明正典刑。"令槛车囚之。韩先锋最熟各处险隘，分拨众将，紧守水陆要害，防贼逸去。自引大军，直捣梦泽，助扈先锋成功。

且说扈先锋率舟师，由青草湖放入云梦。三战大破贾翀。德安已为史进、岳坤二将所袭，贾翀逃入水寨，与白文狻等死拒宋师。扈先锋围之数重，令种世虎略随州，拓跋琳取应城，狄勇攻破应山。廖翁逃窜，众将收复各处，仍回梦泽。同引大队鏖之。时已月余，白文狻累次冲突，奈宋师如铜墙铁壁，坚不可动。时贼中饿死者甚众，人自为食，力不能支。贾翀与白文狻，溃围夺舟出走，种世虎望见贾翀，忙驾小舟赶近，踊身跃入贼船，砍翻数人，一把擒定。众将继至，其子贾仁、贾义俱死。贾翀就缚，白文狻乘空而走。弃舟上岸，自幸得离虎口，急望应山而逃。不数里，端遇韩先锋一军盖地而来，阻住去路。交马不一合，被韩搏虎挥刀斩之。贼兵死者无算，余皆降。将士逃出者，俱被各隘口众将擒获。

韩先锋兵至梦泽，见巨寇就缚，大喜。招回七将之兵，略定各处，余党尽平。两先锋合兵德安，大犒三军。招抚疮痍之民，各安家室。所降贼兵，老弱者尽归于农。贼寨焚之，命将留兵镇守。始统大队而归。至是云梦、汉阳百姓逃亡在外者，乃还。四郡百姓，亦感两先锋之恩不尽矣。

第五十六回　岳招讨怒打襄阳

梦泽既平，扈、韩两先锋，合水陆兵，押定槛车，仍由汉江，欲返岳州。不料元常山王成吉思帖木儿，逃至襄阳，养精蓄锐，又以襄阳重镇，控制三大团营，可以任意指挥，闻宋师讨平云梦，跨江抚有数郡，老大不平，遂集三大统制、五都部署及诸将校议曰："宋人往来湖湘，欺人太甚。今以得胜之兵，直济汉江，我兵可截江一战，数郡不难定也。"当时三统制：铫藩、刘璝、脱虎脱。五都部署：耿精忠、杨刚、李梁、李通、呼延廷钰。皆曰："宋师声势甚大，我兵恐非其敌。即如阻险拦截，长江有千里之遥，亦恐顾此失彼。不如且俟之归，所留将士，定然无几，出其不意攻之，此兼弱攻昧之策也。"常山王怒曰："若待缓图，则两湖陷没尽矣。朝廷养汝辈，宁坐视敌兵，往来汉江，束手待毙耶？"杨刚、李梁齐声曰："非末将畏死怯战。以襄阳乃京湖重镇，不可妄动，一被敌至，恐襄樊数千里，自此无宁日矣。"常山王大怒曰："庸懦之夫，不足与谋，尔等自赴各镇，紧护襄阳，待我亲自引兵，截杀宋师。"众将校知其意不可回，皆曰："大王且亲冒矢石，将等何敢畏死？"常山王始回嗔作喜，令三统制守襄阳，五都部署随军出战，各领兵一万，至汉川等处阻住，不许宋师过江。自率一军，径取汉阳。

时宋将陈同在汉阳，病已全愈，闻之大怒，方欲作露布骂之。继又闻引兵者，乃岳州败去之成吉思帖木儿，喜曰："此易与尔统军迎战。"常山王列开旗门，裨将出马，不三合，被陈同刺死。常山王大怒，援桴击鼓，麾动大军，以蹙宋师。陈同兵少，亦恐有失，退马压定阵脚不动。元兵冲突数次，俱被强弓劲弩射退，乃徐徐旋师入城。是役也，宋兵毫无损伤，陈同自思：元兵若不大创，汉阳焉能保守？遂用遁甲游都之法，以天耳听之，主乙庚之日，应覆敌军，吏神在子，贼神在午，明日庚子，主伤敌一员大将，乃伐阴木之枝，为六甲神符，符中书六甲名。陈同至夜，乃披素服，仗剑再拜北斗，不致酒脯，焚香为祭，借用白茅，用五色彩为币，以所祈之事，北面祷祝，三奠而止，祭罢为六囊，各盛一符，不令人知。

次日临阵，即以本句符囊，系于旗纛内，令裨将举之。果然，元兵望见，即骇走。陈同遂与常山王交马，十余合，陈同暗发锦镖，如星飞电瞥，正中常山王胁下，血流如注，滚鞍下马。陈同正欲挺枪结果性命，元军有裨将数人，舍命相杀，竟被救去。元军大败，陈同督兵大杀一阵。元军立脚不住，拔寨而走。宋师追过汉川，见元兵去远，唱凯而还。常山王被创甚，引大军，先回襄阳。

且说扈、韩两先锋，合兵欲由汉江，拨入石首，抵华容，闻元兵阻涢口，不容过江，韩先锋大怒曰："巨寇扰乱十年，置之不理，乃阻我平贼之师也。"扈先锋急问为何处兵，左右曰："乃襄阳兵也。"扈先锋笑曰："成吉思，技止此耳。"韩先锋问及夏侯杰防江一军，则已为元将所败，退保沔阳州去矣。军行不一会，忽哨军报："江口水面，下五大寨，阻住我师，舟不可行。"满营将士，无不忿怒，皆欲决战，夺险而过。两先锋即令史进、狄勇、种世虎、马晋臣四将出战，各领战船二十只，未抵江口，早见元军五寨，分布水面，旗帜耀目，剑戟如林，外列楼槽，势若城郭；两岸俱石壁孤悬，江口仄狭勇不可施。四将观望良久，无所为计。忽元寨中，旗、幡麾动，放出五六十号小船如飞而来。船头元将大呼曰："宋人欲得过江，除非还我地土，复我州郡。不然，此江不容渡也。"史进听得，怒目圆睁，奋勇当先。不提防，弓弦响处，史进中箭落水。元军之来，其舟如飞，狄勇忙救起史进，种世虎、马晋臣，引舟师抵敌。讵料元军发动神机铳，一时轰天震响，宋师中者皆死，四将大败回舟。元军追迫甚急，却得张怀亮、杨孝伯二将兵至，始杀退元军。四将回营请罪，两先锋皆言："此非汝等之罪，以不知虚实故也。"

次日，韩先锋亲往挑战，督同众将，身先士卒，力战一会，元兵少却。忽风浪骤起，元兵所据，乃是上流，宋师战船，进难退易。元军随放出二三十号艨艟巨舰，冲突而来。宋师下流奋勇，如何抵敌？一时中箭被枪者，不计其数。宋师又败，将士带伤而退。韩先锋回营，郁郁不乐。相持数日，两先锋令人打探旱路，可有间道，抄出元军后者？回报："各处间道，俱有元兵把断。"扈先锋忿然曰："此江且不能渡，焉能回军？"令："选大船百余号，编联配搭，上用平板铺定，排铁骑于上，外用小船数十只。"令："水军各备火箭，俟铁骑冲突，与元军交战时，小船即飞进元寨，以火箭射其箬篷；各军再多备引火之物，火焚水寨。元军必乱。"众将准备。

次日，扈先锋自统铁骑以战舰突阵，元军五将齐出，两下在水面交锋。宋军后队，一声鼓响，水军如飞奔出，将近元寨，施放火箭，正待举火，忽上流头，风刮水面，对面扑来，人不敢近，火不能发。

韩先锋见风色不顺，急鸣金收帆。元兵趁势，因风纵火，火箭、火炮、火铳，一齐施放，战舰惹着火种，烟焰齐起，水军小船；一时救应不及，元兵乘势攻杀。宋师大败，众将奋勇，极力断后。元兵方不敢穷迫。宋师折损甚众，两先锋只激得咬牙切齿，指天誓曰："若一过江，必灭襄阳。"令将士调养数日。韩先锋一人，微服上岸，偷度小别山，行过江浒，暗至阳台观等处，瞰元军虚实。见五塞扎在水面，势若列星，人马甚众。下寨处，正当涢口。回看汉水，波光浩荡，齐赴沔口。而涢水发源，在汉川之东，有堤捍定。故元军得于隘口下寨，若决其堤，引动汉水一发，则元军皆鱼鳖矣。韩先锋勘得分明，急回与扈先锋商议，移兵上岸，决堤湃之。扈先锋喜曰："我兵不利于火，宁不利于水耶？"当夜尽弃船双，移营上岸，韩先锋遂率狄勇、岳坤、廖云、庹靖四将，选精壮三百人，偷过小别山。见山头有元哨军数十人，擒而杀之。再过阳台，又遇数十伏路军人，亦杀之。连过数隘口，俱无巡军，齐奔涢口。众军一齐，将堤口决开。涢水久蓄未泄，一发如雷，又有上流汉水，以助其势，长堤一洗，荡然无存。势若天崩地塌，万顷洪波，汹汹涌涌，直望涢口冲突而来。当夜元军五寨将士，多在梦寐中惊觉，五都部署忙驾小舟亡岸。回看水寨，并不知涢口今在何处，但见波涛激湍中，将士争相逃命。五都部署忙令上岸军士，用捞钩抓起，直至天明，五万人马，已淹去三分之二。急至高阜处，营未扎定，只见宋师大队，奋勇杀来。此时元兵惊魂未定，焉能抵敌？扈先锋身先士卒，众将继之，宋兵无不以一当十，截杀元军。如摧枯拉朽。杨刚、李梁，被创而死，耿精忠、李通、呼延廷钰三将保定残兵，望襄阳而走。宋将迤逦追赶，三将率兵逃窜，眼睁睁惟望常山王及三统制兵来援。岂知常山王自汉阳败归，数日创甚，病卒。三统制急为料理丧事，表奏朝廷。匆忙之间，忽报：宋招讨岳燕超，领兵由岳州来攻打襄阳。三统制大惊，急令骁将许思进、合万户甄宏、副将夏德兴等，引兵出屯岘山，脱虎脱登城固守；铫藩、刘瓒，自引大军，阻住凤林关。此关滨江作险，为水陆门户，铫、刘二将，紧守此关。

且说岳招讨，自调扈、韩二先锋，出征云梦，遂引兵过岳州驻扎。不时打探，俱有捷音。后闻云梦已平，贾翀就缚，因过汉川涢口，为襄阳兵所击，连战皆败，大为所窘。岳招讨闻报大怒，投袂而起，即檄寇复雷来守岳州，自统水陆兵一万，率慕容长、蓝天蔚、刘瑛、岳镇四将，放舟直打襄阳，不日遂抵凤林关。

慕容长、蓝天蔚奋勇争先，不畏天险，一鼓夺关。元将铫藩、刘瓒，披靡直走岘山，合着许思进之兵，来战宋师。岳招讨披执临阵，亲冒矢石，士气百倍。慕容长、蓝天蔚二将，忘生奋死，万众辟易，襄阳兵焉能当此恶战？许思进、夏德兴，俱为慕容长所杀。铫藩、刘瓒、甄宏率败兵望城而走。不数里，又遇岳镇、刘瑛伏兵，截杀一阵。甄宏为流矢所中，血流满面，仓皇遁走。岳招讨曰："兵贵神速，立即攻城。若养成锐气，又费争战矣！"宋师一声呐喊，围了襄阳。太守邓公亮，已惊得六神无主，脱虎脱登城骂敌，被岳招讨泄满神臂弓射中，坠城而死。宋师班声动地，炮响连天。城中百姓入见太守曰："府公素有德政，何不献城纳降，以救生灵？"邓公亮遂率百姓，开门迎降。岳招讨下令，军民安堵，秋毫无犯。且命刘瑛、岳镇，统大军屯于城外。率慕容长、蓝天蔚，引二军肃队而入。百姓扶老携幼，争观宋师，有喜至泣下者。至府中坐定，闻邓府尹素得民心，令仍知府事。少时，宋师擒铫藩、刘瓒至，二将口称愿降，并言："常山王谋截宋兵，欲夺疆土，非我等敢敌天兵。"岳招讨始知起衅之由，允其降，命随军听用。乃查仓廪，赈困穷，问伤吊死，登俊举贤，养老恤孤，行诸善政，军民大悦。

不日，所属州县，俱有表至，忽报南江口，有无数人马，争渡逃窜。招讨即命慕容长、蓝天蔚二将，引轻骑觇之。乃襄阳都部署元将耿精忠、李通、呼延廷钰兵也，三将大败而来。慕容长、蓝天蔚，见是元兵，举枪便杀。元将人困马乏，耿精忠被慕容长挥刀劈死，李通、呼延廷钰见前后俱是宋兵，自知不免，大呼愿降。蓝天蔚麾军士缚之，尽降其众。半日后，扈、韩两先锋，大军已至，始知招讨已得襄阳，大功成就，入城相见甚喜。越日，招讨令将贾翀、廖维新、翁国彤三人斩于襄阳西市，将首级传送沿江上下，被难百姓，无不焚香拜谢。招讨即在襄阳犒军，降将李通、呼延廷钰，随军听用，弹压各处，分拨诸将，至是而荆湖之寇始平。

第五十七回　广陵散竹生得谱

湘阴寇竹生,自系狱,得遇陈副使,昭雪而归。庐墓三载。有乡先达,不时顾恤,家始小康。杜门谢客,惟与王用槐间有往来。偕一母一妻,深自韬晦。如是者数年,迁于洛西。

一日省亲,道经东平镇,暮宿华亭。是夕,星月闪烁。竹生寝不成寐。又当秋夜,四壁虫声,啾啾唧唧。每怀身世,未免凄然。披衣徐起,四顾阒寂。只见屋角参差,夜色苍凉。更远远望去,觉丛树修篁,瑟瑟风起。鸟啼一声,不觉有感于中。遂踞胡床,取绿绮,按弦而鼓《乌夜啼》一曲。觉弦中风雨,指下波澜,不啻有雍门之悲者。竹生写心未已,更连奏《楚泽涵秋》、《塞门积雪》二曲。正在五弄三终,神爽飞越,忽亭西一人,鼓掌大笑。竹生辍手惊起,揖之就坐。其人遂请过七弦,审视一会,抚玩不置。乃曰:"仆生平亦有胶柱之癖,但久荒丝桐,为君一鼓下里巴人,以佐良宵清话,可乎?"竹生大喜。其人遂奏《清夜吟》一曲,音韵凄恻动人。竹生自谓弗及也。其人曰:"此《清夜吟》与君所鼓不换金,不换玉,皆琴曲十小调也。"竹生笑曰:"君误矣。愚所鼓仍《楚泽涵秋》、《塞门积雪》也。"其人曰:"不然,琴曲十小调,一曰不换金;二曰不换玉;三曰峡泛吟;四曰越溪吟;五曰越江吟;六曰孤猿吟;七曰清夜吟,即予适所鼓也;八曰叶下闻蝉,九曰三清,十亡其名。皆隋时贺若弼所制。至宋太宗时,始改不换金为《楚泽涵秋》,不换玉为《塞门积雪》。此十小曲大略也。"竹生见其人深明琴调,十分叹服,叩其底蕴,对答如流。竹生自以为钟期遇伯牙,惜相见之恨晚。二人促膝谈心。你称曹子建玉树临风,我羡白乐天阳春白雪;一会说李汧公百衲,精妙入神;一会说蔡伯喈焦尾,希世罕觏。

辨论一会。其人曰:"琴调更有佳者,足下亦欲闻乎?"竹生闻言,急代为抚轸理弦,焚香以俟。其人援琴而弹,竹生谛听之,若风入松间、泉流石上,俨钟仪之操南音,莫名其妙;疑师旷之调清角,不减共精,元鹤白鹄,欲翔欲舞,不知此曲,为何曲也?弹毕,方欲叩之,其人忽颜色惨沮,推琴长叹而起曰:"千年不鼓之曲,今更流传于世矣。"竹生即问此曲何名,其人曰:"此广陵散也。凡四十一拍,共有六段,段各有题。按开指一段,小序三段,俱名止息。今并以传足下,最宜留心。"竹生此时,一心在琴,急问其详。其人曰:"大序凡五段,曰:井里、申诚、顺物、因时、于时;

正声凡十八段,曰:取韩、呼幽、亡身、作气、含志、沉思、返魂、徇物、冲冠、长虹、风寒、扬名、烈妇、奴人、发怒、含光、沉名、投剑;

乱声凡十八段,曰:峻迹、守质、归政、讐毕、终思、同志、用事、辞乡、气衔、微行;

后序凡八段,曰:会止息意、意绝、悲志、叹息、长吁、伤感、恨愤、亡计。

足下领会此调,抱琴一出,海内尽倾心矣!"竹生曰:"何谓广陵散?"其人曰:"晋承魏后,有王陵母、邱俭、文钦、诸葛诞等,为扬州都督,咸有兴复之谋,后皆为司马氏所杀。广陵散者，言魏之散亡，当自广陵始也。今传之足下，仆东市之恨，可瞑目矣。”竹生盘桓终夕，猛省此曲乃魏晋绝调，此人如何得知？叩其姓字里居，其人曰：“仆即魏人，中散大夫，稽康是也，因钟士季之谮，为司马昭所害。天道好还，士季亦为伯约所算，死于乱军之手。司马氏国运，不久亦斩。宿恨虽申，奈广陵散未传海内，不但袁孝已引以为恨，即天下后世知音者，莫不引以为恨也。故游魂飘泊千余年犹恋华亭，今夕适闻足下琴声，不觉技痒，幽明遇合，亦奇缘也。上虞虽遥，仆从此逝。”拱手而起。

竹生欲挽留致谢，倏忽不见。竹生不胜骇异。幸得广陵散前后四十一拍，无不了了于心。抱琴归寝，次日始归。自此广陵散，仍传于世。

第五十八回　牡丹钿玉奴择婿

樊东楼游西湖而归，心中怅然，每念西泠桥，芳卿不已。日在陨阳，游鳌水、访龙山、登爽籁亭、盼熙春楼，优游山水、吟风弄月，不及西湖万一。东楼偶尔春游，遇玩花台前，见四面桃花、杨柳、丹桂、芙蓉，点缀得红红绿绿，心焉爱之。踱过台左，见一宅第，绿槐修竹，清阴欲滴；池内点溪荷叶，铺满水面，池上春花开满，馥馥郁郁，分外可人。良久，忽闻有娇声语曰："美哉少年。"东楼着惊，四顾，见池西绿阴中，小楼之上有三四娇娥，倾国倾城，倚槛而窥，中一女子尤艳。见东楼顾盼，一齐退入楼中。东楼以瓜田李下，欲进不敢，只得逡巡而出。步过花台，心懒意倦。东楼以弱冠少年，刻意求凰，尚虚嘉偶。自此，行坐寝食，俱有一楼上美人，时在意中，乃吟《最高楼》词一阕：

垂杨里隐起最高楼，雕阑曲，绮窗幽。碧霄乍看开金镜，珠帘恰好上银钩。倚楼人瞧着我一回眸，她初见人来微靠后；她又见侬来凝望久。思展步，已勾留。应知心事遥难达，如传眉语转含羞。倒教人，平白地，一天愁。

吟罢，投笔而卧。伏枕后，不觉又入花台，徐步而进。见池沼依然，花木宛在，楼上美人，悄无形影。怅望良久。在楼下踱来踱去，口不住吟曰：

去年今日此门中，人面桃花相映红。
人面不知何处去？桃花依旧笑春风。

吟毕，叹曰："人言秀色可餐，如芳卿者，亦可以疗饥矣！"言未毕，楼上帘钩响处，美人方露出半面。东楼正喜，忽楼下突出二人，一碧眼紫髯，一伟岸风骨，齐声喝曰："何处风狂儿？擅窥人闺闼？"大踏步欲来拿获，东楼吓得魂不附体，抽身便走，东西乱窜，无路可出，恨胁下无两翼，插翅即飞。奈举足无力，回看追者已近，一时窘急，忽听老仆樊鸿呼唤，惊觉，仍在枕上。犹惴惴不已。既又恼恨，非此二人阻隔，则美人已会合矣。闷闷不语。老仆樊鸿，已窥其意。问之，东楼以实告，樊鸿曰："此易事耳，吾家去花台不远，何不令人访问？如果佳丽，竟央蹇修纳币可也。"东楼闻言，惊喜欲狂。樊鸿令人访问，始知即安陆京山县郑梦兰之妹，避乱彭泽，贼平后，仍奉母与妹，转迁房县者也。东楼翌日备礼投刺其家，升堂拜母，与梦兰订文字交。东楼一见索通、马陵二仆，暗惊曰："此即梦中所见二人也。"心犹鹘突。梦兰亦造其室，俱有馈送。从此二人，往来甚密。梦兰知东楼未偶，遂有为玉奴择婿之意。母夫人亦属意东楼。与玉奴言及，玉奴坚拒不从。母夫人未便强逼，遂托他故，婉言辞之。

东楼忽忽不乐，渐致染疾。谁知玉奴，以花朝偕二嫂鸾英、凤英，登楼赏花，望见楼下少年，未免有情，日在心中。故母与兄言樊生求亲之事，一味坚拒，又不敢明言，恹恹在床，渐就疲惫。鸾英、凤英微将此意，达之梦兰，梦兰叱之，二嫂亦不敢多言。母夫人惟命延医调治，诸药罔效。玉奴病中，每念楼下书生而已，一日梦复登楼上，倚槛而立，时红梅盛开，望见前日书生，仍从池畔，冉冉而来，直入楼下，各道相慕之意。玉奴拔鬓边牡丹花钿，方欲掷下与之，忽索通、马陵，嚷声惊觉，得此一梦，病若少瘥。而东楼卧病已久，一日梦兰，往问其疾，则病已增剧，展转床席，恍惚作呓语曰："若得花钿，虽死无恨。"梦兰闻之，不解所谓。少顷，东楼开目视梦兰曰："弟死之后，望兄见怜，他无所托，乞与先考妣，邱墓附葬，得正首邱，于愿足矣！"梦兰泣答曰："弟宜珍重，何出此不祥之语？"东楼亦泣，梦兰别去。

东楼满腹抑郁，无可排遣，缠绵数月，医者皆言不治，日就尪羸，老仆樊鸿十分着急，更延一医，此医刀圭业已三世，自诩国手，预言谢仪，方为诊脉。诊毕摇手曰："此渐成痨瘵矣！凡人伤其精，则阴虚而火动；耗其血，则火亢而金亏。相公六脉沉细，微濇而数。元气耗散，脾胃损伤；气血亏损，脏腑虚弱，而相火上炎，熏克肺金。肺为五脏华盖，受火邪一克，所以四肢倦怠，五心烦热，咽干声哑，蛊胀肿满，此难治之症也。当为养心血，扶元气，健脾胃。"以参、苓、芡、术等药投之。东楼服后，益加困惫，喘急不已。樊鸿又更一医，视曰："此肺受邪故也。肺主外感，有汗表虚，无汗表实。故症有实喘，有虚喘，实喘喉必作声，眉必抬起，症若重而实轻，以黄芩、乌药等类，治之即愈。相公此症，乃虚喘也。肾气太虚，脾气又复将绝，故奔冲而上，欲绝未绝，此病殆死症也。幸几微之气，流连于上下之间，若用凉药，是速其死，即用桂附补之，亦速共亡，当用救绝止喘方，一剂轻，二剂止，全愈必服十剂。"樊鸿从之。谁知服后，病仍如故，樊鸿叹曰："医者，争奇夸胜，无非捕风捉影，此疾何日瘳也？"暗暗垂泪不已，时东楼气结，已不能言，奄奄待毙。

会其中表阴生者，来省其疾，阴生故精岐黄，随为诊视，乃哑然笑曰："此郁症也，心有所慕而不得，故郁气蕴于中怀，愤懑留于胁下，而更以补剂温之，则增剧矣。引疾倘投其所好，如其所愿，将不药可愈。"急命诸药勿服。樊鸿即恳阴生治之，阴生将逍遥散略变其法曰："此药开郁行气，去湿利痰，于散之中，有补之法，得补益之利，受解散之功。"命煎一帖投之。东楼气若少舒，而终不能言语。阴生曰："病在伤肝，伤肝而又伐肝，是助其郁也。急多服救肝开郁汤。"樊鸿曰："前者医士，莫不治肺，金木相克，是犹操刀杀人。此药妙处，亦可得而闻乎？"阴生曰："此方妙在用白芍多至三两，则直入肝经，以益其匮乏之气，自然血生火熄；又用白术、当归、健土以生血；柴胡以解郁，甘草以和中，白芥子以消膜膈之痰；又妙在多用茯苓，使郁气与痰涎，尽入膀胱之中，而消弭于无形。一剂而声出，再剂而神安，三剂而郁尽解矣。"果然服此药后，疾渐回春，樊鸿大喜，厚赠阴生，阴生不受而去。

一日，闻梦兰在园中招饮，作红梅宴，诗社诸友，无不折柬相邀。东楼此时，疾已减去三分之二，亦欲抱病赴会。樊鸿多令仆从随侍。一至郑园中，梦兰迎入，喜出望外，众友各申契阔，无不粲然。东楼见胜友如云，高朋满座，又见满园红梅，含苞吐艳，灼灼照眼，如含宿雨，如带新烟。园以西竹林深处，即是前日所见小楼。西顾爽然，疾更不知何往矣。少顷,分席列坐,水陆杂陈,虽无丝竹管弦,而低斟浅酌,幽情畅叙,饮兴方酣。梦兰即席请曰:“今日敝园,红梅盛开,略设小饮,不可不题咏佐酒。勿令梅花笑我。”众皆曰:“甚佳。但引兴必烦东道主,我等用以下里巴人,和阳春白雪耳。”梦兰谢曰:“座中皆名公钜手,井蛙敢语海耶?抛砖引玉,恐不堪覆诸君酒瓮耳。”即以红梅为题,书七律一首,诗曰:

一自东风嫁海棠,全欺绛雪艳群芳。
火齐夜照疏钟冷,锦瑟朝翻绣幕香。
素质岂堪留血泪,纤肌故遣衬荷裳。
任夸艳冶牡丹贵,不藉花钿赛晓妆。

众宾交口称羡,一时唱和甚多,独樊东楼一见首韵,便有含蓄,尾联有“牡丹花钿”四字,默然有感,即题七绝六首,其诗曰:

芙蓉不耐九秋霜,菡萏趋炎怯晚妆。
争似芳菲冰雪体,牡丹岂复羡河阳。

玉盏酡颜兴未央,染成殷腻晕檀郎。
多情错认啼鹃泪,拾作花钿有暗香。

灼灼含苞缀玉房,为邀神女漱云浆。
相逢月下惊娇艳,不是罗浮旧日妆。

烧鲍绛蜡裛明光,午夜轻寒拥鹔鹴。
不向晓风贪结子,丹衣染就谢东皇。

稜稜玉骨映红墙,照眼横斜水一方。
闻道石家舒步障,珊瑚满树引鸳鸯。

雨到春山点寿阳,琼枝玉树窗明珰。
金钿释手开欢靥,咫尺花台是七襄。

诗成,众皆赞美。特不知寓意之所在。众友人座又畅饮一会,方始别去。原来此宴,乃玉奴所设。玉奴一日病起,因至楼上,见园中红梅盛开,触动情景,梦中楼下书生,宛在目前,因作红梅诗一首。诗虽咏红梅,而以牡丹花钿,藏在诗尾,即梦兰所书一律,而诡为己作者也。玉奴因母择配,高低不就,心恋楼下书生,又虑有貌无才,遂心生一计,对天立誓,以红梅招饮,各处名士毕集,以已诗,诡为兄作,务令属和,就中若有喻得牡丹花钿之意者，必楼下书生，即己之画眉人也。此意惟白母氏，梦兰不知也。

玉奴遍观众人和韵，佳叶非不甚夥，而多粘定红梅，惟此六绝深明其意，累累关合花钿在内，心中暗喜曰："此必楼下书生也。"但众人分纸题咏时，皆未署名，并不知此人为谁。玉奴一时踌躇，暗想诸人倡和，吾兄必一一周知，但与明言，殊觉不雅。又心生一计，将各诗尽用封缄，而以牡丹钿，独藏于此人诗囊中，余者封润笔银五钱，令家人逐一送去。吾兄发付时，当自有斟酌。谁知梦兰不解其意，以为赏花招饮，各赠润笔，亦属寻常。随接手中，呼马陵至前，执笔微启封缄。视之曰："此某人诗也，送某处"、"此某生诗也，送某处"，逐一送去，亦未细审诗囊所贮之物。而东楼之诗，恰恰误笔标为"竹溪王生开选"。"王生开选"，转误为樊生东楼之诗。独有东楼此时，得诗稿送还。见俱有润笔，喜不自胜。开缄视之，乃封银五钱。再看诗稿，却非已原诗，为五言律二首。心中大疑。细审诗意，亦仅咏红梅之色香而已。一时踌躇暗思"此诗岂梦兰之再韵耶？抑闺中之属和耶？"而家人口中，诗囊纸上，明明言原韵奉还，益发不解。东楼满望姻事克谐，在此次诗为之媒，讵知乖舛无常，望空捉雪。已痊之病，渐欲复发"既而转念曰："樊东楼，何执迷乃尔？改日梦兰兄至，问之自见分晓。"遂日日专望梦兰，探王昌之消息。殊梦兰有母舅梁崧，因乱移家枣阳。目下宋师平定汉东，收复襄阳，招纳贤俊。梁崧已投宋出仕，授武经大夫，转荐郑梦兰于宋帅岳招讨。梁崧书达房县，梦兰得知，即奉母命赴襄阳。一以省舅，一以自图进取，于赏花招饮后五日，即与马陵同去。东楼得此信息，心如冰冷，自念姻事坎坷，左右迍邅。郑氏量无复谐之理，楼前邂逅，特镜花水月耳。遂将此念摈弃不题。

一日，忽有数十壮士，马上拥一军官，款门问曰："樊先生东楼，可在家否？"樊鸿应之。军官自言："大宋人也，奉扈、韩两先锋之令，特送荐书至此。"东楼闻之，即出延人，叩其来意，始知平定梦泽巨寇者，即昔年涪陵祠相遇之扈德威、韩搏虎也。扈、韩二人投宋，已为上将，身统重兵。讨平巨寇，汉东一带，业已肃清；襄樊诸郡，无不纳款。军官亦言："不久又见太平气象矣。先生抱济世之才，身遇明主，正好出仕，慎勿辜负两先锋之意。"东楼谢之，置酒款待。次日，东楼厚赠之，辞去。东楼始观其书曰：

> 忆自涪陵祠前，藉接清晖。别后遂身归故宋，蒙宋以不次拔擢，用为列将，累积微功，目下已收复闽、广、湘、汉诸郡，大宋帝业，不日可成。先生既怀瑾握瑜，择主而事，时不可失，定如尊翁之言，不负从龙之意。此书到日，先生可至长沙，俟大兵凯旋，同见宋主，自当重用。余不宣。
>
> 扈德威、韩搏虎，同拜。

东楼久欲仕宋，今得此书，正中其怀。遂命樊鸿治装，不日起行。一日有郑氏老仆索通至，东楼叩其家事，则梁夫人无恙，玉奴卧病未愈，盖玉奴以花钿赠诗，久无音耗，不觉郁郁成疾，母夫人深知其意，每问择婿，究属何人？玉奴曰："得吾牡丹钿者，即婿也。奈花钿既无下落，长兄又远去襄阳，婿择何所？"母夫人因命索通，往招饮诸友，逐一探问花钿消息，多疑在樊东楼处。索通因以微言挑其意，东楼始言："诗稿，不知误送何所?”毕竟索通会意,即讨过诗稿,登时别去,遂竟往竹溪。时王生开选,自郑园招饮后,即有友约共游洞庭未归。诗稿现在家中未开,索通大喜。即说明错误,更换诗囊。索通细审内有贮者,即花钿也。如获至宝,先携归家。与玉奴看明不差,以愈其疾,始送与东楼。东楼得见花钿,封贮在己诗囊内,不禁狂喜,把玩不置。指定花钿笑曰:“花钿,花钿,楼上美人,楼下书生,望汝作蹇修,乃播弄人如此耶?”遂设酒款待索通。因问梦兰几时回归,索通曰:“公子行程,尚无定期。但家中大小诸事,老奴力能相助。”东楼即请作伐,索通笑曰:“有此花钿,二家姻事,不谐自谐。”回归与夫人、玉奴说知,约定成婚。

一日,马陵亦归,索通迎门大骂,村夫无识,将诗稿误送,几误大事。马陵曰:“此公子手书之误也。”夫人急问梦兰之事,马陵曰:“公子随舅父,引见岳招讨。得蒙收录,以文士宜随大军,过长沙,去见宋主。自当重用。命老奴回家报知,接家共往归宋。”

且言:“小姐姻事,宜在樊生。夫人早为于归,他无所嘱。”夫人大喜,以梦兰既不在家,命索通知会东楼入赘。东楼命樊鸿预送聘金,权为花烛之费,一全佳期,夫人命张灯结彩,肆筵设席,笙簧迭奏,鼓吹喧阗,迎接樊东楼入赘。金屋银屏,共饮合卺。花烛影里,玉奴看东楼,明明楼下书生;东楼亦暗瞧玉奴,仍然楼上美人。东楼即命侍婢,交还花钿。司马才高,文君调绝。非花钿,无此几番狼狈;非花钿,亦无此一封鸾凰也。玉树琪花,允称佳偶,比翼鸟,比目鱼,有未足喻其夫妇相得之乐者。

旬日后,一同治装,东楼遂请夫人、玉奴、鸾英、凤英,侍婢等随行,自与索通、马陵、樊鸿众仆役挈家望长沙而去。

第五十九回　耿星星兵败海门岛

集庆路安抚使塔思不花，既在开武选，得将领数十人，士卒编入行伍者，亦数万余人，遂欲讨平凤阳，无如建康仓库，被贼焚毁，粮草不充，乃檄各郡，运粮至宣城，一面征集各路将士，协力大举，即命典试都监镇海将军戚璘，为大都督，统属众将，勾龙阔海为前部，率耶律霸、韩双、马昌、史忠等领兵五千，由广德州而进。

时守广德者，乃兵马都监耿青，以兵阻住州南三十里石云梯。勾龙阔海厉兵秣马，率众将奋勇争先，寿阳兵望而夺气，元兵直过隘口，三战而败耿青之师，复取广德，耿青退至宁国。韩虎、梁琬二将闻之，急引兵来争广德。中途，遇勾龙阔海等，大杀一阵，二将大败，仍旧退保宁国。元兵围困宁国。二将飞马告急，寿阳伪王贾智深大惊，急命张师旦，为兵马大元帅，韩彧为监军。时龙、虎二将项嗣昌已死，则命阎飞熊为先锋，引兵一万，速救宁国。是夜，张师旦宿于营中，合眼便见淮王秦锡帛至。师旦大惊，方欲起迎。淮王大骂："逆贼，还我命来。"张师旦未及回答，忽转过邢士龙，拔剑砍之，取首级而去。张师旦急用手抚摩，问左右曰："吾还有头否?"左右不答。一时忿怒，正欲投袂而起，忽鸣镝一声惊觉，乃在梦中。一时悚然，毛发皆竖。恐此次行师不利。起行渡江，直抵宣城，正遇凤凰台斗武之人，师旦骇曰："此劲敌也。"

次日，以连座车大破勾龙阔海之兵，元兵死者无数。勾龙阔海忿怒不已，解了宁国之围，遂与张师旦大战宛溪之上，元兵又败。韩双、史忠阵亡，折兵数千。时大都督镇海将军戚璘亦至，谓阔诲曰："张师旦智勇足备，耶律都督、梅参政，皆死于其手，将军尚宜仔细。"

勾龙阔海曰："都督休长贼兵锐气，末将自有计破之。"次日，请戚都督压定阵脚，命耶律霸出马，寿阳军中阎飞熊绰斧迎敌，不三合，耶律霸败走。阎飞熊恨不马踏元师，耶律霸连战皆败。张师旦恐阎飞熊有失，请监军韩彧，守定大营，自引一军，随后接应。耶律霸望见张师旦，亲自来追，拍马落荒而走。张师旦沿途打探，并无伏兵，始放心追去，暗想元军，若除去勾龙阔海，诸人不足虑也。耶律霸直败至太平县，西去二十里，三折岭下。此岭上有石洞，接连山南，孤绝处一石门，可容一人一骑，下有深涧，名曰沉香潭。耶律霸败至岭下，直入石门过之。阎飞熊喜曰："元将行入绝地，其被擒必矣。"骤马追去。勾龙阔海伏其上，见阎飞熊过，毫不在意，直待张师旦后军到来，急发响箭，射入碧空，伏兵齐起，将粗木、巨石叠下，阻塞前后去路。张师旦惊曰："身入虎口，此行危矣!"只见勾龙阔海立在石门上，瞋目大呼曰："张师旦若不纳降，吾准备多时，将为梅参政、耶律都督报仇矣!"张师旦厉声大骂曰："羯狗奴，吾岂惧汝耶?"言未毕，只见勾龙阔海，手举巨石，重有千斤，劈空从石门打下，张师旦并无躲处，连人带马，死于沉香潭中。一时岭表，四下伏兵，矢石如雨，寿阳兵死者过半，余尽降之。耶律霸将阎飞熊引过此岭，闻贼兵已歼，急回马挥兵围之，竟被奋勇冲杀而去。张师旦既死，逃兵败回营中，韩彧不敢抵敌，引兵望凤阳而走，城中三将得知，心胆俱碎，戚都督乘势，遂取宁国。韩虎、梁琉俱为乱兵所杀。阎飞熊、耿青，引败残兵，奔至寿阳。元兵大队，陆续追至，戚都督引兵攻凤阳，勾龙阔海一军，竟打寿春。

时，凤阳城乃耿星星镇守，戚都督兵未入境。耿星星遣裨将二人引两军，抄出元兵之后埋伏，戚都督前部臧凯，直入伏中，大败而走，比及戚都督来救，已无及矣。耿星星出其不意，夜袭其营，元兵又溃，退至五十里下寨，深沟固垒，与耿星星相持，以免凤阳与寿春犄角相援。勾龙阔海兵至寿春，寿阳王不意元兵，神速如此，仓卒间，命王芝仙等守城，阎飞熊、耿青仍旧引兵迎敌，连战皆北，败入城中。元兵围城，四面攻打，寿阳城内满望凤阳耿星星引兵来援，殊凤阳有戚都督大兵牵制，焉能动身，加以寿阳王任政，专信妻舅韩彧，其蔡传荆、莫绥猷等备员而已。韩彧傲狠肆酒，颐指气使，睚眦小忿，无不报复。寿阳王性尤褊急，峻刻驭下，小不如意，则将莫绥猷、蔡传荆等，大加呵斥，十分窘辱。因此二人，颇怀怨望。寿阳王宠一爱姬，名曰香云。有国色，善歌舞。元兵围城，寿阳王犹在宫中偎香楼，据胡床，幽香姬，饮酒作乐。时阎飞熊被毒箭所伤，创甚而死。元兵攻打甚急，王芝仙、耿青力不能支，莫绥猷、蔡傅荆直入楼前谏曰："大王犹晏酣自恣耶？元兵已攻破外城矣。"寿阳王酒已昏迷，乃敛容答曰："捍御外侮，自有卿等，何必问孤也！"复引手抚香姬曰："得卿张丽华，孤即作一陈叔宝，亦复何恨？况自古及今，宁有万岁天子耶？"二臣面面相觑而出。

时寿阳百姓，无不怨入骨髓，一齐拥至午门大呼曰："我等皆大元赤子，愿诛灭此昏主，同归大元。"莫绥猷、蔡傅荆二人一见民变，事急智生，忙安慰百姓曰："不劳汝等费力，我二人自将昏主首级，献上大元，退兵以保满城百姓何如？"百姓大喜，拜谢而去。二人曰："事不宜迟。"莫绥猷遂至城上，召耿青、王芝仙至，告以故。仍命耿青入宫行事。耿青曰："若命青临阵退敌，殊心惊面颤，若令作此勾当，则浑身是胆矣！"耿青遂仗剑入宫，至宫门，遇寿阳王次子贾琨，即拔剑斩之，抉取首级，藏于身畔，至偎香楼下。寿阳王一见青至，问曰："元兵退否？"耿青厉声曰："元兵攻城甚急，特来取汝首去退敌。"寿阳王大惊曰："孤待卿等不薄，何出此言？"耿青曰："淮王秦锡帛待汝亦不薄，汝尚弑之。今日乃天道好还之时也。"寿阳王位曰："乞与妻儿诀别，死亦瞑目。"耿青不许，将贾琨首级，掷而与之，寿阳王吓得魂不附体，手携香姬，往内便走。且曰："赴景阳并去矣。"行不数武，忽两眼一昏，见淮王秦锡帛与史献畴，立在面前，遂晕倒于地。耿青大踏步上前，拔剑砍其首级，并香姬斩之。不一会，王芝仙入宫，亦言世子贾熙为其所杀，随后莫绥猷、蔡傅荆，杨瑊、章坦等皆至，一齐拔剑入内，将贾氏无少长，尽斩之，始携寿阳王首级出宫，命百姓登城，大呼纳降。元兵验过首级，勾龙阔海始分兵入城，收其降表，将首级用匣皮好，莫绥猷等十余人，面缚入见，勾龙阔海命且监下，俟戚都督发落，又出榜安民，积年巨寇，一旦而定。百姓鼓舞大悦，勾龙阔海令耶律霸、马昌二将，分兵镇守寿春，自引大队，回攻凤阳。时，戚都督亦知大功成就，阔海入见，相得甚欢，酌酒称贺。阔海因问："此处贼势若何？"戚都督曰："耿星星善战，某故深沟固垒，牵制其师，以待寿阳功成，一鼓破之。"勾龙阔海亦以为然。

且说凤阳城中韩彧，闻寿春已破，寿阳王已死，即欲纳降，奈耿星星崛强要战，勉强应承，而韩彧此时已亡魂失魄，耿星星日在营中，与兵休息，投石超乘，养精蓄锐，练成一阵，名曰长虹。其法前校首兵，中校首兵，左右两骑兵，两伏兵，齐相邀起截杀，锐不可当。此阵不畏冲突，准备已审。元先锋勾龙阔海自恃才勇，以得胜之兵，望敌而进，耿星星麾动七星旗，五队齐出，势若奔涛，元兵不能抵敌，大败奔走，死者无数。勾龙阔海亦身被数伤，回营纳闷，问众将，俱不识此阵。遂心生一计，用车战法以敌之，遂令营中："连夜造成如式车辇，接冲扼而驾以牛，布为方阵，首尾相联，状若连城。士卒临阵上车，各持强弓劲弩射敌，更以骑兵翼之。"

翌日，耿星星率兵搦战，勾龙阔海随与交锋，不数合，用枪尖一指，营中推出无数战车，面面围定，箭如飞蝗，人不敢犯，复信炮震响，更出两翼骑兵，齐衢杀。凤阳兵大败，耿星星被战车所围，死战不已，一心惟望韩彧引兵来援，遂且战且走，保护余兵，奔至城下，只见韩彧在敌楼上，已竖起降旗，大开城门，元兵直入，耿星星直激得七窍生烟，几乎坠马。元兵大呼曰："有能生擒耿星星者，受上赏，放纵者，杀无赦！"耿星星不敢争城，翻身杀回，咬牙切齿大怒曰："能战者，皆来受死。"元兵罔不披靡，一连搠翻裨将数人。引败残兵，竟冲杀而出。戚都督统师入城，将韩彧囚下，立命勾龙阔海，率臧凯、李云龙、鞠弋仲、裴金仙等，追剿耿星星。勾龙阔海五将，领兵直追过临淮，耿星星又撄城固守，五将攻打。不提防勾龙阔海，又为耿星星射中手腕，众皆忿怒，极力攻打，三日遂破临淮，耿星星溃围而出，一支枪，神出鬼没。勾龙阔海已负伤不能力战，四将皆非其敌。不一会，耿星星又刺中臧凯，戮伤裴金仙，杀出重围，竟过垓下，窜广陵界日。四将见已去远，不追。勾龙阔海愤然曰："不生擒此贼，淮南万里，终不平也。"四将不得已，一同追至高邮，又被元兵围定。耿星星奋起神威，又枪挑裴金仙于马下，护众而走。军士忙救起裴金仙，则耿星星更远去矣。四将不欲穷追，独勾龙阔海一人抵死不退。令请扬州护军苏联芳，引兵会合剿贼。勾龙阔海又与苏护军，合兵迫至骆驼岭。及之，三马连环，鏖战不已。苏联芳措手不及，被耿星星一枪刺死。保护余众，直下通州，夺船入海门岛而去。勾龙阔海大惊，忙令将苏护军尸首，殡于广陵。候安抚奏请封邮，乃率本部兵，索然而归。时戚都督已禀知安抚，将莫绥猷等齐上槛车，诸将分兵镇守，班师回建康。安抚塔思不花，奏闻元主。旨下，以贼党俱在建康处决，将首级晓谕远近；安抚陞枢密正使，进爵为公；戚璘封关内侯，为集庆路大都督；勾龙阔海为敦武大将军；都统制如臧凯、裴金仙、鞠弋仲、李云龙、马昌，俱进位有差；阵亡者，俱有优恤，大犒三军。自此凤阳一带，道路始通。

第六十回　王用槐吹箫九嶷山

岳招讨既在襄阳,休兵三月,招贤纳俊,四方归者如云。即命扈先锋德威镇守襄阳,其余各处分拨控制。乃率兵由岳州,过洞庭,望长沙而进。以任天鹏守岳州,寇复雷仍镇长沙。时寇复雷之侄竹生,由洛西来归。岳招讨甚喜,命与樊东楼、郑梦兰等,俱随大军而行。

却有辰州瑶酋秦猛,膂力过人,稍有谋略,部落畏服之。遂训练蛮部,得三千余人,俱能披甲渡水,涉溪跳涧,矫捷如猕猴。因见宋、元构兵,攻城略地,潜谋不轨,乃煽动各部,如苗蛮、峒蛮、武陵蛮等,各拥蛮兵,扰乱州郡。又诚州瑶酋杨有樗,宋熙宁中,其先世有光僭、光富者,归附朝廷,为右班上直。飞山一带道路,俱设巡检司。子孙世职,其名再思者,曾据牂牁称刺史,有功于民,死而灵异,土人祀之。杨氏至元世失官,故有樗久蓄异志,所部又得猛将二人,一名濮三怨,虎臂熊腰,雄健绝伦。自言怨天不以富贵庇己,怨地不以富贵载己,怨人每欺我无才无能,故名三怨;一名插翅飞,本名牛二,锐头蜂目,粗莽有力,因能披重甲,越巨堑,故名插翅飞。二人齐归有樗,遂统蛮兵,四出大掠,州县骚然。秦猛亦从五溪等处,大肆猖獗。时郴辰、桂阳各州,俱刘遇隆镇守,遇隆恐不能制,令人星夜至长沙告急。岳招讨大队,尚在长沙,即拨兵五千,令狄勇、岳坤往助,讨平土蛮。

二将兵至五溪,则秦猛已被刘遇隆追过沅水,渡渠河,逾黄茅岭、藤萝营。与杨有樗入伙。二将遂督兵直抵诚州,有濮三怨正率蛮部在攻击掳掠,被二将痛剿一阵。濮三怨败去,二将遂屯兵七星岩。次日,杨有樗甚忿,统其族姓,共三十三州峒之众,来决死战。狄勇曰:“贼声言致死于我,不如少避其锋,俟其疲倦击之,一战可定。”岳坤然之,令众军坚护营寨,如擅离鹿角者立斩。杨有樗率峒丁在寨前,耀武扬威讨战。宋师不理。直至午后,人已困倦,多有解甲下马,坐卧而嫚骂者。忽宋营中鼓角齐鸣,铁骑当先,步兵继之。蛮兵仓皇不敌,阵脚已动,杨有樗阻遏不住,遂溃。二将大破其砦。刘遇隆在藤萝营,与秦猛大战良久。忽插翅飞引蛮兵,从落濛关骤至,攻击宋师之后。刘遇隆腹背受敌,力不能支,遂败。二将闻之,狄勇急引兵往援。至九龙山,正遇插翅飞奋勇而来。狄勇下令众军,俱用大刀阔斧,如墙而进,插翅飞与狄勇交马,不一合,被狄勇一枪刺死。宋师大杀一阵,苗兵皆鸟兽散。狄勇遂与刘遇隆合兵,复攻瑶酋秦猛。至郴州之白马岭,瑶酋部落,勇健善战,宋师不能胜,溃于岭下。秦猛所部之众,亦损去三分之一,未能抵敌。闻营阳麒麟峡武陵寨酋长姚应龙,部落有三千余众,遂率余兵,急往归之。狄勇、刘遇隆见蛮兵去已远,未便追袭,遂回兵来威砦。时杨有樗在会同县烟墩囤,负固阻险。前临大溪,前后皆修篁密箐,辎重屯其中。俱临溪而守。三将兵至,观望良久。刘遇隆遂引兵偷过囤后,上山纵火焚辎重;狄勇、岳坤引大军就溪边,鏖战不已。杨有前后受敌,救应不暇。所部精锐,渐已杀尽。遂弃衣甲鞍马,与濮三怨混入蛮队中而遁。沿途打探插翅飞一军消息，插翅飞在九龙山战死。秦猛一队，又过麒麟峡，与姚应龙入伙去矣。杨有、濮三怨亦率余部，望营阳而进。宋将狄勇、岳坤、刘遇隆引兵沿途追剿，迤逦直过道州。

一日，抵飞霞岭，有苗兵阻住。三将率兵奋勇夺险。而苗兵弩箭伤人，最为利害，军士皆怯。三将各执蛮牌，身先士卒，众兵继其后，苗兵遂退过岭去。三将引军，大杀一阵，直逾孤云涧。丹岩石则有武陵蛮姚应龙大队，阻住去路。姚应龙碧眼紫须，手舞蛇矛迎战。三将分左右翼而进，蛮兵殊死斗。三将见难以力胜，遂鸣金收军。次日，姚应龙合秦猛、杨有樗、濮三怨四酋，各将苗兵，一齐涌至，直蹩宋师，刘遇隆望阵而逃，四酋穷追不已。狄勇已入麒麟峡，令军士纵火焚其巢穴，烟焰蔽天。姚应龙正在追击宋师。忽回头望见大惊，急欲回兵，而号炮震响，岳坤发动伏兵，杨有樗被岳坤手起一枪，刺于马下。刘遇隆督兵杀回，蛮兵大败。宋师如发蒙振落。姚应龙也不顾后军，拍马便走。将入峡口，正遇宋师大出。狄勇一马当先挺枪便刺。姚应龙不敢贪战，夺路而走。宋师亦不追赶。姚应龙见营寨已毁，妻子俱戮。大恚曰："此仇不可不报！"率秦猛、濮三怨等离峡而去。

且说刘遇隆、岳坤、狄勇三将合兵商议，曰："贼已胆落，趁破竹之势，讨平蛮部，成功在此一举。"三将令人往探，云贼在披云洞，养蓄精锐。三将一同进兵，不日至右笋窝，越虎儿峪，路皆险峻，三将防有不测，分三队而行，以便前后救应。行经数日，俱无苗兵。一日，抵九门峡，将入飞蛇口，忽濮三怨引一队蛮兵迎敌。前队狄勇，接住交战。濮三怨焉能抵敌，十余合大败而走。狄勇忙令人报知中队岳坤，引兵追去。岳坤闻报，即催赶而进。再报后军，令速来接应前队狄勇，追袭蛮军。濮三怨且战且走。狄勇见蛮兵，并无接应，中队岳坤亦至。遂放心追去，行不数里，见两崖多峭壁削天，怪石蹲踞。岳坤、狄勇，未免心疑。忙令人哨探，所追蛮兵，忽不见。二将大惊，立命两军退出谷口，则四山已鼓角乱鸣。二将恐被围，急奋勇杀至一处。地名曰将军垒。就山头扎定，回看谷中，无数苗蛮，奇形怪像，蜂拥而出，处处阻住。二将几次冲杀，不能夺险，一心惟望刘遇隆援兵接应。谁知刘遇隆后队，闻报即遇秦猛一部蛮兵，横冲其阵，阻截前后。刘遇隆与战即退，追至落星岩，亦入伏中。被瑶蛮所围。三将声息不通。刘遇隆在落星岩，眼睁睁日盼二将之回救。

半月有余，军士饥不能起，掘草根，削树皮，勉强入腹。蛮兵安坐守定，以饱待饥。宋师大困。刘遇隆仰天叹曰："天不欲兴大宋耶，何置人于死地乎？"军士饥不能堪，互相怨尤，号泣不已，死者相继。时当秋深，是夜月明如昼，银河在天。蛮兵队中，悄无人声。刘遇隆左右思维，无计可出。心如鹿撞。忽闻远远若有吹洞箫者。策声呜呜，迎风送至，觉得一声长，一声短，一声高，一声低，其音凄凉，其韵清越，字字令人下泪。刘遇隆审听一会，觉其音自九嶷山东南最高处而来者，既而叹曰："此张子房之箫，吹散八千子弟兵者也，吾其殆矣！"宋师听者，多呜咽不能成声。蛮兵当夜，三五成群，聚于一处，侧耳听之。始初犹觉余音袅袅，可歌可咏，继而愈听愈苍凉，愈听愈觉酸楚。蛮兵各队，无不望月饮泣曰："我等各有部落，各有乡土，何苦死守于此？倘遇败绩，不徒作他乡之孤魂游魄耶？"遂一齐号吼，解围而去，秦猛不能禁。刘遇隆闻之，抚慰军士稍强者当先,弱者随后,亦乘势杀出。正遇秦猛,交马只一合,被刘遇隆杀之。忽前面尘土大起,疑峒蛮大至,准备迎敌,及近视之,则狄勇、岳坤。二将亦言:"溃围杀出,深得九嶷山箫声解散之力。"三将始合兵一处,忙将蛮兵所弃之粮,令三军饱食。食犹未毕,濮三怨、姚应龙领苗兵千余来追。宋师业已得食,可以力战。三将围之,混战一会。姚应龙中箭身毙,苗兵无主自乱。濮三怨下马请降,三将允之。余苗亦多降者。

三将回至营阳,以酒食赠苗兵,各以温语安慰,厚其赏赐。即命濮三怨为本峒之主,抚辑苗夷,兼制僮瑶。三将亦奏闻宋主,更颁诰敕。无得复生异心。濮三怨率众蛮兵,泣拜而去。诸蛮尽平。刘遇隆曰:"我三人幸而成功,非吹箫之力不至此。遇隆当至九嶷山访之。"岳坤亦欲往,二将不用随从,遂由宁远,直至山上东南最高处。隐仙岩侧,有一读书堂,内一书生。二将叩之,即昔日洞庭湖中吹箫之王用槐也,大名人。避乱湘阴,与寇竹生同里。因见寇氏横遭无辜,乃隐于九嶷。岳坤、刘遇隆叩见毕,各道来意。并谢其吹箫解散苗兵之力。用槐逊谢曰:"仆是夜亦偶尔步月,因有感二十四桥,故尔品一十六管,亦书生辈适情自恣耳,仆何力之有?"岳坤、刘遇隆齐声曰:"若非先生箫声一助,某等不惟不能成功,且坐受台城之困矣!先生高卧空山,相时而动,今宋主龙兴,怀才抱艺者,可以出矣。"王用槐曰:"仆烟霞痼疾久矣。大宋重兴,自有将军等风云相从,仆枯槁之士,敢滥厕吹竿耶?"岳坤曰:"前某等大军平定襄阳,招纳贤豪之士,何啻数十人,各处闻之,莫不望风景从。先生不出,想以千钧之弩,不为鼷鼠发机。宁薄大宋而不屑耶?"用槐遂不敢再辞,留二人,宿于山中。

次日治装,同至营阳,又与狄勇相见。刘遇隆仍旧引兵,镇守郴辰、桂阳等州,二将领五千原兵同王用槐,望广南而去。

第六十一回　炎宋兴复设方镇

宋主遣朝议郎耿进诚，在邵武建宫立署，以城西之熙春山，列名为万寿山。城东之千松岭，更名为千岁岭。宫殿皆靠定城北莲花九峰而南向。筑城周围四十五里三分，计八千一百一十六丈。敌楼四，堆房三十六。门九：东泰安，西怀远，南鼎新，北永定，中神武，东北曰靖海，东南曰安澜，西北曰扬威，西南曰耀德。入门常开不闭，惟永定一门，常闭不开。引樵溪绥江之水，环以为池。城内前朝后市，左祖右社，工已告竣。始表请涪王。由翔龙府发驾临幸，定鼎建极。涪王乃加张怀亮为留守司都统制，镇翔龙府，而以老将王方副之。择吉于是年庚子二月朔，率后宫文武起行，沿途百姓父老，嵩呼华祝。无不击壤而歌；酌兕而献。涪王皆安慰之。不日抵邵武，有耿进诚、高耀卿、韩靖夏等，率同城文武官吏、父老，逾界相迎。邵武百姓，扶老携幼，瞻视威仪。涪王入城，见宫殿朝署，安布皆井井有法，不华不陋，深嘉进诚不置。

妃嫔入宫，各有内院；文武各官，俱已安下。

一日涪王设朝，文武进见，请上尊号。涪王犹欲逊谢。范国昌、司马肃皆曰："崖山而后，中国无统者，三十余年矣。臣等忍耻蒙垢，直至今日。此时诸事已定，中外一心，殿下虽欲辞之，不可得矣。"涪王始命资政大夫刘知几南郊筑坛，又命参政司马肃、学士白映雪等，酌定仪注，文武各官俱有职事，分别办理。以本年庚子夏四月朔旦丙午，祭告天地正位。文武甚喜，拜谢而出。数日后，内外大小文武，毕集于邵武、漳州府，漳浦县奏醴泉至，长沙府、宁乡县奏一麦九穗，抚州进芝草，廉州合浦还珠，文武皆曰："此天意也。"刘知几奉命南郊筑坛。按周天之数，坛高三丈六尺五寸。凡三层：上层圆以象天；中层方以象地；下层正以象人。上列两曜、五星、八卦、九宫、二十四气，以及周围旗帜，亦各象苍龙、白虎、朱雀、元武。坛上又奉皇天后土、日月星辰、风云雷雨、社稷山川之神。以及三皇五帝、三代圣君，并宋初太祖以后，一十八代之灵，不日坛成。又有司马肃、白映雪等，将坛中一应礼仪制度，陈设俱备。内外文武，罔不恪遵。君臣先期三日，斋戒沐浴。是时正元成宗大德四年，夏四月丙午朔。文武保护，驾至南郊，簇拥登台，始受衮冕，改元重康，是为显宗皇帝。坛下鼓乐交奏，帝始行八拜礼。学士白映雪，朗声读祝文曰：

维大宋重康元年，岁次庚子，夏四月，丙午朔，臣涪陵王赵晟，敢昭告于皇天后土，日月星辰，风云雷雨，社稷山川，历代圣君，及我大宋太祖、太宗、真宗、仁宗、神宗、哲宗、徽宗、钦宗、高宗、孝宗、光宗、宁宗、理宗、度宗、恭宗、端宗、帝昺之灵曰："天佑下民，作之君，作之师、思我王度，式如玉；式如金。"以故周武一戎衣，膺箓而着得鱼之瑞；汉高三尺剑，受图而开逐鹿之基。虽遭遇异时，建极不同，其揆一也。

自我太祖皇帝，混一土宇，肃清中夏，诸侯以礼为归，此之谓矣。皇天惟德是辅，岂其谬哉？爰及列圣，莫不抱一垂型，函三受福，皆所称允文允武，克长克君者也。胡元蒙古，夺我神州；窃我名器。而乃灭天毁圣，妄据四海九州，败俗乱常，竟致土崩瓦解，蝟乱蜂起。

乌思静于飞尘，蝗国疮民，鱼岂安于沸水？臣本海岛余生。涪陵嫡脉，仗虎贲三千，倡义而挥戈江右，作龙飞九五，正位而卷席闽中，爰至湘广，靡不率从，为众所推摄君之位，重恢艺祖版图，无思不服。用践章宪遗诏，成与维新。

今改元重康，统继两宋，托天之威，尚期兴复久沦之境土。仗神之力，更求翼赞大统之乾坤，祈天迈相，永克丕承，是享。

白映雪读罢，礼毕，文武扶帝下坛。范国昌、岳燕超等众文武及都城父老，无不欢呼万岁。銮仪司遂请帝升辇。龙旗凤羽，侍卫警跸，帝始偕文武。奉历代神主，送入太庙。追秦王为德祖睿皇帝，王妃为睿太皇后，皇考为孝康裕皇帝，皇妣为孝慈裕皇后。推而上之，皇祖考妣，皇曾祖考妣，俱追尊帝后之号。而小宗大宗，左昭右穆，俱各如位。帝始由太庙，升辇入朝。城中军民欢声若雷，无不家悬灯，户结彩。欢者填街塞巷，有喜至泣下者。帝乃升殿，受文武扬尘舞蹈拜贺毕。诏以此殿为奉天殿，邵武为京畿，更名武都。册立孟氏为皇后，陈氏为宸妃，刘氏为淑妃。世子璁为太子，次子莹为广王，三子璲为湘王。官设二相、六官、九卿、左右丞。左谏议、右赞善、台谏文学，俱依旧制。武职设正副枢密使，与宰相并，大将军幕府，大都督军府。其余都部署，总领卫，兵马使，团练屯田等使，俱如旧制。

帝於次日，大集文武，崇德报功。以范国昌为左相，兼少师；种世龙为右相，兼少傅；司马肃为中书令，兼少保；韩昭、李穆、皇甫惇、葛天民，侯长孺、耿进诚，为六部尚书；白映雪、刘知几为左右丞；苏伏威为谏议大夫；冯道南为赞善大夫；宗梦弼、长孙轨、苗秀实、韦蔚文、陈鹏、陈华、陆宣、文佐、黄仲通、李精诚等，俱为部郎；上官诚、郑梦兰，寇竹生等为学士；樊东楼、令狐韬为太子洗马；上官朴为资政大夫；王用槐为太常卿；方连茹为议郎；岳燕超为枢密正使，晋爵上柱国、永安公；狄定国为枢密副使，晋爵保昌侯；高耀卿为威武大将军；韩靖夏为威武副将军；关普灵为龙武大将军，武陵侯；寇复雷、扈德威、韩搏虎、张怀亮、马遇乐、刘瑛六人俱封列侯，授大都督之职；种世虎、狄勇、史进、拓跋琳、岳镇、岳坤、庹靖、陈同八人，战功尤著，为总领卫大将军，都部署；杨孝伯、宇文广、刘瑝、史霸、任天鹏、夏侯杰、斛律亢宗、马遇阳、屈突申、廖云、焦芳、牛闳、张燕、傅突、吴广、吴康、王麟、王方、王彦、马晋臣、李继业、查士珩、洪时锦等，俱骠骑将军；庞英、张昌、石雄、曲逊、史良壁、王辽、朱昶，朱升等，兵马正使；而新降将佐若邵纶，赤丁、铫藩、刘瑱、呼延廷璠等，亦授都团练之职；孟来瑚以椒房，虽无战功，亦进爵为子，授武德将军；至慕容长、蓝天蔚、刘遇隆三降将，以平定湖湘等处，战功颇多。刘遇隆为执金吾，授怀远将军；蓝天蔚为左护卫使、龙骧将军；慕容长为右护卫使，虎翼将军；其余内外大小文武、新旧将佐，俱各拜官进秩有差。各官一齐当殿拜舞，山呼谢恩毕。又念罗浮起义，终成大业，加少傅；种世龙为福宁侯，食邑五百户。而昔年海岛播越,深得二马之力,乃患难中人。马遇乐已爵通候,食邑三百户。遇阳亦进爵为始兴伯,食邑二百户。刘瑛、刘瑝、张怀亮、皇甫惇,皆仗义举事之人,各赐黄金彩缎等项;刘瑝、皇甫惇,俱赐子男之爵;又前后各处阵亡将士,如王建忠、李君贵、虞凯、杜朴、霍商、徐建勋等,俱有追封,入庙奉祀。士卒阵亡者,亦有荫恤。又大出帑藏,赏犒三军。州县频年用兵,及水旱不时者,皆蠲免其赋税。又敕各处州郡长吏守宰,问老恤贫,及鳏寡孤独,皆宜赈恤。拔幽出滞,兴贤育才,尤为首务。所诏各款,次第举行。人心鼓舞大悦。帝与群臣大宴三日。各官外任者,俱各去讫。

帝一日与宰臣各部酌议,下诏分为四镇建阃,设节度使以统御之。时闽中已控邵武、漳州、汀州、福宁,又续入延平一府。广南此时并高、廉、琼、雷尽入版图,已全省控制。江右则建昌、抚州、赣州、南安、吉安,已辖五府。湖广则长沙,武陵、营阳、建州、衡州、郴、靖、辰、沅、杜阳、岳州。并跨江而襄阳。安陆、汉阳、德安,无不统辖。闽中建阃于延平;江右建阃于建昌;广南建阃于肇庆;湖广建阃于长沙。而以寇复雷为长沙节度使,韩搏虎为建昌节度使,马遇乐为肇庆节度使,刘瑛为延平节度使。应敌御侮,檄调兵将,皆得便宜行事。惟襄阳太远,与元接境,则仍以扈德威为襄阳节度使,独镇汉沔四郡,至武都为京畿。密迩福州,以杉关为重,设行军元帅府,用重兵控守。仍加威武副将军韩靖夏为太尉镇之,步步连营,棋布星罗。翔龙府仍设留守司都统制,张怀亮镇守如故。潮州府海寇不时窃发,加史霸为靖海大都督镇之。桂岭三关,仍立营寨,用三将防守。治国之要,一依右相种世龙、中书令司马肃,二人条陈各款,如法颁行,自是而炎宋之业再兴矣!

第六十二回　众夷国入贡武都

元成宗一日设朝，有福建平章高兴，建宁路御史中丞忽都鲁儿二臣飞章上奏。以宋帝建都邵武，有并吞全闽之意，又立镇建阃，措画甚大，不可不先事预防。京湖安抚使勃罗帖木儿亦奏全楚陷没，仅余荆郢。观宋人举动，有席卷京湖之志，臣等外镇阃帅，并无其敌。乞陛下早作良图。

成宗览奏，忧形于色。平章梁德珪、张九思进曰："自古两国相敌，非战则和。陛下欲休兵养民，何不竟遣使与宋人划江为界，各保境土，免致涂炭生灵，岂不美乎？且臣观内外将师，并无知兵，若老太傅伯颜，都元帅张宏范者，丧师辱国，非止一次矣！所谓扬汤止沸，不如去薪也。"成宗方欲从之，有翰林承旨留梦炎急奏曰："不可，不可，大元中外一统，胡越一家，岂无怀抱孙吴，可以戡乱定功其人者？若与之和，是借寇兵而赍盗粮也。陛下若命将伐宋，老臣虽迈，当为行军司马，作露布以告厥成功。"张九思笑曰："承旨有意征宋，能保其必胜乎？"留梦炎曰："仗陛下天威，将帅得人。老臣虽儒士，亦请试铅刀一割。"帝曰："留卿之言甚壮！"张九思遂不敢复言。帝即诏以建宁路总管武康侯赫连颇，率闽中兵征之。梦炎即预参帏幄，拜行军司马。更诏广右行省参政蒯毅夫，檄调各处将士，进兵太平，两路夹攻，宋人疲于奔命矣。留梦炎赍诏，遂赴闽中而去。

时大宋重康二年春，有海外夷王，遣使入贡，不期而来武都者，凡十有八国。各献方物，杂陈百戏。而贡物最为珍异者，首推日本。日本国王坦呢特布，因蒙古丧师而退，感帝德弗衰。因闻大宋御极，乃命国相纥搭、大将叱咤，一文一武，奉表宋朝；以一玛瑙瓮，满贮甘露。又曼陀罗华五瓶。曼陀罗华者，日本王子，七岁，即讲圣鬘经，天为雨花，瓶皆用文贝嵌就。又吠琉璃一方。吠琉璃者，宝青色，至坚，一切宝皆不可破，亦非火焰所能镕，惟鬼神有道力者，乃能破之。此宝出须弥山，非日本土产，此物乃番舶过海所得者也。至日本所辖五畿、七道、三岛所产异物，如芝草、紫玉、仙树浆、棋子等类，无不毕献。次则真腊，献七宝床，鸡骇犀，琼浆石，即石玛瑙也。再次则暹罗献元精玉，黄蛇珠。又次则占城献女珊瑚一树。安南献仙艾花，此花以仲春日开，雨后花落水面，群鱼吞之，多化为龙；外此若三佛齐献神鹿一只，高三尺，前黑后白，毛短，蹄三跆；满剌加献蕉心箪；爪哇献五色鸟；琉球献辟寒金；忽鲁谟斯献草上飞。草上飞者，奇兽，大如猫，身玳瑁斑，百兽见之，皆惊伏。和兰献神铳，铳长二丈有余，发之可洞石城，震数十里。苏门答剌献如意珠，此珠出摩竭大鱼脑中，鱼身长二十八万里，珠一名金刚坚，得此珠毒不能害，火不能爇。余更有佛郎机、合猫里、婆罗、苏吉丹、交栏山诸国，皆有异宝入贡，不可殚述。

各国既入武都，自有接待外夷各官，馆驿只候。文武预先奏知，帝乃于中和节，御奉天殿，大设朝会。十八国使臣，一齐山呼九拜，舞蹈朝见，各国王表奉正朔，各献方物。日本一表,尤极深感戴之意。帝一一慰劳,受其礼物。二使臣,一文一武,俯伏丹墀。帝视之,已头半白黑矣。帝劳之曰:"朕前在匕国,过蒙推许,别后未几,二卿已两鬓含霜,回忆奉圣寺,扶桑岛诸事,依依如昨,劳卿远涉,惠顾中土,国王无恙耶,二卿亦无恙耶?"叱咤、纥搭齐奏曰:"日本蒙天皇宠临,为海邦大振国威,敝主所辖五畿、七道、三岛及附庸百国,罔不臣服,皆昔年天皇威德之所赐也! 海不扬波,知圣人在位久矣,薄具土产,略表寸心,烟波余生,致劳天皇宠问,图报无地矣!"帝一时感旧,不禁怆然良久。于暹罗、占城、真腊诸国,无不问候备至。各国使臣,俱极感激,叩谢而出。次日帝于宣政殿,设宜春宴。十一国使臣俱齐,百戏杂陈,殿左右太常乐部,亦皆凤吹鸾抠,鹍弦雁柱,龙笛象管,蝶拍莺簧,迭奏太和、舒和、昭和、休和诸乐,一时真是天上人间,千载一时。帝又命学士樊东楼、郑梦兰、令狐韬等,作王会图诗,以纪一时之胜。文学诸臣,若司马肃、皇甫惇、白映雪等辈,和者又数十人,可谓君臣同乐,中外一家。

酒已半酣,各国使臣奏曰:"外臣不解文字,请各陈风土,以佐觞政可乎?"文武皆曰:"甚善! 齐倾耳听之。"有占城使首言其国,昼夜分十更,用鼓打记,非子不起,非午不睡。见月则饮酒歌舞为乐,十人五人围坐,以竹杆插入糟瓮中,轮次吹之。至国王则每采生人胆入酒,与众人同饮,以为通身都是胆也。真腊使者曰:"吾国风土,与上邦不同,贸易皆用妇人,如中国针、梳、磁、漆等物最贵,婚娶则燃灯不息,女十岁即嫁;至国王则三日视朝,坐七宝床,列玉猿、孔雀、犀象,名百塔洲;以桑香佛含为馔,盛以金银盘盂。谚所云:'富贵真腊也。'"琉球使者曰:"吾国有欢会门,以金葫芦团扇为仪卫。美姬含米造酒,名曰米奇。官皆金簪。子弟入国子监读书,归为长史。至归人则以罗纹白布为帽,杂毛为衣,螺为饰,其声如珮,以墨黥手为花鸟之形。有奉神殿,神以妇人为尸,名女君。三四百人,各戴草圈,携树枝,乘骑入王宫游戏。一唱百和,音甚哀惨。"爪哇使者曰:"吾国旧传乃鬼母与罔象合,生子百余,尝食人。忽一日雷震石裂,中坐一人。众异之,遂为国王,领兵驱灭。一村男女凶恶,有异僧取水噀之,化为弥猴,独一老妪不化。随老猴为侣,称猴王猴夫人。生子一岁,则置刀一把,名不刺头。每十月为春首,有竹枪会,夫妇并坐塔车,至会所。各执竹枪,妻执三尺木棍立其中,以鼓为号,二男交锋三合,二妻以棍隔之曰:'那剌那剌!'即退散,若杀死。王令胜者,与死者家金钱一个,死者之妻,即随胜者男子而去。"文武听毕,无不大笑。暹罗使者亦笑曰:"吾国土俗,又与上邦不同,大小事悉决于妇,其夫听命而已;习水战,大将用圣铁裹身,刀矢不能入。圣铁者人脑骨也;人死,将尸放海边,令鸟食之,余骨弃海中,谓之鸟葬。"三佛齐使者曰:"吾国水多地少,民置木筏,盖屋而居,覆以柳叶,田土甚肥,故谚云,一年种谷,三年生金,吾国之谓也。"苏吉丹使者曰:"吾王以五色布缠首,跣足乘车,从者五百余人,各执枪剑,如虎、鹿、牛、羊状,吾国东至海水,势渐低,女人国在焉,逾东则尾闾所泄,非复人世矣。"忽鲁谟斯使者曰:"吾国有五色土,红如银珠,白如石灰。又有青绿鸦姑,以银铸钱,名底那儿,斗羊,角湾向前,上带小铁牌,行动有声,人养在家,赌钱为戏。产花福禄狮子,驼鸡如鹤,长三四尺,脚二趾,毛如驼,行亦如之。"佛郎机使者曰:"吾国有蜈蚣船者,底尖面平,长十丈,阔三尺,旁驾橹四十,每舟容三百人,虽无风可疾走。俗最信佛,每六日拜礼,手持红杖而行;婚姻诣佛前相配,以僧为证,谓之交印。"当下一十八国，各陈土风，一时听者，无不哄堂，有日本使臣纥塔，推箸而起曰："蒙天皇宠宴，海邦下臣，皆饮和食德足矣。"

各国使者，俱起叩首谢恩。帝始命彻宴，令文武送出。各国使臣，在武都留连旬日，一一辞别。俱回以礼物，厚其赏赐，优诏答之。使臣皆有重贶。而纥搭、叱咤，尤赏赉甚厚。及占城暹罗、真腊诸使，亦另有加等，无不大喜过望，归海上而去。

第六十三回　苏公堤朝云集句

广南惠州府，城西有湖，曰丰湖。湖上有堤，曰苏堤。因宋绍圣中苏子瞻谪守惠州，见地方人修堤不就，出所赐金钱，助以成功，故名曰苏公堤，志不忘也。子瞻既谪惠州，以道途遥远，不带姬妾，惟朝云苦欲相随，许之。朝云者，钱塘名妓也。子瞻为杭州太守，纳为常侍。相依岭外，子瞻甚怜之，曾有诗曰：

不学杨枝别乐天，且随通德伴伶元。
阿奴络秀方同老，天女维摩总解禅。
经卷药炉新活计，歌衫舞袖旧因缘。
丹成随我三山去，不作巫阳云雨仙。

朝云随子瞻至惠州未及一载，以不服水土病卒，子瞻痛惜，以《西江月》一词悼之云：

玉骨哪愁雾障，冰肌自有仙风。海上时过探芳丛，倒挂绿毛么凤。
素面翻嫌粉腻，洗妆不褪唇红。高情已逐晓云空，不与梨花同梦。

子瞻葬之于栖禅寺大圣塔后。因朝云临卒，以诵如梦如泡之句而死，子瞻为造一亭，以覆其墓，即名曰六如亭。此墓遂与虎邱贞娘、钱塘苏小，俱为名墓。后人每届清明，俱来墓前，滴酒浇奠，至于墓地常湿，亦惠州一胜迹也。

时朝议郎韩昌，为惠州太守。昌有侄，名文通，同在任所。攻读之暇，辄散步于湖山佳胜。一日有契友数人，招饮平湖阁。呼卢浮白，吟诗填词。或选瑶台之胜；或寄玉滩之景。一觞一咏，畅叙幽情，直饮至东山月上。远远望见合江楼，俱在目中。文通始辞别众友，唤侍僮相随。乘醉踏月而归。行不数武，忽阁道前，有一淡妆素衣女子，偕一侍婢，持灯前导，女子冉冉而行。文通业有七分醉意，急蹑其后。素衣女子，却袅袅娜娜，其行如驶。文通追之不上，至栖禅寺大圣塔六如亭边，倏忽不见。文通深以为异，侍僮皆见之。文通心知为朝云之灵，惜未识面，惆怅不已，缓步而归。是夜，寝不成寐，伏枕暗思。此人明明在目，竟当面错过，岂不可惜？翻来复去，直待东方发白，即披衣而起，欲往六如亭前，思一申祷古，信步行去。不觉仍过苏堤，忽见平湖阁在前不远，乃哑然笑曰："误矣。"方欲转去，忽又想昨宵之事，明明遇合在此，且至阁下少坐，思一良夕佳会何如？甫过堤畔，经阁道，只见西廊墨沈淋漓，字迹遍满壁上。文通逐一览之。则壁上共成七言律集句十首，七言绝集句十二首，乃仙灵之贻芳，不朽于世也。七言律云：

家住钱塘东复东，偶来江外寄行踪。
三湘愁鬓逢秋色，半壁残灯照病容。
艳骨已成兰麝土，露华遍湿蕊珠宫。
分明记得还家梦，一路寒山万木中。

妾本钱塘江上住，双垂别泪越江边。
鹤归华表惨新冢，燕蹴飞花落舞筵。
野草怕霜霜怕日，月光如水水如天。
人间俯仰成今古，只是当时已惘然。

三生石上旧精魂，化作阳台一段云。
词客有灵应识我，碧山如画又逢君。
花边古寺翔金雀，竹里春愁冷翠裙。
莫向西河歌此曲，清明时节雨纷纷。

东望望春春可怜，江篱漠漠荇田田。
绕篱野菜飞黄蝶，掺径扬花铺白毡。
云近蓬莱长五色，鹤归华表已多年。
梦回明月生南浦，泪血染成红杜鹃！

浮云漠漠草离离，泪湿春衫鬓脚垂。
秋水为神玉为骨，芙蓉如面柳如眉。
钟随野艇频孤棹，蝉曳残声过别枝。
青冢路遥南雁尽，问君何事到天涯？

身前身后事茫茫，恼断苏州刺史肠。
侬带玉环归洞后，君骑白马傍垂杨。
鹤群长绕三株树，花气浑如百合香。
惭愧情人远相访，为郎憔悴却羞郎。

孤月无情挂翠峦，金炉香烬漏声残。
云收雨散知何处，鬓乱钗横特地寒。
去日渐多来日少，别时容易见时难。
明朝有约谁先到，青鸟殷勤为探看。

杏花疏雨立黄昏，金屋无人见泪痕。
短鬓欲星愁有效，此身虽异性常存。

关门不锁寒溪水，环佩空归月夜魂。
倚柱寻思增惆怅，夜寒雏玉倩谁温。

万紫千红总是春，登临一度渴思君。
舞低杨柳楼心月，香惹梨花梦里云。
风景苍苍多少恨，阴虫切切不堪闻。
思君今夜肠应断，书破羊欣白练裙。

零落残魂倍黯然，一身憔悴对花眠。
南园绿草飞蝴蝶，落日深山更杜鹃。
天若有情天亦老，月如无恨月常圆。
此声肠断非今日，风景依稀似去年。

七言绝云：

舞衫歌扇旧因缘，万事伤心在目前。
云物不殊乡国异，夭桃窗下对花眠。

烟笼寒水月笼沙，谁信流年鬓有华。
燕子衔将春色去，梦中犹记咏梅花。

青山隐隐水迢迢，客路都随岁月消。
惟有别时今不舍，水边杨柳赤阑桥。

杜陵寒食草青青，长诵金刚般若经。
雨冷香魂吊书客，梦魂同蹑凤凰翎。

远上寒山石径斜，宫前杨柳寺前花。
红颜未老恩先断，莫怨东风常自嗟。

与君约略说杭州，山外青山楼外楼。
屈指别来经几载，愁心一倍长离忧。

旅馆寒灯夜不眠，湘波冷浸一枚莲。
何时最是思君处，日落鸟啼霜满天。

欲写愁肠愧不才，依稀犹记妙高台。

问予别恨知多少，巴蜀雪消春水来。

紫烟衣长绣春云，一树繁花对古坟。
辛苦无欢容不异，半缘修道半缘君。

春愁冉冉带余酲，珍簟银床梦不成。
知子远来深有意，酷怜风月为多情。

光阴卒卒一飞梭，怨入东风芳草多。
旧枕未容春梦断，秦云楚岫暗相和。

身前身后事茫茫，秋菊暮兰各吐芳。
惭愧情人远相访，为郎憔悴却羞郎。

文通一一读罢。始而惊；继而羡；终而浩叹者三。急取笔墨，叠稿抄去。回衙不敢隐瞒，禀之韩昌。兼以诗呈上，韩昌亦惊讶不已。乃曰："有才如此，我见犹怜，无惑乎苏老当年依依不舍也。"即下令将苏堤墨迹封好，差人守护，不许污损；一面邀集同城僚友，备少牢一具，齐至六如亭前奠之。奠毕，即就亭前大宴，令将此诗，刻石亭左。韩昌亲为作记，以志其事。

第六十四回　七星岩焦芳殉节

长沙节度使寇复雷，一日闻元主诏广右进兵，将欲伐宋。暗思不如先发制人，即调集所属将士，若廖云、王彦、傅突、吴广、屈突申、洪时锦、焦芳、斛律亢宗等八将，共征兵二万有余。寇节度即拜斛律亢宗为都押牙统制，总摄军事。焦芳为前部；吴广、王彦为后应。

次日起程，有前队焦芳领兵三千，由营阳江华县，直过临贺岭，一股锐气，横冲直捣，攻破富川县，遂抵平乐。平乐府守将王良楝，与焦芳大战于凤凰山。宋师久练，所向无敌。王良楝竟为焦芳所杀，元兵大败。宋师遂拔平乐。斛律亢宗大军始到，所属州县，传檄而定，随告捷于长沙。寇节度甚喜。即命骁将曲逊，运粮直赴平乐，斛律统制遂进兵苍梧。宋师约束严明，军民无犯，经行处，百姓欢呼于道，馈饷络绎不绝。前队焦芳兵至苍梧县，隔江下寨，是夜忽见前山，火光烛天而起。焦芳着惊，下令军士，勿得妄动。叠次见火，直至天晓，并无兵至。

次日访之，始知此间有一山，名冲霄山，每三五夜，辄见火光。相传以为南越王赵佗，藏宝剑于山阿，故夜深腾光也。焦芳喜曰："剑气冲霄，我兵之兆也！必下苍悟矣。"苍梧太守管城璧，有文武材，兵屯城外，阻住宋师。焦芳候大军一到，遂渡南江，与元兵决战。管太守望见宋师，严阵以待，焦芳更不打话，挺枪跃马，身先士卒，管太守挥刀迎敌。不一合，元军两翼伏兵，从左右杀出，焦芳全队，被围垓心，斛律统制已到，即命屈突申、洪时锦二将，引兵杀入接应。焦芳奋勇杀出，元兵遂溃。管连城约住后军，徐徐而退。两军略有损伤，管连城见宋师严整、且众，自知不敌，入城坚闭固守。暗令一军，截断宋师粮道，俟粮尽从后击之。斛律统制见深入重地，亦虑及此，令后队吴广、王彦一军，紧屯隘口，不时巡哨打探。一日元兵被二将杀败遁去。斛律统制遂督将士，围定苍梧，一时军中造起辒辒车、飞云梯、炮车、撞竿等项。管太守随方御敌，城不能下。焦芳偶然触动火光烛天之兆，见城上所设木幔楼橹，高与云齐，遂用火箭，以小瓢盛油，灌石端，射城楼橹板木上，瓢败油散。因以箭镞内竿中，射油散处，其火立燃。复以油瓢续之，楼橹尽焚。又闻城中囤积甚多，先用雀杏子，中空，以艾实之，系雀足上。加火，于薄暮群飞入城，向囤积庐舍栖宿。一时火发，管太守救应不及，军心遂乱。斛律统制即驾四轮车，立桔槔于上，令趫卒蚁附而登，焦芳刺翻数人，奋勇上城，军士继之。管太守知事不济，自刎而死。元兵死者无算，余皆降之。斛律亢宗入城安民毕，令将管连城葬之，即遣洪时锦、廖云诸将，徇岭溪藤容等县，不日皆下。养兵数日，命健将守定。

前队焦芳又引兵直过浔州，此时桂林府行省参政蒯毅夫已得元主之诏，兴师伐宋。忽闻宋师入境，攻陷平乐、苍梧二郡，大惊。急料兵于榕树门下，令将士选大将一人，须智、信义、勇贤、明者，主之。副将二人：一主军粮；一主马粮。智、信、仁、勇、忠义、平直者，主之。总管四人：二主虞侯；二主押衙。严勇谙识军容者，主之。子将八人。明行阵金鼓,晓部置者,主之。大将别凑八人,兼十六人。副大将总管,别凑并同。此外用判官二人,以沉毅深密者任。至偏将军一人,以勇猛果敢,力敌万夫者,主之。副偏将二人,子将四人,以明旌旗金鼓节令者,主之。城房二人,判官一人,虞侯押官各二人,诸将领俱已充备。而惟大将无人,蒯参政遂自主之。始简阅行伍各队士卒,每五十为一队,各依队次,解幡立队伍,相去各十步,分布使均。其驻队塞空处,去前队二十步,列布讫,诸营士卒,俱令向大将麾下听调度。每隔一队,定战队,即出向前,各进五十步。听角声,第一声绝,诸队师一时散立;第二声绝,诸队一时拿枪张弓,卷幡拔刀;第三声绝,诸队一时举枪;第四声绝,诸队一时跪膝笼枪。坐看大将黄旗,耳听鼓声。黄旗向前,亚鼓声动,齐向前到中间,一齐喝杀,齐入,败退,败讫,可趁行三十步,审知贼徒丧败。马军从背逐北,闻金钲动,即须听去,行膊上架枪侧身回身,本处散立。第一声绝,一时拿枪,便解幡旗;第二声绝,一时举枪;第三声绝,一时旗队,一看大将处两旗交,即五队合为一队,便是二百五十人为一队,其队法及解幡举枪旗队斗战法,并依前;一看大将处五旗交,即十队合为一队,便是五百人合为一队,其队法及卷幡举枪旗队斗战法,并如前。听第一声角绝,即散二百五十人为一队,如此三度,散毕,士卒俱听大将赏罚进止。第三声角绝,始令从头引队伍还军。蒯参政见坐作进退,指挥无不如意,伍长什长。督兵俱各遵令。连日又将步战船战法,逐一教演,见可以战。

蒯参政遂自掌中军旗鼓,令偏将军樊飞豹作先锋,充头队。又令副将羊雷、朱光斗领兵押后。自统四总管。曹豹、王淮、周虓、范琼,领大军三万。犹未起行,探马又报浔州已失。守将府尹,俱已尽节。宋师目下,攻打横州甚急。蒯参政顿足曰:"敌兵神速至此,急引军直抵南宁驻定;立檄前队樊飞豹,速救横州。"时宋将焦芳,引军围困横州,城垂破矣。忽樊飞豹一军救至,横州之围遂解,而横州守将樊飞彪,乃飞豹之弟,手足赴援,相见甚喜。飞豹曰:"参政大军,现屯南宁,宋师不足虑也。"弟兄计划已定,次日引兵搦战。

宋师大至,飞豹、飞彪,弃城而走,兵败宝华山。飞豹、飞彪既离横州,斛律统制乘势遂取横州。飞豹、飞彪,忿来争城。廖云、傅突,双马出战,不三合,樊飞豹大喝一声,傅突措手不及,被飞豹斩于马下。廖云大惊,虚掩一枪,方欲败走。樊飞彪随手一枪,已中廖云左腿,负伤而逃。斛律亢宗怒发如雷,横槊而出。焦芳忿焰中烧,一槊一枪,战退二将。飞豹、飞彪引军败走。斛律统制催动后军,极力追袭。焦芳一马当先,恨不飞擒二将。迤逦直追数十里,转过一山,忽报元将转抄在后面,阻定统制大军。焦芳猛省。即令人打探,则前面已入山峪,俱天生石壁,无路可进。焦芳着急,遂令众军攀萝附葛,沿壁而上,且逾此险,更作理会。谁知峪中,周围相连七山,袤延十余里,皆危崖孤悬,峭壁如削,石洞玲珑,惟谷口犹可攀援,余皆猿鸟不下。而峪口经行处,已为元兵用巨石阻塞,并无出路。焦芳又命众军,往岩后寻路,则背枕槎江之水,汹汹涌涌,奔腾有千里之势。焦芳一军在山头,左旋右转,如蚁行磨上,寻思无计,满望斛律统制兵入援,一连十余日,军士死者过半,余多病不能起,焦芳肉颤心惊,偶至岩前,见立一石碣,上书曰:

上为七星岩，下有槎江水。
伏兵犯太阴，宋将至此死。

焦芳看毕叹曰：“吾一时轻进，为敌所算，其死宜矣！惜吾不能扫平广右，与宋主成大业耳。”遥望武都再拜，自刎而死。

第六十五回　云贞女万里传书

韩生文锦，字秋塘，泗州天长人。肮脏不羁，落拓有大志。仕元许州州判，在任以倔强，累与州牧有隙。

州牧衔之，而州牧后以赃败，韩州判亦被议遣戍缅甸，万里投荒，家口未归。生母尚殡任所；嫡母杨氏在家，偏爱诸兄弟，膏腴沃壤皆不及秋塘。诸弟傲狠在家，屡生枝节，欲以陷兄任所。秋塘不以为意。殊祸生不测，妻妾子女相向而泣。秋塘曰："我身生还无望，母老子幼，汝等能代余侍奉甘旨，教育儿女，秋塘虽在烟荒，死亦瞑目。"时秋塘一妻马氏，二妾刘氏、吴氏，无不毅然应允，誓无二心。秋塘喜曰："如此吾复可忧，万里之行，其甘如饴。"惟侧室陈氏，默然不语。秋塘问之曰："云贞何独不语，宁以吾势败，将欲改适耶？"云贞陈氏敛容答曰："韩氏祖宗不吝修德几许，今一旦乃建无数贞节坊矣，自古迄今，间有改醮之命妇，宁有守贞之侧室耶！"秋塘闻言，色惨神沮。云贞亦向隅而泣。秋塘暗思，他日首先改醮者，必云贞也。遂勉强安慰一会，其妻马氏诸事均肩其任，嘱以勿虑。秋塘叹曰："家政纲纪，仍不离结发人也。"当夜置酒，与秋塘饯别。次日，姬妾俱送至汜水，惟云贞依依不舍，直送至襄城枫亭，掩泣而别。秋塘犹以欲他适，故作此态也者，怏怏惜别。秋塘既登长途，不胜凄楚。

云贞自回许州，偕正室马氏等收拾细软，招集仆从，启殡，望泗州进发。不日遂抵天长，至家。将生母安葬，诸事停妥。初时亦相安无事；久之，而五弟文秀，谓秋塘万里远戍，妻妾在家，坐耗廪粮，令各自为计。马氏大怒，与文秀互相诟詈。杨夫人左袒文秀，反杖马氏。马氏且号且泣，恚怒欲死，云贞劝止之。六弟文钊，乃与秋塘一母所出。继而三弟文绵、四弟文华，皆欲驱逐云贞，诬以不孝，构母讼之。云贞遂陷图圄。久之，县令以无所验白，得释。家中遂如水如火，全不相人矣。有中表王生者，美少年也。偶至家，而秋塘妾吴氏与之接谈。被文华所窥，大怒。俟王生去后，立逼吴氏改醮。吴氏披发号泣，指天誓日。杨夫人亦丑诋备至，王生知之，以一书怒绝文华，其事遂寝。自此秋塘长兄文凤亦事事侦察，窥隙觅衅。仆役使女多用买嘱，而屋宇田产，文秀渐次吞并。又累构与邻人争讼，以倾陷之。媒孽事端，已非一次。马氏、刘氏、吴氏皆不胜忿怒，惟云贞不以为然。婉劝之曰："石卵之不敌明矣，且姑待之。"杨夫人又责："以每岁甘旨，非数百金不可。"云贞皆委曲从之。秋塘在缅甸，叠有家书，俱为云贞所得。云贞意中早有把握。

至元间，江淮大饥，人不自保。寿阳贼又不时扰乱泗州，徭役频兴，马氏等渐次力不能支，又讹传秋塘已在缅甸身故，于是妻妾数人自相鱼肉矣。马氏每责刘氏，日日诮让，鞭笞随及。刘氏久不能堪，亦恚曰："夫人不过欲独建贞坊，逼刘氏作再醮之妇而已。"马氏立命寻媒。不数日，即将刘氏嫁于淮西，杨夫人及诸弟文秀等无不暗喜。惟云贞一女，名琼儿，杨夫人钟爱之，年虽冲幼，性最颖异，上及祖母诸叔，下及嫡母马氏，往来调停，颇得其力。马氏欲加凌厉，无隙可寻。乃暗减刻其衣服饮食。久而又与云贞为难，而云贞每俯首低眉，不稍露一辞色。马氏有子名丁郎，亦甚聪明。至是马氏生心，并其子亦苛遇之。每不与食，而云贞暗相保护。丁郎反依恋云贞若生母然。马氏益加愤懑，愈生风波。不拘云贞、吴氏、琼儿、丁郎等，一骂便是四夜三朝，一打便是千红万紫。文秀见此光景，正中其怀，又党于马氏，益加唆使，暗相谋陷。吴氏、丁郎等度日如年，未及半年，吴氏不堪其苦，又被马氏嫁去。马氏至此，专意云贞，窘辱备至，俱难撼之，无可发泄，日日打鸡骂犬，云贞已窥其意，以言挑之，曰："夫人经理家政，十分劳苦。"马氏怒曰："若非贱婢等累我，此家业已交卸于丁郎矣！"云贞又曰："闻缅甸物故之信，乃系讹传，夫人何言及此？"马氏亦怒曰："如此景况，漫道讹传，即使秋塘尚在，余已久不能堪，欲脱离此苦海矣。但无人瓜代耳。"云贞曰："夫人戏言耳！若果有此意，妾愿抚孤成立，为秋塘立后。"马氏遂回嗔作喜曰："恐汝亦戏言耳！"云贞曰："妾何敢与夫人作戏？"马氏一时不觉五体投地，再拜而起曰："云贞妹子，乃马氏再造之人也。自今以往，马氏不复作韩家妇矣。"也不禀告杨夫人，竟自央媒，嫁与徐州邳县赵进士为妾。杨夫人见此光景，未免怏悒，从前念头亦渐改三分之一。而秋塘田园，被文秀侵夺去者，存亦无几。加以岁益荒旱，文绵、文华皆相继而卒，而惟文秀摇唇鼓舌，启衅生祸者，犹安然无恙。文秀至此，犹时时谋陷云贞，谗毁多端。云贞艰苦万状，百折不回。上以承母夫人之欢心，下以供儿女子之朝夕。早晚尚得琼儿，稍一写心，无何而琼儿病故。云贞恸哭不已，目几失明。从此惟一子丁郎，一女瓒儿，作伴过日。又一小鬟莲姐，年幼而颇有血性。文秀久思染指。一日因莲姐往花园摘花，几为文秀所逼。云贞敢怒而不敢言，惟命出入时加防闲。

一日，六弟文钊自盱眙归来。言二兄秋塘未抵缅甸，在蒙化军某处。因有公干，尚在盱眙。云贞连夜修书一封，附诗六首，托文钊立时寄去。

且说秋塘自离许州，迤逦直达滇南，幸有滁州全椒县陈青者，为蒙化厅司李。陈青乃云贞之从四兄也。遂馆秋塘，时去时来，荏苒光阴，多在蒙化。一日蒙化厅得缅甸公干人送书至，陈青交与秋塘，秋塘持归寓所，急拆观之，书曰：

妾云贞，端肃敛衽再拜，致候秋塘大人安履。忆自枫亭分手，弹指十年。万里羁愁，空怀岁月，长门幽恨。莫诉晨昏。然母亲膝前，儿女团圆，尚可安慰。君只身孤戍，依人作计，谁与为欢？问暖嘘寒，窥饥探渴，凉凉踽踽，未知消受几许凄其！贞虽不能纵万里之身，续一夕之好，而离魂断梦常绕左右矣！思君十二，肠回九折，岂虚语哉？别来七奉手札，未复一函，使固难逢，笔亦莫罄，单词片语，未足慰双撑盼睫也。客岁五月初六日，得一密信。来人送书之日，适贞卧病之时，投递参差，岁成不测，幸琼儿解人觑破，支吾遮掩，得以解纷。不觉冷汗涔涔。二竖顿然告退，伏枕细读，悲喜交集。

少顷，母亲拆书榻畔，笑语贞云："锦儿带罪边卫，归期可望，来禀颇自愧悔。想已磨折悛改，我今亦怜之矣！"是皆君孝思所感。不然，此恩正未易施也。别后情景，概未寄知，生母新阡，树木成林，围墙完固，岁时伏腊，瞻拜如常,江水平漕,不相侵害,可以放怀。嫡母极履优游,饮食犹昔,惟痰症时作,精神稍衰耳。亲族中概同陌路,大姊夫大姊姊虽不甚冷落,亦无大照料。二姊夫已故,二姊姊尚留都下。七妹远在楚省,音问久疏。翼廷大兄人虽刻薄,但为母亲所依赖,嗣有书来,总以一味感叹,不失欢心。三弟四弟,业已物故。至负义人五弟,今已移居他所,不及提防。萋斐之言,暧昧之事,难免耸惑于高堂。贞惟忍性坚心,立定脚跟,期尽吾之所当尽而已。至于青蝇墙茨之谮,信与不信,又何敢必?总之,琼女而在,尚可为解。不幸又于去年八月,出疹冒风以死。十五年仳离辛苦,尽付东流。草草治棺,瘗于茔侧。犹记没之前夕捧贞颊而啼曰:"爹爹离家已久,儿没后万不可一语及之。"今忆此言,不禁泪如泉涌,何止残稿遗书,惊心玉碎,零脂剩粉,触目兰摧耶!丁郎读书,颇有父风。然恃聪明,而少沉潜,务高远,而不咀嚼。诗词有新颖之句,文艺则驳杂不纯,青青子衿,初非金马玉堂中人也。来书询其所师,舞勺以前,皆贞口授,经史诗词,略知大义。庚戌仲夏,始就杨先生授业讲解,嗣后杨先生选任辞去。至今皆卜权斋训迪,教法颇严,贞亦不敢稍假辞色。课文之暇,仍以诗词试之,不留余力,惟母亲姑息太甚,奈何奈何!

所可恨者,君元室马氏,侍妾刘氏、吴氏皆言力能守贞,不及数载,顿食前言。良人犹在,改醮他适,抛弃儿女,苟图富贵,惟此殊增人怛悼耳。丁郎虽出马氏,犹贞所生。此君一块骨血,而贞之所莫敢遑息者也。贞母于壬秋患病,延至癸春二月六日,奄然长逝。两老人一生血脉,惟贞一线之存。不料六十年镜花水月,情深半子,能不酸楚耶?

庸弟原非己出,漠不相关,只知搜索家资,良可痛恨。贞自遭此变,愈觉难堪,颗粒缕丝,一无所出。家计岁入不敷,贞屡求典售,而又不忍轻去,徒令侵吞剥削,多致荒废。房产敧倾过半,复被负义人据为已有,拆变一空,仅留败屋数椽,聊蔽风雨。大非昔时光景!从前缓急可商之处,近皆裹足不前,遇有急需,贞亦不轻启齿,正恐不惟无济,反惹非笑。君友冯郭西,绝迹多年。近来询问消息,情意颇真,些小通融,尚可资助。第恐日久渐疏,难保终始如一耳。而其肫肫怀念之忱,则未可负之。节次嘱带瓶口、扇套、鞋袜、笔、茶诸物,尽为负义人赚去,言之恨恨。

贞迩来两餐之外,不能稍自舒展。嫁笥奁具,陆续尽归质库。频年己身之补缀,莲姐之盘缠,丁郎之膏火束脩,瓒女之钗钏、鞋脚,在在皆挖肉补疮所办也。况问安侍寝,未敢偶离。怡色柔声,犹虞获咎,即饮食衣服,俭则负啬吝之嫌,费又受奢侈之责;素则云朴陋无色,艳则云冶容诲淫。非诟谇迭加,即夏楚从事,求有一日之完肤,而不可得。贞年逾三十,非复少时儿女,家人见之,有何面目,结缡之始,笔墨为命,拈毫横笛,倡随几及十年,一旦梗断蓬飘,往事不堪回首!箫声研迹,久已荒疏。纵有属和之章,不过勉强承命,吟风弄月之句,断不敢形于毫端。顾影自怜,可胜悲咽。莲姐自壬夏摘花受逼之后,其志益坚。雨榻风棂寒更暑夜,甘苦与共,形影相随,此贞今世之赘瘤,而君他年之桃叶也。高魁、颜忠、贺花儿等，只知迎合上意，计饱私囊。素芝碧桃辈，钩深索隐，播弄如簧，尤为腹心之患。此狂奴故态，又何足道？惟有委曲将就，恬以甘言，博一时清静而已。

负义人屡言在缅甸馆谷丰隆，一年之中，若肯节省，尚可余三四百金，而贞初不信也。伏思君以疏狂之性，未展才华，顿遭大难。一朝失足，万念俱灰。又有何心矜持名节？且栖身异域，举目谁亲？月夕花晨，酒阑灯灺，呼庐排闷，拥妓消愁，亦旅人常事。或值多情倩女，知音嫠妇，彼美怜才，书生结习，未能免俗，聊复尔尔。贞方痛悯不暇，宁效彼妒妇口吻，涉笔规讽耶。惟念君身已非强健，情复憨痴。彼若果以心倾，何妨竟为情死？特恐口饧齿蜜，腹剑肠冰，徒耗有用之精神；反受无穷之魔障。私心自揣，殊为君忧，况曲蘖迷心，兼能痛腹，樗蒲游戏，更丧文名，些小偿来之财，何足为计。所虑君以千金之体，甘自颓唐，反不若贞之釜蚁余生，尚知自爱者何哉？

来书三月适馆四兄春斋，六月仍回故地，此中原委，未得其详。君既与四兄为骨肉之交，相依邸舍，便可为家，何必舍此他图？别生枝节。况去之未久，旋复归来，则贞所不能解者。大丈夫处世，怨固不可深结，恩亦不宜过求。未曾拜德之前，先思图报之地。四兄豪侠，人所共称。窥其心迹，量可超拔君于苦海中，而嘘拂之，酬报之机，贞心早为区画矣。相隔万里余，忽东忽西，萍迹靡定，未觇雁足，空致鱼书，即有薄裹冰资，亦不敢径行远寄，恐蹈故辙，转使空函莫达也。

去春有徐州俞令回籍恩旨，惜未波及，然此后机缘，大有可望。十年期满，定遇赦归，诸凡惟随遇而安，耐心以守，鸾台珠浦，我两人宁终无团圆时耶！每念弱草微尘，百年一瞬，梦幻泡影，岂能久留？生死两途，思之已审。别后况味，不减夜台，现在光阴，几同罗刹，何难一挥慧剑，超入清凉，奈缘孽如丝牢牢缚定，不得不留此躯壳，鬼诨排场，冀了一面之缘，不负数年之苦。他年白头无恙，孺子有成，大事一肩，双手交卸，贞心不大快哉？故今者，君一日未回，此担一日不容放下也。六弟自盱眙来，闻有缅甸公干。故掩户挑灯，略书悃忱，泪痕满纸，神魂遄飞。计书到日，开缄当在黄梅，想君阅之，亦心与俱酸也。附诗六首，聊以言志，信手拈来，亦是一幅血泪耳！诗曰：

搔首云天接大荒，伊人秋水正茫茫。
可怜远戍频年梦，几断深闺九曲肠。
井臼敢云亏妇道，荻丸聊以继书香。
孝慈两字今无负，即此犹堪报数行。

莺花零落懒搴帏，怕看帘前燕子飞。
镜里渐斑新鬓角，客中应减旧腰围。

百年幻影身如寄，一线余生命亦微。
强笑恐违慈母意，药囊偷典嫁时衣。

十五娇儿付水流，绿窗不复唤梳头。
残脂胜粉鞶丝阁，碎墨零香问字楼。
千种凄凉千种恨，一分憔悴一分愁。
侬亲亦未终侬养，似此空花合共休。

当时梦里唤真真，此际迢迢若比邻。
爱写团圞邀字谶，偷占荣落祝花神。
哪堪失意飘零日，翻作关心属望人。
别有怜才惟一语，年来消瘦恐伤春。

早自甘心百不如，肩劳任怨敢欷歔。
迷离摸索随君梦，颠倒寻求寄妾书。
妆阁早经疏笔墨，箫声久已谢庭除。
谗言休撼离人耳，犹是坚贞待字初。

未曾蘸墨意先痴，一字刚成血几丝。
泪纵能干终有迹，语多难寄反无词。
十年别绪春蚕老，万里羁愁塞雁迟。
封罢小窗人静悄，断烟冷露阿谁知。
——甲午嘉平朔夕，云贞载拜上

秋塘观毕，声泪俱下。释书长叹曰："马氏自言养亲教子，力肩重任，乃一旦改事他人，结发情安在耶！刘氏、吴氏固不一足言。孰知韩文锦恩人，乃陈云贞也。"即向书长揖曰："劳卿代余养亲教子，肩劳任怨，辛苦惟汝当之。文锦当年目不识卿，真负心人也！从此以往，文锦知罪矣。"手捧其书，呜呜而泣。

直至元贞二年丙申，遇赦回籍。则五弟文秀亦卒。秋塘一入家中，见丁郎瓒儿两两出迎，一男一女，业已成立。但物是人非，举目怆恻，老母苍然，尚犹矍铄。拜见定省毕，回至私室，一见云贞，也不暇详问便扑簌簌泪下。将一男一女，并云贞三人，一束抱住。瞠目而泣呜咽不能成声。云贞此时，始任情一哭，泪如涌泉。秋塘观之，更抚膺欲绝，自言："吾过矣！吾过矣！彼妇之口，自言能守，今安在耶？"丁郎、瓒儿亦悲悼不能仰视，转是莲姐在旁，再三婉劝，以为骨肉团圆，一天之喜，若更悲楚，恐痛伤陈夫人矣。秋塘方释手，收泪谢曰："云贞乃秋塘恩人，应宜拜谢。"言未已，即伏在地下，云贞亦拜，拜毕，丁郎、瓒儿置酒，为父上寿。六弟文钊闻兄万里归来，亦携酒肴，为之洗尘。长兄文凤亦扶掖杨夫人至。一家聚会，酌酒称庆，秋塘见丁郎学已有成,叹曰:“此汝母之力,乃父不与知也。”秋塘自此待云贞至老不衰。后果纳莲姐为小妾,不忍拂云贞之意。瓒女字本邑边太守之子,丁郎后出仕于宋,至资治少尹。夫妇寿皆耄期,得与诰命焉。

第六十六回　钟情人一心合墓

刘翠翠，寿阳民家女也，生而颖悟，能通书史，父母令就学。同学有金生名镛者，与同庚，亦聪明俊雅。诸生戏之曰："同岁者当为夫妇！"二人亦私相许诺。金生赠翠翠诗曰：

十二阑干七宝台，春风随处艳阳开。
东园桃李西园柳，何不移来一处栽？

翠翠和曰：

平生每恨祝英台，怀抱何为不早开？
我愿东君勤用意，早移花树向阳栽。

既而翠翠年长，不复至学，父母为之择配，辄悲泣不食。问之，初不肯言，久之乃曰："西家金郎，妾已许之，若不相从，有死而已，誓不登他门也。"父母以金生家贫，欲占凤富室，则翠翠抵死不从，然以金生少年俊秀，且勤学，遂许可焉。卜日合卺，凡币帛之类，羔雁之属，皆女家自备。迎婚入门，夫妇相得之乐。虽翡翠之戏兰苕，鸳鸯之游绿水，未足方喻。

时寿阳为贼陷没，贾智深篡位称尊，用莫绥猷为右相。一日，莫绥猷出郊，偶见夫妇二人踏青，姿容绝世。问之，即翠翠夫妇也。莫绥猷未免垂涎，将纳为婢。翠翠夫妇闻风而逃，将窜至建平县母姨蔡氏家少避，谁知中途正遇元兵来剿寿阳，夫妇失散。翠翠为元将吴兴李都监所获，纳为侧室。寿阳既平，道路始通，行李无滞。

金生打听翠翠下落，遂辞别内外父母，物色其妻。中途囊橐尽竭，此心终不少懈，草行露宿，乞丐于人。不日始达湖州。则李都监以平寿阳有功，升团练正使，安抚重之，威焰隆赫。金生伫立辕门，欲进不能，欲言不敢。阍者怪而问之，金生答曰："仆寿州人也。丧乱以来，闻有一妹在于贵署，今不远千里至此，欲求一见，非有他也。"阍者叩其姓名，并其妹年貌何似。生曰："仆姓刘，名金镛，妹名翠翠，识字能文，当离散时年仅十七，以岁月计之，今二十有四矣。"阍者曰："是矣！府中果有刘氏者，寿州人也，年二十余，识字，善吟诗，性巧慧，本使宠之专房。汝言信不诬，吾代汝禀知。"遂奔走入告。

少顷，令生入见。李团练坐于厅上。生见毕，具述其由。李团练，武人也，信而不疑，即命小鬟告于翠翠曰："汝兄自寿州来此，当出见之。"翠翠承命而出，以兄妹之礼，见于厅室。两情默喻，四目凝视，竟不能措一词，惟吞声悲咽而已。李团练曰："汝千里远来，即在吾署中栖止。吾当徐为之所。”生遂馆焉。翌日谓生曰：“汝妹既识字，汝亦通笔墨否？”生告以业儒。李团练大喜，委以记室。生性既和平，益自检束，应上接下，咸得其欢，代书回柬，曲尽其意。李团练以为得人，丰其廪给，托以腹心，待之甚厚，府中内外人等无不敬礼之。

然生之来此实为访妻，自厅前一觌面后，侯门似海，欲达一意，终无间可乘。荏苒数月，时及授衣，西风大起，白露为霜，独坐空斋，抑郁无聊，乃成一诗曰：

好花移入玉阑干，春色无缘得再看。
乐处岂知愁处苦，别时虽易见时难。
何年塞上重归马，此夜庭中独舞鸾。
雾阁云烟深几许，可怜辜负月团圆。

诗成题于片纸，即拆衣领而缝之。时有小鬟，常相出入，生饵以百钱，曰：“以衣付吾妹，令其缝纫，将以御寒。”小鬟持入，交与翠翠。翠翠解其意，拆衣而诗现，大恸无声。别为一诗，亦缝于衣领内，付出还生，诗曰：

一自乡关动战锋，旧愁新恨几重重。
肠虽已断情难断，生不相从死亦从。
长使德言藏破镜，终教子建赋游龙。
绿珠碧玉心中事，今日谁知也到侬。

生得诗，涕泣不已。知其以死许之，无复可望，愈加伤感，遂成痼疾。翠翠闻之，请于李团练，始得一至榻前问候。而生病已剧，翠翠以臂扶生而起。生引首侧视，凝泪满眶，长叹一声，奄然死于其手。李团练怜之，葬于城南道场山麓。翠翠送殡而归。是夜得疾，不复饮药，展转床席，奄及一月。一日告团练曰：“妾弃家相从，已逾八载，流离外郡，举目无亲。止有一兄，今日已死，妾病必不起，乞埋骨兄侧，庶泉壤之下，有所依托，不致作他乡孤鬼也。”言讫而卒。团练痛惜不已。不违其意，竟附葬于生圹之左，东西二邱，宛若同穴焉。葬后有五彩异鸟，翔于墓前树上，比翼哀鸣，数日而去。李团练犹以为兄妹魂栖异域，精灵所感，十分伤悼，始终不喻其意。吁，此李团练之所以为李团练，可叹亦可恨也。

第六十七回　宋主重立元祐碑

宋重康四年，帝命集贤直学士吕希贤、右补阙张纯粹、给事中杨怀清、富珩等，提学各郡；命崇文馆大学士李仁恭，权知贡举，得士百余人，擢用为州县长吏。所在有循声，时称得人，帝甚喜，考官重有赏赉。一日帝微行，至广祐庙，见一碑，字已漶灭，不可识，末题元祐五年立，碑上有人题诗云：

微躯飘泊岂无家，只为蝇头一念差。
白发已添头上雪，黄金都尽眼前花。
梦魂自信归乡国，骸骨谁怜没草沙。
寄语妻孥休问卜，十年戎马陷中华。

帝读毕，即访其人，乃郝文庆，安西州敦煌人也。苍头白发，侨居庙中。自言幼业儒，其后贸易入闽，因元兵陷没不得归。帝怜而恤之，使归，因下诏各郡，所在有羁旅阻滞及孤苦、疾病者从优赈恤，务使得所。帝又见庙中碑上有元祐五年等字，因下诏求元祐党碑观之，欲尽得当时诸贤姓名。诏下旬余，有潭州守范时中，觅得此碑，献之帝，原碑云：

皇帝嗣位之五年，旌别淑慝，明信赏罚。黜元祐害政之人，靡有佚罚。乃命有司夷考罪状，第其首恶与附丽者以闻，得三百九人，皇帝书而列之石，置于文德殿门之东壁，永为万世臣子之戒。又召臣京书之，将以颁之天下。臣窃惟陛下仁圣英武，遵制扬功，彰善瘅恶，以昭光烈，臣敢不对扬休命，仰承陛下继述之志，司空尚书左仆射兼门下侍郎臣蔡京谨书。

元祐奸党：

文臣曾任执政官二十七人：

司马光	文彦博	吕公著	吕大防
刘　挚	范纯仁	韩忠彦	曾　布
王岩叟	梁　焘	苏　辙	王　存
郑　雍	傅尧俞	赵　瞻	韩　维
孙　固	范百禄	胡宗愈	安　焘
李清臣	刘奉世	范纯札	陆。佃并元祐
黄　履祥符	张商英	蒋之奇元符	

曾任待制以上官四十九人：

苏　轼	刘安世	范祖禹	朱廷光
姚　勔	赵君锡	孔文仲	孔武仲
吴安时	马　默	钱　勰	李之纯
鲜于侁	赵彦若	孙　觉	赵　高
王钦臣	孙　升	李　周	王　份
韩　川	顾　临	贾　易	吕希纯
曾　肇	王　觌	范纯粹	吕　陶
王　古	丰　稷	张舜民	张　问
杨　畏	陈次升	邹　浩	谢文瓘并元祐
岑象求	周　鼎	路昌衡	徐　勣
董敦逸	上官均	郭知章	杨康国
叶　涛	龚　原	朱　绂	叶祖洽
朱师服并元符			

余官一百七十七人：

秦　国	黄庭坚	晁补之	吴安诗
张　耒	欧阳棐	刘唐老	王　巩
吕希哲	杜　纯	张保源	孙平仲
司马康	宋保国	汤　或	黄　隐
毕仲游	常安民	汪　衍	余　爽
郑　侠	常　立	程　颐	唐义问
余　卜	李格非	陈　瓘	任伯雨
张庭坚	马　涓	孙　谔	陈　郛
朱光裔	苏　嘉	龚　夫	王　回
吕希续	吴　俦	欧阳中律并元祐	
尹　才	叶　仲	李茂直	吴处厚
商　倚	李绩中	陈　祐	虞　防
李　祉	李　深	李之仪	范正平
曹　盖	杨　琳	苏　芮	葛茂宗
刘　渭	柴　衮	洪　羽	李　新
赵天佐	衡　钧	衮公适	冯伯乐
周　谊	孙　宗	范汇中	邓考甫
王　察	赵　峋	封觉民	胡端修
李　杰	李　贯	石　芳	赵令畤
郭执中	金　极	高公应	张　集
安信之	黄　策	吴安逊	周永徽
高　渐	张　夙	鲜于绰	吕谅卿

王贯	朱纮	吴明	梁安国
王古	苏迥	檀固	何大受
王箴	鹿敏求	江公望	曾纡
高士育	邓忠臣	种师极	韩浩
郁觃	秦希甫	钱景祥	周
何大正	梁宽	吕彦祖	沈于
曹兴宗	罗鼎臣	刘勃	王极
黄安期	陈师锡	于肇	黄迁
黄侠正	许尧甫	杨朏	梅君俞
胡良	寇宗颜	张居	李修
逢纯熙	黄才	高道恪	曹舆
侯顾道	周遵道	林肤	葛辉
宋寿岩	王公彦	王交	张溥
许安修	刘吉甫	胡潜	杨怀宝
董祥	倪直儒	蒋津	王守
刘元中	王阳	梁俊民	张裕
陆表民	时世英	诸潜	陈唐
刘经国	扈充	张恕	陈并
洪刍	周谔	萧刓	
赵越	滕友	江询	方适
许端卿	李昭玘	向训	陈察察
钟正甫	高茂华	杨彦璋	彰醇
廖正一	李夷行	梁士能并元祐	

武臣二十五人：

张巽	李偁	王献可	胡田
马田	马稔	王履	赵希夷
郭子旂	任濬	钱盛	赵希德
王长民	李永	李愚	王庭臣
吉师雄	吴休复	崔昌符	潘滋
高士权	李嘉亮	李玩	刘延肇
姚雄	李一基并元符		

内臣二十九人：

岳全忠	陈恂	张士良	知新
李绰	谭扆	窦钺	赵约
黄卿从	冯说	鲁焘	苏舜民

杨　偁	梁　弼	陈　恂	张茂则
张　琳	裴彦臣	李　偁	王　缓
阎守勤	李　穆	蔡克明	王化基
王道华	邓世昌	郑居简	张　祐
王化臣并元祐			

为臣不忠二人：

王　珪元符　　　　章　惇元符

右今准尚书兵部符儁降敕令旨挥立石监司厅

崇宁四年二月　日

帝观毕，笑谓文武曰："此碑自靖国五年毁碎，遂希传本。今获见之，犹获宝箓矣。元祐诸贤，除温潞两公，及范韩数十人外，设无此碑，焉能识其姓字？此碑在当时，独蔡京以为不可毁，传至今日，则天下后世人皆不欲毁之矣。"命刻石，重立朝门。尚书李穆奏曰："此碑当时立文德殿门者，乃徽宗亲书，州郡厅事，则蔡京笔也。后星变遂毁。当毁碑时，蔡京厉声曰：'碑可毁，名不可灭也。'京之意，欺当时并欺后世。夫忠奸自有公论。京之愚，可谓甚矣！"学士白映雪亦奏曰："崇宁中此碑发至开封，推官命碑工安民刻石。安民辞曰：'民愚不知碑中之意，如司马相公者，乃目为奸人耶？'不受命，推官怒欲加罪。安民泣曰：'民被役不敢辞，乞免镌安民二字于石末，免得罪后世。'又江州有碑工李仲宁，自颜其居曰琢玉，官召刻石。亦辞曰：'小民因苏黄二学士词翰，以致温饱，忍目之为奸耶？'挥泪而逃，以免其役。当时士大夫洵碑工之不若矣。今陛下既重刻党碑，当镌二名于末曰不刻党碑石工某某，以昭后世。"帝笑而从之。

第六十八回　孝伯误陷金锁阵

元建宁路设总管府。世祖以武康侯赫连颀素有重望,镇建宁十年。一日翰林承旨留梦炎赍诏至,令举兵伐宋。赫连颀望阙拜受命讫,设宴款使。留梦炎就席前,叩以伐宋之策。赫连颀曰:"用兵之道,相机而行。故兵有五机。"留梦炎曰:"何谓五机?"赫连颀曰:"五机者:一地机,二事机,三势机,四利机,五神机是也。列营布阵,先据要害,敌取逆,我取顺,动息得势,是谓地机;审探敌事,因而为之,以中敌情,使敌不知,为我所觉,得以欺敌,是谓事机;鼓十人之气,为百人之用,鼓百人之气,为千人之用,威名气焰,动如雷霆,所当者破,是谓势机;粮刍储积,士马娴习,是谓利机;敌人料我于前,失之于后,料我于远,失之于近,动静出入,敌不能察,是谓神机。用兵能以五机应敌,未有不坐操胜算者。"留梦炎深服其说,自言:"愿居麾下,得参帷幄自效。"赫连颀待以宾礼。赫连颀传檄各营将士,整饬戎行,赫连颀重加简阅。以福建指挥桑仲远为先锋,率兵三千即日起行,直抵建宁县下寨;副将蛮子呀班领兵三千为合后;自与留梦炎等统大队居中。

哨马报入杉关,韩太尉即升帅府,问:"众将谁往应敌?"有骠骑将军宇文广、杨孝伯皆言愿往。韩太尉甚喜。即以兵五千,付二将退敌。宇文广、杨孝伯引兵出关。议曰:"元兵之来,勿使入境。我师可兼程而进。一敌其前,一抄其后,元兵可败也。败其前哨,则元人之锐气折。"二将急出界外五十里。元将桑指挥前队已至。宇文广列开旗门,出马问曰:"元人无礼,直犯我界。何故兴此无名之师?"桑仲远笑曰:"汝宋入侵夺我州郡,几半海内,何为无名?"宇文广曰:"汝主天下,从何得来?汝今临阵,敢与某决战否?"桑仲远怒曰:"不劳唇舌,吾誓必擒汝。"二将交马十余合,宋师便退,桑仲远以为力怯,督军冲杀,宇文广且战且走,约退数里,元兵后队忽乱。宇文广指挥将士,勒马杀回,横当其前;杨孝伯一军迅击其后,首尾夹攻。宋师锐不可当。元兵抛戈弃甲而走。桑仲远被围在垓心,死战得免,奔五十里,宋师始驻。赫连总管闻前哨败绩,速来赴援,则宋师已退。大怒桑指挥深入重地,致挫军威,黜退不用。桑仲远满面羞惭而去。赫连总管遂撤去前队,而添左右两翼,以总统葛颢为左哨防御使,以都监唐玲为右哨救应使,并与中军,一路并进。而宋将宇文广、杨孝伯二人合成一队当之。二将一应敌,一守寨,连战数日,互有胜败。

赫连颀暗惊宋将勇健善战,引军稍退。二将立逼其营讨战,赫连颀命左右两翼轮流交战,日日战,日日败,直退近浦城。赫连颀总管谓梦炎曰:"司马来日可预备酒宴,待吾破敌后贺功。"留梦炎问之,总管不语,当夜乃密唤葛颢、唐玲二将谓曰:"此去离浦城不远,有地名曰郎官原,四围空阔,前后山势俱有照应,可用诸葛武侯八卦图,以破宋师。八阵者:一方阵,二圆阵,三牡阵,四牝阵,五冲阵,六轮阵,七浮沮阵,八雁行阵。此阵名八卦,亦名八门金锁。其法共六十四阵,而总曰八阵也。盖六十四阵者,天衡十六阵，居两端；地轴十二阵，居中间；天前冲四阵，居右；后冲四阵，居左；地前冲六阵，居前；后冲六阵，居后；风八阵附天；云八阵附地；合为八阵。天衡并前后冲二十四阵，合风八阵为三十二阳；地轴并前后冲二十四阵，合云八阵为三十二阴。游兵二十四阵，在六十四阵后，凡行军、结阵、合战、设疑、补缺，全在游兵。天地之前冲为虎翼，风为蛇蟠。兵家先阴，以右为前，又风从虎，虎与蛇皆阴类，同位西北也；天地之后冲为飞龙，云为鸟翔，兵家后阳，以左为后，又云从龙，龙与鸟皆阳类，同位东南也。四阳为正，四阴为奇。四阳者，天、地、风、云也；四阴者，龙、虎、鸟、蛇也。又天阵列西北，地阵列东南者，取天地之相对也。每以二阵相从，一阵之中，又有两阵，一战一守，中外有轻重之权；阴阳有刚柔之节；彼此有虚实之地；主客有先后之数。宋将若不谙方位，不明向背，必为吾所擒矣。”二将得令，自往郎官原，如法布置，而以游兵二十四阵，纯用弓矢，防宋将骁勇，卫冲突也。唐都监遂伏郎官原，葛总统引战。

且说宇文广、杨孝伯二将近元兵，直抵浦城。是夜，孝伯伏枕后，梦祖父再兴，立于小商桥上，呼之甚急，醒来，深以为异。次日，宇文广忽欲停兵一日，孝伯问之，宇文广曰：“今日干支，乃十恶大败日，不宜出兵。”孝伯笑曰：“十恶大败者，我败敌兵也。汤武之乙卯甲子，其明征矣。大将出师，焉计此类?”宇文广遂从之。言未毕，又报元将葛颢搦战。杨孝伯大怒，率兵跃马出营，忽马失前蹄，将孝伯跌翻，军士慌来扶掖，孝伯一跃而起，换马挺枪，直取元将。葛颢随与交锋，不数合，葛颢力怯败走，杨孝伯纵马如飞，督兵追杀，将至郎官原，葛颢勒马复战，杨孝伯怒不可止，奋勇一枪，已将葛颢左肘连甲去了三分。葛颢几乎坠马，负痛落荒而走。孝伯正欲生擒葛颢，忽号炮震响，只见元将唐玲领八队精兵，一齐杀来，列成一阵，团团围住。孝伯已知遇伏，忙定睛看时，乃八门金锁阵也。暗笑曰：“此阵按休、生、伤、杜、景、死、惊、开，八门。或变六花，或变长蛇，只此而已。吾今且从生门开门击入，景门、休门杀出，其阵必乱。”遂约定军士，勿得妄动，急按乾、坎、艮、震、巽、离、坤、兑，方位已定，认着生门列在西北。正待挺枪跃马，冲突而入，忽有游兵突至，愈杀愈广。二十四队游兵一齐围定，乱箭齐发。杨孝伯身受重伤，弃枪于地，与战马共死于乱箭之下。

第六十九回　韩太尉骂死留梦炎

时宇文广自知孤军难敌，引军退建宁界口，扼险而守。令人星夜回杉关求援。报入，韩太尉立檄张昌、石雄、朱昶、王辽四将，引兵三千先行，自统大军五千随后。一日夜，即抵宇文广营中。文广迎入，极言赫连颇锋芒甚锐，日来讨战，末将拒险，以死守之。韩太尉曰："我兵失利，且勿妄动。建宁路密迩武都，须大败之。小小进退，不足计也。"命营中将士权为杨孝伯招魂设奠。太尉率众将痛哭奠之，大小三军无不感动，遂下三大寨，以四将居左，宇文广居右，己居中，犄角相援，首尾互应，作常山蛇势。太尉按兵不动，日在营中，教士卒以步战法、船战法、林战法、谷战法，养精蓄锐，相持半月。

赫连颇总管不获一战，意以宋将持重，徒老我师，遂扬言抄出新城界口，径袭杉关。宋营将士皆言根本宜护，太尉不之理。诸将皆摩拳擦掌，欲请与战，太尉又不许。诸将莫解其故。赫连颇见宋师不动声色，知不可以虚喝。遂以行军司马留梦炎统属将士，权摄营中事宜，与宋将相持。自引一军，抄过建宁，渡绥江，赴新城，欲袭杉关。兵行数日，宋营始知之。韩太尉令人哨探，果然分兵而去，乃喜谓诸将曰："此可以战矣！"即拨张昌、朱昶二将各领兵五百，抄出元军之后，近瓯城，分左右埋伏；宇文广引兵一千，亦抄出元军之后五十里外埋伏，截断归路；再调石雄引兵一千，伏于宋营之左；王辽引兵一千，伏于宋营之右，自统健将数员，以一军应敌。分拨已定，随下战书，约次日决战。

元军中行军司马留梦炎得知，即请副将蛮子呀班、总统葛颙、都监唐玲等商议应敌。蛮子呀班曰："水来土掩，兵来将当，宋师欲战，自有某等足以对敌。司马但督裨将等紧守大寨，以固根本。"留梦炎曰："老夫当亲临行间，以励将士，方不负元主策遣之意。"葛总统曰："兵凶战危，军司马何必亲冒矢石，以某等为不足破敌耶？"留梦炎曰："不然。战争之事，老夫何敢越俎？但以老夫衰朽残年，且不畏锋镝，亲莅戎行，将士见之，恐夺其功，则士气百倍矣。"三将然之。翌日昧爽，唐都监紧守大寨，副将蛮子呀班、总统葛颙皆披执整齐，簇拥留梦炎而出。

宋营韩太尉有子，名飞琼，年方弱冠，骁勇善战，亦白袍银铠，持戟跃马，随于父后。

韩太尉一见元军门旗下，有庞眉皓首、须髯若雪，跨青骢马轩然而来者，乃即马上欠身问之。答曰："老夫行军司马留梦炎也。"太尉猛省。急问曰："老先生乃端拱间状元宰相之留梦炎乎？抑别为一人乎？"留梦炎正色曰："梦炎即老夫一人，恶得有二？"太尉冷笑曰："然则老先生乃故宋旧臣也，今宋元交兵，两军对垒，乃锋镝死亡所在，老先生身临不测之地，意欲何为？"留梦炎不觉面赤神沮，恼羞成怒，忿然曰："宋室气数已尽。厓山一战，靡有孑遗，汝等假托宋氏，妄言恢复，鼠窃狗盗，皆中山狂人之党，若稍知时务，趁此时面缚请降，或保首领。不然，则微躯三尺，将付于京观之颠矣。"韩靖夏听华。微微而笑，扬言曰："宋、元两军将士，且肃听一言：'留梦炎在故宋，以状元及第，身为宰相，奇荣殊遇，不可谓不至矣！谚云：烈女不事二夫。而女子稍有志节者，尚能不惜一死，为天地留正气，为人伦扶纲常，乃堂堂天子门生，巍巍国家元老，而顾反颜事仇，不复知人间有羞耻事？谓为跖犬吠尧，则跖之犬虽吠非其人，而尚能为主。留梦炎乃瘈狗狂噬，反伤其豢养之人。尚于两军阵前，谓我等为假托赵宋，鼠窃狗盗乎？又其甚者留梦炎上欺幼主，则观望误国，下党奸相，则阿附取容，进不能背城借一，免君于怀愍之羞；退不能伏剑饮铓，尽节作祖宗之气。偷生以逃德祐，畏死而降蒙古。天地所不载，鬼神所不容，人类所不齿。便当囚首蛮部，餂彼余沥，何面目见我大宋龙兴之人物乎？皓首匹夫，卖国老贼，是皆大宋一十八主有灵，天夺之魄。故令汝今日自来送死。'"遂厉声大呼曰："众将速拿老贼，碎尸万段。"韩飞琼应声而出。留梦炎听毕，气填胸臆，一声长叹，两足直挺，眼昏头眩，翻身坠于马下，登时遂死。元军数员健将忙负人营去。蛮子呀班急拍马杀出，敌住飞琼。

韩太尉麾动大军，混战一会，飞琼拨马便走，宋师遂退。蛮子呀班、葛颤二将，初闻韩太尉骂留梦炎之言，亦气馁，无心交锋，细见宋师少退，急放人马，从后追杀。宋师仓皇不敢入营，望寨后奔走。元兵抢入营中，忽号炮一声，左石雄，右王辽，两支伏兵杀出，韩飞琼亦引大军，翻身杀回。三路人马围定，元军大败；总统葛颤被韩飞琼一戟，刺于马下。副将蛮子呀班心胆俱裂，保护人马，夺路而走。宋师从后奋勇攻击。都监唐玲不敢停留，拔寨而走。宋师追至三十里，蛮子呀班曰："任汝追袭，若至瓯城，有所恃而不恐矣。"元军前哨回报，已近瓯城。蛮子呀班心始放下。行不数里，忽见山颠高阜处，有宋字红旗招展；山下左侧，即有一声鼓响，张昌一军杀出。蛮子呀班忙纵马迎敌；山下右侧又一声鼓响，朱昶一军突至，唐玲即舞刀交还。宋师皆生力人马，以一击十，元兵困乏，焉能抵敌？张昌、朱昶截杀一阵，夺得衣甲器械，骆驼马匹，糗粮等类无数。蛮子呀班、唐玲不敢恋战，杀开血路遂走，宋将亦不穷追。蛮子呀班败走即远，见宋师已退，乃安定魂魄，按辔徐行。谓众将士曰："今脱离虎口矣！"约定人马，行进渔梁。为梅岭、凤岭两山相连，中通一径处。行近渔梁，忽鼓角齐鸣，旌旗缤纷，一彪人马列开。当头一将，大呼曰："宇文广在此，等候多时。"元军将士至此，面面相觑，都监唐玲忿然曰："宋将宁有三头六臂耶？"挥刀而出，与宇文广交锋，不三合，宇文广大喝一声，将唐玲刺死马下。

宇文广弃了唐玲，直奔蛮子呀班。蛮子呀班舍命相敌，宇文广抖擞精神，力战数合，卖个破绽，将蛮子呀班生擒马上，拔剑在手，拟欲割头，蛮子呀班一时魂魄俱无，声声愿降。宇文广知是无用之物，遂掷之于地，厉声曰："宇文将军饶汝一死，今后若更来侵犯，拿住时，身首异处。"蛮子呀班得命，即拜伏于地曰："元主即将某凌迟处死，某亦不复来侵宋矣！"叩谢而起，带领残兵，抱头鼠窜而去。宇文广率兵始归。

第七十回　关将军招降吕大成

建宁路总管武康侯赫连颀，奉旨伐宋。而宋将韩靖夏，一味持重，以老其师。赫连颀欲战不得，遂自引一军，从新城小径，竟袭杉关；一面令人由间道走报江右，令袭抚州、吉安等处。谁知建昌府节度使韩侯搏虎，乃韩太尉之侄。闻宋元交兵，不时哨探。又闻赫连颀引兵偷袭杉关，须出新城小径。韩节度急选精兵一千，埋伏揭阳道，自引一军，出飞岭邀之。赫连颀不意此间又遇宋师，知其谋已泄，健卒又飞报军司马留梦炎已死，元军败回建宁，仰天叹曰："功不成矣！"率兵欲退。只见韩节度大军掩至，元军当者立毙。赫连颀怒曰："宋人欺吾不能战也！"挥鞭跃马，直取韩搏虎。韩搏虎舞刀交还，二将棋逢敌手，大战三十余合，赫连颀精神倍增，毕竟宋师从上压下，元兵不敌，赫连颀抑止不住，大队遂溃。韩节度追至揭阳道口，一声呼哨，伏兵四起，元军大败。赫连颀毕竟能军，约束将士，虽败犹能成行，惟伤裨将十余员。赫连颀独当后殿，且战且走，保卫残兵，徐徐而退。韩节度亦鸣金收军，奏凯而归。赫连颀总管，回至建宁，查点士卒，损兵数千；死骁将十余员，裨将数十人；副将蛮子呀班，被擒复释；军司马留梦炎，被宋人辱骂而死。赫连颀总管上表自劾。元主优诏答之。赫连颀总管愤极，呕血数升，卧病月余而死。从此，建宁路将领无人，武备不复修矣。

韩太尉自此一战，大获全胜。又至郎官原，觅得杨孝伯尸首葬之。传集各路人马，唱凯而归。奏闻宋主，从此元军不敢南向牧马，杉关威名永著。一日诏下：韩太尉进爵为侯；宇文广升总领卫大将军；张昌、石雄、王辽、朱昶升骠骑将军；杨孝伯追封为侯，子孙荫袭本职。劳赏三军。建昌韩节度战败元军，赉诏褒美，将士俱赍赏有差。时江西平章，乃中书右丞孛罗帖木儿，一得赫连总管之报，即檄临江府；都指挥使吕大成，兵伐吉安。吕大成得令，引兵三千径过万安县，屯金船岭。韩节度闻之，檄南安守将、总领卫大将军拓跋琳，领本部人马抵敌。拓跋琳遂移师万安县驻扎。

时万安西村有阴生者，名子宸，家贫甚，剌馆谷以为生，岁暮无投聘者。除夕，妻孥相对，忽有剥啄声，启门视之，则两苍头，共一老仆。云是上高县巨室某延师，致金为聘。车马相迎，束脩二百两，阴生大喜过望，期以灯夕后，苍头等仓卒别去，竟不言姓氏，阴生亦未及问，既而念其家郑重乃尔，主人不通姓名，且素无先容，何以致此？疑是误投。妻强解之曰："必村落暴富，不识字人耳。"生亦信之。灯夕，果有车马，及前日老仆苍头，欣然而至。阴生迎问曰："仆素昧生平，谬辱聘召，昨岁暮仓卒，未敢致问。华门贵胄，愿示其详。"老仆惟言姓党，且曰："先生勿问，第至其家，便能知之。"阴生再欲问时，则已驾车催行矣。暗思延师教子，容有他意，欣然别妻，登车而去。山程水驿，曲折都非熟径，凡五昼夜。老仆曰："近之矣。"生视其径，多逶迤屈曲，绝无人家。不一会，忽峭壁当前，老树缠藤，上参云汉，仅有欹斜小径，仆与苍头等扶掖而登，既逾其颠，则细草平坡，野花当路，又似别一境界，行一二里，遥望甲第巍峨。老仆指曰："此即主人宅也。”到门，见堂宇焕赫，如王侯家。下车，历门十数重，不见主人晋接。至一庭坐定，苍头数十人，环立两行，生踊踖不自安。少顷，老仆复出曰：“主人偶事他出，未及倒屣，改日请见。”生唯唯。老仆遂引阴生，复过厅事五六所，至一处，有花木亭池，精舍一区。老仆曰：“此书室也。”给使小苍头数人，床器帷帐，及生之被服巾履，靡不璀璨，生骇异如梦。老仆引弟子出拜，瑶环绣服，俨贵介子弟，年近十五六，执礼甚恭。既而苍头报席设醉白堂，弟子即请生复至一堂，珍错罗列，目所未睹。生首坐，弟子相陪，甫登席，隐隐闻乐声作，不知其处；酒一行辄有童子，碧衣珠袜，按拍向席而歌，悉生平所未曾听者。童子以十二人为队，歌一阕即更，凡歌二十余阕，生起谢。弟子令罢酒。即撤席间金杯碗数事赠生，命老仆送生，仍入书室。弟子次日受业，时发问，性甚慧。弟子日诵千言，过目便了。但搜古人辞，绝不事应制文艺策略，乃告生曰：“弟子无意功名，但得识数行书，稍习世事足矣。”自春徂夏，群书该洽，前后赠生已数百金，言归，辄不许，生亦安之，居无何。渐及岁暮，苍头告生曰：“主人今日，满载而归矣。”中堂即大设华筵，请生观剧。生至中堂，始与主人识面。盖冠雉冠，服甲服，腰横宝剑，上嵌七星，四座宾客，皆豪雄伟岸，戎服登筵。生心惊股栗，举止失措，不敢发一辞。主人豪饮剧谈，笑谓生曰：“先生勿惊，仆等江湖豪侠士也。因仆等嗜杀，罔顾仁义，特令小儿受业，得以稍知大体。今承不弃，嘉惠后学，沾被靡暨，特治卮酒，聊以谈心。不日，当送先生归里。”

生闻言踊踖，席间闻众客举觞交庆，意似得邓通铜山，郭况金穴也者。席终，生归书室，终夜不寝。翌日，主人具彩缎数十端，黄金二十挺，命弟子党生，再拜而谢，主人亦拜谢。仍命老仆送生，星夜归里。既归，生以语之妻，犹未信。启箧视之，则珍瑰灿然，其妻大喜。

越日，生与妇正庆幸间，忽弟子党生，踉跄而至。生惊，问之，党生拜伏于地，泣告曰：“吾父专一，聚众行劫。前日归家，得豫章饷银八千两。平章闻之，即敕吕指挥督兵剿捕。吾父得信，知必不免，急命弟子，速奔先生处逃避，或可漏网一子，乞先生怜之。”阴生用手扶起，急问曰：“然则汝父母将作何计？”党生掩面哭曰：“譬诸弟子，在此间闲话时，即吾全家就缚时也。”阴生闻之，亦涕泗横流，泣不可止。其妻劝之曰：“伊父劫掠为生，是渠恶报，何哭之为？”生答曰：“非也！伊父本非读书人，待师忠且敬如此，其慷慨挥霍，有出于寻常万万者，吾特为此一念而悲耳。”其妻又曰：“吾家得此脩甫，仅免饥寒，弟子逃死而至，吾家甚贫，何以容之？”生未及答，党生闻之，即出橐中马蹄金，约数十锭，双手献之，其妻一见，忙谓生曰：“汝急须设法，救护弟子，以全师生。”阴生见其妻得金而喜，乃叹曰：“此闺阁本相，而亦近世冷暖之常情也！”又谓党生曰：“吾与汝犹骨肉也，汝父虽不肖，汝则何辜？吾即贫如刺骨，亦必汝容也，况得汝束脩，又有汝橐金，即于吾家终身焉可矣，且吉安乃系宋地，大元之兵，决不敢越境而捕。”党生拜谢，至是而阴生之家以富。

且说元指挥使吕大成屯兵金船岭，与宋师连战皆捷。宋将拓跋琳甚忿，整饬人马，欲决死战。而元军饷银，运至中途，忽被盗劫，平章切责本郡长吏、讯官等。吕指挥立拨旗校数百人，尽捕其党杀之，夺转饷银。业已耗失过半，而营中粮运不继，士卒多出怨言。宋将拓跋琳逐日讨战。吕指挥惟令坚守。相持月余,未交一战。平章孛罗帖木儿欲劾奏之,吕指挥不得已,率兵与拓跋琳大战于五云洲边。不一会,拓跋琳又力怯败走。吕指挥素闻万安县积储甚富,遂袭其城,移兵人焉。至夜半,忽宋师大至,拓跋琳督兵围定,四面攻打,而吕指挥欲就粮城中。谁知内系空城,业已中计。几次欲奋勇冲突,溃围出走,而士卒多病,又闻平章孛罗帖木儿,欲将指挥家口系狱,械至峡江都督岭,被强人劫去。吕指挥心如芒刺,十分焦急。逐日登城,望见宋师,人人精锐。自思"兵弱粮尽,如何抵敌?"指挥抑郁无聊。忽报宋军,又添一支生力军马,来助攻城,大将乃龙武大将军武陵侯关普灵也。吕指挥益知难敌,元兵大困。城中数日无粮,守陴皆哭。忽小校在城上,拾得一书,献与指挥吕大成。吕拆而观之,其略曰:

某与将军同里,忆昔蒲州共事笔砚时,迄今思之,景依依其如昨也。前在台州,亦偶相遇。但邂逅间不及款曲,想同学之情,仍然同心也。今将军奉檄侵宋,出师三月,毫无寸功,进不能破敌兵;退不能免劾奏。以有用之才,付无用之朝,危哉!此时,祸不旋踵矣。家口业已入宋,代为安置,弃暗投明,岂无意乎?如必胶柱,欲守不二之节,则南雄镇罗浮山诸战,将军所深知也。欲战则出,不出则降。

大宋重康四年,二月□日,河东契弟关某再拜。

吕指挥得书,再三观之,自知不敌,遂开门出降关普灵。拓跋琳大喜。吕大成急问家口一事,何以便能入宋,关普灵笑曰:"此皆弟念同学之谊,特令裨将等略施小计,至临江赚之。今已在武都矣。"吕大成称谢不置,关普灵率兵,同吕大成入朝。拓跋琳仍去镇守南安,吕大成既见宋帝,关普灵荐为卫将军,守惠州。

第七十一回　宝林寺韩昭毁佛

韶州府城东南五十里，有溪曰曹溪，溪上有寺曰宝林，乃唐高僧卢慧能道场也。慧能即六祖，新州人，唐贞观戊戌年生，有夙慧，三岁时，闻诵金刚般若经，即能寻师，二十四岁，传五祖衣钵，三十九岁祝发，七十六岁而卒。唐高宗时慧能初至池州，五祖宏忍大师以钵盂锡杖及所传袈裟，谓五百众僧曰："谁作无像偈，即传衣钵。"首座一僧，名神秀，即题曰：

身似菩提树，心如明镜台。
时时勤拂拭，莫遣有尘埃。

慧能见之，乃曰："佛宗本是空，如此仍有像矣。"即改题曰：

菩提本无树，明镜亦非台。
本来无一物，何用拂尘埃？

五祖宏忍曰："此全悟道，脱然无像，可传衣钵矣。"即以法宝授之。当时池州太守，问五祖曰："会中五百僧不付衣钵，何独付于卢行者？"五祖曰："虽有五百人，四百九十九人会佛法，惟卢行者不会佛法，独悟道，方传得衣钵。"太守深然之。慧能受法，遂为六祖。后再至广州法性寺，继至韶州曹溪宝林寺，末归新州国恩寺。以开元三年八月十三日殁。三州官吏，于中途争迎六祖真身，不能决，乃祝曰："焚香所指处，师即归焉。"香指曹溪，因迁龛并衣钵，建塔存之，而白光冲天，五日不绝。五代时，僭王刘𬬮，迎衣钵至广州，夫人偶触坠地，不能修补，因舍田数千顷赎罪。及黄巢之乱，兵犯曹溪，云雾昼晦，军人失道，咸致恭乞哀而去。其肉身传至宋末，香薰如漆，以手摩须发如剃，其衣一袭，乃达摩所传西域屈眴布，缉花心织成者，一袭乃唐元宗所赐，织成淡山水者。一西天钵，并非铜铁木石；一西天履，更非革非木，不知何物也；贝叶经十七叶，字如刀削。至元丙子，元将张宏范师犯广南，下韶州，兵屯曹溪，军士至寺中，咸用刀刲胁，以验真伪，遂折其指，元兵大惊，咸叩头乞命，相戒以为祸不旋踵。师去后，韶州等处，士女尊礼备至，广南一带乡绅士大夫，燃香礼拜，奔趋若恐不及。加以元主尊礼西僧，崇尚释教。韶州人士，居然以为牟尼再世。曹溪一寺，即兜率陀天矣。

时乐昌县有萧生含瑜，偶过曹溪，游寺中，观玩法相一会，至客堂坐定，问长老曰："闻昔年六祖禅师，与智光禅师，传法分戒于仪凤山菩提树下，其所演说，惟依般若三昧，令学者顿悟菩提，长老能道其详否？"长老不能答，遂留萧生在寺，盘桓数日，萧生与长老，两情相得，日见辇钱帛布施入寺者，络绎不已。萧生暗思此寺，有田二万余顷，犹且日日敛钱，将来不几富可敌国耶？以长老待生甚厚，未便究诘其支用何处，而寺中亭台池沼，净室精舍，罔不闳肆华美，奇花异草，珍木怪石，处处令人赏心不置。内有一亭曰“卓锡亭”，亭前有泉曰“试甘泉”，盖取东坡又试曹溪一勺甘之意。结构精妙，复道幽窈，花木最胜，盖非其人，不得至也。萧生逐日与长老接谈后，必至亭前消遣一会，私念不意昔人所咏“曲径通幽处，禅房花木深”却在此间也。一日，长老出寺未归，萧生独步亭前。见蔷薇花含苞吐艳，芬芳袭人。

正在花架下，流连未已，忽亭子后，远远若闻丝竹之音，萧生异之。由阁道左行，连过曲廊回榭数处，有一短墙，其音若自墙内出者。萧生乃扳墙而望，见复室中男女交错，管弦咿哑，杯盘狼藉。首座者，即寺中老僧，左右环立。及侍坐者，无非寺中年少沙弥，俱各倚红偎绿，调笑取乐。长老更拥抱妖姬艳女，轻吹细弹，酣歌畅饮，谑言嫚语，无所不至。萧含瑜一见，心头火起，正欲发作，忽转念曰：“投鼠忌器。吾已入网罗中矣。”悄步而出，仍归卓锡亭前，玩花一会，始至客堂，则长老仍从方丈而出，接谈后，便欲辞去。长老再三不许，萧生勉强住至次日，见长老礼意十分勤恳，心中不忍，乃以言挑之曰：“释门动称五戒，殊不尽然。”长老曰：“沙门戒律甚严，先生或者于五戒之外，更有所见乎？”萧生曰：“非也！释子不必定守戒律，而亦有证果成佛作祖者。”长老忽色变，徐曰：“岂有此理！”萧生曰：“不见西湖道济，酒肉不离于口；姚秦鸠摩罗什，尚能御妇人，一交而生二子乎？”长老一闻此语，打着心病，满面发赤，情知破绽，必为所窥，遂勃然大怒曰：“庄严佛地，何物狂生，敢如此谤言？”一声拿下，只见沙弥十余人，奔至客堂，将萧生拥至后面殿角下，不由分说，绑缚起来，萧含瑜有口难辩，追悔无及，任你乞命，置之不理。少时，长老至前，数之曰：“吾念孱弱书生，故推诚待汝，乃敢訾吾短，将谓吾戒刀不利，不能取汝首耶？”萧含瑜自知难免，乃泣请曰：“念数日盘桓，交浅言深，命死不敢辞，乞付全尸。”众沙弥不许，恶狠狠即提刀就剁，萧含瑜已魂不附体。长老上前止住，沉吟一会，乃曰：“负石沉江。”长老自去，萧含瑜眼睁睁看着众沙弥，又加一石，缚定两臂，用两人扛至曹溪上流，投于洪波巨浪中，两沙弥方始归去。

谁知萧含瑜未合身亡，自入水中，即得奔流急湍，冲突一会，绳松石脱，人便载沉载浮，飘流水面，即大声呼救，偶遇渔舟捞起，始得上岸。改换衣服，拜谢渔人，问明此地乃属湘江，已至韶州府城东矣。急奔至曲江城中，走诉县令，县令以无所证验，斥之不理。萧含瑜气填胸臆，无可发泄，抢地呼冤，再控韶州府，府尹梁伯鸾，暗思“宝林寺乃历代名胜，岂容有此奸僧？”立拘集僧众，并委员弁，搜捕寺中，果于复室内，得妇女一百十八名。梁府尹大怒，切责县令不理，犹朔望日在寺中，进香不已。县令惶恐谢罪，请案鞫问，梁府尹许之。县令回署，将众僧用重刑拷打，一一供出：妇女俱系布施入寺，有慕清净，自愿带发修行者；有慕富足者；有恋年少沙弥，不忍归去者。众僧尚未供毕，县令已怒发冲冠，咬牙切齿，令将长老搒起，其余以烙铁火煅烙之，一时叫苦连天。始将妇女一一鞫问，内有一妇，颇具风格，县令好生面善，尚未问及，妇自陈乃东莞人，姓沈名瑶枝，即县令昔年所买侍妾，于中途逃去者也。县令满面发赤，双目直瞪，挥手令速杖毙，余者断令归家，须本夫家主亲身来领。凡来领妇者，无不笞责之。萧含瑜冤始白，赏银二百两，令归乐昌，勉以奋志下帷。

后萧含瑜成名，刺桂阳州，当时县令鞫清此案，申详府尹，梁府尹分别首从，如法处决，又将寺中田产，留五十亩，另行招僧焚修，余尽入官，可安抚穷民数百户，立时奏闻宋主。旨下俞允。

正值刑部尚书韩昭由翔龙府按部至韶，赞羡梁府尹此举利国裕民，甚惬人意。梁府尹遂会同韩尚书，将寺田逐一履勘，深叹“二万余顷沃壤，从前徒为藏奸养蠹之用”，勘毕，又至寺中，韩尚书一见招提兰若，僭拟宫殿，立命人拆毁其三分之二，惟湘山殿乃宝林祖祠，不在拆毁之数，又将六祖肉身、衣钵等类，举火焚之。一时烟焰并作，空中若有人语曰：“深谢韩大人，数百年明镜无光，今始得清净化身矣！”顷刻间，异香扑鼻，梵音盈耳，隐隐向西而去。

第七十二回　摩天岭三将陨命

宋骠骑将军焦芳被围七星岩，自刎，所部军士饿死者过半，其余逃下者，俱为元兵所杀，全队陷没。都押牙斛律亢宗大军，被元将樊飞豹、飞彪弟兄之兵扼险阻定，二樊将焦芳诱入峪口。焦如鱼游釜中，坐以待毙，闻宋将已死，遂奋勇冲杀而来。斛律统制恐横州有失，急引兵退入横州，始知焦芳全军被陷，斛律统制痛悼不已，令人飞报长沙。

元将樊飞豹、飞彪仍来攻城。斛律统制大怒曰："羯奴损我二将，誓必擒之。"副将屈突申献策曰："敌将以弃城赚我损兵折将，我亦以此计赚之。统制与众将出城诱敌，某伏一军于华清楼上，俟敌将夺城而入，某在楼上，用千斤闸下之，敌将纵不死，也九分无气，则焦、傅二将军之仇可报矣。"斛律统制然之。

樊飞豹引兵攻城，洪时锦一军出城敌住，不数合败走。飞豹方欲追赶，吴广一军东出接应。飞彪纵马抵住。飞豹恐飞彪战吴广不下，跨马夹攻，吴广败走。二樊急追，王彦、廖云两军又至。樊飞彪一见廖云，指曰："败将复来送死耶?"廖云大怒，四将战无几时，斛律亢宗引大军一涌突至，二樊奋勇抵敌。混战一会，王、廖二将又拍马落荒而走。樊飞豹大呼曰："众军不趁此时夺城，横州几时恢复?"斛律统制故作惊慌之状。樊飞彪急引一军，跃马先人，刚至门下，忽敌楼上踶蹋一声，屈突申将千斤闸放下。梆子响时，乱箭如雨。樊飞彪连人带马，压死于华清楼下，军士被乱箭射死者无数。樊飞豹眼快，急退幸免，亦中数箭。刚得出城，斛律统制合四将之兵，一齐杀回。紧紧围定元师，口中声声只叫："休走了樊飞豹。"飞豹毕竟英勇，奋力冲杀，溃围出走，保定败残人马，身带重伤而去。斛律统制始鸣金收军，入城抚定居民，见此次虽得一州，而损兵无数，死大将二员，得不偿失。遂重整人马，正欲进兵攻打南陵，忽寇节度又拨牛竑、张燕二将，引兵三千，前来助战。斛律统制接入甚喜，置酒款待。次日一同进兵，直抵铜柱江下寨。铜柱者，汉伏波将军马援征蛮时标铜立柱也。唐时马绚为安南都护，亦建二铜柱于故处。又五代时，晋马希范平蛮，亦建铜柱。二公皆以为伏波之裔，故今左右江各有其一。至钦州蛮界铜柱上，刻云："铜柱折，交人灭。"故至今交人往来，必累碎石于下。

且说斛律统制兵至铜柱江，早有元军中四总管曹豹、王淮、周鸠、范琼四将引兵迎敌，牛竑、张燕挺枪掉斧，纵马交锋，鏖战不已。斛律统制急令屈突申、洪时锦二将，引一支生力兵，由西北角杀出，横冲其军，首尾截作两段，而元兵经蒯参政练后，颇有纪律，四总管虽溃，未能大创，各鸣金收军。蒯参政见偏将军樊飞豹败回，横州已失，又闻宋师大至，怒责飞豹，黜罢先锋之职，令守南宁，自引大军，亲来督战。斛律统制遂大振军容，一面迎敌；一面命牛竑、张燕领轻骑暗袭南宁。越日，元军中曹豹、王淮、周鸠、范琼，宋军中王彦、廖云、吴广、洪时锦，大战于铜柱江上。蒯参政援桴击鼓，两军殊死战斗。不一会，宋师少却。蒯参政麾动大将旗，正欲掩杀，忽报偏将军樊飞豹逃至，着惊不小，急令后军改作前队，回兵徐退，且救南宁。宋军望见元兵队伍忽乱，情知南宁有失，一齐攻杀，元军大败。四总管、两副将忙保参政，奔至在城下。忽宋将牛竑引军突出，截杀一阵，早有王淮中箭落马。蒯参政遂不敢入南宁，急望上思州而走。斛律统制见既得南宁，亦不追赶，屯兵城外，自率一军入城安民，命廖云镇守。三日后，即统诸将，进打思州。元偏将军樊飞豹兵阻凤凰山，纵马迎敌，屈突申一见樊飞豹，咬牙切齿，大骂："射不死的酋奴。"樊飞豹更怒目圆睁，声言为弟复仇，挥刀便砍。屈突申亦捉矛就刺，二将恶战三十余合，吴广在门旗下，觑定分明，暗发一矢，正中樊飞豹额角，血流被面。樊飞豹负痛，刀法便乱，被屈突申一矛刺死。宋师奋勇，大杀一阵，元兵尸积如山，余兵逃去。

蒯参政暗惊宋师利害，再令人调柳州都总管索虎通，庆远副将吴贯三两军，速来助战，宋师既离思州不远，即命朱光斗、羊雷迎敌，二将连战皆败。蒯参政纳闷营中，相持数日未决，遂引裨将数人，出营暗窥宋师动静，观玩一会，回营谓众将曰："宋师虽锐，吾有以破之矣。"众问其故，参政曰："行军下营，自有法度，按八宫阴阳数置之。营居阳卦之上，则以九为法。阴卦之上，以六为法；营门向阳，以受阴气，不饮死水，不处死地，不居地柱，不居地狱，不居天龟龙首。大将军宜居九天之上，如随六甲所居，则将军居青龙，旗鼓居蓬星；士卒居明堂，伏兵居太阴；军门居天门，小将居地户；斩杀居天狱，军粮居天牢；治罪居天庭；军器居华盖，所谓行军营居天地也。又宜具四兽，列八卦之表，测影以定子午之位，如南有汙池为朱雀；北有阜堆为元武；东有丛林为青龙；西有大道为白虎。若夫朱雀无顶，元武折足，青龙悲哭，白虎无衔刀，皆不可居也，强居之者，军覆皆死。宋军下营处，正是龙首，亦为地柱，是死地也。用重军围之，绝其外援，其军必困，困而击之，其破必矣。"遂调度诸将，准备破敌。

先是宋营中斛律统制，见元兵累日不出，遂移营逼之。牛竑进曰："此间有山崔嵬，可瞰元军虚实，屯兵其上，元军若至，可以下压，元军其能当乎？"斛律统制曰："不可！地太孤高，恐系绝地，防敌人断樵汲也。"张燕笑曰："孙子不云'置之死地而后生，置之亡地而后存'乎？而况行军下营，贵阳而贱阴：好高而恶下？既得地势，敌兵早屈于下风矣。"斛律统制终不以为然，屈突申曰："依末将主见，吾军分屯两处，一军屯山头，一军屯平地，两为接应，犄角相援，始为周密。"斛律统制从之，即分兵五千，令牛竑、张燕、屈突申三将屯于山椒，乘高以瞰元军为奇兵。自统大队，与元军相敌。元军若至，则疾走其营，拔元帜，立宋帜，焚其辎重，前后夹攻之，元将可擒矣。三将领兵，大喜而去。移营数日，元兵仍然不出。斛律统制令王彦挑之，元军分毫不动。斛律统制大疑，四下哨探，并无埋伏。斛律暗思"元人征调柳州、庆远二军助战，或待二军至始战耳？"忽一夕，元军大至，鼓噪聒耳。统制恐元军突营，令坚守鹿角，勿动，至天明俟元军疲倦击之。谁知次日，宋营前后左右，遍是元军，重重叠叠，似有百万之势。宋兵见之，多有惧色。统制只得下令，众将分头杀出抵敌。元军忽散忽合，愈杀愈众，不知有多少人马。吴广、王彦、洪时锦等力不能支，宋师大溃。斛律统制亦阻遏不住，弃营而走，死者无数。蒯参政下令，追击攻杀。斛律统制殿后，且战且走，将至南宁界口，却得廖云一支生力兵至，元师始退。却不见牛竑、张燕、屈突申三将之兵来援。统制疑惑不定，令人急探。谁知三将之营，已被羊雷、朱光斗攻破。

三将协力,战退羊雷、朱光斗,正欲下山赴援,而元将曹豹、范琼、周鸠所统皆是铁骑,遏定去路,三将几次引军冲突,俱如铜墙铁壁,坚不可撼,且弩石如雨,人不可近。三将无可如何,仍旧杀回,直夺营寨。羊雷、朱光斗二将轮流交战,直诱宋师至摩天岭上,此岭上与天齐,四山环绕,绵亘数百里。最为险恶,岭下岩壑深广,峻绝孤悬,为僮瑶出入门户。瘴气最重。宋军士中毒者辄毙。三将心中惶惑,恐效焦芳故事。令军士探路,则四山皆可下,而不知路向何往。且士卒中恶死者累累,张燕十分着急。自往探之,见衰延千里,崎岖巉崖,怪禽异兽啼嗥动人,愁云惨雾,晦明难分。张燕探毕回归,亦中瘴疠,口不能言,呕吐不已。牛竑、屈突申无策可展,忍饥不敢饮食。元将朱光斗、羊雷、曹豹、范琼、周鸠等围至二十余日,各引轻骑,杀上岭来。三将勉战一会,复受重伤,俱力尽而死,全军覆于岭上。元将奏凯而归。

第七十三回　苏县令巧决疑讼

漳州龙溪苏令，名会昌，新田人，吏才明敏，县无疑狱，发奸擿伏，素有循声。龙溪负山滨海，水陆交冲，又首隶漳州，事甚繁琐。苏令应上接下，事事皆理，真是虚堂悬镜，案牍澄清。

一日判一案，乃贡珠门恶奴控主。有庞生者，世家子，广置姬妾，蓄俊仆，不数年，以瘵病卒。其妻尹氏孀居，有仆名桑紫者，性最黠，与主妇通。时庞生一子，年未及冠，亦甚聪慧。桑紫与尹氏情好甚密，而碍其子，遂唆尹氏，以忤逆控之。苏令质讯，系桑紫抱呈，一同鞫问。尹氏一口咬定"逆子不孝，叔舅概置不理，无所约束，故控。"苏令立唤叔、舅问之，皆言不知，苏令兼得其实，唤桑紫问曰："有子不孝，叔舅两党，概言不知，而子何独妄控？"桑紫叩首曰："小人蒙先，主人豢养之恩，日望小主成立，克保家室，奈日事淫博，狎昵邪僻，主母束之，反加抵触。及赴愬两党，置若罔闻，主母日夜涕泣，无所为计，不得已，故出名抱诉。"苏令微笑曰："是大难事，任劳任怨，可谓忠心为主。"桑紫叩首又曰："小人素以义气自许，凡主人之事，虽赴汤蹈火，在所不辞。"苏令益嘉赏之曰："义仆。"桑紫深谢，叩头不已。苏令随唤其子问之，则年仅十五六，恂恂书生，讯逆母之故，无言可答，但流涕而已。苏令佯怒曰："忤逆不孝，律有明条，汝死期至矣！"立飞签下。其子恸哭不已，叔舅皆极力哀免请恕，而桑紫与尹氏，微有喜色。苏令乃回顾桑紫笑曰："尔小主稚年，不任挞楚，尔乃义仆，虽赴汤蹈火，皆无难事，曷代之？"即喝隶胥，曳翻桑紫欲杖，且曰："此杖不孝者，不可轻也，重责四十。"苏令又唤其叔曰："伊父与汝，乃手足也，而不代为约束其侄，汝应受杖。"其叔五体投地，乞免。苏令沉吟一会，曰："有任怨任劳者在，汝毋虑也。"又曳桑紫，重责四十。继又杖其舅曰："伊母与汝骨肉，而不代为纲纪家政，成就外甥，竟袖手旁观，是何道理？亦应受杖。"其舅苍颜白发，叩首不已。苏令微笑曰："此事自有义仆任劳任怨，皆所不辞也。"命将桑紫曳翻再杖。桑紫已血肉交飞，大哭求免。苏令大笑曰："义仆之称，甚难得也。"竟杖之。复命舁重枷至，判曰："枷号义仆一名桑紫，俟逆子改过日释放。"桑紫杖伤已重，旬日竟死。当下苏令面谕尹氏曰："母子之恩，天性也。今后慎勿妄听人言，滋生事端。"尹氏已汗流浃背，惶恐谢罪，领其子而去。

又有钱贡士负债一案。告者凡十人，以贡士曾作一会，共收银四百两，贡士负心，竟不垫还，现有文簿可执。贡士则以平地生波，文簿皆伪等语赴诉。苏令心生一计，先唤钱贡士，问以得会不偿，是何心意，钱贡士极力分辨，苏令不理。即于十人内，首唤一人，入内署，敛容问曰："大凡作会者，必治小酌。钱某集会初，亦曾备酒邀汝等否？"其人曰："然。"又问以何日，其人曰："系某月某日。"又问以作何酒筵，备何蔬菜，宾客几许，桌席几许，凡琐碎之事，无不备问，问毕，令在一旁。又唤一人，入而问之，仍以酒肴杯碗匕箸诸碎事，问之，其人亦随口含糊应答。苏令问罢，随笔记之，令在一旁。又唤一人，俱如此问，凡问十人，各相矛盾。苏令抚掌大笑曰："钱某以一会故，一日之间，汝十人乃领受十样酒肴也耶？"十人俯伏在地，不敢仰视，用刑一吓，无不吐实。苏令责之曰："捏诬诈磕，律有常刑，十人俱各如法。"钱贡士拜谢而出，闻者无不称羡。

一日，升堂放衙甫毕，一秀才公服昂然而入，直禀曰："一等生员告状。"苏令徐答曰："二甲进士不准。"秀才大惭而退。两旁胥役，掩口而笑。

一日，有平和县士子十余人，由武都下第归，道经龙溪，宿邸中，遇小偷，失钱三缗，与逆旅主人，口角忿争，遂控之，谓主人窃去伊等资斧，共十二缗，衣服货物，不在此数，哄集公堂。苏令唤逆旅主人至，随与质讯，苏令见士子一行十二人，外脚夫二人，俱在堂下，心中业有分寸，即唤逆旅主人，大加呵斥。主人力言："银钱有无，概未交柜，货物失否，殊难凭信，小人断不任咎。"众士子一齐纷纷攘攘，哓渎不已。苏令正色约住，随唤一二年长者，问以何年游泮，何年食气，今科武都典试者何人，策问者何事，一一问遍，众士子亦未敢喧哗。其一二年长者，随禀以邸中遇盗，主人知情一事。苏令曰："此无预主人事，所失多寡，自当苏某赔还。"众士子皆喜，苏令随唤吏胥，将二脚夫所担行李，用秤量之。众士子不解何意，少顷量毕，吏胥禀曰："一重百斤，一重八十一斤整。"苏令听毕，微笑曰："此失钱三缗耳。"回顾小吏，即取钱三缗与之，内有数人，犹欲争执失数不符。苏令笑曰："此无难知也，若失至十余缗，恐汝二脚夫，将力不能胜其任矣。"众士子不敢复争，惊以为神，拜服而去。

又一案，为本邑县尉二女，同在任所，居署中，忽不见，生死未知，无可审讯，又碍于僚属官箴，颇涉疑难。正逢朔旦，因进香至武庙，祷之。是夕，苏令遂梦武圣坐殿上，大书一词付之。苏令审视，乃曰：

> 杂花间红日西坠，闷无心懒傍妆台。
> 倚阑干东君去矣，闭纱厨不见多才。

苏令方欲跪下问明，忽然惊觉，不解所谓，一连数日，迟疑未决。偶坐内廨闷闷，忽见二童子戏阶下，大怒，掷杖投之，二童子遁走，杖击不中，触门限，折为两段。苏令恍然大悟曰："是矣，乃四门字也，间字去日，一门也；闷无心，二门也；阑字去东，三门也；闭字无才，四门也。意者二女其匿在四门中乎？"既而曰："非也，吾闻县尉素有龙阳之癖，四门子最所钟爱，二女存亡，其在此四门子乎？"遂令人唤至内衙，一款而服。盖县尉二女有殊色，因窥见四门子皆美少年，偷香窃玉，两俱倾心。四门子垂涎已久，因县尉他出，门子以争风，忿毙其一。四门子惧，并二女毙之，投尸内署井中。苏令得实，令人捞起，四门子俱伏其罪。此时县尉已赧颜无地，挂冠而去。

一日，有县民吴小乙，持状控人负债不还，被控者名汪七。具呈自诉，贫窘难偿。两下质问，吴小乙力言："朝不谋夕，专望此债少延残喘。"汪七自陈："不敢负心，所欠是实，但贫至无锥，妻死未葬，现沿门托钵，何以偿还？"苏令看二人情景逼真，沉吟一会，乃曰："此债吾代汝偿还，邑内某典肆，吾存钱若干，汪七自往领取。"遂手书数字，摺而封之，不准妄开。汪七接字在手，五体投地，飞奔典肆中，与肆翁言之。肆翁惊讶，以为虚谎，汪七力言非诬。肆翁曰："此官明如镜，清如水，容有钱存典库中也？"汪七猛省手中，尚有执据，遂出手书与之。肆翁观毕，大笑曰："手书上只有四字，汝曾观之否？"汪七答言："未观。"肆翁笑以示之曰："乃'还不快走'四字也。"汪七闻言，抽身便走，其行如飞。少顷，吴小乙又至肆中，言官命来领钱债者，亦出手书，肆翁明知此案未了，不知此书又作何写，含笑接着观之。肆翁观毕，更笑不可止，仍还小乙曰："此限字也，汝去耳。"吴小乙犹以为肆翁戏言，忙定睛一看，纸上惟朱书四字曰："再限十年。"吴小乙不敢多言，怏怏而去，一时传播以为剧谈。

一日，有一民妇涕泣入诉："自称王氏，夫名卜三郎。昨远方贸易而归，不知何人截杀，夺去财物，弃尸某池中。因念三党俱无，茕独无依，求为作主。"言讫，呜呜而泣。苏令即命人捞起尸首。验毕，周身无伤，惟满口泥垢，腹胀如鼓，系淹毙者。问过邻里，俱无验白，遂赏钱数贯，令王氏自行收殓掩埋。王氏叩谢不已，哀亦顿止。苏令使人尾之出，看如何葬埋。少顷回报，王氏出衙，正行间，忽短巷中出一道士，与语多时，始去买棺。苏令立即飞签，拘道士至，问如何谋死卜三郎。道士初不肯承，吓以重刑，始言因奸谋杀其夫，与共远遁等语。乃并王氏一同拘至，论死抵罪，邻里毫无系累。苏令决狱，诸如此类甚多，不可殚述，后宗梦弼以循良奏闻，宋主即加升以为抚州太守。

第七十四回　王太常词慰幽魂

武都太常署中厅室左侧后，废轩数楹。时有鬼物作祟，无人敢入。轩前梧桐数株，连抱合围，清阴欲滴，直荫半亩。王太常用槐爱其清幽，令粪除此轩，以为书室，家人切谏不听。退朝后，花底会客，月下赏心，皆在其中。时而饮醇醪数盏，时而吹洞箫一曲，久之，安然无恙。太常笑曰："甚哉！人言之多妄也。"暑夜，每独宿轩中，心神俱爽，自以为渊明之南窗高卧，作羲皇上人，不是过也。既而，西风乍起，轩前梧叶瑟瑟有声。太常每当月上，即吹箫一曲，其音清越以长，直动林木。以后秋夜轩中，微有蠕动，继而几案陈设之物，往往有移至他所者。太常以为常，未之奇也。又渐而入卧后，即窸窣不已，或作翻书声，或作太息声，鸡鸣方止。

太常静观其异。一夕，月色晃朗，正从梧桐影里映至轩中，太常爱之，小酌吟诗一会，又引箫呜呜吹之，直至夜深方寝。伏枕后，见一红裳女子直趋案前。时残灯未灭，女子即挑灯敛容端坐，把卷翻阅，吟咏不止。太常细听之，声韵凄切，音节悲楚，若不胜幽咽者。太常披衣欲起，忽女子又释卷，执笔在手，口咏手书，顷刻即成二诗，自叹自赏，乃朗吟曰：

旧梳妆处最堪怜，叠次开轩点翠钿。
今日事非人面改，夜台空唤奈何天。

恨煞当年梦幻身，堕来苦海几多春，
行将化鹤西归去，华岳山头作女真。

太常听罢，不觉技痒，搴帏咳声而起曰："嘻，宁有如此不畏人鬼耶？"女子亦起身微笑曰："太常，宁有如此不畏鬼人耶？"太常此时也不暇款曲，也不问人鬼，走笔即和其诗曰：

泪盈红袖有谁怜？肠断三更懒整钿。
安得返魂香一炷，再生人世莫生天。

泉下谁同泡影身？莺花依旧故园春。
从知埋玉难埋恨，两首新诗自写真。

女子观毕，嘤衽而泣，敛衽谢曰："太常真解人也！妾一生埋没笔砚，今日始遇赏音。"太常问："卿生于何地？殁于何时？或饥欲食耶？寒欲衣耶？抑旅魂无依，尸骸未葬耶?”女子曰:“妾俱无所愿。妾云间人也,姓刘,名绛雪。父为此郡太守。因汝大宋兵临城下,父仰药死。妾亦在此轩前雉经而亡。妾生前极好笔墨,苦耽吟咏,故旅魂滞魄,至今犹恋恋旧游处也。今得太常阳春白雪,一和俚曲,妾从此逝矣。”太常喜曰:“卿好吟诗,真雅人哉!予行将大延禅士,普度慈航;仗杨柳枝头甘露,为卿洒遍体清凉可乎?”女子辞谢曰:“感太常高谊,悯及幽壤,但法会之设,于妾亦无所损益。妾既耽书史,虽异物亦颇能免俗,太常既怜妾,何不更为妾一续原韵?”太常惊喜欲狂,捉笔又和曰:

青草黄泥最可怜,妆台无处觅花钿。
伤心环佩空归夜,疏雨梧桐欲晓天。

仍是亭亭倩女身,夜台虚度十年春。
无尘罗袜轻归去,佳话流传悟本真。

太常和毕,以洞箫度之。箫声未已,晓鸡已喔喔三唱矣,女子乃拜谢而去。太常深以为异,自是而轩中寂然无恙,女子料不复至。

第七十五回　寇节度力战青龙岭

宋都押牙统制斛律亢宗，闻三将在摩天岭覆军殒命，放声大哭，招魂设祭，三军无不下泪。急令人告急长沙，寇节度飞奏宋主，帝亦震悼不已。枢密正使岳燕超奏曰："欲收广右，此兵未可小觑，陛下宜命大将协助长沙，以成伟功。"帝允奏，即诏保昌侯枢密副使狄定国，率蓝天蔚、种世虎、慕容长、狄勇四将，领兵一万，共取广右。狄枢密领诏点兵，征齐四将，不日起行。寇节度闻之，亦命骠骑将军任天鹏，暂摄节度府事，自引一军，统马晋臣、史良璧及骁将十余人，直望广右南宁，倍道而进，不日遂抵思州，深责统制损兵折将之罪。斛律统制见节度兵至，自请出战，命吴广引兵，伏于鸳鸯浦；廖云引兵，伏于罗丛门；洪时锦为应兵，直至思州，复来搦战。蒯参政即命副将退敌，朱光斗、羊雷出马，律统制横槊大骂，随与交锋，不三合即败。二将欺其兵少，骤马来追，不数里，号炮一响，洪时锦一军杀出。二将忙督兵敌住。不一会，洪时锦又败。二将方欲勒马，忽报，范琼、周鸠接应兵至。二将遂放心追赶，刚过鸳鸯浦，吴广一军忽起，掩杀一阵，二将又战退吴广。且曰："此兵即是埋伏，不足虑也。不趁此时恢复南宁，更待何时？"

追过罗丛门，忽后面廖云一军阻住去路，前面吴广、洪时锦一齐勒马杀回。斛律统制麾众围定，朱光斗不提防，被斛律统制一槊刺于马下，众军砍为肉泥。羊雷见此光景，情知难免，乃大呼曰："今日之战，有死无生！"遂振起精神，一支方天戟，神出鬼没，马到处万众披靡，竟冲杀而出。元兵大败，尽弃甲倒戈而走。宋师追袭之间，正遇范琼、周鸠接应兵至，放过羊雷，敌住宋师。斛律统制大怒，奋勇争先，横槊便刺，不三合，轻舒猿臂，将范琼擒于马上，掷之于地，众军缚定。周鸠已落荒而走，元军又败。羊雷、周鸠急引残兵回营，保护参政。喘息未定，宋师已至，元军众将，齐出混战。宋师勇气百倍，破竹之势，败其兵，砍其营。蒯参政自知思州难守，弃了思州，遂赴镇安。斛律统制得了思州，将所擒元将范琼械赴南宁，随告捷音，寇节度命军中斩之。又命马晋臣引一军，攻打田州；廖云引一军，下归德、上思等处；留大军驻南宁，自领轻骑，径袭思恩。各路攻击，使元人救应不暇。斛律统制闻之，亦统三将之兵，急趋镇安。蒯参政正欲命将迎敌，忽报宋主又遣保昌侯狄定国，引大兵直捣桂林府。蒯参政大惊，以兵五千，命曹豹死守镇安，自统周鸿、羊雷，星夜回桂林而去。参政既去，量曹豹能支几何？被斛律统制协众极力攻打，三日遂破镇安。曹豹降宋，守城文武无不纳降，所属各州一时皆定，命将拨兵镇守。统制又进兵太平。

时寇节度兵至思恩府。思恩守臣苗鸾、王璠、靳衡，一文二武，号为三鬼。苗鸾为太守，虐遇其民，见白镪则如生命，谓之财鬼；王璠为都尉，狂荡好淫，姬妾满屋，谓之色鬼；靳衡为团练使，终日酩酊，酒卮不离口，谓之酒鬼。寇节度兵至，苗弯居守，王璠、靳衡出战。二将平日惟贪酒色，不亲卒伍，临阵惟令士卒抵敌，殊无斗志。宋师乃是精兵，一阵截杀，如拉枯折朽，二将仓皇逃遁，皆为宋将史良璧所杀。思恩百姓，见元兵已败，一齐大呼："杀了贼官，共投宋主。"遂将苗鸾杀之，开门纳降。寇节度入城，安慰父老，出榜晓谕，令各安生业，勿得惊慌，仓库不动，穷民无靠者，皆赈恤之。思恩之民大悦。上林、迁江等闻之，皆送降表至。又闻马晋臣一军，已下田州，因攻太平，为元将所困，乞援。寇节度即令史良璧暂守思恩，自率余兵，往取太平。

按太平府所辖两县一十六州，地最辽阔，守臣乃上都路兵部左侍郎阿尔只思，左迁镇此。部下二将，一名商三辮，一名公孙冤，皆万人敌。骁将甚广，兵亦充足，马晋臣一人如何能敌？方至安平州，遂为所败，再过养利州，又败于鸡公岭，自知不敌，星夜求援。

寇节度兼程而进，正遇元将商三辮，追杀宋师甚急。寇节度大怒，列开人马，放过马晋臣，挺枪而出，与商三辮大战三十余合，不分胜败。马晋臣亦骤马夹攻，商三辮始力怯败走。寇节度不追，约兵屯住，打听阿侍郎重兵现屯罗阳县青龙岭，二将兵屯永康州白虎山。寇节度曰："先破二将，阿尔只思胆落矣！"斛律亢宗已下镇安，亦引大军来太平助战。寇节度甚喜。越日，自统一军，直犯白虎山讨战。商三辮命骁将甘受和出马，寇节度大怒，只一合斩之。商三辮、公孙冤怒发如雷，双马出战，寇节度、马晋臣随与交锋，不数合，元军后队，无故自乱。商三辮、公孙冤着惊，虚掩一枪，回马便走。原来斛律统制一军已到，探得元兵屯于此山，遂从山后直袭后军，元兵背腹受敌，遂败。商三辮、公孙冤弃了白虎山，望罗阳而走。寇节度合兵一处曰："此去离永康州甚近。"随令吴广拔了永康，以为停兵之所，再攻罗阳。吴广引兵围永康州，五日下之；洪时锦亦分兵，取了思陵；王彦又大破江州，余更纳降数处。太平大震，诸将仍旧合兵，来攻罗阳。寇节度遂拣选一片平旷之地，北据连山，南凭高冈，左右皆有襟带，将兵下寨。

次日，阿尔侍郎自率二将，忿来讨战。寇节度见元兵靠定青龙山列阵，即调斛律亢宗、马晋臣、洪时锦、吴广、王彦五将，各统一队，分别旗甲、鞍马等类，列成五龙奔海之阵，仍自挺枪上马对敌。公孙冤一刀一马即出，寇节度与战数合，即退。公孙冤不识阵法，望阵追来。寇节度将星旗招展，五将一齐杀出，公孙冤全队被困，死战不已。商三辮忙引兵来接应，觅无路可入，正挥士卒左右冲杀，寇节度飞马已至，大喝一声："商三辮死于枪下！"立即率兵，直取阿尔只思。元军十余员骁将一齐抵敌，节度全无惧怯，战败数人。不一会，五将已将公孙冤战死阵中，各引军助战，寇节度便弃了众骁将，又纵马来擒阿尔只思。阿尔侍郎舍命奔走。寇节度便拈弓搭箭，觑定射去，阿尔只思中箭落马。寇节度急弃弓于地，飞马来取首级。马到时，竟被元军夺去。

元军骁将又被诸将杀死数人。元兵大败，又弃了青龙岭，已知罗阳不守，急奔太平。寇节度合众将之兵，连夜追之，直抵太平。一时城东放火，城北鸣钲，城西喊杀，城南擂鼓，一日一夜，攻陷数处。阿尔侍郎中箭，伤重而卒。城中惊慌，军民无主，文武官吏，缢者、刎者不一，余皆纳降。寇节度令大军屯于城外，自引一军，率将佐入城，抚慰军民，约定秋毫无犯，人心既定，乃分兵命将徇下安平、养利诸州。旬日之间，各处皆有捷音。

第七十六回　狄枢密智破昆仑关

元柳州都总管索虎通、庆远副将吴贯三奉檄往思州助战。中途闻蒯参政已在摩天岭大破宋师，二将以南宁空虚，不如且袭南宁。时寇节度攻打思恩，续取太平。南宁虽有重兵镇守，仅留万户周纶、虞候马堃、钤辖王粱三将守之。三将不意元兵猝至，忙出迎敌。索虎通战败三将。吴贯三出其不意，袭了南宁。三将忙引兵，退保横州。而寇节度在青龙岭不知也，狄枢密方引重兵，直犯桂林，忽闻南宁得而忽失，急令众将，倍道而进。索虎通闻之，谓吴贯三曰："横州三将，无能为也，公足以御之。如宋师大至，吾当亲往抵敌。"遂率本部兵驻守昆仑关，以拒宋师。

此关控制南宁各路，洵为天险。狄枢密闻报，即于关外五十里下寨。越日，令狄勇引兵打关，关上灰瓶、礌木、石子、弩矢交下。人不敢近，引兵而退，回营复命。枢密怒之，次日率众将，自来关前讨战，关上不理，枢密怒，命将士攻打。忽关上一声梆子响，发动车弩。此弩运于车上，以十四石弩弓。连着铁钩绳，车行轴转，引弩弓持满，弦挂牙上。大箭一镞，刃长七寸，广五寸，竿长三尺，围五寸，以铁叶为羽，左右各三箭，略小于中箭，牙以发箭，能高能远，百步所中。城垣罔不崩颓。此法本用以攻城，索虎通转用以御敌，复以粃糠蔽其目，洒以金汁等类，宋师如何敢近？狄枢密急麾将士速退，伤者辄毙，回营自思"此关不破，南宁如何得复？"随令军中造木幔布幔之法。木幔以板为幔，立桔槔于车上，悬幔逼近关前；布幔用复布为之，或生牛皮，或毡毯等项，作为大幔，以弱竿悬之，动摇不定，弩矢虽利，中于幔上，亦无能为，军士可于幔后，以神机铳击敌。诸将如法布置，擂鼓而进。谁知索虎通亦有抵御方法，宋军中神机铳虽利，亦无所用。关前要隘，又遍撒铁菱角，及陷马坑堑等类，军中往来，甚是不便。索虎通又暗使人于关外井中及有水草处，沉以毒药，宋营将士饮之遂病。狄枢密知之，即令鉴井而饮，一时无泉，枢密令择地有黄羊粪者，必有水，军士如法掘之，果然及泉。相持十余日，闻关上粮草甚足，屯于关后，可以持久。狄枢密令军士捕得野猪、獐、鹿等物，以艾置瓢中，开四孔系兽项下，针其尾端，望关后纵之，尽奔入积屯内，火起，尽焚其粮。此着索虎通初未及料，失去辎重无数，甚是恼悔。狄枢密见此关难以明攻，命掘子军用蜀镬锄，寻着地脉，穴地道以攻之。而索虎通深明地听之法，常令少睡者枕空葫芦卧听，有人行四十里外，东西南北皆知之。至是因火兽燔其粮草，亦虑及此。因就关内八方穿井，各深二丈。以新瓮薄皮，口如鼓，令聪耳者于井中枕瓮而听，可知去关五百步。一日审知宋师来掘闸门，即于近处，以乾艾一石，烧令烟出，用板于穴下封之，而令烟泄，宋师掘子军一队，尽焦灼于内。狄枢密见此计又不行，情知攻守，皆敌将所长，且别寻良策破之，既而叹曰："先节度武襄，以元夜张宴，即夺此关；平侬智高，定国若不能破关，无颜对先人矣！"一日，偶问南宁守将其才何如？左右答曰："庆远副将吴贯三也，稍有权略，然不及索虎通远甚。"狄枢密闻言，遂遣谍者间之。

且说吴贯三本意,原以奉檄助战,急欲蒯参政建立战功,坐守南宁,甚非得已。而索虎通临行时,又以横州三将无能,命与抵敌,心中未免怏怏。宋营谍者知之,即散布流言,索总管欲并其军,故不令立功,且言"前袭破南宁,皆索总管一人善战之力,吴将军适乘其便而已,何功之有?"吴贯三闻言,甚恚。曰:"某奉参政檄耳,非索总管部曲也。索总管自言善战,如何一守此关,半月不能破敌? 吾行当走诉于参政矣!"索虎通在关上闻之,惊曰:"此宋人反间之计,欲吾两人鹬蚌相争,坐受渔人之利。"急令裨将二人,回南宁达知此意,反复开导,且极相推许,以安慰之。吴贯三勉强放下。狄枢密闻之,又遣谍者间以浮言曰:"吴将军诚实君子也,然甘言诱我,吴将军已入总管算中矣。夫千里奉檄,而不赴辕助战,见今蒯参政奉诏出师,失陷州郡,征调之将又各自为战,军令何在? 元主怒,则参政危矣。参政一怒,而凡不遵将令者,独能免于罪乎?"此言一布,人人传播,吴贯三本模棱之人,见浮言又起,大怒曰:"吾已为索总管所误,今日岂容再误?"又闻参政已回桂林,日日阅兵耀武,将大战宋师,遂决意不守,令人于关上,婉言语索虎通曰:"此间有总管一人,进战退守,皆足御敌,南宁一郡,不足虑也! 某当往参政处,协守桂林,免误大事。"索虎通明知讽已,勃然大怒曰:"忌妒小人,不足与图功也!"对使者唾骂之,使者抱头鼠窜而去,至南宁一一告知。吴贯三怒发冲冠,拍案大骂曰:"欺某庆远军,不能灭汝柳州兵也?"遂欲率本部人马来袭关上。索虎通闻之,益怒曰:"宋将吾且不惧,宁惧汝耶?"二将正欲争斗,两军皆震,幸军中有一提点使荆洪范,老成谙练,以为军中自相鱼肉,转与敌人以间,忙至关上,以正言劝止总管,又入城中,安慰副将,两处极力调停,委曲感悟,二将始止。荆洪范见二将欢洽如初,不胜之喜。时当八月之望,乃于中秋月夜,就关上大设华宴,名曰连珠宴,取二将同心之意。是夜,请吴贯三上关饮宴,二将携手共话衷肠。少顷入席,部下将校,各依次对月而坐,军乐大作,浮白畅饮,三军皆有犒赏。荆洪范起身,为二将把盏,二将亦交相推赞,豪饮一会,酒兴方酣。忽关前一派喊声,军士飞报,宋军已上关矣! 索虎通拍案一惊,慌披执上关。则宋将蓝天蔚、慕容长二人,已从楼橹腾身上关,军士皆蚁附而登,宋将勇不可当,元兵敌者皆死。关外大军,亦擂鼓呐喊,炮声震天。元兵仓卒,焉能抵御? 慕容长奋勇,斩关落锁,关门大开,宋师直入。索虎通顿足叹曰:"荆洪范误事不少!"遂弃关而走,当下吴贯三亦甚惊慌,欲来争关,索虎通即挥之令去曰:"速守南宁,若更有差池,将无面见参政矣!"吴贯三跨马下关,至中途见飞马来报曰:"南宁府被横州三将仍旧夺去。"吴贯三怒曰:"宋将欺吾太甚!"见元兵纷纷攘攘,沿途而来。吴贯三联成队伍,杀至城下。知城中有备,坚不可攻。次日,索虎通亦引兵至,二将互相埋怨,几欲相杀,速唤提点荆洪范,则荆洪范见关城两失,知难免罪,已赴清江而死。索虎通曰:"趁此时人心未定,作速攻城,犹可解免,否则滋汝罪戾。"索虎通、吴贯三二将遂督三军,奋力攻打。城中此次守御皆备,矢石交下,人不可近。

忽军士指曰:"尘土大起,宋师至矣!"索虎通忙令三军,准备迎敌,少时狄枢密统大队人马方至,索虎通欲以逸待劳,宋师喘息未定,便指挥三军,一涌而进。殊宋师久住昆仑关外,全未交战,养精蓄锐已非一日,今既通敌,人人思奋,一可当十。元军中裨将秦朗、尚世雄等,皆被蓝天蔚战死。元兵欲溃,吴贯三忿怒出马,慕容长接住交锋,力战二十余合，吴贯三力怯，方欲败退，慕容长喝声着中，挥刀斩之。索虎通见宋将难敌，不敢恋战，忙保护人马，望柳州败走。狄枢密督军，追杀一阵，见去之已远，方鸣金收军。

入城至府中坐定，周纶、马堃、王梁三将伏地，不敢仰视。狄枢密怒曰："寇节度以大事托汝，既控重地，又有重兵，乃疏虞至此？不按军法，焉警顽惰？立合推出斩之！"有慕容长、蓝天蔚、种世虎三将一齐请曰："周纶、马堃、王梁三人失陷重地，应按军法。但念业已恢复，乞枢密从宽论罪。"狄枢密沉吟片时，命降为千夫长，随军立功，以次擢用。三将叩头谢讫。狄枢密遂另拨大将，把关守城，养兵数日，始统大军，望柳州而进。

第七十七回　**范仆射登台观星**

宋重康六年，帝在武都，闻诸将进兵广右，各路俱有捷音。因召左仆射范国昌、尚书司马肃、葛天民、枢密岳燕超等入朝。帝设宴内廷，枢密使岳燕超即席奏曰："广右大功垂成，臣当亲提一旅之师，助诸将成不世之功。"帝大悦，遂仍拜招讨之职，燕超与诸臣宴罢，叩谢而出。

是夜，仆射范国昌与尚书左丞葛天民，偶步城东翠微阁上，仰观天象，见众罗列，谓天民曰："左丞识星象否?"天民曰："略知一二，愿闻其详。"范国昌遂步瞻玑，审躔度，用手指定，谓天民曰："中宫太极，其一常明者，太乙常居也。旁三星曰三公，或曰子属；后四星末大星曰正妃，余三星，后宫之属也。环之十二星，藩臣也；皆曰紫宫；前列直斗口三星，随此而锐微，曰阴阳，或曰天乙紫宫；左三星天枪；右三星天棓；后十七星，绝汉抵营室，曰闯道。北斗七星，所谓瞻玑玉衡，以齐七政，杓指龙角，衡中南北，魁枕参首，用昏建者杓，杓自华盖以西北。夜半建者衡，衡正中州河济之间。平旦建者魁，魁自海岱以东北也。斗为帝车，运为中央，临制四海，分阴分阳。建四时，均五行，移节度。定诸纪，皆学于斗，斗魁戴筐六星，曰文昌。一曰上将，二曰次将，三曰实相，四曰司命，五曰司禄，六曰司灾。在魁中，贵人之牢，魁斗六星，两两相比者，曰三台。三台色齐，则君臣和，不齐为乖戾，辅星明近，主辅臣亲强，暗小主疏弱。杓端有两星：一内为矛招摇；一外为楯天锋。有勾圆十五星日贼人之牢，牢中星实，则囚多；虚则开出也。至若天乙、天枪、天矛、天楯槠动摇其芒角，则天下之兵戈大起矣!"

天民问曰："福庆之星，飞流之星，其化何如?"范国昌曰："福庆者，乃天地纯粹之精气；飞流者，乃五星之精气，动而化之者也。五星有变，则精气散而为妖星。故汉书曰：'天星而景现，景星者，黄而润泽，其伏无常，常出有道之国，苟或现于君上，此乃应天之兵，大庆之兆也。'流星长四五丈，如龙蛇动摇者，大将凶，或白云如车轮，下有流星，旋入北斗者，主人当走；星有孛于招摇者，夷狄将乱；或流交于天心者，敌盛；或流冲太白而过者，大将凶；或流星贯日而灭，敌凶；或流星贯于紫宫，备奸贼以下谋上；流星前赤后青黑者，客军败，故曰流星者，天使也。上曰飞，下曰流；飞大曰奔星，小曰流星；入河鼓，大将亡；出王良，兵起；入将军及羽林，兵大起。使星出入天库，匈奴兵起。抵天市垣，大将亡。抵天狗，犯弧矢，将有千里之行。此大略也。"

天民又问曰："何谓客星?"范国昌曰："非主座之星，曰客星。色句如气，勃勃似絮，所过之宿，必有灾害。出营室无兵，亦不罢；入奎，破兵杀将；犯娄，胡乱；入昂，胡入犯塞；入毕，边有急兵；犯嘴，堡虚军储步饥；犯柳，兵起守张，将有阴计兵起。入招摇，胡兵起；入天枪、天棓兵起。犯文昌星苍色，将有忧色；色赤，将惊；色黄，将喜；色黑，将死。守传日，胡入中国；守天鸡，天下兵马惊；守天街，胡王死；人娄库，兵起；守南河，兵起；守骑宫，将忧，士卒疫；守北落，师门虏；入寨，兵起；守天仓，粟贵；入天苑，兵作马死；入天宫，天下弓弩皆张；出天宫，匈奴兵起；守库骑，西羌来降；守九洲殊口，负海丕安。”

天民问曰：“彗星之征应何如？”范国昌曰：“彗星长而亘天，兵大起也；引尾入城，城将拔，近则八日，远则十二日有应；彗直垂入军营者凶，宜拔之，否则士卒俱死，若在敌，宜急击之；彗出于月之左右者，不出三十日，有兵起；抵触月者，暴兵起。若毫白者，有大丧也；苍黄者，臣下谋叛；黑者，兵大起也。从中天出，曳尾向西者，奸人谋主将；从南曳尾向北者，妄杀；向东，身尾俱从天中出者，士民多饥；曳尾向东者，民凶；从北出尾曳向南者，士人凶；彗形如宝，寇来疾速；形如幢节者，寇强，不可妄动；色如血者，敌兵阴到；光焰灿烂，而尾长阔者，敌盛；凡彗所指处，皆凶地也。”

天民又问曰：“彗星如是，又何为妖星？”范国昌曰：“天雁星，将军之精华也，青赤有光，尾长三四丈；大猾星者，飞星忽作如云者也；所兆地，有流血积骨之象。顿顽星，如天瓮，前卑后高，现则大将死；烛星者，状如大句，其出也不行，绕见而灭，所烛之地，城邑拔，兵破乱也；天狗星者，状如火，流星有声，其下止地，其形类狗，中天而下，圆如类顷田，而上锐，黄色，现则千里破将军也；蚩尤旗，类彗而尾曲，像旗，现则王者征伐四方；天蓬絮者，类十小星，绵联如絮，所见之野，当有兵起；虎头星者，其落大如月，着地则光，大声如雷，所坠之地，兵火起；旬始星出于北斗旁，状如雄鸡，怒则青黑，像伏鳖，现则兵乱；格泽星，如灾火之状，黄白色，起地，上锐而下大也，其现也，不种而获，必有大害；枉天星者，类火流星，蛇行如苍里，如有毛日，长如疋布，着天，现则天下兵起；昭明星者，白而无角，乍上乍下，所见地，兵多变动也；五残星，出正东方，状如辰星，去地可六丈，大而黄；六贼星，出正南方，去地六丈，大而数动，有光焰；司诡星，出正西方，去地六丈，如太白；咸汉星，出正北方，去地亦六丈，而赤数动，察之则中青。此四星若出非其方，其方当起兵为乱，冲击者不利焉。四镇星，出四隅之地，去地可四丈；城维藏光星，亦出四隅，去地可二尺，若月之初出，所见，则下有乱兵动，有德者昌；或二赤星，有月背者，利宫姓为将；或一赤星，从西向东者，利角姓为将；或二赤星，共尾一处，从东向西者，利商姓为将；或三赤星，引尾直上者，利羽姓为将。妖星之辨如此。”葛天民曰：“此皆星象所见，兵家祸福之本，不可不详者也。”

二人在阁上，重复观玩良久，见紫微垣中，一会明朗，一会昏暗，团团俱生黑气。又太微垣后一十五星，与天市垣诸星，率多动摇不定。葛天民叹曰：“元人以沙漠入主中国，其气运亦不久矣！夫紫微者，帝星也。当如五彩龙成，水之始达，日之始升，乃国运昌明之象。今微垣黑气弥漫，彗星直入其中，蒙古犹能久乎？”范国昌笑曰：“以纬象测之，不出四十年，当有帝星现矣。按分野为星纪，应在吴越，真主其起于淮扬濠泗间乎？”天民曰：“仆射何以知之？”国昌曰：“填星居于星纪，五星皆从而聚于一舍，是以知之。但此时彗星入微垣，元人不久当有篡弑之祸，而彗星又自箕入斗，天下荒乱，生民之饥馑，何时已乎？”葛天民曰：“天定胜人，人定亦可胜天，吾主应南极之象，仅牛女翼轸之分，国虽偏安，亦建王业，非人事成于下，而天象着于上乎？但气运似甚迫促耳！”国昌即掩其口，天民遂不复言。国昌私告天民曰：“吾昔在房州涪陵祠，梦遇艺祖，示以识语云，建阃固圉，开府从龙，三五播迁，六六一统，首二句已应闽中广南之事。三五播

迁者,应主上十五岁航海播越之意;六六一统者,大约仅三十六年,仍归一统耳!而秦王亦示语云:

重建越王台,玉关不肯开。
燕京承暗统,南去复南来。

首尾三句皆应,惟燕京承暗统一语,不省。且姑俟之,久而必应,子勿妄言。”天民许诺,二人遂归。

第七十八回　元世祖入梦崇圣

元太后于大德元年幸五台山，中途受惊得疾，回銮上都卧病，四年夏始崩，附葬先陵。时大德中，始定郊祀之礼，以冬至礼天，夏至礼地。元帝于悲悼中，即坛壝行礼，未免少疲，礼毕而归，业已困倦，宿于大安阁内。

忽内竖走人报曰："世祖至矣。"帝整衣而起，迎入。世祖至玉德殿坐定，形容惨沮，起身执帝之手问曰："尔曾降诏令中外崇祀孔子，信乎？"帝答曰："此至正三十一年七月事也。"世祖泣曰："幸有此诏，少减罪过；不然，朕几不能出泥犁之狱，受无量怖苦矣！"帝惊问之，世祖曰："有玉清琼霄宫纠察使吕献可者，宋人也。扈从上帝，驾游炎州而回，适遇朕下灭天毁圣之诏，献可大怒，飞章劾奏。上帝张翁，勃然震怒，立命谢仙纠集雷部，震陷太极殿，先以示警，乃遣金星垣司天府贤书之修文郎、韩昌黎协同地下阎浮提主者，大判此案。韩修文既奉敕命，即至九幽，会同闪多罗十主者，拘朕并西僧等征问。朕至九幽宫中，见铁榜森严，令人可畏。少顷，韩修文郎御殿，左右二王者相随，一文一武。文者，乃宋故相寇准；武者，乃隋故将韩擒虎也。韩修文郎一见西僧等，即拍案大怒曰：'秃子无礼，敢污灭上天，毁谤圣教？'立喝左右用刑，随有鸟喙赤须吏人呼朕入见。韩修文一见即责问曰：'元主以沙漠入主中国，自应用夏变夷，乃为风教，奈何嗜杀为心，狂悖为政？辄敢蔑视上天，指斥苍冥，即此罪辜，已加于商王武乙一等矣！又况圣人立教，自古及今，无不奉以驭世淑身，齐家治国，胥本乎此。汝以胡人作生民之主，乃肆意妄行，欲贬至圣，夫尼父德与天侔，贤于尧舜，昭于日月，岂因汝之贬，能稍损其万一也乎？但汝狂悖之罪，上通于天，其他淫毒秽宸极，虐焰燔苍穹，诸款尚不足数也。'左右寇、韩二王齐声曰：'元主狂悖，擢发不足以数其罪，万死不足以蔽其辜！'朕无言可答，只见韩修文谓左右二王曰：'元主之恶，应与秦政同科，待有嗣君，能盖前愆，再行议罪可也。'寇、韩二王，即朱书一帖，令鸟喙赤须吏，引元主人泥犁狱中去讫。朕不敢不从，随吏人出殿，早有会稽陵中诸宋帝，一齐拦定，大呼还我头来，扭住不放。幸得吏人，以朱书示之，诸宋帝始去。转至通衢，则又见伊吾、高昌、铁勒、爪哇、罗鬼三十余国夷王，上前喝曰：'忽必烈也有今日'，挥动老拳，争相殴打。朕被捶楚无算，吏人再三谕解，而朕已将颠仆于地，幸有一缩颈深目、蓝面红髯、紫衣乌帽官人至，彼等始散。朕方起身，与吏人行经数处，始至一府，上悬粉版，大书曰：'无间狱。'吏人叩门，门随启，朕随之入，见两旁夜叉，遍是赤发蝟奋，金牙锋铄，臂曲瘿木，甲拿兽爪，衣豹皮裤，携蒺藜杵、铜叉铁戟等物，见朕，即狞目电煁，吐火噀血，踯跳哮吼，铁石销铄，朕见之，丧精亡魄，吏人以朱书示之，皆叉手诺诺而退。吏人引朕由左厢而上，半里许，至一暗室，门上书曰：'泥犁之狱'，命朕入焉。则先有一人，龙颜日角，貌亦雄杰，荷枷带锁，蹲于床上。朕问之，自言即焚书坑儒之秦歧始皇。吏人贺之曰：'始皇脱离狴犴，此其时矣。'始皇未之信，吏人即以朕灭天毁圣之罪告之。始皇即带笑起曰：'朕焚书坑儒，不过用以愚黔首，未敢毁圣也，朕之恶，不为恶。瓜代者，今日始至，累朕候至二千余年之久。'一时枷锁，即自脱落，吏人随拾起用以加朕，朕不胜忿怒，而枷锁已上朕躬，朕不能堪。只见始皇大笑曰：'汝之强，宁强于朕之并吞六国，分天下为三十六郡乎？地府不问贵而问德，不问强弱之势，但问善恶两途，朕行去矣，汝须忍耐，待后至者可也。'与吏姗笑而去。朕闷坐狱中，苦于昏暗，目不能见五指，如是者数年。

忽一日见前吏人，仍持朱书一简，至狱贺曰：'元主今得离此狱。'朕问之，则告以有许鲁斋先生者至，言嗣君已下诏崇圣矣。朕一时不胜之喜，枷锁仍自脱落，随出狱门，沿途无阻，至殿上，则与韩修文郎及左右二王分庭抗礼者，乃朕之故臣、集贤大学士国子祭酒许衡也。许衡一见朕至，起身相迎。命朕立殿左。又至殿上，与三人语移时，始见二王者，出朱书一敕曰：'烦鲁斋先生，命之归。'许衡随送朕出，沿途再三嘱曰：'陛下急回上都，与嗣主说知，命速复圣庙，兴释莫，敬天勤民，痛改前非，则陛下之苦恼尽去。'许衡珍重而别。朕不敢少停，回至上都，面谕汝等。以后凡嗣位为君者，不可不极力崇奉至圣也。至嘱至嘱，毋荒弃朕命等语。"

帝受命讫，忽宫漏一声，惊觉，乃在梦中。帝不胜骇异，即于次日下诏，定郊祀之礼，牲用马一，苍犊十，羊、豕、鹿各九。文舞曰"崇德之舞"，武舞曰"定功之舞"。重建文宣王庙于京师，行释莫礼。营国子学于文宣王庙之西偏，命左丞相哈剌哈孙通饬各郡州县亦如之。

第七十九回　**黄金河大破元兵**

寇节度既下太平所属二县一十六州，留兵命史良璧留兵镇守太平。忽报南陵失陷，三将退保横州，急引兵由田州来取南宁，中途闻狄枢密攻打昆仑，与元将相持未决，遂谓众将曰："狄枢密既打昆仑，南宁不难复矣。"回兵由象州进攻柳州府。时象州乃团练使勃勃秃儿镇守，有兵三千。闻宋师至，领兵出城，至象台山下迎敌。斛律统制率廖云、王彦二将出马，列为三阵：左廖云，按山川向背为地阵；右王彦，按偏伍弥缝为人阵；己居中，按星宿孤虚为天阵，互为照应。勃勃秃儿望见，将人马屯作七队，按两曜五星，作七阵图以敌之。两下交锋，互有杀伤，各鸣金收军。是夜勃勃秃儿来偷宋营，斛律统制偶有疏虞，被元军大杀一阵而去，宋师颇有损伤。寇节度切责统制，将论其罪，斛律亢宗请攻下象州自效，寇节度许之。斛律统制曰："勃勃今夜必防我兵劫寨，虚其中军，伏兵多四散远处，不如将机就计。廖云引一军鼓噪而前，虚作劫营之状，入而复出，仍旧伏于寨外；王彦引一军邀伏兵之后，令勃勃营中自相混战。直至天明，二将合兵，以逸待劳，直突其营。吾引大军邀截归路，欲取象州，在此一举。"二将然之。

且说勃勃秃儿得胜而归，谓将士曰："宋将失利，今夜必乘吾虚，不可不防。"令伏兵大寨左右，静以待之。三更后，宋师果然擂鼓喊杀，直突营门。勃勃喜曰："中吾计矣！"发动伏兵，一齐杀入营中，死战不休，直至天晓。何曾有一宋兵自相践踏，死者无数。言未已，忽寨外一声鼓响，宋师大至，慌忙迎敌，而元兵混战一夜，业已困乏，廖云、王彦双马连环，勃勃秃儿不敢恋战，拔营而走，不数里一声炮响，斛律统制一军挡住，勃勃着惊，拍马落荒而走，元兵大败。宋师追至城下，元兵争先入城，一时不及，宋师已夺门而入，斛律统制遂拔象州，降其余众，遂免于罪。

勃勃秃儿闻象州已失，引残兵望柳州而去。寇节度遂进兵柳州，时总管索虎通领败兵已回，守御皆备。自引兵至罗城县南，靠定麒麟山下一大寨，两军尚未对垒。蒯参政又令周鸠、羊雷等战将十余员，率大军五万，前来协战柳州。索虎通命靠定西山下寨。寇节度见元兵日增，细审四冲之云气，防有伏兵，又下令秣马厉士，每宿于营数里外，伏劲勇之士，多列鼙鼓，有警，即击鼓为号。敌击卫兵，则中营出轻兵援之；敌击中营，则四面夹攻之；又于阵中数出奇兵，利则进，否则退。每当临战时，必设奇兵，分左右翼，自阵后击之，或伏深山茂草中，不施旗鼓，唯以强弩、剑盾、戈铤，藏隐于身。伺战后，先出强弩射之；或佯败诱追，伏动则扑之，皆可以取胜。又见元将两军，约十万众，犄角下寨，宋师仅四万余众，乃相地势，用握奇下营法以敌之。

其法外垒一军，须一万二千五百人，以十人为火，一千二百五十火，幕数如之。幕长一丈六尺，合十人守地一尺六寸，以三为奇。以三千七百五十人为奇数，余八千七百五十人，分为八阵。阵有一千九百九十七分五株，守地一千七百五十尺。八阵积足守地一万四千尺。卒城二千三百一十二步，余二尺，积步卒六里，余一百七十三步二尺，以垒四面乘之。一面得一地里，余二百二十步，垒内得地十四顷十七亩，余一百九十步四尺六寸六分，以为外垒。天阵居乾为天门，地阵居坤为地门，风阵居间为风门，云阵居坎为云门，飞龙阵居震为飞龙门，虎翼阵居兑为虎翼门，鸟翔阵居离为鸟翔门，蛇盘阵居艮为蛇盘门。天地风云为四正，龙虎鸟蛇为四奇，乾坤艮异为阔门，离坎兑震为开门。有牙旗游队，列左右，偏将军居垒门，禁出入。外有游军两端，前有冲；后有队，四隅有铺；中垒一奇兵，三千七百五十人为中垒，守地六十尺，积步得二里，余二百八十步，以垒四面乘之，得二百五十步，垒内地二顷，余一百步，六囊旗鼓五麾金鼓府藏，皆在中垒。此令一下，诸将多不解所谓，寇节度乃总为图以示之。

众将观毕，始如法安布讫。元军中遣人下书约战，寇节度回以来日。当夜，寇节度调度诸将。次日昧爽，元军坚阵以待，宋营以鸟翔阵马晋臣应敌。元将周鸠奋勇而来，战不一会，宋将廖云、王彦率飞龙、虎翼，两队应兵，齐出冲杀。元阵中王峻、杨樊、刘洪、吴斴、戴瑀五队并进，状若列星，宋营中斛律亢宗，以盘蛇一阵当之，首尾交应。两军战鼓齐催，混战一会，互有损伤，各鸣金收军。寇节度谓众将曰："元阵中旗帜分明，金鼓响应，不可谓非劲敌也。"数日后，蒯参政闻索总管战宋将不下，自引兵一万，健将十员，亲临柳州督战。蒯参政望见宋营，大惊曰："宋将知兵，莫谓无人也！"下令大军，宜慎重举止。乃背麒麟山，面黄金河下寨，遂用偃月营法敌之，亦绘一图，以示将校。

偃月营者，前后险阻，外营以四方幕，一万人。以六千人守地九千六百尺，积得前一千六百步，积步得四里，余一百六十步为营，转以六千四百尺，得步一千六十六步，四尺为弦，弦置三门，相去三里五十步一尺五寸。营内有地一十五顷八十五亩五十八步四尺。右置上弦门，中偃月门，左下弦门。偃月中营，营以二千五百尺，守地四千尺，得前六十六步，余四尺，积步得一里，余三百步四尺。每幕加地四尺五寸四分；每幕营中两相，置土马一十二匹。大小如常马，被其鞍，令士卒披甲胄，橐弓矢，佩刀剑，持矛盾，左右上下，以便习事。众将校既得其详，亦如法布置。报入宋营中，寇节度跨马出营观毕，谓众将曰："蒯参政自来，想广右之兵尽于此矣。收复广右，在此一举，诸君且助吾成此不世之功。"诸将口虽应允，因见元兵日增日众，心中未免少怯，寇节度不以为然。回营大集将佐，列阵于黄金河边，令斛律亢宗引兵三千，充头队搦战；令廖云引兵三千伏于左；王彦引兵三千伏于右；洪时锦引兵三千伏于前；马晋臣引兵三千伏于后；骁将等紧守大寨，自统中军，四阵接应，务擒敌将方止。

且说蒯参政下寨毕，索虎通及众将等皆往参见，参政责索虎通曰："前檄调出征，乃贪战邀功，坐旷日月，致伤副将。今此间将士，如云如雨，乃不速破敌，何也？"索总管无言可答，惶恐而退。

次日，即督集众将校，与宋师决战，令羊雷为左翼，周鸠为右翼，自率精兵五万冲杀，台两营之众，盖地而来。斛律统制以一队奇兵当先，战数合，即佯败而走。索虎通大队不动，麾两翼兵追之，斛律统制直诱至黄金河上。只见寇节度引大军来迎，不与交战，即麾动六纛旗，四队伏兵，一齐从中杀出。周鸠、羊雷二将围在垓心，索虎通即引大军，欲突阵而入，斛律统制一军牵住，死战不已。寇节度指挥将士往来截杀，宋兵无不以一当百。周鸠为乱箭射死。羊雷溃围出时，亦身带重伤，忙助索总管夹攻宋将。元兵十伤八九，索虎通既得羊雷相助，大奋神武，连挑宋营裨将十余员。斛律亢宗不能抵敌，寇节度看得分明，急麾四阵围之数重，而蒯参政忽引万余生力军冲突而来，宋将猝不及防，竟被截为两段。寇节度正欲出马，忽见狄勇、种世虎、慕容长、蓝天蔚四将统大队杀来。元军罔不披靡，羊雷被狄勇手起一枪，刺于马下，元兵死者无算。索虎通一见，知接应兵已至，不敢恋战，保护人马，夺路而走。蒯参政亦引军而退，宋师奏凯而归。

第八十回　太乙阵生擒索虎通

蒯参政回营查点各军，共折三万有余，大将死者，十余员，副将牙将虞候等，共损数十员，遂大恚恨，曰："宋人欺吾太甚！"遂召索虎通入帐议曰："宋师难敌，非出奇不能制胜。柳州旧有鹭鸶峡，地甚险恶，一线羊肠，盘屈峡内。将军可诱敌入峡，用搅地龙攻之。吾引大军阻塞峡口，敌军可全覆也。"索虎通曰："参政计非不善，但已施之于七星岩摩天岭矣。宋将智勇足备者甚多，恐不能赚入峡。"参政又曰："然则决黄金河之水淹之。"索虎通沉思曰："水攻固是宋军下营，甚有法度，不当下流，且其营不迁徙。黄金河之水，不能及也。"蒯参政勃然变色曰："然则裹粮坐甲，只待天雷震杀宋师耶？"索虎通慌忙起谢曰："非末将畏死。欲求参政檄调庆远府东兰州黄幡营五将至，末将自能破敌。"参政许之。

且说寇节度收兵回营，狄勇等四将见毕，寇节度曰："狄枢密兵在何处？"四将曰："枢密随后至矣。"枢密兵原赴桂林，中途，闻节度在柳州，大战元兵，特令将等，倍道而进，以助成功。寇节度甚喜。次日，狄枢密大军亦至，下寨毕。寇节度随邀入营中，设宴款待，商议："先破敌军，次取桂林。但元将索虎通智勇足备，枢密作何计较？"狄枢密曰："索虎通长于攻战，短于用谋。前拒守昆仑，非定国用间，几乎不能入关，闻蒯参政知兵信乎？"寇节度曰："蒯毅夫韬钤虽熟，多按死法，不足虑也。来日复雷与枢密共破之。"

时东兰州黄幡营五将：一名萨吒利，一名魔责，一名余延陀，一名猛欲飞，一名蟒龙吉噜，皆僮部蛮酋。因昔年随四帅征大理有功，元世祖因封为五虎将军，立营东兰州，弹压土蛮。五将俱面目狰狞，虬髯虎臂，粗莽巨伟，勇不可当。所部蛮兵二万余众，皆耳带金环，眼若铜铃，身披铁甲，手执棒杵之类。当时蒯参政檄至柳州，索虎通大喜。乃自统一军，杂五将夷兵于内，练为六甲迷魂阵，以攻宋师。次日，狄枢密、寇节度自引一军探敌。元军以骁将杨樊、戴瑀出马。宋营王彦、狄勇飞出，战不数合，元军中炮声震动，放出六队夷兵，联成一阵，奇形怪相，粗猛异常。宋师骤见，错愕不知所出。夷兵皆赤发双卷，碧眼突出，似欲噬人之状，奋勇杀来，宋师退走。狄、寇两大帅麾兵接应，斛律亢宗、蓝天蔚、慕容长率兵抵敌，奈六队团结成阵，往来如飞，旗帜缭绕，钲鼓错杂，几于目昏耳聋。混战一会，该三将亦被围在垓心，三将奋勇冲突，溃围而出，已身带重伤。宋师大败一阵，元将鸣金收军。宋师连日交锋，俱不能胜，寇节度甚怒。狄枢密曰："一进一退，兵家之常，不足虑也！"闻元军中大吹大擂，酌酒称庆，狄枢密曰："此诱敌也，置之不理，另寻计破之。"两大帅正商议破敌之策，忽飞马报入："永安公岳招讨，统大军至。"两大帅喜曰："招讨若至，成功必矣！"率众将士出营迎接。

且说永安公枢密正使岳燕超，闻广右大功不就，因奏宋主，自请领军徇之，帝授以招讨，率兵一万，旧日将佐任随调用。岳招讨奉诏，即调史进、刘瑝、庹靖、岳坤四将相随,沿途打探。闻宋兵尚在柳州,遂直入营中,与众将相见毕。因问敌势若何,两大帅曰:“敌势已穷,而复征调夷兵,我师累衄,今招讨至,破之必矣!此兵一败,桂林乃囊中物也。”

岳招讨停兵数日,又闻元军中征调镇安府大将王龙,领峒丁五千至助战,声势甚盛。笑曰:“兵岂在多?”随命岳坤往探其阵,则王龙全队而出,锋芒正锐,复继以夷兵一阵,岳坤大败回营,心中惶恐,惧父论罪,岳招讨责之曰:“既不能敌,便当全军而还,如何造次?”遂喝退岳坤,请二帅入营商议曰:“如此恶战,非小小机谋所能敌也,吾有以破之矣。”两大帅曰:“如招讨令。”

越日,岳招讨先请二帅,一同升帐,大集将佐,谓曰:“胡元混我中国,非止一日,大宋龙兴,业仅偏安,收复广右,此其时矣!凡我将士同心努力,有功者赏,不用命者诛。今元将既用夷兵,练阵恶战。我亦以阵法破之,我今所布阵,虽名曰太乙,而阵中按三垣混形,九星布政,定日辰。论方位,明生克,击父则子应,击首则尾应,击中则父子首尾皆应,大小将士俱各依令而行,勿得违误!”众将皆诺。

招讨遂取青旗一面,令种世虎领本部兵,俱青旗、青甲、青马,驻扎正东方,上按北斗贪狼星镇寨。如遇甲午三日、庚午三日、戊午三日,应休门出兵对阵;论相生,该正北文曲星,正南廉真星救应。取白旗一面,令狄勇领本部兵,俱白旗、白甲、白马,驻扎正西方,上按北斗破军星镇寨;如遇癸卯三日、己卯三日,应休门出兵对阵;论相生,该东北巨门星,正北文曲星救应。取黑旗一面,令慕容光领本部兵,俱黑旗、黑甲、乌马,驻扎正北方,上按北斗文曲星镇寨,如遇甲子三日、戊子三日、壬子三日,应休门出兵对阵;论相生,该正东贪狼星,正西破军星救应。取红旗一面,令廖云领本部兵,皆红旗、红甲、红马,驻扎正南方,上按北斗廉贞星镇寨,如遇乙酉三日、己酉三日,应休门出兵对阵;论相生,该东北巨门星,正东贪狼星救应。取黑间白色旗一面,令王彦领本部兵,俱白镶黑色旗,白镶黑色甲,黑间白点马,驻扎西北方,上按北斗武曲星镇寨;如遇庚子三日、丙子三日,应休门出兵对敌,论相生,该西南禄存星,东北巨门星救应。取黑间青色旗一面,令蓝天蔚领本部兵,俱青镶黑色旗,青镶黑色甲,青骢黑色马,驻扎东北方,上按北斗巨门星镇寨;如遇丙午三日、壬午三日,应休门出兵对敌;论相生,该西北武曲星,正南廉贞星救应。取青间红色旗一面,令刘瑝领本部兵,俱红镶青色旗,红镶青色甲,火色青骢马,驻扎东南方,上按北斗辅弼二星镇寨。如遇癸酉三日、丁酉三日,应休门出兵对敌;论相生,该正北文曲星,正南廉贞星救应。取白间红色旗一面,令岳坤领本部兵,俱白镶红色旗,白镶红色甲,火色白点马,驻扎西南方,上按北斗禄存星压寨,如遇辛卯三日、乙卯三日、丁卯三日,应休门出兵对敌;论相生,该西北武曲星,东北巨门星救应。再取黄色令箭一支,令斛律统制领本部兵,当于八营之中,俱黄衣、黄甲、黄马,上按北极紫微垣,临镇中宫,按着本日支干,移换旗甲,倘有疏虞,八营齐应。取赤色令箭一支,命史进引本部兵,当于紫微垣前,东南相向,俱用红间黄色旗、甲、鞍、马,从正东起,直环列至西南止,上按太微垣,外应正东、正南、西南四营的不测。取金色令箭一支,命庹靖引本部兵,于紫微垣后,西北相向,俱用黑间黄色旗、甲、鞍、马,从正西起,直环列至东北止,上按天市垣,外应正西、正北、西北、东北四营的不测。

招讨调度诸将已毕，起谓两大帅曰："元兵若败，请节度引兵一支，埋伏百里外，近马平县界，截断元兵归路；枢密引兵一支，速取柳州，待众将合兵后，始围桂林，再令马晋臣紧守大寨，招讨自率轻兵五百人，登麒麟山观战。"诸将得令，领兵而去，遂于黄金河之左，紫霞滩上，各按方位，列成大阵。哨马报入元军，蒯参政率众将，令军中搭起云梯，升高望之。见各方有门，各门有将，有动有静，倏开倏合，中间一片浩浩荡荡，列列森森，似有百万之众。蒯参政观望良久，不识此阵，遍问众将，亦言不知。

入帐坐定，令大将王龙引轻骑探之，候黄幡营五将接应，不可轻进。王龙一队即飞马出营，直犯宋阵。只见斛律统制传令曰："今日支干，以文曲星迎敌，贪狼二星破军，二星救。"一声号角，正北营慕容长挥刀杀出。王龙见宋将来势汹勇，随分两路夹攻，慕容长毫无惧怯，王龙一股锐气，按捺不下，正好鏖战，忽锣响一声，疑是收兵，乃正东营种世虎，正西营狄勇，两军杀出。王龙虽猛，岂是三将之敌？被种世虎一枪刺于马下。宋师截杀元兵，死者无数，比及黄幡营五将救至，则败兵逃回，已无及矣。宋师重复归阵，五将咆哮大怒，各奋蛮勇，直突宋阵，而无门可入，冲突一会，被乱箭射回。五将率兵在阵前跳跃如虎，痛詈而去。索虎通见五将回营，细问情状，乃谓参政曰："阵中用孤虚法耳，何足为奇？文昌镇寨，而以贪狼破军应之，吾兵适犯其所克，故败，今用五姓法，以阴击阳，以生击死，按本年羽德在中，阳子阴午生气，子死午刑祸丑，宋营子位在北，午位在南，我今从南击北，又按九胜法，则甲午旬天目在庚子，地耳在戊戌，行军宜背天日向地耳，宋师正犯庚子，今先厌其王气，次按五姓之法攻之，宋阵虽整饬，不难破也。"索虎通乃于朔旦旬首正子时，在营中月空上环三九步，以朱画八卦坛位，成三界，其内画十二辰及月将之名。东南西北相去数步，取苍狗、白鸡各一只，索虎通自披素服，右手仗剑，左手按二畜，北面立，默诵敌将名氏，即斩之，埋于正南方深三尺。

次日，遂向蒯参政请过将令，召集将佐，调遣入阵，传号箭十二支，以骁将刘琪引兵为正西队先锋，用白色旗甲，攻宋将正东营；王峻引兵为西北队先锋，用黑白色旗甲，攻宋将东南营；丁琨引兵为正南队先锋，用红色旗甲，攻宋将正西营；魔贲引兵为正北队先锋，用黑色旗甲，攻宋将正南营；猛欲飞引兵为西南队先锋，用黄色旗甲，攻宋将正北营；杨樊为正东队先锋，用青色旗甲，攻宋将西南营；戴瑀引兵为东南队先锋，用青红色旗甲，攻宋将东北营；萨叱利引兵为中军左哨先锋，用黄黑杂色旗甲，从东南营杀入，攻宋将太微垣；余延陀引兵为中军右哨先锋，用黄红杂色旗甲，从东北营杀入，攻宋将天市垣。蟒龙吉噜引兵为中军正先锋，用纯青、纯白、纯红、纯黑四色旗甲，从正北营杀入，攻宋将紫微垣，砍倒大纛旗，四围放火，引动十二先锋之兵，一齐从中攻杀。再令吴窬及众裨将保护参政，坚守大寨，自统一军应敌，号召各队。索虎通自谓调度得宜，可敌宋师，而按定五姓，从南击北，以阴攻阳，恰入死门，惟厌胜之法，适足以制斛律统制耳。

当时索虎通自恃材勇，由正南打入阵中，宋将廖云抵阵，战不一会，廖云大败，绕旗而走。索虎通号召十一队人马入阵，自已督兵，直向正北攻打，一时万口喊杀连天，十一将一齐人阵，倏忽之间，阵中有千门万户，并无东、西、南、北，元军十一队先锋一时不知从何处杀起。蛮将萨吒利已犯太微垣，正遇宋将史进交马，而正东种世虎、东南刘理两军齐至夹攻,萨吒利大败,被史进杀之;杨樊从东入阵,见不是头,遂转身打入正北,遇宋将慕容长敌住,不三合,慕容长生擒马上;魔赉由正南而进,见索虎通已攻破南阵,亦转入东北,遇蓝天蔚,两将势均力敌,死战不已,却被史进嗖的一矢,魔赉慌忙躲闪,蓝天蔚随手一枪,死于马下。元将入阵,一时各寻敌手相杀,并无方位,而宋将互相救应,人忙我暇,元将一时若刘珙、戴瑀、王峻、猛欲飞,皆死于阵中。索虎通攻杀一会,情知十二先锋阵亡过半,乱了方寸,遂认定中军紫微垣攻入,正遇蟒龙吉噜亦至,二将遂连环杀进。斛律亢宗急横槊迎敌二将,而太微天市史进、庹靖,俱有元将敌住,未及救应,索虎通嗔目大喝一声,一枪刺来,斛律统制措手不及,死于非命。蛮将蟒龙吉噜便砍倒大将,放起火来。宋阵诸将不见将旗,一齐着惊,知是中军有失,史进、狄勇、岳坤、蓝天蔚、慕容长、种世虎六将一齐杀入紫微垣内。索虎通,蟒龙吉噜力敌众将,一刀一枪,毫无破绽。慕容长激得七窍生烟,使尽平生威力,挥刀砍入,蟒龙吉噜断去一腕,狄勇趁势一枪刺入,蟒龙吉噜滚鞍下马,被宋军剁为肉泥。索虎通自知孤掌难鸣,欲突出重围,业已身受重伤。种世虎撒手,放出红锦套索,索虎通被缠,仰翻马上,史进轻舒猿臂擒下,令众将缚定。六将始分头杀出,元将士死者、降者不计其数,宋师如摧枯拉朽,元兵折损十分之七,逃出阵者,惟佘延陀、丁琨数十裨将而已。宋师大获全胜,鸣金收军,众将又令军士,将斛律统制尸首搬回营中。岳招讨升帐,众将一一上功毕,招讨随令斩索虎通、杨樊数将,为斛律统制设灵祭奠,葬于黄金河边。立即下令直捣元军大营。

时蒯参政闻此大败,六神无主,情知广右大事已去,命佘延陀、吴龠、丁琨、勃勃秃儿等断后,自拥败残人马,拔营望柳州而走。行至羝羊石,有寇节度一军阻定去路,元军人困马乏,夺路便走,寇节度麾军截杀,夺得衣甲、鞍马、器械,不计其数。佘延陀死战得免,丁琨死于乱军之中。比至柳州,则狄枢密已安坐城上矣。蒯参政不敢惊犯,迤逦直往桂林而逃。数日始达。星夜奏入上都求援。不三日,岳招讨合两大帅之兵,直抵城下,四面围定,奋力攻打。宋师以得胜之兵,声势甚大。桂林城满城文武,束手无策,军民惶惶。宋营中时时下令军民无犯,蒯参政力不能支,朝服望阙再拜,投池中而死;勃勃秃儿自刎;文武死者甚众。惟佘延陀率千余蛮兵奋杀出城,望东兰州而去。吴龠及余官吏遂率军民,开门迎降。宋师遂下桂林,岳招讨自同两大帅入城,抚恤民生,出榜晓谕,轻徭薄赋,吊伤唁死,发出仓廪,赈恤困穷,元人弊政一一更之。蒯参政尸首及诸死节官吏,俱以礼葬。百姓大悦。一面奏闻宋主,一面犒赏三军,各处安设官吏,各关隘发兵控守,数旬之后,诸事渐理。

一日,大将军高耀卿赍诏至广右,招讨及诸将帅接读已毕,乃以高耀卿为广右节度使,控制一镇;升资政大夫上官朴为右丞,知桂林府事;以史进为威武大将军,设幕府,专守桂林;庹靖、王彦、廖云、吴广、刘瑝、洪时锦、马晋臣、史良璧各按原爵,以战功升屯卫大将军、都部署、都统制等职,即镇柳州、思恩、平乐、苍梧、浔州、南宁、太平、镇安八府,其余关隘营屯处所,酌量分镇,留兵一万,分制各郡,其余将士俱随三大帅入朝,论功行赏。岳招讨将广右事务交卸分明,始同狄枢密、寇节度二帅,率兵向武都而归。

第八十一回　赵孟頫入宋和兵

岳招讨等三大帅及诸将士回国，次日朝见，帝慰劳备至。于是招讨岳燕超进爵为王，予长子岳镇为南安伯世职；枢密狄定国进爵为保昌公；节度寇复雷进爵为宁武公；如种世虎、狄勇、岳坤、慕容长、蓝天蔚等俱加大都督，三大帅各部将佐，亦论功升秩有差。阵亡诸将，如斛律亢宗追封武烈侯，焦芳武勇侯，牛肱、张燕、屈突申、傅突，俱以伯爵赠之，子孙荫其本职；阵亡士卒各有优恤，所在立庙，命有司祀之。大出帑藏，重赏三军，宁武公寇复雷仍为长沙节度使，弹压各镇。即以便殿设宴，饮至，众臣山呼拜舞，谢恩而出。

数日后，宁武公寇复雷率其本部将赴长沙，入朝陛辞，奏曰："广右大功，业已底定，尚有庆远、泗城二府，郁林、永安二州，未入版图，陛下宜诏高节度，不时训练人马，若有机会，立攻下之。以便建阃立镇。"帝允之。寇公辞帝，赴长沙而去。帝亦以广右不全为宋土，终为后患，即日下诏与高耀卿，乘机进取。高节度遂檄各镇将，逐日厉兵秣马，尚犹未动。

元朝守臣叠次飞章奏人上都，元成宗忧形于色，召平章政事张九思、梁珪等，问曰："朕不用卿言，悔已无及。今广右陷没，仅余四郡，观宋人之意，不尽得不止。卿等何以处之？"御史台臣力言："参政蒯毅夫失陷广右，多由三军不努力，将帅不协心，致此大败。辱国丧师，失地数千里。毅夫虽死，尚宜逮其家属，论以覆军之罪，然后朝廷命亲王大臣，协同陕右、滇南二省劲兵讨之，以图恢复。所谓乾纲独揽，陛下不可不明信赏罚也。"成宗听毕，叹曰："夫疆场披坚执锐之士，枕戈待旦，卧雪通宵，皆为国也，幸而胜，则荫子封妻；不幸而败，则肝脑涂地。朕昔在藩邸治军，亲所阅历，将士以躯命博功名，死生存亡，旦夕殊难料也！卿等安坐朝堂，徒事笔墨，业同蚀蠹；技比雕虫，叨服章缝，惟呻占毕，一闻败挫，即云将帅失人，士卒畏死。但阃外之事，非卿等所知，慎勿妄言！留梦炎其车鉴也！"台臣等大惭语塞。

左丞相哈剌哈孙亦奏曰："陛下负宗庙社稷之灵，当赫然震怒，以图讨贼。不然，恐负世祖寄托之望，并徽仁裕圣皇后手诏之心。"平章张九思独曰："恢复境土，固为国家立威，然必师武臣力，将帅得人，乃为有济。目下内外大臣，无出宋人右者，此何以战？依臣愚见，惟画地求和，各安境土，然后养精蓄锐，以观其变，此长策也。"集贤大学士阿鲁军撒力争曰："大元中外一统，岂容宋人鲸吞虎视，不大挫其威，则侵伐不止。平章之计，毋乃款和误国，效宋人南渡之事乎？"梁珪亦曰："以陛下英明，两国既势均力敌，非战则和，今战不能，和不可，臣不知计之所出矣！战与和，惟陛下独断独行耳。"

时群臣各执一说，有议坚壁清野以待之者，有议会合京西、滇南、福建江右、川、湖五省以讨之者，独中书右丞相完泽默然无语，帝遂问之，完泽奏曰："诸臣之议皆未尽善。依左丞相之计，则兵连祸结，战无已时，徒驱数百万生灵，委之锋镝之下；依平章之见，画地求和，恐宋人未必允。盖昔年金人和宋，以有秦桧为内应，故指挥如意。今宋人非复南渡时也。君臣同德，将相一心，日夜卧薪尝胆，以复崖山之仇为事。其国以得人为强，其兵以久练而精，廷臣谓欲与战，适驱羊人虎耳！臣愚以为陷没两广不足虑，惟陷没襄汉者，忧方大耳。”成宗一闻此语，拍案称善，盖宋师既得襄汉，漕运梗塞，惟海运一路入京。上都路十分不便。完泽又奏曰：“臣愚以为与宋和者，应目下之急，不必与宋久和。且休养观变，此至善之策也。”帝欣然从之。谓文武曰：“朕意决矣，廷臣有再言战者，朕必唾其面。卿等可至中书省，酌议以闻。”于是文武不敢复争。张九思、梁珪等皆至中书，会合台省九卿文武，议复襄阳、德安、安陆、汉阳四郡地，而以广右庆远、泗城、郁林、永安四郡归之，湖广则画江为界。大江以南为宋，北为元，立盟修好，休兵养民，并遣使先至桂林止兵，然后议行人，直入武都，与宋定盟，文武议定。

次日，奏闻元主，请以翰林学士赵孟頫为行人，领太医院事李邦宁副之，二人皆宋旧臣，故有是命，帝无不允从。元主修定国书，副以礼物，并太后所授玉玺，归之于宋。且曰：“朕不嫌自屈，作无玺天子，凡以为两国体兵养民也，二卿其善达朕意，慎不辱命。”赵孟頫、李邦宁领诏而出，即定于次日起程，不日遂达武都。

宋重康六年夏五月也，宋主临朝，有近臣奏知，即命元使臣赵孟頫、李邦宁二人入见。帝见二臣，皆故宋人，大有不悦，因问曰：“二卿既仕大元，今至小朝廷，见朕何意？”赵孟頫惶恐免冠，稽首对曰：“陛下龙飞御极，寡君特命下臣入贺，一则寡君度德量力，不敢与陛下及在廷文武诸执事并驾争驱，故俯恳上国，联盟修好，息兵养民。下臣因不避斧钺之诛，冒干天威，悚息待命。”李邦宁亦俯伏奏曰：“罪臣等逃死余生，原不应以阉废刑余污及兴朝，而寡君与在廷文武皆曰：‘欲休兵养民，非二臣不可遣也。’窃以寡君与在廷文武之意，非以罪臣等乃大宋委弃余息，一线可通。冀陛下宏尧舜之仁，阔天地之量，而兼容并包也乎？故罪臣等昧死入觐，乞陛下怜而赦之。”帝始回瞋作喜，问曰：“二卿仕元，现居何官？”赵孟頫奏曰：“下臣逃死归安，自谓已得偷生，应埋首江浙，与草木同朽矣。乃廉访使程文海再三相逼，郡县迫促，目下待罪翰林学士，实大宋之首恶也。”李邦宁奏曰：“臣以小黄门随恭皇帝入元，元主用以给事内廷，供使令而已。近成宗在位，始命罪臣领太医院事。”帝首肯者再，曰：“元主欲与朕和，其意何如？”赵孟頫忙俯伏丹墀，将玉玺国书献上，奏曰：“寡君不忍生民涂炭，愿作无玺天子，而以国宝归于陛下，则薄海内外皆知正朔所在矣。地土则广右陛下已辖九郡，寡君更割庆远、泗城、郁林、永安四郡以奉陛下，以成全美，而与陛下求襄阳、德安、安陆、汉阳四郡之地，以便画江为界，以江之南者属宋；江之北者属元，干戈永息，生民乐业，两国赤子皆戴陛下之德于不衰矣，伏乞陛下圣裁。”帝观其国书，大意亦与孟頫所言相似，乃曰：“二卿且退，候联与文武商议。”赵孟頫、李邦宁叩谢而出。

早有右相种世龙、大将军关普灵奏曰：“宋元之仇，不共戴天，万无可和之理。以势言之，蒙古虽中外一统，而宋以海南偏安，足与颉颃。仗陛下天威，文武努力，尚当削平区宇，再造社稷，方雪崖山之耻，报伐陵之仇。以云议和，断乎不可。”尚书皇甫惇奏曰：“元人请和之意，特屈于一时势衰力竭耳，明为休兵息民，暗为养精蓄锐。其势如猛兽噬人，必先卑身帖耳，始得以肆其谗口。此勾践沼吴之策，而亦金人款和愚宋之谋也。

南宋已误，陛下岂容再误？”枢密副使狄定国奏曰：“庆远四郡皆掌握中物，何劳元人割取，其意殆欲得襄阳四郡耳，四郡一得，则漕运可通，元人不惧我矣！”一时群臣议论，无允和者，惟侍郎苏伏威，尚书李穆、右丞刘知几、左相范国昌四人以为可和，帝不悦而罢。

一连数日，群臣坚持不和，帝召元使臣赵孟頫、李邦宁二人，以国书玉玺，谢而遣之，二臣知事不谐，忙俯伏奏曰：“议和乃寡君有求于陛下，非陛下和寡君也。陛下曷不卷雷霆之威，施雨露之仁，使两国百姓各安生业，处于尧舜之世也乎？”帝曰：“汝主地土，莫非大宋之物，而犹欲割襄汉四郡以通漕运，自为计则得矣，朕不受汝主愚也。”赵孟頫又奏曰：“陛下去四郡，获四郡，于陛下之版图并未损也，何不可之有？”帝怫然曰：“宋元欲和，除非德祐复还，会稽诸陵无恙，方可议和。”李邦宁叩首奏曰：“恭宗皇帝北狩，业已殂落，太子完普现今作宾王家，封为瀛国公，寡君优礼相待。至会稽诸陵皆先帝失德所为，今世皇墓木已拱，寡君深悔之，又不敢直彰其恶，特令浙省平章修复皇宋陵墓，以盖前愆，故投诚乞怜于陛下，陛下独无意乎？”种世龙在旁厉声答曰：“伐陵取骨，乃群盗所为，蒙古残酷如此，天必弃之，至广右庆远四郡，以我兵临之，如探囊取物，何劳汝主将机就计，谓以割奉大宋，而欲我襄阳四郡耶？恐汝主此念差矣！”关普灵亦正色责之曰：“寄语汝主，能战则来，否则遂降。宋元世仇无可议和。”赵孟頫、李邦宁遂不敢多言，再拜辞去。

不数月，二臣又奉元主诏至，云：“以元贞元年修复皇宋陵寝，今更于每陵置守冢三百户，以赎前愆，瀛国公愿送还入宋，至广右庆远四郡，不必动兵，即日归宋。更增岁币十万，计襄阳等郡所出，每岁不过此数，乞两国通好，讲信修睦。”帝览毕，笑曰：“朕恢复仗义大举，宁为此岁币金钱起见耶？”又以问枢密正使岳燕超，燕超曰：“臣职在枢密，身任武职，惟知有战而已，余非所知。”惟左相范国昌从容奏曰：“臣愚以为陛下仗义恢复，原应扫平区宇，聿新王室，但立国偏安，定鼎海隅，以陛下之英明，文武之赞助，能与大元并驾争驱，亦可谓千载一时矣！即云议和，一出元人本意，和不和，尚以我为政也，且元人能以欲取姑与之策和大宋，大宋独不能以欲擒先纵之策款元人乎？陛下何必争此一间，使战斗无已时也？”帝亦念历年战争，费用浩繁，岁入不支，又损兵折将，殆无虚日，亦欲趁此允和，待休养数年，生息聚敛，再议征伐之举。乃谓范国昌曰：“或战或和，卿意何如？”范国昌曰：“战者，乃陛下恢复不易之理；和者，乃一时休养权宜之计，此一言而决耳！”尚书司马肃亦曰：“和不可拒，而战亦不可忘，此出自陛下圣裁耳！”帝乃谕文武曰：“论德祐崖山之事，宋与元万无和理，但以兵连祸结，生灵涂炭，将士死亡，血战何时已乎？朕欲少屈，姑允其和，使军民得以休息，至割地一款，卿等更宜筹划，不可少失锐气。”种世龙、关普灵、狄定国三人齐出奏曰：“陛下既决定与和，臣等不敢争执，但议和各款，须令臣等参酌。”帝曰：“此事由关卿等主持。”文武遂齐至枢密府中商议，以为当如契丹石晋故事，以南朝为父，北朝为子；否则南朝为君，北朝为臣，以亲王大臣各一人为质于宋，更割膏腴富饶二十郡，岁币一百万，则襄阳四郡可归，余皆依样云云。范国昌笑曰：“何必石晋，即如金人之事，以南朝为兄，北朝为弟，足矣。以亲王大臣为质，此事未妥。”种世龙让之曰：“左相袒护蒙古耶？”范国昌曰：“非也，以元人为质于宋，岂能相容？竟不用质，足见大宋以信义为重，且免生意外之事。”众皆然之。国昌又欲减割郡岁币之数，众皆力争曰：“不可。”议定上之。帝乃减二十郡为十郡，百万为六十万，谓曰：“酌乎其中，不可大过，恐梗和议，致争战无已时也。”范国昌赞成之。

帝始召赵孟頫、李邦宁入见，谓之曰：“朕之本意，原欲光复旧物，宏我国家，但为生民起见，屈意允和，议和各款，当依大宋。二卿速归去见汝主，若能如议，便两国修好；不然，朕之兵，即日渡江取东京诸路，先为大宋扫陵墓矣。”二臣再拜稽首，谢曰：“陛下若能允和，则天下苍生之幸，宁独寡君与在廷文武同受其赐哉！”二臣领命辞出，不敢停留，星夜回上都而去。直至宋重康七年，元成宗大德十年秋九月，赵孟頫、李邦宁二行人，又赍国书入宋，以南朝为兄，北朝为弟，割广右庆远、泗城二府，郁林永安二州及江右之临江、瑞州、袁州三府，宁都一州，凡八郡与宋。荆楚则画江为界，以襄阳、汉阳、德安、安陆四郡归元，岁币三十万，玉玺献与宋主，惟瀛国公自言在燕已久，不欲回宋，北朝亦未敢强。余皆依议。赵孟頫、李邦宁先至枢密府，与宋文武相见。诸臣犹欲再议，左相范国昌曰：“行人之跋涉至矣，既欲修好，惟坚信义可也。”预先奏闻，次日帝乃大设朝会，元使臣朝见毕，将玉玺国书及诸般礼物呈上。俯伏奏曰：“陛下宏天地之爱戴，仁育万物，恩沾率土，寡君及在廷文武实被其赐，和议各款，俱一一如命，祈陛下睿览。”帝观毕，谓使臣曰：“朕屈意允和，亦为两国之生命耳，元主但出本心，朕焉有不俞允之理？”赵孟頫稽首奏曰：“寡君欲与民休息，直斋戒沐浴，以告于宗庙社稷，始遣下臣，寡君嘱下臣之言，皆抽肝擢胆之言也。寡君所望者，得陛下一俞允，则大元宗庙社稷之灵，实迈相之。”帝悦。李邦宁亦奏曰：“从此二国修好，边陲无警，内外文武，亦得以共享升平，罪臣等蒙陛下之赐，亦可谓不辱君命矣。”帝亦曰：“朕不食言，令守臣让还四郡之地，以便二卿复命。”赵孟頫、李邦宁再拜谢讫。

帝命于偏殿设宴，以待使臣。时百官毕集，饮酒乐甚，惟武班中诸臣见和议已成，欲退四郡之地，未免怏怏，皆曰：“我等疆场血战，始得四郡，乃以片言弃之，从前汗马功劳，尽成画饼。况此四郡，乃得之于贾翀，非夺之于蒙古也。”帝闻之，颇不怿。有范国昌私问李邦宁曰：“元主为君何如？”李邦宁曰：“内事决于宫阃，外事委于大臣，而连年寝疾，元主殆不久于人世矣。”国昌又问太子何如，邦宁曰：“无太子，有国者，其北边总兵之怀宁王乎？”帝又谓赵孟頫曰“卿虽仕元，犹能奉使，和二国之好，不忘故主，而留梦炎乃竟领兵伐宋，是自取其死也。”言之令人发指。赵孟頫拜谢曰：“前者非留梦炎阻诏，则宋元早联和，无此数番争战矣。”使臣与文武等，尽欢而罢。

越日，帝交割四郡，重赏使臣，遣侍郎苏伏威、给事李进诚，二人入元报命，以答其礼，自是，而和议成矣。

第八十二回　令狐韬当殿论玺

宋重康八年，帝一日设朝，下诏，以所控郡县，改为六镇。除延平、建昌、肇庆、长沙、桂林外，岳州设一节度，控武陵、辰州、澧州、郴州、靖、沅、桂阳等州，长沙控衡阳、营阳、建州、茶陵，而益以平乐、苍梧、浔州等郡，建昌至是亦增临江、瑞州、袁州、宁都四郡。桂林亦增庆远、泗城、郁林、永安四郡，计大宋此时，所辖五省，凡五十二府州三百二十四县。

六节度得诏，入朝见帝曰："臣等出万死一生，为陛下恢复大业，今大业粗就，如火之始燃，泉之始达。正宜席卷宇内，囊括四海，一洗崖山之耻，光复旧物，奈何信元人狡狯之谋，竟与之和乎？"有襄阳节度使扈德威抗声言曰："臣与韩搏虎讨平云梦，始得四郡，此四郡者，大宋得之于贾翀，非得之于蒙古也。蒙古虑梗漕运，何不取之于巨寇之手？况滠口之战，臣等几罹不测，艰窘万状，始夺其险，故招讨激怒，始打襄阳，蒙古计亦毒矣！即所割八郡，不及襄阳等万分之一。蒙古不惟欺大宋无人，实欺陛下不智也。陛下昨降此诏，襄汉之民无不丧气。即日挈家而徙者数万余家，陛下纵不为臣等惜，独不为大宋苍生赤子惜乎？"德威声泪俱下，帝乃敛容答曰："朕播越海岛，萧然一身，非卿等万不至此，卿等血战艰难，拓土开疆，重为我大宋定鼎建国，卿等之勤劳，自足千古，但恨有功未赏，铁券莫封，朕未免怏悒于心耳！即议和一事，朕亦以卿等血战半生，权为休养之计，徐图进取之机，养晦观变，作十年生聚训练计耳。朕非偷安，遽忘仇耻。卿等六人，俱加开府仪同三司，永镇六郡。令将士等操练简阅，卿等卧护静镇，但总其成，暇则宴酣优游，颐养天年，不亦可乎？"寇复雷、韩搏虎二人正欲力谏，一闻此言，即叩地流血，泣奏曰："陛下兴言及此，臣等虽捐顶踵，不足报也。但愿主上无忘崖山，臣等亦不敢深阻和议。"帝亦泣谢曰："有臣如此，顾复何忧？朕日夜思海岛艰难，惴惴于心，即崖山之战，犹赫赫若前日事也。"六节度齐拜谢而出，皆叹曰："朝廷自此，不复用兵矣。"不日，各赴任所。扈德威遂移镇岳州，诸将士亦略有迁移。

越日，苏伏威、李进诚自上都回国，见帝曰："臣等入元，则成宗已殂，怀宁王正位为武宗矣。武宗以陛下既允和议，欣慰之至。即日大赦天下，加孟頫为行台侍御使，兼翰林院承旨；加邦宁为大司徒，兼左丞相，仍领太医院事。当时李邦宁笑谓臣等曰：'寄谢大宋皇帝，有邦宁为相，诸事不足虑也。'"帝闻之，惊曰："邦宁宦者，亦官左丞相乎？元政从可知矣！"

时有工部侍郎长孙轨、鸿胪寺少卿黄仲通、中书右丞刘知几等以宋元息兵，生民有庆，元主愿作无玺天子，而以国宝归宋，宋得秦玺，应上尊号，请表贺。帝欲许之，太子洗马令狐韬出班奏曰："不可，玺有真赝，不可不辨。"帝问曰："卿何以知之？"令狐韬曰："秦玺之不在久矣。秦始皇并天下，以赵璧为玺，此蓝田玉，即卞和献楚璞也。楚婚赵，纳璧为聘，秦昭王给以十五城，蔺大夫夺以归赵者也。玺围四寸，六面，正如螭纽，李斯虫鱼篆，其文曰：'寿命于天，既受永昌。'汉高祖入关，秦子婴系颈以组，奉玺降汉。哀帝临崩，以玺付董贤曰：'无妄与人，平阿侯王谭子阂侍中白元后，带剑入宣德后闼，叱贤，贤跪授玺绶，孺子未立，玺藏长乐宫。'王莽篡窃，使安阳侯舜，求玺于孝元后，后怒骂曰：'若自以金匮符命为新皇帝，当自更作玺，何用亡国不祥玺为？而欲求之，我汉家老寡妇，旦暮且死，欲与此玺俱葬，'终不可得，因涕泣。旁侧长御以下皆泣，舜亦悲不能自止，谓太后曰：'臣等已无可言，莽必欲得玺，太后宁能终不与耶？'太后恐莽胁取之，乃出玺投地，缺一角。莽末，汉兵入长安，商人杜商取玺杀莽。校尉东海公宾就，斩莽首，问玺绶主所在，曰：'室中西北陬间'，就取诣王宪，宪遂称汉大将军，舍东宫，妻莽后宫，乘其车服。将军赵萌等，以宪得玺绶不上，收斩之，玺归更始。赤眉立刘盆子为帝，破长安，更始败，上玺绶于盆子。盆子立一年，其兄恭知赤眉必败，教盆子习为辞让之言，下床解玺绶，叩头愿避贤路，涕泣唏嘘。赤眉樊崇等共抱持盆子，带以玺绶，盆子号呼，不得已受之。冯异收长安，盆子率丞相徐宣，肉袒上所得玺，玺复归汉。灵帝崩，何进诛宦官，洛阳乱，中常侍段珪、张让劫少帝及陈留王，步出谷门，夜至小平津，六玺不自随，三日还宫，失传国玺，余玺皆在。董卓烧洛阳宫阙，迁都长安，诸侯兵起，长沙太守孙坚进至洛阳，得传国玺于城南甄宫井中。建安元年，袁术谋僭号，闻坚得玺，拘坚妻而夺之。四年，曹操破术，术走死寿春，广陵太守徐璆得玺献之。汉传魏，魏文帝隶刻肩际七小字曰：'大魏受禅传国玺'。魏传晋，怀帝于永嘉五年，刘聪陷洛阳，迁帝及六玺于平阳，聪子粲见杀于靳准，刘曜平准，准群臣，推靳明为主，遣上表奉传国六玺降曜，曜大喜曰：'使朕获此灵玺，而成帝王者，子也，国称赵。赵为石勒所灭，称后赵，勒死，石氏乱，冉闵尽杀渚石称魏。晋穆帝永和八年，闵与前燕慕容隽战，危急，遣蒋干求救于谢尚。尚使戴僧施据枋头，求传国玺，干沉吟未决，僧施率百人入邺，给干曰：'今燕寇在外，道路不通，玺未敢送回。卿且出以付我，我当驰白天子，天子闻玺在吾所，信卿至诚，必多发兵粮以相救饷。'干以为然，出玺付之，僧施宣言遣人迎粮，阴遣督护何融怀玺送建康，江南之未得玺也，中土人笑为白板天子。至是，复归晋。晋传于宋，宋文帝义隆三十年，子劭弑逆，武陵王起兵入石头，缚劭于马上，送军门，不见传国玺，以问劭，劭答：'在岩道育处'，就取得之，道育宫婢也。宋传齐梁，侯景乱梁，称帝百余日而败，王僧辨进石头，问王克天子玺绂，克良久曰：'赵平原持去，景之奔也，以玺自随。'使平原太守赵思贤掌之曰：'我死，宜沉于江，勿令吴儿复得之。'思贤自京口渡江遇盗，从者弃之草间，至广陵，告兖州刺使郭元建，元建送东南道行台辛术，术以北齐天宝三年四月壬申，上玺于齐主文宣，文宣告太庙而受之。周之破邺，齐幼主令侍中斛律孝卿奉玺至瀛州，归于北周宇文氏。周传隋，宇文化及弑炀帝于江都，尽收宝器及后宫萧妃，抱玺归化及，守聊城，窦建德攻破之，擒化及，拜谒萧后称臣，收其玺。建德倚突厥以壮兵势，隋义成公主先嫁突厥，遣使迎萧后，建德以千骑送后入虏廷，而留玺。秦王世民擒建德，获其传国八玺，玺归唐。开元六年，改称传国玺曰受命宝。元宗幸蜀，使韦见素奉宝传位于肃宗。僖宗光启元年，李克用逼京师，夜出开远门，使神策军使王建，负传国玺以从，登大散岭，阁道烧绝丈余，建囊玺于背，手掖上自烟焰中跃过，夜宿板上，上抱玺枕建膝而寝，解御袍赐建曰：'以有泪痕也。'既入蜀，田令孜盗玺埋地下，尚食使欧阳柔治令孜故第，得玺，献之前蜀主王建，建传子衍，唐魏王继岌灭蜀，玺归后唐。后唐潞王从珂，清泰之末，石敬瑭臣契丹而攻唐，从珂携传国玺，登元武楼，纵火自焚，玺已为煨烬矣。晋天福三年，更作受命宝。其文曰：'受天明命，惟德允昌'。末帝开运三年，契丹入晋，晋奉传国宝一，金印三，出迎契丹，以国宝追琢非工，又不与前史相应，疑其非真，诘责使献真者，晋人对以潞王自焚，失传国玺，此宝先帝所为，群臣备知，非敢匿宝，乃止。契丹建国为辽，宝之为真，辽兴宗重熙七年，试进士赋题，以得传国玺者为正统，犹侈言之。至保泰二年，金人克中京，天祚奔云中，遗传国玺于桑干河，实晋之天福玺也，故传于今，玺之大略如此。"帝闻之笑曰："非洗马洽考辨，几误此玺为秦玺矣！"令狐韬曰："天福晋玺之外，更有姚玺、慕容燕玺。即魏晋亦各有刻，魏自刻者，其文如秦，秦玺独自右，魏玺独自左。晋所刻者，其文曰：'受命于天，皇帝寿昌。'唐太宗贞观十六年，刻受命玺，其文则曰：'皇帝景命，有德者昌'，六朝云扰，自谓得秦玺者，皆魏晋所刻也。今按此玺，虽其文为李斯八字，而篆法全殊，特不知所从来耳！"

侍郎苏伏威奏曰："元御史大夫崔彧，得于故臣扎剌氏之家，即宏吉剌皇后所手授于成宗者。"令狐韬曰："此即大宋元符中，咸阳县民段义于河南修舍，有光照室，掘之，得古玉印，其文曰：'受命于天，既寿永昌'。上之哲宗，蔡京等验以为宝玺，遂命曰：'天授传国受命宝'，改元元符，即此玺也。宋至元符得玺，佞人满朝，国运浸衰，得此玺者，何贺之有？"群臣遂不复言表贺，帝又曰："三代以九鼎相传，桀有昏德，鼎迁于商，载祀六百，鼎迁于周，所谓在德不在鼎也！非洗马之言，联几为卿等所误。"长孙轨、刘知几等大惭。

帝遂升令狐韬为太子少傅，赐水晶盐十两，冷暖玉一盘，谓之曰："此玉出日本之东集真岛，岛上有台曰凝霞台，台上有池，池中出玉棋子，自然黑白分明，冬温夏冷，故谓之冷暖玉。卿勤学考据，故赐此玉以旌之，又闻卿所辨，凿凿可凭，亦如此盐之有至味也。"令狐韬再拜，谢恩而出。

第八十三回　廿四堆宋主扫墓

余姚王生，名勉，字器之，卓荦有大志，而蹇于遇，年三十，犹萧然四壁，落魄不偶。欲图青云，而元人适罢科举，欲营什一以博升斗，则抚掌揶揄者适笑于其旁，乃改业，习小儿医，一月而杀三孺子，皆豪贵家婴儿，几罹不测，急取其书毁之，久而贫无卓锥。乃投身典肆中，佣作会计主管。典肆翁以其有文名，遂收之，且厚其饩。

继而典肆亏折，肆翁急谢遣之，王生大窘，焦急欲死，过府城五云门，见一鬼跋雷门上，脚垂至地，王生曰："此防风鬼也，闻琴声则舞。"急取琴鼓之。鬼端坐不动，两手掩耳，示不欲闻。王生叹曰："时衰鬼弄，此之谓矣！"弃琴而去，窜至钱江，忿极，方欲踊身一跃，偶见江干一庙，又转念曰："且到庙中自缢，免致身葬鱼腹。"王生觅得一索，直入寺中，仰视，则伍大夫庙也。泣拜于地曰："将军乞食吹箫，终有霸吴之日，王勉沿门托钵，即是绝命之时，何懵懵者？天生人之不偶若是也。"哭诉一会，取绳正欲自缢，忽见神座下卧一物，黑色蒙茸，目闪烁有光，一狐正在睡熟。急收绳缚之。狐自梦中惊醒，作人语曰："某狐仙也，昨赴天台，醉归，经此少憩，不意为君所缚，君如释某，彼此有益。"王生戏问："何以相谢？"狐曰："使君巨富可乎？"王生贫寒如洗，正中心病，再问曰："汝言戏否？殆欲曳尾遁耳。"狐曰："是人孤陋寡闻，将为勤学死矣。一富且不能致，狐何以仙称也？"

生即释之，狐方起身，少刻，化一老翁，鹤发童颜，唐巾儒服，蔼然可亲，重与王生叙礼。二人邀入酒楼，把盏倾心，老翁谈吐甚广，王生自谓不及。因问致富之策，老翁曰："越人信鬼，惟鬼道足以惑之。会稽郡各处富民，率多刻薄起家，倚富压贫，我今择其尤，径入其家，抛砖引石，打鸡弄犬，横生怪异之病。彼必请法师求符篆，百俱不效。君然后言能驱邪，但书花押，向空焚之。我出此户，又入彼家。不三月，君之巨富成矣。"王生大喜称谢。又转念曰："此财似出非义，翁何不更出一策？"老翁大笑曰："此财虽不义，而诡于义者也。君犹欲守义，将为沟壑死矣，吾固言君独学寡闻也。"王生亦笑许之，老翁遂去。未几而会稽郡各处，疫疠大作，俱有鬼狐作祟，遍请法师不能驱遣，独王生之符篆一至，立即平安。不阅月，致敬千金。生乃市田产，修房舍，置奴仆，而病者益众，求者愈广，一一应之，俨成巨富。暗思："此傥来之物，何必苦聚，贻笑钱癖。"遂力行济人利物之事，不论巨细，不限远近，无不被其恩，沾其惠。随得随用，任意挥霍。自此，会稽各处，王勉之名大噪。一夕，老翁忽至，王生再三致谢曰："翁再造，全某之命，此德当铭之五内，没世不忘。"老翁笑曰："君今富矣，复欲贵否？"王生笑曰："人苦不自足，既得陇，复望蜀耶？人亦孰不欲富贵？但如翁者，固欲富而即富矣，岂欲贵而亦即贵乎？"老翁曰："子非富中人，乃贵中人耳。"生曰："翁何以知之？"老翁曰："子以不义之财，作仗义之举，此念已超出寻常万万，本处有现成之贵，非子而谁？"王生惊曰："目下之贵，非采访即选举，如此仕途，容及王某也耶？抑翁别有术致之耶？"老翁曰："子静待之,不出旬日,大贵至矣!"王生疑信参半。老翁居其家未半月,忽报宋主率同文武,由闽中武都起驾,越江右,至会稽,为南宋诸帝洒扫陵寝,时宋元已和,浙省平章脱脱,早临会稽,预修地主之仪。

且说宋帝,诏种世龙、岳燕超等辅太子监国,自率范国昌、司马肃、关普灵、寇复雷大小文武十余人,幸会稽郡,元平章脱脱率同浙省大小文武,接入城。越日,驻跸狮山之侧、屃湖之滨,南宋诸帝陵寝,帝一一谒拜,俱各封护,修理完好。脱脱只候宋主,礼意亦极殷勤,而帝终以伐掘为恨。脱脱奏曰:"此先帝所为,外臣虽愚,何敢直彰其恶?"帝怒曰:"平章以朕不能讨平江浙耶?"一时关昔灵、寇复雷等辞色甚厉,二人昔日大闹临安,此时正扬眉吐气,共诮让之。脱脱神色不挠,徐对曰:"宋元既联兄弟之好,今一旦败盟,则曲直所在,知者自能辨之。即如陛下所云:'上国有问罪之师,寡君亦有御敌之赋。'彼此反复辨难,绝不少屈。"独范国昌折之曰:"寡君为谒陵而来,陵中虚实,不获周知,寡君之羞也。平章既作东道主,陵骨一事,不问平章,宁入上都,问上都乎?果尔,则宋元又兵连祸结。启衅之由,恐平章责有难辞。"脱脱惶恐谢曰:"相国见谕,责固难辞,但君父之恶,臣子何忍显暴?"范国昌正色责之曰:"世祖所作诸恶,薄海内外,谁不知之?宁待平章今日,始显著耶?如不欲显著,则北朝皇帝,不应三次遣使入宋议和矣。为人臣者,于君父有失,能使之修德行仁,痛改前愆,方为忠孝。若一味弥缝掩饰,则愈掩愈彰矣。"脱脱拜伏曰:"非相国之言,脱脱几陷于罪矣。"帝谓之曰:"伐陵一事,自于平章无与。朕只欲得陵中详细,其他不过求也。"脱脱又奏曰:"伐陵乃至正二十二年间事,迄今二十余年。陛下请驻跸会稽,容外臣访之。"数日,始回奏曰:"外臣当为陛下表贺称幸。"帝问之,脱脱奏曰:"闻当时伐陵,此间好义之民,潜取诸帝陵骨,用别骨换之。当时世祖所伐去者,皆寻常骨也。但不知诸帝陵骨,义民等藏于何处耳?"帝闻之一悲一喜曰:"即求平章,访查陵骨下落。"脱脱不得已应命,再至山阴会稽诸县,物色访问,并无人知。盖当时朱叟与村中诸父老,已多年物故,盗骨一事,乃逆旨所为,皆秘不敢言。故至今无可访寻。脱脱甚闷,三日后,有余姚王勉赴辕,自言能识陵骨藏处。脱脱大喜,引见宋主。帝问:"现在何处?"王勉俯伏奏曰:"小民有俚语献上。"即曰:

> 炎宋无辜,元帝伐陵
> 瘗玉何所?视此冬青。

帝急问曰:"何谓冬青?"王勉复奏曰:"会稽兰亭山原,处处有冬青树者,其下皆陵骨所在也。"帝闻之,立拜王勉为工部郎中,作山陵使者,命为前导。帝与文武,及元平章脱脱等,即至冬青树所,一一掘之。果然瘗骨其下。帝见之大恸。关普灵、寇复雷目光如炬,怒发冲冠,脱脱亦失声叹曰:"先帝不仁,至此极矣!"急令工人等,重启其陵。开其隧,脱脱亲负一具。宋臣文武,亦皆负一具,送入陵中,安放妥贴,复封其陵。帝始陈设方物,荐其鼎俎,刑牲藉茅,大展祭告。帝悲悼不胜,诸陵一一封毕。帝深德会稽昔年藏骨义民,冬青所种处,令封其树,勿使剪伐,惜不知其人,无可酬赏,乃命会稽一郡,免赋十载,大宋代为完纳,其银皆由武都。辇至浙省,交与平章,务令民沾实惠,勿使不肖官吏,别生枝节。帝又重赏脱脱,不日发驾起行,直回武都,脱脱送出浙省界口始回,道经会稽,闻百姓颂德不已,皆称宋主为有道天子。脱脱叹曰:“如此方是君人大体,不图先帝当日,乃狂悖至此也。”

王勉随驾入朝,遂仕于宋。果中老翁之言而大贵,而王勉每食必祝曰:“狐仙翁!”盖其富也,狐所致,即其知陵骨在冬青下,亦狐所指授也。狐去时,自言隐于天台,后遂不复至。

第八十四回　杨妃井太真洗心

尚书葛天民奉宋主命，略地广右，至苍梧，道经容县之西。有杨妃井者，相传以为昔日太真所饮也。好事者建祠其右，肖太真于内，香火特甚。天民一见笑曰："异哉！生男勿喜，女勿悲，君今看女入神祠，此亦文人韵事也。"命市纸马冥镪数十事，入祠酌椒浆奠之。奠毕，在祠中观玩一会，咏唐人句云：

元宗回马杨妃死，云雨难忘日月新。
终是圣明天子事，景阳宫井又何人？

天民叹曰："床笫之言不逾阈，椒房宫闱之事，史官何由知之？洗儿一事，新旧《唐书》不载，温公《通鉴》乃以天宝遗事入之，此委巷之谰言也。又论者动以武后、杨妃同称，亦太不公。武后与吕后等，讵可与杨妃比例？语云：'姚宋不亡妃子在，胡尘哪得到中华？'林甫、国忠之罪，何妄加于妃子也？"感叹良久。

是夕，宿驿中，见一人冠步摇冠，披紫霞衣，佩红玉，曳凤舄，明珰翠羽，飘飘欲仙，侍者十余人相随，向天民敛衽谢曰："蒙尚书枉顾，惠及梓里，复承厚贶，辨明前事，马嵬坡前，死且不朽。但予更有一言，予与武后，事虽不同，而皆蒙千古不白之冤，予并为武后一陈衷曲，共释覆盆。按贞观十一年，以武氏为才人，年十四；二十三年，太宗崩，武后为尼。永徽五年，以才人武氏为昭仪，年三十一岁，明年立为后；子宏生三年矣。宏道元年，高宗崩，则后六十岁，临朝七年，释皇帝，改唐为周。又十五年，中宗复辟，迁太后于上阳宫，凡十月而崩，年八十二岁。中宗景龙四年，临菑王讨韦氏之乱，封平王立为太子，年二十六。睿宗太极元年，传位于太子。明年癸丑，改元开元，开元七年，予始生，至二十三年，始册为寿王妃，予时年十七；二十五年，武惠妃薨；二十八年，度予为女道士，号太真，召入宫；时皇帝年五十七，予年二十二。天宝四载秋七月，册予为贵妃。十四载十一月，禄山倡乱，十五载，丙申六月，皇帝幸蜀，予死于马嵬，年三十八岁，肃宗即位灵武，尊皇帝为太上皇。至德二载，丁酉，上皇还西京。上元元年庚子，李辅国迁太上皇于西内。宝应元年，壬寅，太上皇崩，年七十八岁。夫武后不能乱唐，高宗自乱也。武后虽乱唐，未尝乱天下也。唐祚之得长也，武后系之也。中宗非令主，韦氏多失德，房陵无异于桐宫，悔艾不终于元德，武后不帝，而谁帝乎？二十二年之间，使环海恬波，金瓯无恙，是岂中宗所能办耶？向使天促其年，相从于乾陵之下，韦条煽祸，烈于鹦鹉，不知李氏百年社稷，作何景象？盖中宗之暗弱，甚于高宗。韦氏之才略，不及武后。高祖太宗，殆阴寿之以待临菑王之壮，絜天下而远之子孙。彼中宗者，为之传舍而已。武后何尝乱天下，亦何尝竟乱唐也？至予之事，则诚如尚书所言，以貌见宠，不与国政，并无阴谋远略。稍有过于男子，设使当年宰相非林甫、边帅非禄山，何至雨泣铃淋，香销罗袜，波翻太液之飚，虐煽骊山之焰？致予赍恨而没，沉香亭畔，花萼楼前，彰彰可考也。千秋下有知我心者，其尚书之谓矣。予言已毕，请从此逝。”倏忽不见。

天民亦寤，披衣而起，挑灯少坐，叹曰：“天下安危，系于将相，吴信宰嚭，而西子沉冤，唐任安李，而太真蒙惨，同一千古疑事也。不意祠前一奠，竟感其灵，涤垢洗污，直至今日，鬼犹如此，人何以堪?”次日复至祠中，再拜称谢。出俸钱十万，命容县令为新其祠。奏闻宋主，更发帑藏，大为恢廓，改作宫殿。而颜之曰“灵妃”。置田百亩，春秋奉祀。自是而水旱疾疫，合郡祷之，靡不应。

第八十五回　宋昭帝诏求直谏宋

宋重康十七年，元仁宗延祐之四年也。帝巡至香山岛，敕为文天祥、张世杰、陆秀夫三人立庙，名曰三杰庙。令有司春秋致祭。再过新会，至崖门山，重招帝昺之魂。触景兴怀，回忆当年颠沛流离中，逃死不遑，遥望海中，号泣不已。扈驾文武，再三劝慰，帝始收泪，巡至潮州，扫陆秀夫之墓，立神道碑，帝亲为赞书之，遂驻跸于潮州。

时骠骑将军靖海大都督史霸，镇守潮州府一十五年。史霸威名素著，海寇平息，卧护潮阳，帝叠加褒美，慰劳备至，加威武副将军之职。帝是夜宿于行宫，忽见海岸有黑鬼数十人，高不逾三尺，其行如飞，去地几二尺许，各持利刃，四面围绕杀来。帝大惊，速呼将士扈驾。左右迄无应者，帝狂奔，黑鬼亦奔而追之。帝大窘，忽转出一壮士，手挥铁椎，奋勇击杀数十人，黑鬼遂败。纷纷散去。帝急呼："壮士何人？"壮士伏地奏曰："臣泰山石敢当也。"言讫不见。帝亦惊寤。次日，即问扈从文武。史霸奏曰："雷州有黑鬼蛮，能驭空离地而行。前杨孝伯大兵收复雷州时，有三千黑鬼，前来迎降。孝伯误以为阻抗王师，一鼓歼之。感入陛下噩梦者，即此是也。"帝又问石敢当何人？韩昭奏曰："五代时，刘智远为晋祖押衙，遣力士石敢当袖铁椎，从晋祖与愍王争忿。敢当与斗死，杀愍王左右。故至今人家有桥路冲户者，立石刻'泰山石敢当'字样于上，谓以敌煞也。陛下入梦壮士，即此人耳。"帝闻之，即封石敢当为'三界荡魔伏鬼将军'，敕史霸就雷州祭之。帝回忆梦中情景，犹惴惴不已，遂不欲行巡，驾回武都。

不数日，枢密正使永安王岳燕超薨，帝幸其家，亲往吊唁，诏命集贤直学士李仁恭，为办丧事。越日，又诏文武俱往送葬。谥曰"忠武"。帝悲悼过甚。八月癸酉，帝不豫，免朝贺，宣范国昌、种世龙、司马肃、关普灵等四人入宫，受遗诏辅政。丁丑，遂殂于麟德殿，群臣辅太子璁即位，是为昭宗。冢宰范国昌，权处分军国重事。帝在谅阴中，哀毁如礼。孟太皇后叹曰："此令狐少傅辅导之功也。"葬显宗于寿陵，尊孟后为太上皇后，帝始亲政，以明年为隆熙元年，王妃为皇后。尊范国昌为太保，班宰相上，种世龙为左相，司马肃为右相，狄定国为枢密正使，关普灵为枢密副使。六节度暨各将帅俱入朝贺。帝又降诏，于六镇之内设四大营，以都部署领之，四时练兵，以备不虞。江右设神武营，以拓跋琳领之，屯大庾岭；湖广设天策营，以陈同领之，屯茶陵州；广右设神策营，以庹靖领之，屯昆仑关；广南设靖海营，以李继业领之，屯湖阳关。六镇之内，又连营若蜂屯蚁聚，坚不可犯。各镇俱拜命而去。帝一日又下诏曰：

朕以薄德，谬承大统，但置鼓悬鞀，圣主每乐闻其过，而师箴瞍赋，英辟不欲掩其非。朕居青宫，常勤乙夜，深羡鲁直之忠，不嫌汲黯之戆，咨尔内外大臣，百职庶司，属在言路。因时时鸣凤朝阳，未入谏垣，亦在在批鳞殿陛，负气敢言，乃褒铁面，闻风弹事，亦重豸冠。能面折而廷诤，重有造于我国家也。

如模棱而阿附,岂所望於尔文武哉?直言上闻,毋负朕意。钦此。

一时言路大一开,台谏诸臣争相上疏论事,一一优诏答之。右相司马肃谏曰:“为人君者,能言不如能行。臣窃见台谏诸臣所奏,皆切中时弊。陛下若不见之施行,徒加敕奖誉。是陛下有纳谏之名,无纳谏之实,乃好名之心盛也。为人君者而徒好虚名,则粉饰太平,将何以传后世?臣恐阿谀取容者,不旋踵而至矣!”帝闻言恍然大悟曰:“朕不吝改过,立见施行。”即将诸臣所上,如:开经筵,厚风俗,培国脉,兴学校,隆教化,敦农桑,慎铨选,别去取各款,发至政府,一一颁行。冬十一月,祀昊天上帝于南郊,有星于于东井,又孛于南方,时帝建慈宁宫未就,礼部尚书葛天民,上疏进谏,其略曰:

臣闻采椽卑宫,唐虞大禹之所以重皇风也。瑶台琼室,夏癸商辛之所以犯昊天也。今官室崇侈,民力凋敝,天示恒象,妖彗炳灼,斯乃慈父恳切之训。当崇孝子只肃之礼,不宜有忽,以滋天怒。

帝览疏殊不怿。太保范国昌贺曰:“臣闻君明则臣直。有陛下纳谏之君,始有天民敢谏之臣。臣等殊不及天民也。”帝意乃释。

时汀州府太守辛次公上疏,请旌孝子赖禄孙一摺:“按至元初,漳州陈机察作乱,扰至汀州。禄孙负其母,并拿妻子,入山避寇。寇至,人皆散走,禄孙独守其母不去,寇出利刃,将杀其母,禄孙以身蔽母,泣曰;‘宁杀我,毋伤吾母。母衰矣,乞怜之。’时母病渴甚,山中觅水不得,禄孙乃含唾呴之。寇皆惊骇,莫不叹服。敕众不得妄杀孝子,反取水与之。又禄孙妻有殊色,寇中有欲掠其妻去者,众寇责之曰:‘奈何辱孝子妇?誓将杀汝’,挟其人去,送其妇归之。乱离中逃窜,能敦至性,孝行可嘉,有关风化,不可不以上闻。”帝甚悦,诏下礼部特赐旌表。

第八十六回　吴草庐不序藏经

元武宗即位，以母弟爱育黎拔力八达为皇太子，哈剌哈孙仍为右丞相，答剌海为左丞相。因承成宗遗诏，凡嗣位者，俱宜崇祀孔子，武宗即于是年七月，加封孔子为大成至圣文宣王，命翰林承旨阎复草诏曰：

盖闻先孔子而圣者，非孔子无以明，后孔子而圣者，非孔子无以法。所谓祖述尧舜，宪章文武，仪范百王，师表万世者也。朕纂承丕绪，敬仰休风，循治古之良规，举追封之盛典。加封大成至圣文宣王，遣使阙里，祀以太牢，于戏。父子之亲，君臣之义，永惟圣教之尊。天地之大，日月之明，奚罄名言之妙，尚资圣化。祚我皇元。

时有太子右谕德萧㪺等皆窃叹曰："大元尊崇圣教，朝野可望治矣。"至大元年，又下诏禁白莲社，毁其祠宇，以其人隶民籍。帝复优礼大臣，敦崇儒生，席富有之业，慨然有励精图治之意，究之烝乱诸母，仍然冒顿遗风。官制虽汰，多循达鲁之名，章服虽颁，杂用罽韦之饰。宦者李邦宁，乃用为江浙平章；西僧教瓦斑，用为翰林学士承旨，颠倒错乱，莫此为甚。帝在位五年而殂，皇太子爱育黎拔力八达即位，是为仁宗，乃定大成至圣文宣王春秋二丁，释奠俱用太牢，复科举，策进士于廷，及第出身有差，从翰林李孟之奏也。李邦宁至是，宠遇日隆，帝竟遣邦宁行释奠于孔子，邦宁受命，方入庙中，行礼就位。忽大风起殿上，两庑灯尽灭，灯台底铁蹲人地尺许，邦宁悚息伏地，不敢仰视，诸执事伏地良久，不能成礼而退。邦宁恼悔累日，帝亦悔之。帝即下诏制，自今宦者勿得授文阶，改皇庆为延祐。及延祐三年，复加宦者续元晖为昭文馆大学士，帝盖中心无主，每相矛盾，然聪明恭俭，通达儒术，可为元守文之主，在位十年而殂，太子硕德八剌即位，是为英宗。以至治元年，元夕张灯，极其华美，帝御楼门而观，民皆争呼万岁，帝又酷信浮屠，崇奉西僧，敕建西山佛寺甚亟。又下诏于各郡寺观，宏开道场，广建法会，作功德以资冥福，兴荐拔以赈先灵，讽经礼忏，宣科演教，州郡靡不翕然从风。帝遂敕写金字藏经，诏翰林直学士吴澄为序，吴澄抗表奏曰：

陛下敕写金字藏经，为生民祈福，此尧舜禹汤为心，诚盛举也。若用以追荐，则臣所未谕。盖福田利益，虽人所乐闻，而轮回之说，不过谓为善者死，则上通高明，其极品与日月齐光；为恶者死，则下沦污秽，其极卑与沙虫同类。浮屠子遂创为荐拔之说，以惑世人。今列圣之神，上同日月，何庸荐拔？且自国初以来，凡写经追荐，不知凡几，若未效，是无佛法矣；若已效，是诬其祖也。撰为文辞，万不可以示后世，臣无任恳切之至。

帝再三敕之，吴澄坚不奉诏，即日移病而归，至文宗至顺二年卒。澄字幼清，号草庐先生，临川人也。潜心好学，笃志力行，著书立言，翊翼圣教，谢疾归时，从学者数百人，所著有《易春秋礼记纂言》，及校定《皇极经世书》、《大戴礼》等书，卒赠临川郡公，谥“文正”。

第八十七回　三清楼公孙醉酒

宁都有金翁者，甚贫，臂曲如弓，本名金驼子，好事者偏饰以美名，曰“金锭子。”远近有庆贺事，必邀至家，以为佳兆，金翁之名大噪。每遇吉日，争相致之，以得者为幸。翁一一造之，莫不奉金钱，馈酒食，醉饱盈袖而归。久而积累，遂置田二十亩，其田故膏腴壤也。里中有吕富翁者，久欲此田未果，一旦为金翁所得，心衔之。阴以里役搆讼，倾其家，其田遂归于吕，而金翁以贫。昔年争欲致为佳谶者，至此无人叩门矣。金翁乃伛偻田畔，瞻望饮泣。里中人有以搆陷始末，皆出吕翁告之者，金翁甚恚。自念无可报复，惟伺便或遇吕翁，以利刃刺之。

一日，闻吕翁饮于姻家，夜深始归，金翁即挟刃至中道伺之，挨至更余未至，旷野萧条，松风刺骨，金翁忽转念曰：“吕翁不仁，渠自昧心，而贫乃我命，贫而且病，何必更作孽乎哉？”即掷刀于河，抽身反走，忽失足一颠，跌踣于地，良久始起。徐扪腰背皆有异，至家叩门，其妻一见，惊而讶之曰：“尔胡为颀然而亭亭也？”金翁自顾，亦错愕不知所出，调笑之声，喧闻比邻，共走入视之，无前此拳跼故态矣，远近皆以为异。金翁深秘其挟刃事，惟言得奇方所愈，而竟无人知之者。至是，亦稍有周恤，免于饥寒。

数月后，吕翁亦遣人厚加馈遗，并请临其家，金翁峻拒之。吕翁亲自造门，邀请甚恭，金翁不得已，造其家，则陈设丰隆，酒肴交错，备极款洽。告辞，辄不许，又延至内室，促膝谈心，意甚亲密，金翁甚疑之。入夜已深，金翁欲归，吕翁始告曰：“闻翁痼疾顿愈，甚慰鄙怀，但不佞有所求于君，可乎？”金翁问故，吕翁长跪而请曰：“愚夫妇年逾半百，仅一七龄之子，生而韶秀，亦甚聪慧，乃于前月某夕，偶步阶前，逾门限，而忽颠仆，竟同翁之痼疾，百药罔效。因思欲愈此疾者，非翁之奇方，万难为力也。翁如不吝，请奉百金为寿。”金翁闻之，瞠目直视，不语者久之。吕翁笑曰：“翁以百金为不足耶？”金翁不觉长叹数声，欲言仍止。吕翁怪而问之，金翁乃移座近前，尽吐其实。两处约计，掷刀与其子得疾之夜，时刻分毫不爽，吕翁闻之，毛发悚然，深自恼恨，尽反其田。即于是夜载金翁之妻至，夫妇皆养于其家。

越明年，吕翁复举一子，而七龄者竟死，金翁夫妇无子，皆厚葬之，即以其田为祭田。吕翁子命名为吕金生，以示不忘金翁也。金生美姿容，性聪敏，成人后，博学能文，时吕翁夫妇已卒。金生屡试不售，淡于进取，挟赀游览，放浪江湖，纵酒嗜博，无所不至。客广陵，恋一妓燕娘，有终身之约。久而逋歉愈深，犹日与恶少纵博，不下数百金。燕娘代为筹算，虽倾囊不足偿也。燕娘一日，乃大张宴饮，邀集豪贵十余人，决赌。金生连掷皆北。燕娘在旁，审视良久，乃尽出簪珥、钗钏，珠玑灿然，请以五十金为注。时同博者各携数百金，皆相视而笑，许之。点筹既定，枭雉互陈。次至燕娘，乃扬袖大呼，一掷六绯，众客皆愕。燕娘敛骰在灯，拂衽称异数，不敢有后冀，计其获已三千余缗，尽征而归之金生。罢酒后，燕娘复约诸豪贵曰：“明日幸相过从，妾有所请。”翌日，乃早起治酒，诸客一一皆至。燕娘乃艳妆而出，手挽金生，对天洒酒再拜曰：“今日为郎戒赌，次浮巨白，上其假母。”亦再拜，捧出匣中五百金，为赎身。以次遍酌诸客，亦再拜曰：“自今日以往，将为吕家妇，不复见矣。”遂入。举座感叹，有泣下者。其假母持金，呜咽不能成声。既而酒阑，燕娘椎髻短袷，车骑已在门外矣。

即日南还，道经新城，东至三清楼下，金生欲登楼少憩，且玩江景。燕娘问曰：“何谓三清楼？”金生曰：“新城旧有何渊、何潜、何滨、弟兄同登庆历三年进士，后渊谥‘清节’，潜谥‘清敏’，滨谥‘清忠’。至今，临江起三清楼以纪其胜。”燕娘曰：“此乃名胜所在，妾与郎君，不可不登楼留题，以遣逸兴。”金生大喜，甫登楼，即遇有恶少年十数人，行歌而前，联袂喧笑。燕娘貌美且都，光艳照人，将遮侮之。金生自度力不能支，窘甚。忽楼上一道者，角巾素服，须发苍然，当窗责众曰：“若辈独无宅眷耶？焉得无礼！”众怒曰：“我辈作戏，何预尔野道事？”群起攻之，燕娘始得间而逸，金生欲留谢之，道者挥之速去，金生始望空而走，众恶少齐攘臂楼前。叱曰：“何来泼道，胡为者？”因手挈楼前巨石，可重百斤，掷地人土者三四寸，以示膂力，复相与戏博，无不矫捷轻悍。视老道士，直竖子耳。道者徐步下楼，笑曰：“贫道少年，粗习此伎，可与若辈共试否？”众恶少恃众且勇，争赴曰：“来！来！”话未已，道者忽起，腾跃而上者，丈许，踢其一人，自额至胸及于腹，其人仰仆，不能少动，即挈石掷地人也。又一人奋袂而进，复饱老拳，亦卧而呕血。两人皆巨魁，既负，余皆慑服不敢动。老道士两手提巨石，拟碎两人首，于是诸恶少，号泣请命。

道者正欲释放，忽鸣锣一声，见旌旗对对，戈戟森森，报节度使至矣。诸恶少急扶掖二人，踉跄遁去。老道士即欲避匿，韩节度搏虎在马上，早已望见，以鞭梢指曰：“此湘阴道士也。”急下马上楼坐定，令人邀道者至。道者一见便识，即呼曰：“韩大人别来无恙耶？”叩见毕，韩节度以宾礼待之，诸将校皆侍立于侧。韩节度与道者，相别几二十年，故旧相逢，喜不自胜，即命置酒楼上，玩景谈心，饮兴方酣。韩节度遂言别后入宋，如何征讨，如何兴复，如何建都立帝，每言至忻动处，道者击节称善，辄浮一巨白，言未及半，而老道士已酩酊大醉，入黑甜乡去矣。韩节度犹刺刺不休，说战功，说制度，口谈指授，语渐含糊，不一会睡去。诸将校无不窃笑，忙扶节度与老道士下楼，至新城驿中安宿。众恶少此时，方知老道士与节度有旧，无不吐舌，犹虑节度得知，争先逃去，受伤二人，一遍体青紫，呻吟半年始愈；一竟成痼疾。吕金生家中，望之归者三年，骤相见甚喜，询得其状，举家深佩燕娘之德，而金生与燕娘情好甚笃，自是，亦不复作浪子游矣。后闻此道者，乃韩节度故交，遂至建昌谢之。时湘阴道士已客节度署中，金生入建昌，半月不获得见。

一日，有幕府录事张宜偶出，一见金生问之，张录事盖金生姻戚也，金生遂言其故，张录事曰：“子欲见公孙先生耶？”金生不知，张录事曰：“湘阴道士姓公孙，名鸿，节度在汉阳相会时，尚隐姓名，至今闻大宋建国已固，方始说出，此乃节度之上客也。幸子早至，若更迟三日，将赴岳州扈节度处去矣。”引之入见，老道士笑曰：“贫道偶见不平，少加声色，何足言谢？”吕金生再拜称谢而退，并谢张录事，始归宁都。后金生以赀谒选，得龙门县尉,燕娘随赴任所,金生居官颇清慎,不数年,仕至柳州刺使。解组日,燕娘始出囊中骰子六枚,面面皆绯。即当年一掷三千者也。噫！诡不害智,燕娘其女中杰出者哉！

第八十八回　刘蕡墓轩辕还金

宋昭宗隆熙七年夏四月，少保左丞相范国昌，枢密使保昌公狄定国相继卒，乃以关普灵为枢密正使，岳镇为枢密副使。九月，广右节度使大将军高耀卿入朝奏“元主南坡有变，当乘其乱，攻取京西诸郡，元人必不暇顾，机会不可失也。”帝恐碍于和议，耀卿奏曰：“宋与元和者，乃先帝一时体兵养民，权宜之计。当此士马精壮，陛下正宜发愤有为，以继先帝恢复之志。”右相司马甫奏曰：“乘人之丧而伐人之国，仁者不为也。陛下此时，未可妄动。待来年诏集各镇会议，方可兴师。”高耀卿曰：“宋与元仇敌也。先帝日日卧薪尝胆，恨不扫平燕云，肃清海内，仍为大宋一统。今既有机会，宁可因有丧而中止乎?”帝从之，犹未下诏，忽报，岳州节度使新宁侯扈德威卒。帝悲悼数日，伐元之诏遂寝，以种世虎兼开府仪同三司，为岳州节度使，即日赴镇。高耀卿叹曰：“天不欲宋复兴大业矣。”辞帝仍镇广右而去。

高节度一日巡至柳州，见城垣崩坍过半，责太守立即修理。时柳州守戚臣，任法严峻，饬所属州县，派拨民夫，委官督工，日夜修理。官吏承上意旨，催工既迫，催科尤急，以鞭箠从事，而法愈严者，弊愈滋，凡司会计，管钱谷总出入者，无不枉法索贿。民甚苦之。系累于缧绁之中，而仍负担土木之责。甚有卖妻鬻子，破产倾家，而以偿官缗者。

融县西罗村，有一李柜，产本中人，素性长厚，一子尚乳，一女名翠云。同里中有汪生六一者，家甚富，一日窥见翠云装束虽甚朴素，而一种婀娜之态，流光顾影，自足动人。汪六一久思染指，无隙可入。正值郡守行扎修城，拨派民夫，以家业饶裕者，为城工局首，经纪银钱。按此局首，若黠者充当，便肥私囊；朴者承任，罔不荡其家资。汪六一闻之，即令人将李柜之名，举报县中，可当局首，李柜闻之大惊，急至县中申辨。县令不允，责曰：“业经举报，即日申祥，岂容推诿? 若人人皆免此任，公事谁为经理?”竟申入郡中去。李柜无可如何，随众局首，齐赴柳州。汪六一遂日夜设计，欲骗翠云入手。李柜妻崔氏，摒挡家政，井井有法，三姑六婆，概不入户，烧香赛会，未尝离门。汪六一无法可施。而李柜在柳州，经管数月支给不敷，亏折无数，日积月累，逋歉益深。官吏索贿，李柜又不善应付。

未几，遂身陷囹圄。崔氏闻之，无计可为，惟有变房屋，市田产，计图赎出囹圄。谁知数仍不足。李柜在狱中，寄信崔氏，若更得五十金，则祸可免。崔氏得书泣曰：“家业典卖尽矣，此金从何而出?”其女翠云亦泣不可止，乃谓母曰：“闻古有缇萦上书，愿入宫为婢以赎父者，儿亦愿卖身得金以赎父。”崔氏闻言大恸，然至此已无可如何，遂从其策。汪六一闻之，大喜，即令人与崔氏说知，愿以五十金买去作妾，崔氏欲不允。翠云泣曰：“但得赎父出狱，儿虽作妾，亦所甘心。”崔氏勉强许诺，汪六一以金付之，娶翠云而去。母女分手，凄绝自不待言，而崔氏急于赎夫，既得银在手，即负幼子，自往郡中，愈行愈远，益想益悲，又虑此银一入，若更不能赎出，则夫妻惟一死而已。

行至马平县，经刘蕡墓前，疲劳已甚，遂将幼子放下，置囊于地，哭诉于刘蕡大夫之墓。呜咽之声，字字酸楚，闻者无不下泪。崔氏悲悼一会，见黑云四起，知阴雨将至，遂起身仓皇负子而去。至郡中，则城工业已告竣，而李柜在狱中已年余矣。崔氏至狱视之，李柜悲喜交集，急命取银付吏，而崔氏一闻此言，如震惊霹雳，魂魄俱丧，不知此银失落何地。李柜亦嗒然若丧，又闻乃系卖女之银，惟呼天而泣。崔氏此时，欲出城觅之，则已日暮闭城，不得已，至邸中寄宿。是夜，双睫泪盈，直盼天晓。鸡鸣，即披衣起，出城沿途物色俱不见，暗思必失于刘蕡墓前，仍至故处，亦毫无形影。寻思无计，不觉捶胸大恸，坐于墓下，声声直唤："参军乃唐室直臣，宁长卧地下，死而无知耶?"一面哭，一面诉，泪如涌泉，泪尽继之以血。四顾无人，觉宿鸟为之悲鸣，林木为之凄恻。哭诉一会，正欲就墓前触石而死，忽来一书生问曰："娘子毋乃失金者乎?"崔氏急应之曰："然。"书生曰："汝金为我拾得，可随我入城，行当还女。"崔氏闻言，如身至鬼门死去复生，叩头不已。书生止之，徐步而去。

崔氏仓猝间，亦未叩其姓氏。此人乃东兰州轩辕生，名固，同一友华生，名国选者，应举将入武都。偶过刘蕡墓前，拾得一囊。启之，内有五十金。华生喜出望外，谓轩辕生曰："吾二人仆马之费，尽有赢余。"轩辕生曰："不可，此金安知为富贵人所失乎，为被难人所失乎，若富贵人所失，用之固为不义；若为被难之人所失，则性命死生，皆系之矣。"华生大笑曰："兄何其迂，非盗非夺，自我拾之，自我用之，亦复何尤?"轩辕生不以为然，回至寓所，置金囊于枕畔，终夜不寐，暗思明日，必访其人还之。黎明即起，仍至刘蕡墓前候之，恰遇崔氏寻死，问明金数皆符，引至邸中还之。谁知华生见轩辕生有还金之意，即移寓他所，不与共事，将金囊携去，轩辕生大惊，急至华生寓所，则金已耗去过半，正色责之，乃持归邸中。而崔氏已望眼将穿，一见轩辕生，喜不自胜，正欲称谢，只见轩辕生愀然曰："尔金已被吾友耗去过半，奈何?"崔氏闻言，重复呜咽而泣曰："良人身陷囹圄，前此易业取赎，因不足数，又陷月余，始卖女得金五十，若仍不足数，则良人终无出狱之期。"言毕，泣下如雨，轩辕生恻然久之，既而曰："吾橐中尚有十五金，并以赠女，合计尚少数金。"轩辕生又至城中，问各处可有东兰州朋友，一一访之，代为挪移。

三日后，始全数与之，崔氏千恩万谢而去。轩辕生以试期尚早，与逆旅主人略贷资斧，仍回庆远东兰州，更备仆马之费，始赴武都。而李柜闷坐狱中，以为此金已失，忽见崔氏持金而至，一一说知，感泣不已。急以金付吏，越日，释放。夫妇携幼子，同出柳州，口中时时感叹轩辕生。谓异日当衔给图报，一心望归融县。至女家视之，谁知翠云之事，更有不测。汪六一既得翠云，大畅心怀，讵料其妻阴氏悍而且醋，以六一娶妾即本村李柜之女，又闻其美，大怒，俟翠云入门，引至内房锁之，不通半线。汪六一馋口流涎，无可如何。遣人与阴氏哀恳，阴氏益大起风波，一骂三朝，一詈四夜。汪六一伏，不敢动弹，阴氏亦并不少假辞色，汪六一服，不敢动弹，阴氏亦并不少假辞色，汪六一饮恨而已。一日，偶至内房门隙，私窥翠云。忽阴氏至前，汪六一见而反走。阴氏操杖逐之，六一不提防，足挂屏风，一跤仆地。阴氏近前，以杖捶无算，家人仆妇等将阴氏劝解入内。汪六一狼狈始起，恚甚，大言曰："吾何以生为?"语毕大惭，时邑中有臧生者，作惧内供状嘲之，其状云：

伏维阴盛阳衰，巾帼之雄可畏。女强男弱，须眉之妇堪怜。禀坤而乃以乘乾，夫纲已堕，治内更兼夫正外。妻道何隆，风斯下矣。岂世间多燕赵佳人，教且同焉？实宇内少昂藏男子。慨往古而已然，叹近今之更甚。某本儒生，家传阀阅，自信美如城北，岂期配在河东，号阃内之大将军。自他有耀，怕老婆之都元帅，舍我其谁？非关南国人柔，倍见北方风劲，鸠盘荼踞白莲台上，胭脂虎卧红锦丛中。一言触恼，分明太岁当头；片语加嗔，俨似小魈破胆，抱衾裯犹存觳觫，侍饮食时切悚惶。奉命承教，早等纶音谕旨之严。言听计从，恪遵妇倡夫随之训。被骂总莫妙妆呆，动怒又何妨陪笑？出必告，似裹猿唤月；反必面，如饿马奔槽。可骇者，平时声若洪钟，到妻前而不闻其响；可怜者，纵尔勃然盛怒，入房中而忽改其容，诚何心哉，良有以也。兼之娘子每抱采薪之忧，卑人独尽割股之孝。茶汤自进，不同保母之频呼？药石亲调，无此梅香之偷懒。体心着意，痛痒相关，敲背摇肩，殷勤曲尽。宜乎恩威并用，赏罚皆施，奈何慈悲心不舍半毫？冰霜面居然终日，纵使盈盈秋水，但常见金刚努目之时。如何淡淡春山，不曾有菩萨低眉之日，灯影下谁教你屈体蛇行？所可道也。言之丑也，人面前可畏他大声狮吼，庶几改之。予日望之，更可惮者，立法尤严，设刑备至：大门闩，使丈夫之惊魂堕地；小棒椎，乃娘子之扑作教刑；马桶盖制就圆枷，俨似中军之帽；裹脚布权为长练，竟同绵殓之尸。绣房中一个罪囚，即夏禹泣之而奚益；黑夜中浑身疼痛，纵文王视之而徒伤。欲讨饶，既虑钻隙相窥，将高喊又恐隔墙有耳。无奈哑气吞声，学吞炭之豫让，攒眉咬齿。等刺股之苏秦，古公何罪，竟罹无妄之灾？阳货激恩，常感不孥之德，瓠犀牙如此锋铦长颈边时隐着一颗紫印。麻姑爪这般利害，瘦脸上早现出几缕红斑。以云困顿，不亦甚乎？若谓风流，未之有也。将登山临水，总是惊心吊魄之场，即宴客娱宾，尤多疐后跋前之恐。九子魔时时作伴，罗刹女刻刻相依，既难为孟尝君之秦地私逃，亦徒为齐景公之牛山陨涕。颇情愿削发而念阿弥，或告之，吁，无所祷也，恨不能腐刑而为阉寺。被将曰：“噫！于汝安乎？”是以生死均难，进退维谷。从未得吐气扬眉之日，恒抱此囚首蹙额之容，此惧内之禀性良然，真怨慕之苦衷莫解，不得已而传之管城子。犹未尽我形容，无可奈而寄诸楮先生，庶得知予苦楚，聊以藏拙，不敢书名。人各有妻，观之莫笑，供状是实。

汪六一久而不堪其苦，挟赀游京湖而去。阴氏竟将翠云出卖，有邵陵老商人，在融县闻之买去，商人行至新田县，疾卒。翠云遂沦落营阳。李柜夫妇回融县西罗村时，则已卖去月余矣。李柜夫妇自然不胜凄楚，幸得一姻家顾氏，时周恤之，僦居败屋，稍延残喘。

时当宋隆熙之十三年正月，福宁候开府仪同三司种世龙，武宁侯龙武大将军关普灵，俱薨。是年，礼部知贡举者乃集贤大学士、工部左侍郎欧阳懋德，六镇士子俱云集于武都。欧阳侍郎扃门后得一佳卷，拟作首选，耳边似有人语云："此人不可入选。"欧阳侍郎随问之曰："尔为谁？"其人答云："吾即唐元和中下第之刘蕡也。"侍郎闻言，遽弃之。随取一卷，填为首选，放榜后，则巍然高列第一者，即东兰州之轩辕固也。一榜九十余人，及第出身有差，轩辕生以首选，即铨道州刺使。谒见时，侍郎问曰："东兰州有华生名国选者，贤契亦知之否？"轩辕生曰："此门生契友也！"侍郎曰："华生之卷，业已取列第一，有人呼余，不可入选，因而摈之，究竟其人何如？"轩辕生对以甚佳，侍郎再三问之，轩辕生始将拾金一事，始末告知。侍郎瞿然曰："无惑乎呼余者，自称刘蕡，职此故耳。诸生以一第为儿戏耶！一念之差，遂落孙山之外，以五十金而弃一进士，至此悔无及矣！子勉之，前程未可量，当不负吾拔擢也。"轩辕生再拜受命而退，赴任道州，令人至东兰州，接其母至，其妻亦同至任所。

时轩辕生无子，其妻劝置侧室，以延宗祀。轩辕刺史应允。因公至郡中，偶见一女子，在破屋中为人缝纫。刺史悦之，遂纳为妾。叩其里居姓氏，盖即融县西罗村卖身赎父之李翠云也。翠云问明，亦知刺史为还金赎父恩人，两情不胜惊讶，以事非偶然。轩辕刺史转私叹曰："惜乎！此女卖身数次。不然，即充次房可也。"携回署中，母与妻皆喜，为另置鸾凤巢，谁知翠云，仍然处子，刺史大喜，更令人至融县访李柜夫妇至，即立为次妻。李柜夫妇再拜谢曰："再造之恩，无可答报，愿充媵妾，以酬高厚。"刺史不许，年余，举一子，其妻爱若己出，争抚养之。未几，连生二子，后刺史仕至赞善大夫，翠云获诰命焉。而谋陷李柜、计图翠云之汪六一者，竟以狎游妓馆，病死于外，不获归。妒妇阴氏绝嗣，家赀亦荡然无存矣。

第八十九回　乌蒙僧巧设骗局

宋右赞善张纯粹，外任为武陵太守。廉干有声，于城内建双忠庙，四贤祠。双忠庙者，祀唐张巡、许远也；四贤祠者，祀楚屈原、汉马援、宋唐介、岳飞也。莅任数载，生民安居乐业。

一日，有一老僧担经执杖，诣郡自陈为乌蒙僧，由南海归来，入浙过宁波，晓起山行，经镇海县千丈岩，拾得一袱囊，内贮三百金，复有小册，记其银封甲乙及商人姓名，俱甚分明。僧坐岩前，欲俟其人至还之，半晌迄无人影，欲自诣官，又恐见疑，反遭不测，乃沿途遍问廉吏，无出上国武陵张太守者，愿以银贮库。乞太守出榜揭示通衢，召商人至，符其记数，则还之。太守大喜，延老僧于郡斋，为设供养，欲留为郡中四贤等祠作常住僧。僧辞曰："老衲大事有托，此愿毕矣。孤云野鹤，何天不可高飞？而堪匏系也耶？"食后，即飘然辞去。太守器重之，每宴僚友宾客，即举以作快论。常曰："元人奉西僧，而西僧一出，辄敛金钱，官吏人民，莫不苦之。以视此僧，判若天渊。"闻者皆啧啧称羡。

数月后，果有商人至，自言秦中人，贩货入浙，日暮行急，堕装马下，近闻为老阿师慈悲所拾，贮于贵库，诣府自领。太守令验之，无分毫异，乃原璧归赵。商人口颂心铭，感老僧之德，更无已时，传播一郡，人人无不知有义僧者，欲见其人，不可得也。年余，太守以事偶过岳州，商人迎拜马首，自言侨居巴陵。太守望见前日老僧，持钵乞食于路。僧一见太守，急避匿人丛中，太守遣人邀至甚欢，遍语缙绅，称赞不已。商人闻之请见，则匍匐捧足，顶礼而谢曰："肉眼不识圣僧，非神使君在此，几于觌面失之。"一时义僧之名，复播于岳州。居无何，洞庭湖内君山黄陵庙及轩辕台，年久倾圮，欲重新改建，议募赀而难其人。士民皆曰："此非义僧不可。"交口推之。

老僧遂慷慨任事，即首赴武陵，请张太守题募序。张太守欣然命笔，倡首捐百金，郡民乐施者，顷刻千金。夏回岳州，及潭、澧诸郡，以修复名胜，与义僧倡首，莫不闻风响应，数至钜万，商人亦捐三百金为佽助。且曰："此三百者，圣僧所惠也。"募费既足，士民等议将入蜀中购木，又请于僧，老僧辞曰："贫衲萧然一身之外，更无长物，乃挈重装以行千里，无乃为盗赍乎？"众皆曰："阿师义不容辞，庙成，则阿师功德，与平等阁相颉颃。"老僧不得已，曰："必欲贫衲肩此重任，须官给邮符，多备从人，并秦商与俱，秦商尝言欲以报我，必愿往也。"众称善，岳州士民，于是为之卜日戒行，男女执香擎幢，导鼓乐以送者，几于填巷塞途，观者蜂屯蚁聚。祖饯于岳州城中，商人亦贮数十箧于肆内，令一老仆，一苍头守之。临行，又殷勤治酒，邀邻里嘱代为看守。老僧与商同行，凡二十余人，皆张弓挟矢，挂剑扬帆而去。行至荆州石首县，正值重阳日，僧与商人上岸，市酒肴，以啖从人。竟日之内，僧但食酸齑而已。众皆酩酊大醉，一睡直至天晓，呼僧与商，俱不见，而囊橐如故，试一举手，轻如无物，启之则荡然无存，惟一利刃在其中。众人急归岳州，鸣之官，官发商人肆中所藏数十箧视之，内皆瓦石。其老仆、苍头，皆岳州人，半年前所佣也，捕缉累年，竟无形影。武陵太守闻之，为之于邑者累日。

后张太守有犹子名崧者，以省亲关中，道经华岳间，策蹇日暮，偶遇大雪，暂至路旁空室中少憩，忽见有紫髯狐裘，骑骏马，随两奚奴，轩然而来者。见崧熟视之，顷曰："足下非张公子耶？"崧曰："然"。紫髯即下马，问何以至此，崧以省亲对，紫髯遂笑曰："还识我否？"崧茫然未对，紫髯握手曰："蜗居不远，家有浊酒，可以谈心，幸相过从，免今夕邸中冷寂。"相与上马，联骑而行，不数里，即有庄院。门径幽邃，屋宇华丽，登其堂，陈设甚备。咄嗟治具，物物精腆。席间金玉杯碗，不下数十事。紫髯浮白大嚼，时时向崧大笑。崧心疑之，托醉就寝，终夜反侧，未尝合目。次日，雪霁，更治酌，而复厚赠之。复问曰："竟识我否？"崧终不省，分袂时，乃曰："为我谢尊叔贤太守，我即向日乌蒙僧也！"大笑而去。崧归至武陵，以白太守，太守怅然若失，曰："如此骗局，真如鬼如蜮，令人不可测度矣！"十分懊恼，已而大笑。

第九十回 **许廉访请颁葬制**

元英宗酷信佛法，每言佛门可治天下，故崇奉西僧十分隆重。右丞相拜住奏曰："清静寂灭，自治可也。非可以治天下。"帝不以为然。闻宋昭帝下诏求谏，又谓拜住曰："我朝亦有如唐魏徵之敢谏者乎？"拜住对曰："盘圆则水圆，盂方则水方。有太宗纳谏之君，即有魏徵敢谏之臣。"帝称善久之。时翰林承旨西僧教瓦斑，仕至太子少师，帝尊宠之。

一日，奉元行宫正殿灾。帝语群臣曰："世皇昔建此宫，至朕躬而毁，实朕不能奉释之故。"遂又拜西僧辇真吃剌思为尚书。乃下诏出猎，驾至柳林，忽大风雨雹，拔柳林行宫内外大木三千余株。帝惊，犹以为西山佛寺，功久不就。下诏极力催督甚急。监察御史观音保上疏力谏，以岁饥，且东作方兴，请停其功。帝大怒，立命斩之。有道士刘志先、僧圆明等俱以妖术作乱，命大元帅完颜等讨平之。帝遂果于诛戮，朝臣人人自危。巡上都还，驻跸南坡，有宣徽使锁南、御史大夫铁失，二臣俱领卫兵，夜半后，拥兵攻入行幄，先杀丞相拜住，英宗遂为铁失等所杀。乃迎皇叔嗣晋王也孙铁木儿，以支庶入继大统，遂为泰定皇帝。帝既立，乃族诛铁失等于燕都，籍其家。有枢密副使兼中书平章张珪，乃张宏范次子、张景略之弟，以武阶调文职，自上都至，上疏以逆党未讨、奸恶未除、政令不行、赏罚不公、赋役不均、财用不节等事请裁择之。帝不报。

是时人心浮薄，民间酷信阴阳相地之说，青乌家专一谈论风水，煽惑人心，一为所迷。有停棺至数年不葬者；有既葬而迁而又迁者；有葬后以元武藏头、苍龙无足而灭宗嗣、伤骸骨、穷通得丧，彼此构讼不休者，则有曹州定陶县边留翁一事。边留翁者，居定陶戚姬村，夫妇以捕鱼为业，仅一女无子，薄有余积，乃于范蠡湖侧，构一园林，买山为终老之计，其地左泉右石，后枕阜陵，前俯清溪，边留翁甚合心意，无事即就湖滨捕鱼，优游山水。

西山有一薛翁，家赀巨富，酷信风水，适聘一地师至，名曰高谈生，遍为薛老物色龙穴，俱无佳者。至城南，一见边留翁地，乃大惊曰："此瓜地安魂，湖灯妥骨之吉壤也。"薛老愀然曰："此非吾产也，虽佳何益？"高谈生遂为画策，以薛老一子与边留翁之女联姻，不欲厚奁，但得园中幅地，为薛老作佳城。边留翁有何见识？私幸联姻富户，无不允从。"不日成婚，乃迎边留翁夫妇于家，饮食俱极丰腆，礼貌尤恭。边留翁即赠以地，薛老大喜，遂请高谈生相地按穴，如法筑坟。自后对于边翁夫妇礼貌寝衰，又久而竟逐之。边留翁夫妇无奈，仍拉船至江边，捕鱼为生。薛老夫妇，至是且将其媳日加箠楚，不与饮食，其子亦摈斥之不以为妻，钗钏服饰等类，尽行剔去。谓："渔家女，恶得服我家物？"媳竟磨灭而死，草草葬毕，边留翁夫妇但悲泣而已。

一日捕鱼至范蠡湖边，望见泉石依然，林峦如故，而巍然高阜者，乃薛氏之生坟也。欷歔久之，忽见一人田中耘草，乃故庄客也，遂向之呜咽，不能成声。庄客曰："薛老以巨富而与翁联姻者，特为此地耳！”边留翁始知其详，欲控薛老，而苦无钱；欲刺地师，而苦无刃。乃伺县令出衙时，拦舆诉之，县令集讯。而边留翁绝无执据，反被斥逐，冤填胸臆，郁郁而死。其妻亦呼天号泣，自沉于江。高谈生遂往贺薛老曰：“佳城自此定矣！”薛老谢之百金。

未几，而薛老家三被回禄，皆见边留翁父女三人因风纵火，而薛老之子，与一富室冉姓者联姻，冉故县中恶胥，虎而翼者也。薛子偶斥其妻，其妻恚甚，投缳而死。冉至，将薛老夫妇并其子缚而捶之，窘辱万状。始拴其子去，鸣于官，陷于狱中。薛老上下行贿，直破千余金，始得其子出狱。薛老一日偶见边留翁夫妇，偕数人持黑索者至，薛老不觉失惊，谓其妇曰：“边亲家来矣！”其妇应之，登时夫妇俱死。薛子即请高谈生葬于穴内，又重谢以百金。不数月，雷轰其冢，陷入地者丈余，竟成深潭。而冉富室仍不忘旧仇，以登州府劫饷一盗，扳薛子入案，竟坐大辟，其女之愤始泄。而高谈生仍徜徉事外，东处觅龙，西家寻穴，其设局骗人金钱，犹其小焉者也。又传其徒数十人，一味走富室，谎愚民，串地棍，买绝地，各处皆翕然从风，争相致之。竟有推高谈生以地行仙者，后为仇家所杀，肢解之而去。山东廉访使许思敬闻之大怒，立饬郡县，严究青乌之党，以泰定二年正月入觐，请将族葬之制，颁行天下，禁止阴阳家相地邪语，上疏奏曰：

> 臣闻术数之学，凡有济于世者，皆律所不禁，而独似是而非。言伪而辩者，不可不大为之防。恐其以赝而乱真也。夫古之葬者，不封不树。后世圣人制礼，始葬祭并用。而葬欲吉壤，卜之而已。使没者得其安，生者遂其愿，非如近世所云，辄以朽骨为名利阶也。窃以青乌指南之术，原本邪说。而众生必死，死必归土，自倡为富贵利益之说，以忻动人心。无论蚩蚩者氓，入其局中，即缙绅诗礼之家，亦罔不坚持其说，以为玉尺锦囊诸书，悉本乎河洛皇极，足表里乎圣经，岂不谬哉？伏维陛下宏天地之量，并日月之明，颁行葬制，永定画一之规，禁止邪辞，免生伎俩之技，以奠人之心，以正风俗，则浑穆敦厚之象，未必不再见于今日也。臣无任激切屏营之至。

帝览奏善之，即诏发行省：“凡葬者，俱依族葬之制。其有妄谈风水者，一律禁止。行省若不严行屏息，御史台臣，用以上闻。”

阴阳家学问，容或有之。若一味坚持其说，则过矣。夫亲在，则以亲为可有可无之人；亲没，则以亲为求富求贵之具，心地若此，尚可问乎？谈风水者，可以寤矣。曾见有人题金山郭璞墓，诗云：

> 云根淳浪花，生气来何处？
> 上有古碑存，葬师郭璞墓。

晓世之意，隐然言外，所谓但见戴纱帽者来看地，不见戴纱帽者来上坟也，故后贤有造生圹诗云：

莫笑先贤造化台，何人不向此中来？
譬如华屋身将住，可否梅花手自裁？
三板暂教风日闭，一门直待子孙开。
香山坟畔泥泞酒，先与群公醉几回。

风水之说既不足信，至选吉择日，尤可笑者。后贤亦有诗云：

何须六甲卜王匡，心是功曹善主张。
展氏自知无隐慝，吕才从不信阴阳。
燕藏戊已巢虽稳，人守庚申道亦亡。
岂若信天翁最好，一生所到是康庄。

观此，则选吉择日之说，亦甚无谓。杭州有吴东升者，百夫长也，颇善词翰，年八十，临终曾作诗曰：

嘱咐儿孙送我终，衣裳棺椁莫丰隆。
停丧只可经旬外，出殡须行径路中。
念我行藏无大过，请僧超度有何功？
掘坑埋了平生愿，休信山家吉与凶。

嘻！武弁有此，殆有过人才识，而隐于百夫长者。

第九十一回　赵完普焚香告天

元泰定四年，诏皇子允丹藏卜往智泉寺受佛戒。帝则御兴圣殿，受无量寿佛戒于帝师辇真吃刺思，郊庙祀事，概用大臣摄祭，监察御史赵思鲁以大礼未举，遂上疏：

> 言天子亲祀郊庙，所以通精诚，迓福厘，生烝民，阜万物，百王不易之理也。陛下宜讲求故事，以格纯嘏。

一时御史台臣莫不交章上奏，极论此事。泰定帝览疏不悦，群臣不敢复谏。

时西僧佩金字圆符，络绎道路，驰骑累百，传舍不能容，则假馆民舍，而因以驱逐其男子，奸淫其妇女，民皆苦之。有奉元一路，经西僧往返者，百八十五次，用马至八百四十余匹，较之诸王行省之应供，十多六七。驿丞无可控诉，台察莫敢谁何。有帝师辇真吃刺思，弟子撒花只里者，奸横尤甚。佩金字圆符，率其秃众凡百余人，由福州经建宁路，沿途所经，见有娈女优童，辄掳去。民间畏如蛇蝎，逃匿不遑。

一日撒花只里偶经泰宁县地，迂道而过，泰宁乃邵武所属，宋民闻之，亦多惊惧。杉关韩太尉闻此消息，大怒，檄校尉四人，引壮士二百名，往泰宁捕至，将佩金字圆符者，斩其首，余尽杖杀。寇节度在长沙，亦捕西僧十余人，处以极刑。以故西僧骚扰，不敢少逾宋界。

元泰定帝在位五年，殂于上都。大臣倒刺沙等，立太子阿速吉八王禅为帝，泰定以支庶入继，遂承大统。而英宗以南坡被弑，失统外藩。按英宗乃仁宗嫡子，仁宗则武宗同母弟也，武宗以母弟为太子，故仁宗得位。而武宗二子，长子名和世棟，封周王，出镇云南；次子名图帖睦尔，封怀王，出居建康。武宗既殂，弟仁宗立，约以次传位于周王、怀王，而丞相铁木迭儿欲固位取宠，乃立英宗为嗣。周王出镇云南，行至金山西北，诸王率众从之，遂居于北部。及泰定帝殂于上都，燕京留守燕铁木儿谋举大事，征集兵将，露刃以会群臣曰："武宗皇帝二子，位当归之，不从者斩！"群臣失色，一时商议以长子周王，远在沙漠，猝不能至。次子怀王在江陵，少近，乃迎入燕都。怀王不允曰："长兄在北，当有天下。"燕铁木儿曰："人心向背之机，间不容发，一或失之，噬脐何及？"怀王不得已，乃以九月袭帝位，改元天历，是为文宗。自谓居摄，布告中外。时泰定太子阿速吉八，已即位上都。遣兵分道来攻燕都，大败而去。文宗即诏齐王月鲁帖木儿领兵一万，为东路元帅；不花帖木儿领兵一万，为西都元帅，合围上都。不旬日，攻破上都，倒刺沙等出降。阿速吉八逃至西都，为乱兵所杀。文宗既克上都，乃遣使迎长兄周王和世球于漠北。时周王在漠北，业已称帝为明宗。文宗以帝位让之，固请还京，明宗不可。文宗又遣右丞相燕铁木儿奉宝玉，赴漠北。再三陈请，明宗始许之。因遣使立文宗为皇太子，皇太子乃自发京师，往漠北迎之。

天历二年九月，明宗驾至旺忽察都，与皇太子弟兄相见，握手言欢，乃大宴皇太子及诸王大臣于行殿。是夕，帝与皇太子同榻而寝，时惟丞相燕铁木儿宿于外寝。天晓，忽闻哭声甚哀，燕铁木儿即奔入帐中，取出宝玉，此时皇太子已弑明宗，燕铁木儿即扶皇太子上马，向南而奔。驾回燕京，以明宗暴殂，布告天下，乃复袭位。计明宗在位，仅半年而殂，中外颇多议论，文宗患之。先是，有故宋赵和尚者，即宋恭宗之子赵完普也，恭宗以德祐二年北狩，入上都，初封嬴国公，后皆为僧，皇后全氏为尼，居佛寺二年，帝郁郁而殂。又七年，太皇、太后谢氏崩于燕，皇后全氏闻之，亦不食而殂。完普与其亲属，转徙沙漠，靡所定处，后徙蓟镇，闻淮阳王张宏范灭宋，掳掠宗室子女入燕者无数，元人争取之。惟端宗一昭仪柳氏者，被掠至燕，业有孕，元人皆弃之不取，发至蓟邱，与赵完普等一处安置。完普密问柳氏以身孕所由，柳氏回言："于景炎三年二月朔，帝在谢女峡与妾一幸。时宰相陈宜中已逃，文天祥未至，帝日日悲泣，每望海祝曰：'愿天为朕生子，与大宋灭元复仇。'四月，帝崩于硐州，卫王立，是为帝昺。五月，黄龙现于海中，妾随杨太后往观，感而有孕，故当时改元祥兴，妾负孕迄今四年于兹。"完普闻言，密为保护，多方维持。谁知此胎非凡，直怀至至泊元年正月，应大都路地震有声之日，方始分娩。果然日角隆准，方面大耳，试啼声，英物也。赵完普大喜，命乳母用心抚养，名曰赵一，暗取背城借一之意。

不日令下，诏迁于上都，时宋元已和，故完普不愿入宋，意盖以武都敌于外，已则抚养赵一成立，以应于内。后以丞相塔思不花奏，又移应昌府；至治三年，太史令奏应昌有天子气，不应以赵完普等居之，又徙五国城。完普频年迁徙，每暗抚赵一曰："异日能为我故宋雪耻者，必吾弟也！"

一日，周王和世㻋轻弓短箭，带领人马，猎至五国城，见赵一爱之，时周王无子，欲取一为养子，即召完普说知，完普不敢不从，即命拜于膝下。周王大喜，命将校扶上骏马，簇拥而去，完普依依不舍，送了一程，伫立瞻望，直至不见人影，始掩袂而归。周王引至上都，更名为妥欢铁木儿，及出镇漠北，俱命相随。至泰定四年，周王妃始举一子，名懿璘质班。周王称帝于和宁之北，为明宗皇帝。时妥欢铁木儿仅八岁，懿璘质班仅二岁。追至明宗暴殂，二子俱随文宗入于燕都。赵完普此时与其亲属，又远在沙州，妥欢铁木儿闻之，不胜感泣。而完普在沙州，闻周王称帝暴殂，每夜于中庭，焚香暗暗祝曰："愿吾弟早正大统，暗续国脉，为大宋一泄仇耻，则天实迈相之矣。"

第九十二回　**潞安王出守归国**

元文宗既弑兄夺位，欲泯其迹，以箝人口，乃加殊恩于明宗二子。而封长子妥欢铁木儿为潞安王，次子懿璘质班为鄜州王。俱养于宫中，视若己出。惟右丞相燕铁木儿、司徒香山等，以妥欢铁木儿乃明宗养子，不应居在宫掖，令出外藩，免生他变。帝以明宗眷爱之，且尚幼，未之许也。时燕铁木儿已册封太平王，加太师，独握大权，威行宫省，帝倚恃之。以泰定帝后宏剌氏色尚未衰，燕铁木儿通焉，欲收为妻。而见潞安王在宫，恐将来成人掣肘，遂谗间两宫，以危言撼帝，帝不能无动。妥欢铁木儿即迎机请镇云南，仍继先帝之志，帝许之。此时妥欢铁木儿年十一岁矣，原有明宗旧日一班文武将校，护向云南而去。鄜州王懿璘质班，年仅五岁，乃留于京师。

帝尊崇释教，较泰定尤甚，封西僧辇真吃剌思为大国师。一日至京，帝命朝臣一品以下皆往郊迎，大臣悉俯伏在地，双手进觞，帝师端坐不动受之。惟国子祭酒张养浩独挺身举觞，立而进曰："帝师释迦之徒，天下僧人师也。予孔子之徒，天下儒人师也，请各不为礼。"帝师笑而起，举觞卒饮，众官为之栗然。帝日受佛戒，谓清净之理，可与天下相安于无事，而边报傍午，一时若辽东、陕西、武安、禄余，俱有兵起。诸王秃坚，乌蒙，罗罗斯等，各据地以叛，尤甚者集庆路之花山贼，横行州郡，行省莫可如何。报入燕京，帝笑谓宏剌皇后曰："此辈鼠窃，满腔都是天子之心，所幸宋昭帝乃恭默之主，不然，宋师一动，朕宵衣旰食，又寝不安枕矣。"即下诏，以监察御史张士宏为行人，往聘于宋，以修旧好，命各行省征调兵将，严行讨战。时诸路小警，随扑随灭，惟集庆路花山贼，行省参政许有壬檄调京口都督耶律霸引兵讨之。初战，互有杀伤；再战，官兵折损无数，贼遂不可制。奏入，帝不悦。

五月，白虹并日而出，长竟天。秋八月，天鼓鸣于东北，御史台臣皆上章论事，以铨选之弊。因入仕之门太多，黜陟之法太简，州郡之任太淹，朝省之除太速，当设法以救四弊，应天变，庶时事可挽。帝览奏不省，时已寝疾，乃诏太平王燕铁木儿入宫，遗命传位于鄜州王。燕铁木儿曰："不如立燕帖古思。"帝不许，随殂。燕铁木儿即征会诸王，至京师，立鄜州王懿璘质班为帝，是为宁宗。时年七岁，百事皆裁决于中书燕铁木儿。在位二月而崩。燕铁木儿又请太后立燕帖古思，太后不可，曰："吾子尚幼，潞安王妥欢铁木儿现在云南，今年十三，礼当立之。"燕铁木儿闻言色变，欲再谏阻，后遽下懿诏，命诸王迎潞安王于曲静，既至上都。燕铁木儿出城迎入，途次并马徐行，自陈迎立悉出己意。潞安王年幼，见燕铁木儿声势凛凛，气焰熏灼，不敢仰视，亦不敢回答，燕铁木儿疑之。王既入京，久停懿诏，不获册立。太后及诸王屡请于燕铁木儿，燕铁木儿故缓其事。日与姬妾饮酒作乐，偎翠倚红，体益尪羸，十余日遂死。

后乃与诸王大臣立潞安王为帝，且嘱之曰："万岁后仍传燕帖古思，勿负吾意。"潞安王再拜受命。告庙升殿，改元元统，是为顺帝。以伯颜为太师右丞相，燕铁木儿弟撒敦为太傅左丞相。从此蒙古大统，仍暗属于炎宋矣。

第九十三回　**还珠亭冤鬼泄愤**

合浦之东，旧有还珠亭，以汉时孟尝为合浦太守，治称神明，失珠复还，后人因建亭以表之。此亭路当孔道，宋初，亭中过客宿者，往往无故自毙，县令不能决，久之，此亭遂废。宋穆宗景新五年，孟缙云来守廉州，政通人和，百废俱兴，慨然欲复修此亭，以励守宰。县令吏胥等阻之，以为此亭久废，多出疑案，不可复建。孟太守不听，鸠工庀材，不日告成，更为匾额，名之曰还珠亭。县令吏胥皆私相窃议曰："从此亭中又多事矣。"

孟太守下车伊始，亦闻昔年许多疑案，尚未深信，是夜即宿亭中，以瞻其异，县令吏胥皆为太守危。孟太守宿至更许，果见一紫罗衫女子，血溅满面，伏地称冤。太守曰："有何冤状？"女子曰："妾夫为石城县令，任满宿此亭，亭长无状，枉杀妾家二十余口，埋在亭下，盗取财物。"太守曰："石城与廉州接壤，道经官员被人劫杀，合浦县宰独不知耶？"女子曰："当时钟明亮寇乱潮阳，各处县宰御寇且不暇，宁计及此？"孟太守又问："女全家被亭长谋杀，自应冤构亭长，何过客经此，辄遭魅魔令毙，是何道理？"女子泣曰："妾冤沉海底，蓄忿无可发泄，故逢人即诉，彼薄福之人，见妾即自惊毙，非妾之罪也！"孟太守点头道是，又问亭长何人？女子曰："即充太守门下公干，所称燕颔虎头毛太尉者也。"太守得实，挥之令去，曰："为汝昭雪，勿得恋此。游魂为厉，则滋汝罪戾矣！"女子叩头而出。

孟太守次日亦不明言其故，细察府中吏役，并无姓毛之人。迟疑未发，暗思此人必虎而冠者，府中无之。县内必有此人，又察县令吏役册籍，亦无一姓毛者。

一夕，微服至茶肆中，坐定，见往来无非胥役，纷纷议论，谓某案非某人不可，某案非某人莫办，众皆哗然。又一役曰："今龙门江海船被劫，失去贡物无算，杀死防海千户兵卒十余人，谁任此案？"一役曰："此案非毛太尉不可。"众皆然之。孟太守闻言惊骇，又未便向前细问，回衙去讫。翌日比案，见各役纷纷销纳文结，惟钦州龙门江一案未销。太守问此案谁人承办，众役禀曰："戚扬。"太守冷笑曰："非燕颔虎头之毛太尉乎？"众役皆曰："然。"时戚扬已苍颜白发，在旁伏地禀曰："此案系水寇抢劫，早晚恐未能拿获，乞假以日月。"太守曰："此案姑且少待，更有还珠亭戕官谋财一案，戚扬须急为办理。"遂飞签下之，戚扬闻言色变，悚息待命。太守即传入役，并合浦县宰，齐至亭中，令人往下深掘之，共得尸二十七具，县令错愕不知所出。太守曰："此石城县令及家口之尸也，县公鞫问戚扬，便知端委。"戚扬此时，已汗流浃背，方欲跪下，忽两眼一昏，见一紫罗衫女子上前，喷血满面，登时晕死。县令命人以水沃之，复苏，即将谋杀情状一一说出。

时戚扬已成巨富，更拘其家小，用重刑拷问，尽皆吐实。天道好还，戚扬昔日行劫，杀石城令二十七口，及今四十年，仍以全家二十七口抵罪，分毫不爽。孟太守令将石城令二十七尸，葬之高原，竖碑立墓，此亭遂传至今日，毫无他异。

第九十四回　清风岭廉夫祈嗣

绍兴府嵊县，有一青枫岭，因岭上枫树甚多，故以名岭。宋端宗时，元将阿鲁台兵徇浙东，破台州等处，掳掠一空。时临海县民妻王氏，有殊色，亦在掳中。千夫长杀其夫，并其翁姑，欲纳为室。王氏恐被污，乃佯谓之曰："能使我为翁姑与夫守期月之服，略尽寸心，方可从命。"千夫长甚喜，许之，又恐其自缢，令所掳妇女杂拥之。师还，挈与同行，至嵊县之青枫岭，王氏见下临绝壑，不啻千仞，守者亦少懈，乃仰天窃叹曰："妾今得死所矣！"遂啮指出血，题诗于石上。有云："云中千古恨，金石一生心"之句。题毕，投崖而死，千夫长怅望而去。后其血渍入石中，颜色如新，不为风雨剥蚀。绍兴府为之树碑，立祠岭上，易其名曰清风岭。

元仁宗皇庆二年，以翰林学士李孟请行科举。始诏令以皇庆三年八月，天下郡县兴其贤者能者，充贡有司，次年二月会试京师，中选者亲策于廷，及第出身有差。此诏一下，南北士子，齐赴京师就试。时有温州府缙云县申屠生，入京应举，才思出众，慨然以第一人自命。道经清风岭，见郡守为王节妇所撰碑纪，不觉哑然失笑曰："既矢志不从矣，而又临海相从至此耶？'节'之一字，谈何容易？我等读书人，正当为名教中抉出节、义二字真面目，方不负所学耳。"乃题诗一绝云：

啮指题诗似可哀，斑斑驳驳上青苔。
当初若有诗中意，肯逐将军马上来。

题毕，走马扬鞭而去。是夜，嵊县令梦入城隍祠，见吏役等仓皇出曰："请县令速入，两郡城隍至矣！"县令趋而进，见两郡城隍上面端坐，私问左右。左右曰："上面居左坐者，乃绍兴府城隍，即东晋时宣城内史桓彝也；居右手坐者，乃台州府城隍，即故宋招谕使谢枋得也。"县令礼毕，即有门吏入报曰："至矣。"两城隍皆离座，降阶以俟，县令随之。只见门外一妇人，冠带而入，两城隍揖之升座，礼毕，分宾主坐定。妇人首先泣告曰："王氏所以间关忍死者，以舅姑与良人未成服，且未得死所故耳，王氏宁畏死哉？今申屠生自恃多才，毁我贞名。将来节之一字将尽丧于彼文人之口，况妇女生前含辛茹苦，甘万死而不辞者，专望死后有人为之发潜阐幽。申屠生前程远大而存心如此，尊神若不主持，从今以后，恐无人立坤维之正气矣。"言毕，掩袂而泣，桓内史色变，徐谓县令曰："黜其科名。"谢侍郎亦怒甚，乃曰："竟绝子嗣。"两城隍再三安慰，妇人始泣谢而起，两城隍转身谓县令曰："节义最为地府所重，世人不省，往往肆口讥讪，士子尤甚。今后垂为令典，凡毁谤贞节者，皆绝子嗣。但王贞妇祠属在嵊县，宜不时令人好为守护。"县令方欲问申屠生何人，而晓钟一声，春梦顿醒。次日，即令人至岭上祠前访之，果有一申屠生至此留题。县令立毁其诗，令人侦察之，申屠生果下第而归，后竟无嗣。及致和中，山阴有杨维贞者，字廉夫，诸暨人也，博学能文，乃大元时一家作手，曾过清风岭，亦题诗祠中，以辨其事云：

胡马驮驮百里程，清风后夜血书成。
只应刘阮桃花水，不似巴陵汉水清。

后廉夫登泰定进士，署天台尹，又任江西儒学提举，历修宋辽金三史，作正统辨千余言，著作甚富，致仕后，居杭州铁冶岭，得莫冶所制铁笛，故改号铁崖曰铁笛，嗣又筑圃于江之上，戴华阳巾，披鹤氅，头挽双髻，吹铁笛作梅花弄，曾有诗云：

青罗包髻自行缠，不是凡人不是仙。
家在洛阳城里住，卧吹铁笛过伊川。

时廉夫年逾大衍，尚未抱子，一日，过会稽，拜祷曹娥祠下，夜梦一女子谓之曰："尔不必祷我，尔不记昔年未第时，题《清风岭》一诗乎？虽未尝掩妇之名，而毁谤节义，其罪至重，故天绝尔嗣。"廉夫悚然惊觉，汗湿重衣，始大悔恨。次日，即市香楮福物牲醴诸事，上清风岭祠中，再拜谢过，奠毕，乃改题一诗以纪之云：

天随地老妾随兵，天地无情妾有情。
指血啮开霞峤赤，苔痕化作雪江清。
愿从湘瑟声中死，不逐胡笳拍里生。
三月子规啼断血，秋风无泪写哀鸣。

题毕，是夜即宿祠中，梦一妇人入，敛衽致谢，廉夫急欲问之，忽见一小儿牵其衣，妇人倏不见，亦遂惊醒。廉夫此时忧喜交集，暗思文人弄笔，一错三十年，今后凡有关名节者，万不可妄肆笔墨。因复在祠前和节妇绝命诗一首，拜谢而归，归后未及一年，果生一子，其和诗云：

君王无道妾当灾，弃女抛男逐马来。
夫面不知何日见，妾身料得几时回？
两行清泪频偷滴，一片愁眉锁不开。
回首故山看渐远，存亡两字实哀哉。

第九十五回　**张士诚贩盐起泰州**

元监察御史张士宏奉诏聘宋。闻广王莹即位，改元景新，是为穆宗。以白映雪为左相，令狐韬为右相，马遇乐为枢密正使，岳坤为枢密副使。时老臣文武，若司马肃、皇甫惇、葛天民、李穆、韩昭、刘理、岳镇等皆卒。穆宗甫即位，见元主遣使入贺，甚喜，厚待士宏。亦遣议郎甘霖奉使答之，传诏以景新二年，出巡六镇。

是时，六镇节度使，四营都部署，叠经更换，如延平节度使石城侯刘瑛、建昌节度使南靖侯韩搏虎、长沙节度使宁武公寇复雷、肇庆节度使安澜侯马遇阳、广右节度使威武大将军常宁侯高耀卿，俱薨。惟岳州节度使总领卫大将军种世虎如故。四营都部署，则靖海营李继业、神策营庹靖、天策营陈同、神武营史进、翔龙府留守司开国侯张怀亮、杉关元帅太尉益阳侯韩靖夏，俱更调数次。文教武功，渐次不及重康、隆熙之初矣。后穆宗闻潞安王上都袭位，大喜，诏以司徒上官诚、参政樊东楼二人，赍礼物往贺。

是时，集庆路花山贼大掠江阴镇江等处，盗舰往来江边，莫敢如何，耶律霸驻兵通州泰兴间，阻定江海门户，急请许参政檄各镇将校，协力捕剿。许有壬即调戚芳、李典、王樗、姚匡四将，各领兵一千，相助剿贼。而花山贼首莫天夜、戎无敌、耿冠军等，凡三十六人起事，前至建康劫宝藏库者，即莫天夜等也。天夜自号为莫老虎，戎无敌自号为巨无霸，耿冠军即耿星星之子，星星死于海岛，冠军出没江海，新附贼党，自号为耿天王。余贼亦皆有诨号，与梁山泊情形相似，聚众数千，横行州郡，商民苦之。有戚芳、王樗二将，合兵至常州，与耿冠军大战于武进县孟城山。王樗不敌，为耿冠军所杀，元兵大溃。耶律都督闻之大惊，急令裨将等紧守海门，自率兵倍道而进，又与贼战于丹阳，伤其头目数人，贼兵夺气。姚匡一军，又在洪泽湖为戎无敌等所败。时贼已蔓延各郡。耶律都督顾此失彼，乃泝流而下，思以重兵截扬子江口，行至青龙湾，不防贼兵猝至，耶律都督亦为莫天夜所败。耶律霸不胜忿怒，檄众将合兵于海州，誓与死斗。莫天夜、耿冠军等闻之，竟纠合贼众，直夺海州，攻破其城，掳掠一空。时耶律都督兵犹未至，莫天夜等又大获全胜，遂屯兵海门，三十六头目俱微服偷过广陵，欲游琼花台，私探扬州。道经茅山，偶遇推车运辇者数百人，各持弓矢，荷戈矛以行。莫天夜等视之，乃盐徒也，不以为意。忽内有三人，拍马当头，大呼曰："此花山贼也。"呼哨一声，一齐围定。莫天夜等忙掣出兵器抵敌，殊三人勇不可当，战不数合，莫天夜中枪身死，耿冠军被斧劈落马，其余死者亦众，伤者多为所擒。盐徒打探贼党尚在海州，乘势追过海门，贼众闻耿天王、莫老虎皆死于其手，望阵先逃，余者皆鸟兽散。比及耶律都督兵至，贼已肃清。令人访杀贼者为谁，盖即泰州之张士诚、士德、士信也。大军既集，无所攻杀，惟抚定疮痍郡县而已。耶律都督深以为耻，叹曰："朝廷养兵数十年，而贼乃平于贩夫，我辈都应愧死。"引兵而归。

且说张士诚本泰州白驹场亭民，家赀巨富，贩盐为业。两弟士德、士信，膂力过人，亦有权略。诸子张龙、张虎、张熊、张虬、张彪、张豹等凡十七人,无不骁勇善战。又有吕珍、韩敬之、李伯清、纪世熊、金镇达等智勇足备者数十人,为之爪牙。故士诚负贩所经,盗贼不敢正视。士诚每抚枕自叹曰:“天下荒乱,草泽中非无英雄,惜乎,蒙古不能驾驭耳!”至是,无意间大破花山贼兵,益轻朝廷,潜蓄不轨之志,多结亡命,俱列部曲,仍以贩盐为名,往来苏松京口间,常谓其妻刘氏曰:“姑苏台,馆娃宫,去此不远。吾大事若成,当于苏州立国,建一楼曰齐云,为汝宴酣之所。”又谓两弟曰:“吾他日起事,其在高邮州乎?高邮有三十六湖,以受七十二涧之水,又有形胜可控,苏、松诸郡俱可顺流而下。”士德、士信皆以为然。遂日与宾客诸子,谋方略,制器械,布腹心,收爪牙,聚糗粮,骎骎乎不日,欲乘长风,破万里浪,投鞭断淝水之流矣。

第九十六回　刘伯温望气游西湖

宋穆宗景新五年，即元顺帝至元六年，翔龙府南海县人朱光卿，一日晨起，揽镜自照，见已蟒玉冠服，立于镜中，异之。又游花田，见二老人，童颜鹤发，飘飘欲仙，聚语于素馨花下，一老人曰："天下何时太平？"一老人曰："待朱天子至，天下仍一统。"朱光卿听得，心中暗喜，正欲上前叩问，二老忽不见。朱光卿益以为神，遂潜蓄异志。闻惠州九曲岭有聂秀卿、谭景山者，自称定光活佛，哨聚有千余人，遂往归之。自言其异，二人大喜，愿相翊戴，并接其妻子至寨中。议以为元灭金绝宋，而武都已复宋世，遂倡言为大金国复起。立光卿为金主，聂秀卿为丞相，谭景山为将军，光卿妻为皇后，子为世子，移兵围龙川。龙川县变生仓猝，登陴守御不及，一日一夜，遂为所破，县令、千户俱死。朱光卿随得东莞，势如破竹，率兵直取海丰。时翔龙府留守司统制，乃总令卫大将军狄勇，闻变，即引精兵兼程而进。时贼兵已入海丰，狄留守遂围海丰，一鼓破之。聂秀卿、谭景山俱死，朱光卿就缚，妻子皆被擒获，光卿至此，始大悔恨曰："花田老人误我矣！"狄留守命械至武都磔之，旬日遂平。

此信传至上都，是时，顺帝左相唐其势谋逆。唐其势者，左丞相撒敦之子，撒敦即燕铁木儿之弟。撒敦卒，唐其势代父为相，伯颜为右丞相，用事，唐其势怒曰："天下本我家天下，伯颜何人，位居吾上。"遂怀异志，与从父答里答，谋立所亲为帝。御史张金告变，伯颜乃率完者帖木儿等引兵围府，唐其势之妹伯牙吾氏，即顺帝后，亦在府中，唐其势被擒攀折殿槛，不肯出，其弟塔剌海，走匿皇后座，后蔽之以衣，左右曳出斩之，血浅后衣。唐其势伏诛，伯颜使人并执后至，后呼帝曰："陛下救我！"帝曰："汝兄弟为逆，岂能相救？"乃迁后出宫，令鸩之。伯颜此时大权皆在掌握，奏罢科举，顺帝允之。宋主闻而叹曰："欲得实才，莫如科举。"诏罢科举，元政由是大坏。

时有高安县丞刘基，字伯温，处州青田人也。少颖悟，善经学，以至元初进士，任高安。曾遇老人邓祥甫，授以天文术数，遂旁通天官阴符家言。因见元政衰乱，郁郁任所，又闻顺帝以罢科举下诏，遂挂冠去，归青田，隐红罗山，曾咏太公钓渭图以见志云：

璇室群酣夜，磻溪垂钓时。
浮云看富贵，流水淡须眉。
偶应飞熊兆，尊为帝者师。
轩裳如固有，千载起人思。

基昔日尝佐石抹宜孙幕，后甚悔之，至是，惟与浦江宋濂、龙泉章溢、丽水叶琛四人相契，优游山水数年。一日，叶琛章溢与客数人，邀基往游西湖，基欣然愿往。泛舟湖中，饮酒方酣，四顾空阔，南北高峰，山水佳丽，令人应接不暇，座中有少年朗吟曰：

虚度韶光二十春，昂然七尺困风尘。
不如死在西湖里，赢得青山葬我身。

基听罢，大笑曰："客钟情甚矣，以酒觞之。忽见异云起于西北，定睛看时，不觉狂喜。大言曰："此天子气也！应在金陵，不出十年，有王者兴。吾与公等当辅之！"座客皆骇。叶琛急止之曰："公醉矣！"章溢因问曰："何为天子气？"基曰："天子之气，外黄而内赤；猛将之气，外赤而内白。反此，则为凶兆。"章溢曰："云气之占，亦有说乎？"基曰："然。有将军云气，有伏兵云气，有胜兵败兵云气，有城上奸贼云气。是以顺之者昌，逆之者亡。"叶琛曰："何以占之？"刘基曰："占气之时，观其初出，如甑上气，勃郁上腾，积而为雾气云气，结为虹蜺晕珥之属，不积不结，散浸一方，不能为灾，必森森疾起者，乃可占。常以平明小晡，日出没时候之，其内有风雨为解者，亦不成灾也。云气如弩弓之状者，天子之气也；云气长数十百丈者，猛将之气也。或云气无故如虎行云中者，主暴兵；或如人字在空者，所发之处，必有人告急；或望无云，独见赤气，如旦暮之雾，或黑云极天，白云如仙人衣，十万联结，部队相逐，罢而复起，皆动兵之象。若出军之日，天气漠漠，云彩阴沉而寒者，必战之象也。如或有青气见君王相上者，大胜。或云三道，如雾非雾，如尘非尘者，敌人发军之征，随其起处防之。白云如匹布，起于东方者，大兵起也，赤者尤甚。青者大丧，黑者亦如之；或黑云三道，首尾锐而中裂者，其下将有大战；或云气赤而具绿黄者，大臣专权之兆，不早除之，必有大变。于军上往来者，往者败，来者胜。如云气散如锦文者，当有赦书行天下，若无庆贺事，必见流血。云气如虎头者，亦暴乱之象也，此云气之七占。为将者当以胜败之象，立修德之防。"章溢、叶琛齐声赞曰："非吾兄精象纬之学，焉能语此？"日暮酒阑，返棹而归。

第九十七回　脱脱决议开黄河

宋穆宗景新九年，左相白映雪卒，以令狐韬、欧阳懋德为相。帝颇事声色，经营土木，令采漳州水晶以作镜殿。尚书上官诚、樊东楼等进谏不听。帝席太平之业，日久宴安，且生猜忌。时冯道南之子冯顺为右丞，王武秀为郎中，杨俊人为太子舍人，三人皆机巧便佞，善伺人主意，帝甚宠之。又有左赞善韩钦明，乃韩昭犹子，议郎吴岌，乃吴广之子，二人亦阿附上意，帝甚重之。五人互相朋比，朝中目为五鬼。王武秀昔日为神策营小吏，犯令，为庹靖虞候所鞭；吴岌亦坐法当斩，陈同恕而杖之。二人遂倡言"国家承平，宜废四大营，并归六镇。"帝亦以岁费浩繁，租税不敷，遂允其奏。宰相令狐韬、枢密使岳坤，极力谏阻不听，二人奏曰："陛下若节妄费，以务正用，国家之岁供，犹恢乎有余。"帝滋不悦，诏下。有建昌节度使史进、翔龙府留守司都统制狄勇、杉关副元帅刘遇隆，三人闻之，不肯奉诏，一齐入朝，上表抗言曰：

> 昭皇帝设四大营，以佐六镇，星罗棋布，以备不虞，乃至善之策也。陛下宜守成法，不可变易。若云经费不敷，则土木之费，珍玩之供，乃陛下近年始有此举。先帝在日，未之闻也。且陛下承宗庙社稷之重，正宜亲贤远佞，节用惜财，以固国本，诏求直言，以培国脉。不然，惟有负先帝艰难恢复之意，并恐失中外人民之望。

疏入，帝大怒曰："欲废四营，乃为国家惜费，汝等乃面侮朕躬，谓朕听佞言耶？"立命斩之。史进、狄勇神色不挠，亦抗声言曰："陛下不惜冗费，而裁正供。四营若废，武备不振，倘变生不测，老臣等立见其败矣！可惜先帝十五年海道播越，创业艰难耳！"帝怒不可止，敕剑封下，群臣不敢进谏，时三人已绑出朝门。史进目光如炬，大言曰："自坏汝万里长城，异日定悔无及。"陈太皇后在宫中闻之，立即命驾直出殿门，责帝曰："汝父如龙，汝兄如虎。国有大政，无不与群臣商妥始行。在位数十年，并未妄杀一朝士，以人才难得，当为国家爱惜也！况史进、狄勇、刘遇隆三人，皆显皇帝恢复创业功臣。汝乙夜观书，几曾见诛杀功臣之主，能国祚绵永乎？必为若所欲，恐一败涂地，将累及老身，不知死所矣。"且责且泣而入。帝大怒，即令人追回令旨，则三人绑至法场，业已斩决矣。帝亦恼悔，诏厚葬之，赠史进为忠列侯，狄勇为武襄侯，刘遇隆为义勇侯，以原官荫其子孙。月余，太皇后陈氏崩，帝哀毁不胜，郁郁寝疾，九月癸丑遂殂，在位十年。穆宗子尚幼，以昭帝子承祐立为太子，至是即位，遂为成宗，以明年为嗣庆元年，从此四营既废，六镇空虚。内而老成凋谢，外而宿将物故，宋祚不复永矣。成宗御极，稔知"五鬼"妨贤病国，尽放流之。是年惠州府罗浮山崩，有尚书樊东楼叹曰："罗浮乃宋业起义之所，今无故崩颓，时事可知。"遂致仕而去。

是时,元顺帝改元至正,复行科举,从右丞相脱脱之请也。按此又一脱脱,乃马札儿台之子。因左相伯颜既诛唐其势,独秉国钧,专权自恣,脱脱乃伯颜从子,虑祸及己,深以为忧,乃问其父马札儿台,当于伯父未败时图之,父以为然。脱脱未决,又质之于其师吴直方,吴直方曰:"此大义灭亲之举也!"正值伯颜构陷郯王,又擅贬宣让、威顺二王,帝不胜其忿,决意逐之。脱脱始以帝出猎,用宿卫兵拘伯颜于京城,草诏榜其罪状,黜为河南左丞相,徙之蒙化,伯颜中途遂死。帝任脱脱为左丞相,录军国重事。帝始忆及文宗谋为不轨,致明宗暴殂于旺忽察都,乃撤去文宗庙主,徙太皇太后于远州,放故太子燕帖古思于高丽。太皇太后乃大悔恨曰:"惜不用燕铁木儿之言,以至于此!"燕铁木儿子孙,尽行诛戮。凡御史台臣有谏者,帝辄诛之,以报宿恨。帝又遣使至沙州,暗护生母柳氏及赵完普等亲属至京,欲尊养之。使臣未至,而完普、柳氏先卒。帝恸悼不已,诏移至燕京,厚葬之,俱有封赠,亲临祭奠,廷臣未喻其意也。

至正十一年,黄河决,脱脱乃大集群臣,廷议河防一事,纷纷众论,无所折衷,惟漕运使贾鲁,以为必塞北河,疏南河,使复故道,工不大兴,害不能已。脱脱奏知,帝遂遣工部尚书成遵,大司农秃鲁等巡行视河,议其疏塞之方以闻。成遵等乃自济濮、汴梁、大名诸处,行数千里,掘井以量高下,测岸以究浅深。博采舆论,以为黄河故道,断不可复。山东连年岁歉,民不聊生,若聚二十万众于此地,恐他日之忧,更有大于河患。时贾鲁先与脱脱言:"此役自关丞相一语已决,况成遵等,采河南北童谣有云:'石人一只眼,挑动黄河天下反',殆欲以此语惊撼丞相耳!"及闻成遵等议,脱脱怒曰:"汝谓民将反,民即反耶?"自辰至酉,议不能决。明日执政皆谓成遵曰:"修河之役,丞相意已定,且自有人任责,公勿多言。"成遵曰:"腕可断,议不可易。"脱脱遂奏出成遵为河间盐运使,诏开黄河故道。以贾鲁为工部尚书,充河防使,发河南北兵民十七万,自黄陵冈南达白茅,放于黄固哈只等口,又自黄陵西,至杨青村,凡二百八十里有奇,兴工五阅月而堤成,河复故道。超授贾鲁为集贤大学士,脱脱为太傅,赐世袭"答剌罕"之号,其余赏赉有差。谁知贾鲁治河,于黄陵冈凿山开道,拆毁民居,驱逐搬徙,果然掘出石人一只眼。所拆毁处,恰是妖人刘福通所居。福通久以白莲会烧香惑众,奉栾城人韩山童为主,诡言天下大乱,山童乃弥勒佛下生,当为中国之主。河南及江淮愚民,翕然信之。事觉,官捕之甚急,山童被擒。福通煽动开河丁夫,以红巾为号,遂据朱皋,攻破罗山、真阳、确山等处。又陷汝宁府,及息州、光州,众至十万。福通乃迎山童之子韩林儿至,立为帝,号小明王,建都亳州,国号曰宋,改元龙凤,以其母杨氏为皇太后,刘福通为平章,乱自此始矣。

第九十八回　**哈麻献策造龙舟**

宋成宗嗣庆二年，以废去四大营，武备遂隳，六镇虽设，节度多不得人，盗贼四起。一时若漳州贼李志甫、汀州贼罗天麟、靖州贼吴天保、湘乡贼沈芝仙、道州贼蒋丙，所在煽乱；而袁州贼周子旺，自称南朝周王，势尤凶悍。告变者星飞雨急。更有应火达者，潜伏京辅，欲夺杉关。成宗叹曰："聚六镇五十二郡之铁，铸不成此一错也！"时宿将既卒，惟种世虎尚镇长沙。诏平湘广诸贼，韩飞琼亦继守杉关，命讨近处群盗。犹幸诸贼起事，虽挝杀命官，相结为乱，俱无大志，乌合之众，倏起倏灭。种节度虽老，威望犹著，兵行皆有纪律。如蒋丙、吴天保、沈芝仙等，无不次第被擒，遂移师江右，会合建昌节度使马如玉，共讨周子旺。

子旺直奔南安，上桂岭，桂岭三关之营亦废，无兵扼险，子旺遂守北藏岭，以拒官兵。马如玉攻之不克，为流矢所中而卒。种节度大怒，督兵奋力仰攻，直夺其险。子旺又窜韶州，种节度追杀之。韩元帅讨李志甫、罗天麟二贼，初战亦为所败，复战伏虎庵，罗天麟被擒，李志甫败入海。惟应火达，一时未能平服。足有三月，始被韩元帅诱入甘露岩，伏发，擒斩之。二人平贼后，入武都见帝，重加赏赉，进爵为侯。种节度未及还镇而死，韩元帅升建昌节度使。

是时，方保珍扰乱台州；张士诚亦起兵，据高邮，国号大周，自称诚王。知府李齐不肯屈膝，士诚怒使曳倒，捶碎其膝而剐之。蕲州罗田县人徐寿辉，亦以红巾为号，攻陷蕲水黄州，以蕲水为都，国号天完，僭称帝。遣其将项普略、丁普郎等，取汉阳兴国，顺流而下，占据杭州诸处。沿江盗起，江右宋州亦失陷无数。

先是至正间，朝中有数君子：如翰林侍讲学士揭傒斯、翰林学士虞集、编修杨载、侍读黄溍国子祭酒欧阳玄、翰林承旨巙巙等，著述作用，皆一代人物，至是皆卒。右丞哈麻等乃进西番僧于帝，行房中运气之术，号演揲儿法。又进西番僧伽璘真善秘密法。帝皆习之，久而益精，荒于淫佚，渔猎美色，无所不至。帝亦自思得承大统，出乎望外，天下大乱，岂能复治？遂以政事付中书，听其裁决，日惟以游宴为事，乃用宫女十六人按舞，曰天魔舞，取艳丽异常者，首垂发数辫，戴象牙冠，身披缨络大红绡，穿长短裙袄，各持加巴剌般之器，及宫女十一人，练槌髻勒帕常服，或用唐帽窄衫，所奏乐用龙笛、头管、小鼓、筝蓁、琵琶、笙、胡琴、响板，每宫中赞佛，则按乐而奏，度曲而舞，帝览之乐甚。又于内苑中浚池，思作一解缆荡桨之乐，而未得其法。

哈麻进曰："臣有龙舟之法。"帝问其详，哈麻曰："其船首尾须长一百二十尺，广二十尺，上建五殿，龙身并殿宇，俱用五彩金装。船行则龙首、眼、爪、尾皆动。造玉漏约高六七尺，为木柜，藏壶其中，运水上下。柜上设西方三圣殿，柜腰，设玉女捧时刻筹，时至，辄浮水而上。左右列二金甲神人，一悬钟，一悬钲。夜则神人自能按更而击。"帝如法造就，于后宫海子内演之。果然船行，龙首、尾、眼、爪，无不皆动，帝大称赏曰："无怪炀帝锦帆江都之游,其乐忘返也。"遂重赏哈麻。有奏边报者,帝辄止之曰:"政事自有中书,朕不与知。"近臣多叹息而退。

第九十九回　**韩节度误释友谅**

宋成宗嗣庆六年，江右湖广大饥，广右瑶贼吉烈思，及土官黄英、岑伯颜等，云扰南宁，攻破昆仑关，进拔柳州、庆远等郡。守臣拓跋琨、狄义、庞凤皆死。节度使吴炳南不能敌，遂紧守桂林。广南、潮阳关等处海寇邵宗愚，杀戮人民，抢州劫郡，掳掠仓库。翔龙府留守王耀先，鞭长不及，潮州高廉等处皆失，将士死者甚众。

是时，陈友定已据建宁，正攻福州，故武都尚无兵侵犯，而江右各郡，则方谷珍屡寇，而韩飞琼屡却之。帝日夜焦思，令上官朴之子上官琏，权为都部署，守护杉关。以史进之子史全忠，引兵一千屯桂岭，扼湘、广、江右诸路，防贼兵骤至。时岳镇子岳奎任枢府，种世虎之子种绳武管度支，六官多不兼备，而致仕者、归隐者，上表辄去。帝下诏切责，然不能禁之。衡、湘自吴天保、蒋丙等倡乱后，余党未靖。韩节度飞琼，恐复啸聚，遂自引一军徇各处，痛加捕剿，复擒斩数千人。兵至湘乡，偶被巡兵获二十七人，似商非商，似贼非贼，节度以诛戮太甚，恐及无辜，乃再三审问，内有一人，形貌甚伟，自言："沔阳人，以捕鱼为生，乃避贼者，非贼也。"叩其名，自言："姓陈，名友谅。"十分剖辨，确有可凭。节度遂纵之去，既而曰："此人目动言肆，状亦雄杰，必非善类，不如杀之，以绝异日之患。"急令人追回，则已逃匿不知去向矣，节度甚是恼悔，引兵巡遍各郡。时营阳、邵陵、全州、道州、杉靖、桂阳，俱为元将邓祖胜等夺去，宋已无力争讨。所控者武安、湘东数大郡而已。韩节度引军回武都，复命讫，不久遂卒。帝为之泣，赠少保，厚葬之。

是时，成宗虽除"五鬼"，又有"三尸"，一少卿梁佩，以聚敛为事，朘削小民；一大理寺丞冉钊，以残酷为能，决狱流血；一吏部郎吴钩，贪墨无厌，贿赂公行。当此国运衰微，恰遇此三人，扼据要津，中外益失所望。人心早已解体，种绳武累欲奏免三人，而帝方倚之为重，疏人不报，岳奎叹曰："所谓上与介甫如一人也，时事可知矣。"

且说沔阳陈友谅，本渔人子，曾为县吏，郁郁不得志。因见天下大乱，潜怀异念，乃以数十人托为捕鱼，来窥衡湘。不料被获，几陷罗网，逃过大江，遂不能久待，因与项普略有旧，直投蕲水。先见倪文俊，文俊用为簿书掾，既而普略引见徐寿辉，寿辉与语，大奇之，拜副元帅，号为天完将，独领一军。乃招其党如张定边、陈英杰等，遂欲纵横天下。时荆襄、武昌、安陆，俱为项普略攻下，乃与普略约定，普略攻江右，友谅竟渡大江，取房州，直抵岳阳。宋将任安世，乃任天鹏之子，权守岳州，拥兵出敌，战败，为张定边所杀，遂破岳州。陈英杰分一军往夺衡阳。守将廖重贵战死，周府尹自缢。陈友谅两路合兵，进攻长沙。此时长沙，节度使已废，守臣寇靖海闻陈友谅即韩节度所释放者，乃大怒曰："吾父坐镇长沙十年，贼兵不敢正视，今友谅犯界，是欺某为纨袴子，不能战也。"率兵三千，出城大杀一阵，贼兵颇有损伤。

次日复战，寇靖海麾众列成一阵，名曰六子连芳阵，将友谅层层围定，箭如飞蝗，贼兵伤者甚众。友谅不识阵法，左右冲杀，无路可出，面中三矢，十分危急。寇靖海望见，骤马杀入阵中，绰起开山大斧，正欲劈友谅首级，忽马失前蹄，反将寇靖海掀翻在地。友谅急捉矛刺之，被贼兵将士，剁为肉泥。宋兵见主将已死，其阵遂乱，陈英杰、张定边等乘势督兵截杀，死者无算。友谅遂入长沙，其余营阳、建州、武陵等郡，势如破竹。陈友谅打听项普略亦取南康，普略将赵普胜，战于湖口，杀行省平章星吉。普略已进兵，袭破吉安。友谅闻之，遂直过广南。史全忠由桂岭兼程而进，急至湘江，深沟固垒，不与交锋，友谅无可如何。岳奎闻之，亦引兵五百，至湘江犄角下寨，扼住贼兵，相持月余，闻宋主成宗有疾，岳奎急引兵，暗暗退去，回至武都。帝随殂，在位七年。岳奎、种绳武等辅太子桓即位，年方五岁。仓卒间，请吴太后临朝垂帘听政，方议遣兵，往阻韶州，尚无其人。忽报陈友定已攻破南关，上官都督战死。陈友定引兵长驱而来，直捣武都。吴太后闻报大惊，种绳武曰："事急矣，臣保太后陛下，速幸漳州避之。"岳奎奏曰："臣誓死守。武都宫中诸王妃嫔，及朝中文武扈从者，即时起行。"

此时陈友谅已战败史全忠，过了湘江，围困韶州。岳奎一意守定武都，惟望广南、江右两处兵入勤王。谁知项普略、赵普胜之兵，已由临江，趋赣州，取建昌矣。广南告急文书，一日数至，尚未知帝幸漳州。岳奎命都尉刘铤、副将军石成、统制申屠礼、金吾将军慕容苌，四将留兵三千守城，自统大队，往迎陈友定对敌。而友定以长胜之兵，奋勇而来。武都数十年不见兵戎，百姓望风而遁。宋兵未战，先自惊愕靡定。岳奎三令五申，连斩数十人，不能禁止，而陈友定之兵已至，两阵对圆。陈友定命骁将薛义出马。不三合，被岳奎斩之。贼兵少退，岳奎麾兵大杀一阵。陈友定夺气，是夜岳奎出其不意，袭其营，陈友定大败而去。忽探马报来，江右建昌府已失，屈突节度尽节，岳奎着惊。又报陈友谅连陷韶州、肇庆二郡，直打翔龙府。宋军闻之，人心慌乱，俱无斗志。复战，遂为所乘，兵溃，副将孟鸿、焦肱、宇文焕等，俱死。岳奎血战三昼夜，衣甲尽赤，浑身上下，矢集如猬毛，遂拔剑自刎。毕竟岳氏一脉忠义。陈友定进攻武都，四将与友定背城一战。奈人心不属，士卒多望阵先逃，四将亦力尽而死。时"三尸"未扈驾从行，遂献城纳降，武都一时死节者，如侍郎吕穆之，谏议大夫耿纯，学士郑梦兰及告老致仕者，凡数十人。是日翔龙府亦为张定边所破，留守王耀先死之，耀先乃老将王方子。参政司马昂被执，不屈而死；史全忠湘江兵败，闻帝在漳州，引兵急趋，扈从保护。而陈友定既得武都，即宰轻骑倍道而进，攻取漳州。

时关普灵之子关浩，为扈驾将军，与史全忠等，引兵奋勇杀贼，乃寡不敌众，贼兵愈杀愈众。关浩知事急，急命种绳武、范景先等，保护太后少帝，由澄海县望海道而去。关浩率兵死战，陈友定麾众围之，关浩嗔目大呼陷阵，杀其骁将数人，已身受重伤，至死犹手握画戟，牢不可解。史全忠力尽被执，陈友定劝之降。史全忠睁目大骂，陈友定肢解之。军士死者无数，其余汀州、延平各郡，俱为陈友定攻下。分兵回福州，自据武都，陈友谅既下翔龙府，又攻惠州、南雄诸处。宋臣文武死节者，如右丞刘敏、参政方连茹、府尹王义方、统制官扈从龙、杨勇、蓝忠等十余人。元平章也儿吉尼、总制张荣，亦乘势引兵，袭破桂林、郁林、思恩，节度吴炳南逃去。广右诸郡，元人传檄而定。至是宋亡，起显宗重康元年庚子，即元成宗之大德四年；终成宗嗣庆七年丁酉，即元顺帝之至正十七年。享国共五十八年,少帝仍航海而去。计显宗重康十七年,昭宗隆熙二十四年,穆宗景新十年,成宗嗣庆七年,重康初,立国武都,规模甫就,君臣皆励精图治,同德同心;隆熙御极,则宋元业已交好,内外文武,辅导得力,生民乐业,下诏求谏,实恭默守文之主;景新初政,颇犹可观;后渐兴土木,弛意奢侈,武备不修,老成亦凋谢殆尽,佞人用事,遂荒于政。

嗣庆即位,四海鼎沸,六镇焉能久存?加以内外空虚,人心散离,文治武功,两无其人,所谓人之云亡,邦国殄瘁也。犹幸三百年养士余泽未湮,显皇帝亦加隆礼,重为培埴国脉,故虽偏安海隅,其亡也,节义之士,指不胜屈。而君臣仍脱身海外,并未作青衣天子。从此群雄窃据,称帝称王者,重复纷纷然起矣。

第一百回　明太祖应运和阳

元顺帝闻张士诚声势甚大，命太师脱脱，引大军击之。脱脱善用兵，先平定芝麻李，威望已著，一至高邮，连战皆捷，分兵收复六合等处，截其路径，士诚大窘。会中书右丞相哈麻与脱脱有隙，讽监察御史袁实本，劾奏脱脱出师三月无功，倾国家之财，以为己用，半朝廷之官，以为己随。帝即下诏夺爵，安置淮安，哈麻寻矫诏遣人鸩之。脱脱既卒，张士诚势复猖獗，进据姑苏，称吴王。既又诈降于元，元主封为太尉。方谷珍、陈友定闻之，互相效尤。元主又以方谷珍为浙江行省左丞相，陈友定为福建行省平章事。是时刘福通，建都于汴梁，迎其主韩林儿居之；明玉珍起剑阁，亦自称帝，国号大夏，改元元统。此外更有何虎真、关先生、毛贵、刘益、田丰、王仕诚等分据山东。广南、大同、辽阳、益都各处，惟天完将倪文俊，始建都于汉阳。徐寿辉正位，封倪文俊为平章。时陈友谅尚在广南，闻之即归，有元行省左丞何真，引兵突入翔龙府据之，仍名为广州。正值吴王张士诚降元，每岁运粮十万余石至燕京，帝遣使臣，赍龙衣、御酒赐之，使臣至中途，遇陈友谅杀而夺之，得御酒龙衣，以奉其主徐寿辉。寿辉平章倪文俊专恣，欲弑寿辉未果，惧罪奔黄州。陈友谅故与文俊有隙，及归，因袭而杀之，并其军，自称平章。随又攻陷信州，改都江州，称汉王。与其将张定边、杨政、熊天瑞、陈英杰等谋迎徐寿辉至，寻弑之。遂称帝，国号曰“汉”。改元“天义”。当时窃据群雄惟吴王张士诚最富，汉王陈友谅最强。然皆攻城掠地，争战无虚日，兵乱岁饥，民不聊生，并无有安天下救生民之志者。

惟大明太祖高皇帝，此时避兵濠城，倡义起师，收纳贤士，欲定天下。太祖姓朱，名元璋，先世家于沛，后徙句容，再徙泗州。父世珍，始徙濠城钟离村，生于朱家巷。母陈氏梦一黄冠者，授丸药吞之，及诞，白气贯空，异香满室，数有光起，比长，姿貌雄杰，志意廓然。年十七，父母相继卒。葬亲无棺，谋瘗凤皇山谷，中道梗绝，忽雷电晦冥，大雨如注。少避之，明日往视土裂，则尸已陷入矣。田主刘继祖即以其地与之。至是孤无所依，乃入皇觉寺为僧。兵乱，乃取伽蓝杯筊，卜避难守旧，皆不从；既卜倡义，卓然倡立，计遂决。西至汝颍，夜陷麻湖，遇群儿呼迎圣驾，叱之不见。有疯道者周颠，见之辄曰：“告天平。”又曰：“你打破一桶，再做一桶。”又常梦西丑有朱台，数羽士以彩绛衣衣之。元顺帝至正十二年，始从郭子兴于濠州。子兴奇其貌，留为亲兵，战辄胜。次年收得里中兵七百余人，子兴遂署之为镇抚，乃与徐达、汤和等，略定远，下滁州，得李善长与语，大悦，用掌书记。次年又下和阳，时郭子兴已卒。刘福通立韩林儿于亳州，欲檄朱元璋为副元帅，不受。此时朱元璋已恩威并著，豪杰归心，欲渡江取金陵，而患无舟楫，恰值巢湖寨水军元帅俞通海等率众万余，船千艘来降。元璋顾左右曰：“吾事济矣！”遂率徐达、冯国用、邵荣、汤和、李善长、常遇春、邓愈、耿君用、毛广、廖永安，引水军东下。首克牛渚矶，进拔太平府，耆儒陶安、李习等，率父老出迎。陶安因进言曰：

“方今四海鼎沸，豪杰并起，攻城屠邑，互相雄长，然其志皆在子女玉帛，取快一时，并无拨乱反正安天下之心。明公率众渡江，神武不杀，人心悦服，以此应天顺人，而行吊民伐罪之师，天下不难定也。”元璋嘉纳之，既而取集庆路，改为应天府。分遣诸将取镇江、广德，皆下之。元璋以诸将推戴，始称吴国公。略定江右，自立为吴王，建百官。又命孙炎往浙东，聘龙泉章溢、丽水叶琛、浦江宋濂、青田刘基四人同至应天。吴王迎至劳之曰：“我为天下，屈四先生，今天下分争，何时定乎？”溢对曰：“天道无常，惟德是辅，惟不嗜杀人者能一之耳。”吴王深以为然，皆重用之。后三次伐汉，拔江州，战鄱阳，围武昌，始平陈友谅，降其子陈理。

至正二十七年，始命元帅徐达、副将常遇春等，取平江路，火焚齐云楼，擒吴王张士诚以归。士诚妻刘氏缢死。继降方谷珍，遂尽有淮南、浙东、江西、荆楚之地。又命征南将军汤和，克福建，执陈友定，以至正二十八年正月乙亥，祀天地于南郊，即皇帝位，建元洪武，以李善长为左丞相，徐达为右丞相。夏四月，征南大将军廖永忠平广东，征虏将军徐达、常遇春平河南，继克太原、甘肃；都督冯胜取潼关；六月平章杨璟取广右。闰七月，徐达、常遇春、李文忠、傅友德等，分道徇河北，连下卫辉、彰德、广平。顺帝始诏扩廓帖木儿领兵勤王。大明兵至通州，元知枢密院事十颜帖木儿，力战而死，顺帝大惧，乃诏淮王帖木儿不花监国，及丞相庆童留守燕京，自集三宫后妃、皇太子，夜半出居庸关北去，如上都，八月，徐达等克燕京，淮王帖木儿不花等皆死。

洪武二年，顺帝奔应昌府，洪武三年，殂于应昌。时征虏将军常遇春卒于军，李文忠遂代领遇春之众，进兵开平县、白海子、骆驼山，败元将太尉蛮子沙不丁、平章朵儿只八剌等之兵，遂督兵长驱大进，攻拔红罗山，直抵上都。连战皆捷，降其左丞盖元鲁，平章上耶罕，留守八失忽都余万等。再袭应昌府，元兵大败。皇太子爱猷识理达腊，从数十骑逃去。皇孙买的哩八剌及皇妃宝玉，皆被擒获。李文忠以元帝既殂，想昔日灭宋，张宏范乃逼至航海不休，循环报复，亦入吾手。遂率兵穷追，大加捕剿，又降其众五万余人，直至北庆州而还。露布以闻，太祖以元帝知顺天命，退避而去，特谥曰“顺皇帝”。而封买的哩八剌为崇理侯。至是天下归一，而正统于是乎定矣。